ISBN 978-1-333-82751-9
PIBN 10683190

1 MONTH OF
FREE
READING

at

www.ForgottenBooks.com

By purchasing this book you are eligible for one month membership to ForgottenBooks.com, giving you unlimited access to our entire collection of over 700,000 titles via our web site and mobile apps.

To claim your free month visit: www.forgottenbooks.com/free683190

English
Français
Deutsche
Italiano
Español
Português

www.forgottenbooks.com

Mythology Photography **Fiction**
Fishing Christianity **Art** Cooking
Essays Buddhism Freemasonry
Medicine **Biology** Music **Ancient
Egypt** Evolution Carpentry Physics
Dance Geology **Mathematics** Fitness
Shakespeare **Folklore** Yoga Marketing
Confidence Immortality Biographies
Poetry **Psychology** Witchcraft
Electronics Chemistry History **Law**
Accounting **Philosophy** Anthropology
Alchemy Drama Quantum Mechanics
Atheism Sexual Health **Ancient History**
Entrepreneurship Languages Sport
Paleontology Needlework Islam
Metaphysics Investment Archaeology
Parenting Statistics Criminology
Motivational

INTERNATIONALES

ARCHIV FÜR PHOTOGRAMMETRIE.

ORGAN

DER

„ÖSTERREICHISCHEN GESELLSCHAFT FÜR PHOTOGRAMMETRIE" IN WIEN.

UNTER MITWIRKUNG DER HERREN:

E. DEVILLE, GENERAL-SURVEYOR IN CANADA; PROF. DR. S. FINSTERWALDER IN MÜNCHEN; PROF. K. FUCHS IN PRESSBURG; PROF. DR. N. HERZ IN WIEN; PROF. DR. HOHENNER IN BRAUNSCHWEIG; K. U. R. GENERAL BARON A. HÜBL IN WIEN; PROF. DIPL. ING. A. KLINGATSCH IN GRAZ; PROF. DR. C. KOPPE IN KÖNIGSTEIN (TAUNUS); PROF. DR. W. LÁSKA IN LEMBERG; PROF. DR. A. MARCUSE BERLIN; GEH. BAURAT PROF. DR. A. MEYDENBAUER IN BERLIN; INGENIEUR-GEOGRAPH P. PAGANINI IN FLORENZ; DR. C. PULFRICH IN JENA; A. RANZA, TENENTE INGEGNERE IN ROM; J. SACONNEY, CAPITAINE DU GÉNIE IN PARIS; R. U. R. HAUPTMANN TH. SCHEIMPFLUG IN WIEN; HOFRAT PROF. DR. A. SCHELL IN WIEN; DIREKTOR F. SCHIFFNER IN WIEN; PROF. TH. SCHMID IN WIEN; PROF. DR. SERVUS IN CHARLOTTENBURG; PROF. DR. A SPRUNG IN POTSDAM; R. THIELE, INGENIEUR IN MOSKAU; DR. J. TORROJA IN MADRID; TOPOGRAPH A. O. WHEELER IN CANADA.

REDIGIERT UND HERAUSGEGEBEN

VON

EDUARD DOLEŽAL,

O. Ö. PROFESSOR AN DER K. K. TECHNISCHEN HOCHSCHULE IN WIEN.

I. BAND.

1908/09.

WIEN UND LEIPZIG.

K. U. K. HOF-BUCHDRUCKEREI UND HOF-VERLAGS-BUCHHANDLUNG

CARL FROMME.

1909.

Inhaltsverzeichnis

des

Internationalen Archives für Photogrammetrie.

I. Band.

I. Namensverzeichnis.

II. Sachverzeichnis.

Abhandlungen.

Bibliographie.

Vereinsangelegenheiten.

INTERNATIONALES
ARCHIV FÜR PHOTOGRAMMETRIE

REDAKTION: PROF. E. DOLEŽAL IN WIEN.

I. Jahrgang	März 1908	Heft 1.

Ziel und Aufgabe des internationalen Archives für Photogrammetrie.

———o———

Die „Österreichische Gesellschaft für Photogrammetrie" in Wien, die erste wissenschaftliche Vereinigung dieser Art, stellt sich zur Aufgabe,

die Theorie und Praxis der photographischen Meßkunst, der Photogrammetrie und Stereophotogrammetrie zu pflegen, ihre Vervollkommnung und Verbreitung zu fördern und zu ihrer Anwendung in verschiedenen Wissenszweigen beizutragen.

Es ist wohl kaum zu verkennen, daß eines der wichtigsten Mittel zur Erreichung des vorstehend skizzierten Zweckes eine Zeitschrift ist, in welcher die neuesten Errungenschaften auf theoretischem, praktischem und instrumentellem Gebiete den Interessenten geboten werden.

Das Organ führt den Titel:

„Internationales Archiv für Photogrammetrie."

Die Photogrammetrie bietet vom theoretischen Standpunkte eine Fülle des Interessanten, sie führt auf Probleme, die den Mathematiker und Geometer in gleichem Maße fesseln, indem sie den ersten zu interessanten mathematischen Lösungen anregen und dem letzteren für deskriptiv-projektive Forschungen reiches Materiale bieten.

Die Mathematiker und Geometer kommen gewiß auf ihre Rechnung.

Aber auch die theoretischen Forscher und Praktiker in anderen Wissenszweigen werden in der Photogrammetrie eine Stütze und Förderin ihrer Bestrebungen finden.

Die Anwendungen der Photogrammetrie sind vielseitig und wichtig. Der Ingenieur bei Terrainaufnahmen in schwer zugänglichem Gelände, der Topograph bei seinen Arbeiten im Hochgebirge, der Architekt bei Aufnahmen von Baudenkmälern, der Meteorologe bei Wolkenaufnahmen und bei Fixierung rasch sich vollziehenden Erscheinungen, der Ballistiker zum Studium der Flugbahnen und anderer für die Ballistik wichtiger Vor

kommnisse, der Marineur für die Küstenaufnahmen, der Militär und Aëronaut für Rekognoszierungszwecke, endlich der Forschungsreisende, der Geograph und Astronom, sie alle werden bei sinngemäßer Anwendung aus der photographischen Meßkunst bedeutenden Vorteil ziehen.

Durch Einführung der Stereophotogrammetrie ist das Gebiet der photographischen Meßkunst noch wesentlich erweitert worden und läßt es sich heute noch gar nicht überblicken, in wie viele Wissenszweige sie noch als geschätzte Hilfskraft eingreifen wird.

Um sich aber gedeihlich weiter entwickeln zu können, benötigt die photographische Meßkunst, wie heutzutage schon jede Sache, ein spezielles Organ.

Dieses soll alles bringen, was auf dem Gebiete der Photo- und Stereophotogrammetrie gearbeitet wird: rein theoretische Untersuchungen, neue Methoden, neue Apparate; außerdem sollen auch interessante praktische Arbeiten den Leser über die Anwendungsgebiete und die Fortschritte der Wissenschaft informieren.

Neben Originalarbeiten sollen auch sorgfältige fachmännische Referate über alle an anderen Orten veröffentlichte einschlägige Arbeiten den Leser orientieren, demselben somit leicht zugänglich sein und es soll ein vollständig klares Bild des jederzeitigen Standes der photogrammetrischen Wissenschaft geboten werden.

Das Archiv für Photogrammetrie soll ein wahres Zentralblatt werden; es soll eine Art Depot für alle Errungenschaften unseres Faches darstellen und können somit in demselben auch fremdsprachige Arbeiten aufgenommen werden.

Veröffentlicht werden Arbeiten in deutscher, französischer, englischer und italienischer Sprache.

Das „Internationale Archiv für Photogrammetrie" wird in zwanglosen Heften erscheinen, von welchen eines 4 bis 5 Druckbogen umfassen wird; 4 bis 5 Hefte werden einen Band bilden.

Wien, im Februar 1908.

Die Herausgeber.

Colonel Aimé Laussedat.

Membre de l'Institut.

Moulins, geboren 19. April 1819.   Paris, gestorben 18. März 1907.

Oberst Aimé Laussedat,

der Begründer der Photogrammetrie, sein Leben und seine wissenschaftlichen Arbeiten.

Von Eduard Doležal, o. ö. Professor an der k. k. technischen Hochschule in Wien.

Oberst Aimé Lausedat ist nicht mehr, aber sein Name wird nicht vergessen werden, er bleibt unzertrennlich verknüpft mit der „Métrophotographie", für deren Anerkennung als praktisch verwendbares Meßverfahren, für deren Ausgestaltung und Vervollkommnung er während seines ganzen Lebens rastlos und zielbewußt mit dem genialen Blicke eines Mannes eintrat, in welchem sich das tiefe Wissen des Gelehrten mit den vielseitigen Erfahrungen des Praktikers auf das glücklichste vereinten.

In seinem Vaterlande wird man auch immer den glühenden Patriotismus bewundern, mit dem er seine reichen Kenntnisse im deutsch-französischen Kriege für die Verteidigung von Paris verwertete, endlich die Zähigkeit, mit .der er nach dem Friedensschlusse als Mitglied der Grenzvermarkungskommission für die Interessen Frankreichs eintrat.

Aimé Laussedat wurde am 19. April 1819 zu Moulins im Departement Allier geboren und. besuchte in den Jahren 1838 bis 1840 die „École polytechnique" in Paris. Hierauf trat er als Leutnant in das Geniekorps ein und hatte sich nun teils mit Projekten und Arbeiten für die Befestigung von Paris, teils mit topographischen Aufnahmen in den westlichen Pyrenäen zu beschäftigen.

Um diese Zeit wurde Laussedat mit den Arbeiten des Ingenieurhydrographen Beautemps-Beaupré bekannt, und zwar durch die Lektüre des im „Annuaire du Bureau des Longitudes 1846" veröffentlichten Berichtes des Akademikers Arago über die Forschungsreise der beiden französischen Generalstabsoffiziere Galinier und Ferret, welche von dem Beautemps-Beaupréschen Aufnahmeverfahren den ausgedehntesten Gebrauch gemacht hatten.

Beautemps-Beaupré hatte nämlich in dem Bestreben, den Verlauf der Uferlinien von Inseln, Häfen und fremden Ländern schnell und einfach bestimmen zu können, ein Verfahren ersonnen, welches ihm gestattete, auf Grund einfacher perspektivischer Freihandzeichnungen und weniger Winkelmessungen, eine Aufnahme des fraglichen Terrains zu rekonstruieren.

Die Methode der Rekonstruktion ist im Wesen dieselbe, welche heute noch in der Photogrammetrie Anwendung findet.

Beautemps-Beaupré hat dieses Verfahren auch bei der Weltumseglung der Fregatte „Bonite" in den Jahren 1791 bis 1793 bei den Reisen von Dentrecasteaux zur Küstenaufnahme des Archipels Santa-Cruz und Van Diemens Land mit großem Erfolge verwendet.

Die erste Publikation findet sich in dem Werke: „Méthode pour la levée et la construction des cartes et des plans hydrographiques" par Beautemps-Beaupré, Paris, Imprimérie impériale 1811, publiziert bereits 1808.

Auch in den Militärschulen fand dieses Verfahren Eingang und war es namentlich Oberst Leblanc, der sich bemühte, ihm die verdiente Anerkennung zu verschaffen.

Bei dem berühmten Architekten Caristie, der Napoleon auf seiner Expedition nach Ägypten begleitete und die Camera benutzt hatte, um perspektivische Skizzen der Denkmäler der Pharaonen zu erhalten, hatte Laussedat die Camera lucida um das Jahr 1844 kennen gelernt.

Im Jahre 1846 avancierte Laussedat zum Hauptmanne und wurde mit der Aufgabe betraut, in den westlichen Pyrenäen topographische Aufnahmen zu machen, welche die Basis für eine Grenzregulierung bilden sollten. Er hatte hierbei Gelegenheit, die expeditiven Methoden der Terrainaufnahmen gründlich zu studieren und in der stillen Abgeschlossenheit der Berge reifte in ihm der Plan, das Verfahren von Beautemps-Beaupré durch Verwendung der Camera lucida von Wallaston auf eine höhere Stufe der Leistungsfähigkeit zu bringen. Und in der Tat, durch diese Verbindung war ja schon der Übergang zur modernen Photogrammetrie geschaffen.

Aus dieser Zeit stammen die beiden Relationen:

1. „Sur la necessité de rectifier la frontière des Pyrenées" und

2. „Sur l'application de la chambre claire au lever des plans", welche er seiner vorgesetzten Behörde vorlegte und denen der General Vaillant, der spätere Marschall, hohes Lob spendete.

Besonders die zweite Arbeit ist von großem Werte, weil Laussedat die Camera clara von Wollaston zu einem einfachen und bequemen Hilfsmittel des Topographen machte; er schuf ein Instrument, das einem geschickten Zeichner ermöglichte, korrekte perspektivische Zeichnungen von Architekturen, Terrainteilen usw. anzufertigen, die dann zur Rekonstruktion verwendet werden konnten.

Laussedat legte hiermit den Grund zu der von ihm mit größter Wärme vertretenen Ikonometrie; das einschlägige Instrument erhielt den Namen Ikonograph.

Nachdem Laussedat seinen Ikonographen auf seine Leistungsfähigkeit geprüft und sich von seiner einwandfreien Funktion überzeugt hatte, schritt er daran, interessante Objekte für die Rekonstruktion aufzunehmen und die Genauigkeit des Verfahrens zu untersuchen. Er unternahm in den Jahren 1851 bis 1856 mehrere Reisen, auf welchen Aufnahmen mit dem Ikonographen hergestellt wurden.

Aus der ersten Zeit stammen die Aufnahmen von Architekturen und militärischen Objekten:

1. Das Panthemont, ein Gebäude in der rue de Bellechasse;

2. die Forts von Vincennes und

3. die Festung Mont-Valérien.

Die Genauigkeitsuntersuchungen, welche im Jahre 1850 unter Beteiligung des Genie-Oberstleutnants Bichot, des späteren Generals und Kommandanten der topographischen Brigade, ausgeführt wurden, ergaben hinsichtlich der Winkel, welche auf Grund. der sorgfältig gemessenen Größen aus den mit der Camera clara gezeichneten Perspektiven bestimmt wurden, und zwar graphisch und rechnerisch,

1. daß die Horizontalwinkel auf einen Degré, daher weniger genau sich bestimmen ließen als die Winkel, welche mit der Bussole ermittelt wurden, und

2. daß die Vertikalwinkel wohl geringere Genauigkeit besaßen als jene, die mit einem Eclimeter erhalten werden, anderseits aber genau genug waren, um .für nicht zu sehr entfernte Punkte hinreichende Schärfe zu erzielen.

Seine Studien über die Verwendung der Camera clara zum Zeichnen von Perspektiven und ihre Ausnutzung zu topographischen und Architekturaufnahmen hat Laussedat erst im Jahre 1854 unter dem Titel:

„Mémoire sur l'emploi de la chambre claire dans les reconnaissances topographiques" im „Mémorial de l'Officier du Génie", Nr. 16, Paris 1854. veröffentlicht.

Aber nicht bloß die Heranziehung der Camera lucida, auch jene der eigentlichen photographischen Camera zu topographischen Zwecken und Architekturaufnahmen verdanken wir Laussedat.

Bereits im Jahre 1850 hat er die Verwendung der Photographie zur Herstellung von Aufnahmen ins Auge gefaßt und verstand es, das Kriegsministerium für seine Pläne zu interessieren.

Das Komitee für Fortifikation stellte Ende 1851 Laussedat eine photographische Camera zur Verfügung; diese. wurde mit einer Libelle und zur Orientierung mit einer Bussole versehen; die Horizontal- und Vertikalmarken waren an der Stelle, wo die lichtempfindliche Platte zu liegen kommt, angebracht.

Die Versuche wurden alsbald eingeleitet; Laussedat verwendete hierbei mit Albumin präparierte Platten.

Die Aufnahmen fanden auf der Terrasse des Collège de France statt und erstreckten sich vornehmlich auf die umliegenden Gebäude; die Platten wurden in dem Laboratorium des bekannten Physikers Regnault präpariert. Dies gab zu der irrigen Behauptung Anlaß, daß Regnault die Anregung gegeben habe, die Photographie zur Herstellung genauer Perspektiven heranzuziehen. Diese Behauptung ist jedoch ganz unrichtig; die Idee stammt von Laussedat, Regnault stellte diesem nur sein Laboratorium zur Verfügung und war sonst nicht an den Laussedatschen Forschungen beteiligt.

Leider war das photographische Verfahren damals noch viel zu unvollkommen, als daß die Laussedatschen Versuche gleich von einem greifbaren praktischen Erfolge hätten begleitet sein können. Die verwendete Linse hatte ein viel zu kleines Gesichtsfeld, die Stabilität des Instrumentes war äußerst gering, die Aufstellung desselben wieder viel zu umständlich, es kann daher nicht überraschen, daß die Resultate hinsichtlich der Genauigkeit und Schärfe so mangelhaft waren, daß Laussedat seine hoffnungsvollen Versuche einstweilen wieder einstellen mußte.

Als das Kollodiumverfahren bekannt wurde, schritt Laussedat alsbald wieder zu neuen Versuchen und er stellte nunmehr die Bedingungen fest, welche eine zu topographischen und architektonischen Aufnahmen bestimmte Camera erfüllen müsse, wobei ihm auch die bei der Aufnahme des Invalidendomes am Vaubanplatze gemachten Erfahrungen zustatten kamen.

Im Jahre 1858 stellte der ausgezeichnete junge Optiker Bertaud dem Gelehrten ein selbst angefertigtes Objektiv mit der Brennweite von 50 cm und einem Gesichtsfelde von 30° zur Verfügung. Mit diesem Objektive wurde nach den Angaben Laussedats von dem berühmten Mechaniker Brunner in Paris die erste topographische Camera im Jahre 1851 fertiggestellt.

Eine Veröffentlichung über dieses Instrument erfolgte erst im Jahre 1864 in der Arbeit:

„Mémoire sur l'emploi de la photographie dans le lever des plans et spécialement dans les reconnaissances militaires" im „Mémorial de l'Officier du Génie" Nr. 17, Paris 1864.

Aber schon im Jahre 1859 überreichte Laussedat eine Abschrift dieses Mémoire, welches er im Sekretariate des Komitee für Fortifikation deponiert hatte, der Pariser Akademie der Wissenschaften. Eine Kommission, bestehend aus den Akademikern Daussy und Laugier, hatte das eingereichte Mémoire Laussedats zu prüfen.

Die genannten Akademiker luden Laussedat ein, ihnen das Verfahren zu demonstrieren, und es fand hierauf tatsächlich in Paris eine Probeaufnahme statt, wobei die photographischen Aufnahmen vom Dache der polytechnischen Schule und der Kirche St. Sulpice ausgeführt wurden.

Laussedat hatte von einem Kameraden, einem ehemaligen Schüler der École polytechnique, namens Laveine, eine Camera erhalten, deren Objektiv eine Brennweite von 0·426 m besaß und an welcher eine Libelle angebracht wurde. Da die Camera für photogrammetrische Zwecke sonst nicht adjustiert war, also weder Horizont- noch Vertikalmarken besaß, so mußte der Horizont für sich bestimmt werden, und zwar mit einem Nivellierinstrumente; dieses wurde mit dem Objektive in gleiche Höhe gestellt und mehrere markante Punkte wurden in der Horizontalebene des Nivellierinstrumentes ermittelt, die auf den Photogrammen leicht aufgesucht werden konnten. Durch Verbindung dieser Punkte ergab sich die Horizontlinie.

Laveine assistierte Laussedat bei diesen Arbeiten.

Bei Prüfung der Horizontaldistanzen bediente sich das Kommissionsmitglied Daussy des Planes vom Chef-Ingenieur Emmery und gab jene Monumente an, deren Lage auf photographischem Wege zu kontrollieren waren.

Der berühmte Architekt Viollet-le-Duc, welcher bei der Bestimmung der Kote an der Kathedrale Notre-Dame anwesend war, verwendete zur Kontrolle einen vorhandenen Plan der Kirche.

Berücksichtigt man die Leistungsfähigkeit der damaligen Objektive, welche noch mit einer Reihe von Verzeichnungsfehlern behaftet waren, so mußte das erzielte Resultat als ein gutes bezeichnet werden.

Die Vertreter der Pariser Akademie sprachen sich auch in diesem Sinne aus. Der Kommissär Laugier stellte in der Sitzung vom 25. Juni 1860 dem photographischen Meßverfahren das beste Zeugnis aus und die Akademie schloß sich seinem Votum vollständig an.

Der Bericht, welchen Laugier über diesen Versuch an die Akademie erstattete, wurde in den Comptes rendus 1860, S. 1127, veröffentlicht.

Jedenfalls unter dem Eindrucke der günstigen Äußerung der Akademie ordnete der französische Kriegsminister im Jahre 1861 einen neuerlichen Versuch an, welcher in Gegenwart der Offiziere der Geniedivision der kaiserlichen Garde ausgeführt wurde.

Dieser Versuch gestaltete sich für Laussedat viel bequemer, weil mittlerweile die nach seinen Angaben von Brunner ausgeführte topographische Kamera (Phototheodolit) bereits fertiggestellt war und vorzüglich funktionierte. Der Versuch fand unter Leitung des Bataillonschef Blondeau, des Kommandanten der Geniedivision, statt und sollte in der topographischen Aufnahme des Dorfes Buc in der Nähe von Versailles bestehen.

Am 4. Mai 1861, um 1 Uhr nachmittags, begab sich die Kommission nach Buc, wo Laussedat nach sorgfältiger Rekognoszierung auf einer Straße eine 334·80 m lange Basis ausmaß und von dieser aus zwei geeignete Punkte, welche neben den Basisendpunkten als Standpunkte für die topographische Camera benutzt wurden, durch Triangulierung der Lage nach und durch trigonometrische Höhenmessung in der Höhe festlegte; hierauf wurden die photographischen Aufnahmen in den vier Standpunkten erledigt.

Um 5 Uhr waren die Feldarbeiten vollendet und die Kommission kehrte nach Versailles zurück.

Die Aufnahme war tadellos gelungen und die Rekonstruktion erfolgte ohne jede Schwierigkeit, da die Orientierung genau durchgeführt und die Grundlagen gut waren.

Die Probeaufnahme ist glänzend gelungen, der fertige Plan war mit Schichtenlien in 4 Tagen fertiggestellt und fand den Beifall der Kommission.

Der Kriegsminister ordnete in den Jahren 1861 und 1862 weitere Versuche mit dem photographischen Meßverfahren an, welche von Genieoffizieren der kaiserlichen Garde durch Aufnahme der Festung Mont-Valérien ausgeführt wurden. Den photographischen Teil besorgte Leutnant Sabouraud in glänzender Weise und bediente sich schon damals eines Trockenverfahrens.

Um das Jahr 1863 hat die Akademie der Wissenschaften in Madrid einen Preis ausgeschrieben über das Thema: „Terrainaufnahme mittels Photographie."

Laussedat legte die Aufnahme von Buc im Maße 1 : 1000 nebst den acht photographischen Bildern und geodätischen Unterlagen vor, begleitet von einem ausführlichen Mémoire. Diese Arbeit, welche in den Schriften der Madrider Akademie zur Publikation gelangte, wurde preisgekrönt und Laussedat erhielt als Preis eine Goldene Medaille.

Die Kinderkrankheiten der neuen Kunst waren nun überwunden und jedermann, der eine Aufnahme mit dem photographischen Verfahren mitgemacht oder sich an der Rekonstruktion beteiligt hatte, war von der Leistungsfähigkeit des Verfahrens überzeugt.

Über Vorschlag des Komitee für Fortifikation aktivierte der Kriegsminister eine kleine topographische Brigade und Laussedat wurde ihr erster Kommandant. Zugeteilt wurden ihm noch Hauptmann Javary und Leutnant Galibardy.

Diese topographische Brigade führte eine Reihe von äußerst wertvollen Aufnahmen aus: Forts von Paris, die Umgebungen von Toulon, Belfort. Saint Marie aux Mines, das Plateau von Langres usw. Vom Jahre 1864 bis 1868 wurde eine Fläche von 72.000 *ha* aufgenommen und hätte ferner über Auftrag des Kriegsministers Niel die Festlegung der wichtigsten Übergänge vom Elsaß nach Lothringen erfolgen sollen, welche Arbeit jedoch nicht zur Ausführung gelangte, weil Niel im Jahre 1869 starb.

Aber trotz aller ermutigenden Erfolge wurde die Brigade nach dem für Frankreich unglücklichen Kriege mit Deutschland im Jahre 1871 aufgelöst, was für den Fortschritt der Photogrammetrie in Frankreich vom größten Nachteile war.

Laussedat selbst weilte bei Ausbruch des Krieges in England, wo er die großen Sternwarten besuchen wollte. Er kehrte schleunig nach Frankreich zurück und wurde damit betraut, die linke Seite des Befestigungsgürtels von Paris in Verteidigungszustand zu setzen, welche Aufgabe er mit glänzendem Erfolge löste.

Während der Belagerung von Paris kam auch der Telemetrograph, eine Erfindung von Laussedat, zur Verwendung. Vor das Okular eines Fernrohres mit bedeutender Vergrößerung ist eine Camera lucida montiert, welche gestattet, die im Gesichtsfelde des Fernrohres wahrgenommenen Gegenstände bequem auf ein Zeichenbrett zu skizzieren. Auf diese Weise war man imstande, von den militärischen Stationen aus jene Terrainflächen der Umgebung von Paris zu sichten, wo von den deutschen Truppen Arbeiten ausgeführt wurden, die gemachten Wahrnehmungen zu signalisieren und die Aufmerksamkeit der Verteidiger auf die bedrohten Stellen zu lenken.

Auch die Photogrammetrie hätte nach dem Plane Laussedats durch Hauptmann Javary für artilleristische Distanzmessungen verwendet werden sollen; ferner organisierte er auch den Dienst mit dem optischen Telegraphen, welcher die verschiedenen Observationspunkte von Paris miteinander verband und vorzüglich geeignet gewesen wäre, ein gutes Verständigungsmittel zwischen der belagerten Stadt und den Entsatztruppen abzugeben, wenn nicht andere hindernde Umstände dazwischen getreten wären.

Das Laussedatsche System der optischen Telegraphie, das er später wesentlich ausgestaltete, steht noch heute in Frankreich in Verwendung und verbindet die französischen Festungen.

Nach Beendigung des für sein Vaterland unglücklichen Krieges wurde er zum Mitgliede der Grenzvermarkungskommission ernannt. Bald begleitete er den General Doutrelaine nach Brüssel, bald hielt er sich allein in Frankfurt auf, wo er sich mit Energie für die Interessen seines Vaterlandes einsetzte und bestrebt war, die Grenzregulierung für Frankreich möglichst günstig durchzuführen. Hierbei unterstützten ihn seine geographischen und geologischen Kenntnisse im hohen Maße und kam die Zähigkeit zur Geltung, die den Söhnen der Auvergne angeboren ist.

Seine eifrigen und tatkräftigen Bemühungen hatten den Erfolg, daß ein Gebiet mit 50.000 Einwohnern und reiche Mineralschätze in der Umgebung von Belfort und Longwy Frankreich erhalten wurden.

Sein Sohn, der jetzige Doktor der Medizin in Moulins H. Laussedat, damals 16 Jahre alt, begleitete ihn auf dieser schweren Mission.

Zufolge dieser für sein Vaterland so erfolgreichen Tätigkeit wurde Laussedat zum Oberstleutnant befördert.

Im Jahre 1874 wurde er Oberst und organisierte nun auch den Brieftaubendienst, den Verkehr zwischen den Brieftaubenvereinen und die Maßnahmen für die Mobilmachung der Tauben im Kriegsfalle.

Laussedat war es, der als Präsident der Commission des communications aériennes die Einrichtung des Luftschifferparkes in Chalais vorbereitete; mit Unterstützung des General Berthaud gelang es ihm, die äronautische Schule in Meudon zu reaktivieren und er fand dann in dem bekannten Luftschiffer Hauptmann Renard den richtigen Mann für die Durchführung seiner Ideen. Auch befaßte er sich mit Spezialstudien über die Verwendung des elektrischen Lichtes zur Beleuchtung von Festungen und bewirkte die Einführung des Manginschen Scheinwerfers.

Der unermüdliche Arbeitseifer Laussedats wurde aber durch seine militärische Tätigkeit und durch seine Wirksamkeit als Bahnbrecher für die Anwendung der photographischen Camera im Dienste des Geodäten noch lange nicht erschöpft. Laussedat beteiligte sich noch bei mannigfachen Arbeiten und Untersuchungen am Pariser astronomischen Observatorium unter der Leitung von Faye und Arago und war im Jahre 1854 schon so weit vorgeschritten, daß er diese beiden berühmten Gelehrten in ihren Vorlesungen über Astronomie vertreten konnte.

Im Vereine mit seinem Freunde Girard konstruierte er 1860 den horizontalen Photoheliographen.

Die erste Idee, dem Heliographen durch Verwendung des Heliostatspiegels eine feste, unveränderte Lage zu geben, wodurch es möglich wurde, bei großer Brennweite ein großes Sonnenbild zu erhalten und so ein Vergrößerungssystem zu eliminieren, das bei beweglichen Photoheliographen angewendet wird und viele Mängel im Gefolge hat, rührt von Laussedat her.

Mit einem solchen Apparate hat er zu Batna in Algier am 18. Juli 1860 die Sonnenfinsternis photographiert. Viele Jahre später unternahm er eine ähnliche Expedition nach Salerno, um eine totale Sonnenfinsternis photographisch festzulegen und nahm auch aktiven Anteil an den Beobachtungen des Venusdurchganges zu Montpellier.

Der von Laussedat angegebene Photoheliograph fand mit geringen Modifikationen, welche ihm von Cornu, Martens u. a. gegeben worden sind, später durch französische und englische Astronomen Anwendung bei den Venusdurchgängen in den Jahren 1874 und 1882; außerdem versehen diese Apparate auf großen Sternwarten den täglichen Dienst, um photographisch große Sonnenbilder zu erhalten.

Eine Reihe von interessanten astronomischen Mitteilungen in den Comptes rendus bekunden, in welch intensiver Weise Laussedat astronomische Studien betrieb.

Im Jahre 1851 wurde Laussedat, damals noch ein junger Hauptmann, als Repetitor für Geodäsie und Astronomie an die École polytechnique berufen, im Jahre 1856 wurde er als Nachfolger des Obersten Hossard ordentlicher Professor an dieser Anstalt, und hielt nebenbei Vorträge über „Angewandte Mathematik" am Conservatoire des Arts et Métiers. Er errichtete auch ein astronomisches Observatorium an der École polytechnique und sistierte seine Vorlesungen trotz seiner mannigfachen Arbeiten erst im Kriegsjahre 1871, als ihn die Not des Vaterlandes zur Verteidigung von Paris aufrief.

In der zweiten Hälfte der siebziger Jahre wirkte Laussedat als Lehrer an der Kriegsschule, organisierte Kurse für Eisenbahnbau, Maschinenwesen, Elektrizität, Luftschiffahrt usw. und erfreute sich hier besonderer Wertschätzung.

Mit 60 Jahren trat er 1879 als Oberst in den Ruhestand. Auffallen muß es, daß dieser hervorragende Offizier, Ingenieur, Lehrer und Gelehrte bei seinem Scheiden aus dem aktiven Dienste keine besondere Auszeichnung erhielt; der Rang eines Generals wäre wohl des Lohnes nicht zu viel für die großen Verdienste gewesen, die er seinem Vaterlande auf den verschiedensten Gebieten geleistet hat.

Ruhe gönnte sich der Rastlose auch jetzt noch nicht, er betätigte sich mit nie erlahmender Schaffensfreude noch durch nahezu drei Jahrzehnte im Dienste der Wissenschaft und des öffentlichen Lebens.

Von 1879 bis 1881 bekleidete er die Stelle eines Studiendirektors an der École polytechnique und wurde nach dem Rücktritte von Hervé-Margon im Jahre 1881 Direktor des Conservatoire des Arts et Métiers, wo er eine segensreiche Tätigkeit entfaltete.

Die großen Erfolge der Photographie in Kunst und Wissenschaft, ihre vielseitigen Anwendungen, die er alle genau kannte, reiften in ihm den Entschluß, am Conservatoire der Photographie eine Zentralstelle, eine Lehr- und Versuchsstätte zu schaffen; seine Bemühungen hatten nicht den gewünschten Erfolg.

Die traurigen Erfahrungen der achtziger Jahre hinderten ihn nicht, in den neunziger Jahren diese gute Idee von neuem zu propagieren. Er veröffentlichte in den Annalen des Conservatoire 1890 bis 1894 wichtige Arbeiten über die Entwicklung der Photographie und Metrophotographie in Frankreich, organisierte in den Jahren 1891 bis 1892 und 1899 bis 1900 Zyklen von populären Vorträgen über Photographie und ihre Anwendungen, an welchen sich die bedeutendsten Forscher Frankreichs beteiligten.

Nach dem Tode des General Favé 1894 wurde Laussedat Mitglied der Pariser Akademie der Wissenschaften, wo er in den Sitzungen dieser berühmten Gesellschaft über die Fortschritte der Photogrammetrie zu referieren und mit jugendlicher Begeisterung die Arbeiten zu besprechen pflegte, welche ihm, als dem Altmeister der Photogrammetrie, von aller Herren Länder zukamen.

Vergeblich bemühte sich Laussedat, seine Landsleute auf die Bedeutung der Photogrammetrie in der Topographie, der Architektur und für
Ballonaufnahmen usw. aufmerksam zu machen.

Im Anfange der neunziger Jahre hatte das mathematisch-mechanische
Institut von Ducretet nach Angaben Laussedats mehrere Typen von
Phototheodoliten gebaut, die bei diversen photogrammetrischen Arbeiten zur
Verwendung kamen.

Als der russische Ingenieur R. Thiele zur Aufnahme von ausgedehnten
flachen Gebieten seinen Panoramenapparat konstruierte, der neben einer
Aufnahme auf eine horizontale Ebene mehrere Aufnahmen auf geneigte Bildebenen auszuführen gestattet, konstruierte Laussedat den optischen Transformator, der die Überführung einer Aufnahme auf geneigte Bildebene auf
eine horizontale Ebene auf optisch-mechanischem Wege bewerkstelligt.

Im Jahre 1900 legte er seine Stelle als Direktor des Conservatoire
nieder und wurde bei dieser Gelegenheit mit dem Titel eines Ehrendirektors
ausgezeichnet; enttäuscht und mit Bitternis erfüllt, schied er aus seiner
Stellung, in der er nahezu 20 Jahre sein reiches Wissen und seine Erfahrungen dem Vaterlande widmete, um sein monumentales Werk: „Recherches
sur les instruments, les méthodes et le dessin topographiques", welches im
Jahre 1903 in zwei Bänden erschien, zu vollenden.

Laussedat stand als Offizier und Gelehrter im hohen Ansehen; seine
vielseitige und fruchtbare Tätigkeit fand die verdiente Anerkennung. Er
war Mitglied der Akademie der Wissenschaften zu Paris und Madrid; hoch-
ansehnliche wissenschaftliche Körperschaften, als: Commission de l'Observatoire national de Paris, Société astronomique de France, Association française
pour l'avancement des Sciences, Société de Géographie de Paris, Société
française de Photographie etc. wählten ihn wiederholt zu ihrem Präsidenten.

Laussedat war auch Kommandeur der Ehrenlegion und Besitzer vieler
anderer staatlicher Auszeichnungen.

Anläßlich der goldenen Hochzeit des Gelehrten, der mit seiner treuen
Gefährtin in denkbar glücklichster Ehe lebte, haben seine Freunde und
Verehrer eine Plaquette anfertigen lassen, welche auf der Aversseite das
wohlgelungene Bildnis Laussedats zeigt, während die Reversseite in kurzen
Schlagworten die wichtigsten Momente seines arbeitsreichen Lebens festhält.
Diese Inschrift lautet im französischen Texte:

Colonel — Laussedat — Membre-de-l'Institut —

Officier — du — Génie — .

Concourt — à — la — Defense — de — Paris. — Contribue — à — Frankfort —
à — Preserver — 50.000 — Compatriote — de — l'Annexion —
Allemande — Organise — les — Communications — aériennes —
(Télégraphie — Optique — aérostats — Pigeons — voyageurs) —
Professe — à — l'Ecole — Polytechnique — à — l'Ecole
de — Guerre — au — Conservatoire — des — Arts — et — Métiers — dont —
il — devient — Directeur — Applique — le — premier — la — chambre — claire —
et — La Photographie — au — Lever — des — plans — Invente — le —
Télémétrographe - et — Photohéliographe — horizontal —

M — D — CCC   XC — VIII.

Tout — à — la — Science
Pour — son — Pays.

Der unermüdliche Gelehrte, der sein ganzes Leben rastlos für die Einführung der Metrophotographie in seinem Vaterlande gekämpft hatte, beschäftigte sich übrigens nicht bloß mit diesem seinem Lieblingskinde und den verwandten Wissenszweigen, sein Forschungseifer erstreckte sich vielmehr auch auf die Naturwissenschaften und speziell die Botanik, die Mineralogie und Geologie.

Neben seiner Besitzung in Izeure bei Moulins, einer reizenden Villa, hatte er einen Garten errichtet, in welchem er sich bestrebte, heimische und exotische Pflanzen zu ziehen, die Bedingungen ihres Fortkommens zu studieren und, wo es notwendig war, ihre Entwicklung den geänderten klimatischen Verhältnissen anzupassen.

Verschiedene Alpenblumen, Pflanzen aus den Pyrenäen, Gesträuche und Bäume aus Japan und Amerika, die er alle von seinen Reisen mitgebracht hatte, wuchsen in seinen Treibhäusern oder im Freien in seinem Garten und der Gelehrte überwachte ihr Wachstum persönlich mit ängstlicher Sorgfalt.

Von den vielen Spaziergängen, die er in der lieblichen Umgebung seines ländlichen Besitztums unternahm, kam er selten zurück, ohne in seiner Botanisierbüchse irgend eine Blume, eine Pflanze zu haben, die seiner Sammlung noch fehlten.

Gar oft zog er auch mit dem Geologenhammer aus und brachte reiche Ausbeute an Gesteinen, Mineralien und Fossilien zurück; dann versperrte er sich in sein Laboratorium und untersuchte die Ausbeute mit Mikroskop und Lötrohr, immer von dem Bestreben geleitet, durch seine Untersuchungen vielleicht seinen Nachbarn oder seinem Lande einen Dienst erweisen zu können.

Wenn irgend ein Himmelsphänomen bevorstand, war Laussedat sicher unter den Beobachtern, falls ihm dies nur irgendwie möglich war. Seinen Beobachtungen und Aufnahmen suchte er dann die möglichste Verbreitung zu geben, indem er sie mit einem Projektionsapparate einem weiteren Kreise von Zuhörern zugänglich machte.

So war dieser seltene Mann noch im höchsten Alter unermüdlich tätig, die Ergebnisse strenger Wissenschaft im besten Sinne des Wortes volkstümlich zu machen.

Vor seinem Tode hatte er noch die Freude, daß die Verwendung des photographischen Bildes in der Geodäsie, die Idee, für die er mit seinem reichen Wissensschatze, seiner unermüdlichen Arbeitslust als Jüngling wie als Greis trotz aller anfänglichen Mißerfolge, trotz der Ungunst der Verhältnisse immer und immer wieder eingetreten war, endlich die ihrer praktischen Verwertung entgegenstehenden Verhältnisse eines nach dem anderen überwand, so daß ihr bei der jetzigen Vervollkommnung des photographischen Objektives und dem hohen Stande der Präzisionsmechanik eine große Zukunft sicher ist.

Als Aimé Laussedat am 18. März 1907 im Alter von 88 Jahren sanft und schmerzlos für immer entschlummerte, waren die zahllosen Jünger und Freunde des Forschers von der Todesnachricht aufs schmerzlichste überrascht. Denn der wunderbare Greis hatte sich bis ins späteste Alter eine so außerordentliche Rüstigkeit des Körpers und des Geistes bewahrt, daß man gar nicht daran denken konnte und wollte, auch er werde sich endlich der unbeugsamen Macht des Todes beugen müssen.

Zusammenstellung von Publikationen Laussedats.

1. Arbeiten über Ikonographie. Metrophotographie.

1. „Mémoire sur l'emploi de la chambre claire dans les reconnaissances topographiques" in Mémorial de l'officier du Génie, Paris 1854.
2. „Mémoire sur l'emploi de la Photographie dans la levée des plans" in Comptes rendus, Band XLIX, Paris 1859.
3. „Sur l'emploi de la Photographie dans le levé des plans et spécialement dans les reconnaissances militaires", ebenda. Band L, Paris 1860.
4. „Mémoire sur l'emploi de la Photographie dans le lever des plans et spécialement dans les reconnaissances militaires" in Mémorial de l'officier du Génie. Paris 1864.
5. „Exposé sommaire des résultats obtenus en appliquant la Photographie à l'étude du terrain à Grenoble et dans les environs en août 1864" in Comptes rendus, Band LIX, Paris 1864.
6. „Les applications de la perspective au lever des plans" in „Paris-Photographe", Jahrgänge 1891—1893.
6 a) „L'Application de la chambre claire et de la Photographie au lever des plans" in „Annales du Conservatoire des Arts et Métiers", tomes II, III, V, VI de la deuxième série, Paris (1890—1894).
7. „L'iconométrie et la métrophotographie" in Conférences publiques sur la Photographie organisées en 1891—1892, Paris 1893.
8. „Historique de l'application de la Photographie au lever des plans", conférence faite à Pan 1892, Paris 1892.
9. „Sur les progrès de l'art de lever les plans à l'aide de la Photographie", Paris 1893.
10. Exposition universelle de Chicago 1893. Section française. Instruments et appareils iconométriques et métrophotographiques des collections du Conservatoire national des Arts et Métiers, Paris 1893.
11. „Note sur la construction d'une minute à l'échelle de 1 : 20.000 de la Carte d'une partie des montagnes Rocheuses du Canada à l'aide des vues photographiques" in „Bulletin de la Société française de Photographie", Paris 1893.
12. L'Art de lever des plans, Paris 1896.
13. „La Métrophotographie" in Enseignement supérieur de la Photographie, Paris 1899.
14. Musée centennal de la Classe 12 à l'Exposition universelle de Paris en 1900. Métrophotographie, St. Cloud 1901.
15. „Sur la Stéréoscopie appliquée à l'Astronomie" in „Bulletin de la Société astronomique de France", Paris 1903.
16. „La Métrophotographie, progrès récents" in „Annuaire général et international de la Photographie", Paris 1903.
17. „Nouveaux progrès de la Métrophotographie" in „Bulletin de la Société française de Photographie", Paris 1903.
18. „Sur des essais de Métrophotographie et de Stéréo-Métrophotographie" ebendaselbst 1904.
19. „La Métrophotographie dans l'armée russe" in „La Photographie française", Paris 1904.
20. „Sur les origines de l'art de lever les plans à l'aide de la Photographie" in „Extrait of Report of the eight international geogr. congress held in the United States 1904".

21. „Du rôle de la Métrophotographie dans plusieurs services publics à l'étranger. aux points de vue scientifiques, économiques, politiques et militaires", in „Bull. d. l. Société franç. de Photographie", 1905.

22. „Sur différentes applications de la Photographie au lever des plans" ebendaselbst 1905.

23. „Sur plusieurs résultats remarquables obtenus par la métrophotographie" ebendaselbst 1906.

24. „Recherches sur les instruments, les méthodes et le dessin topographiques". 2 Bände, Paris 1901—1903.

Der zweite Band dieses monumentalen Werkes ist der Photogrammetrie gewidmet, in welchem der Altmeister Laussedat ein übersichtliches Bild der von ihm begründeten Disziplin gibt.

In den „Comptes rendus" der Akademie der Wissenschaften zu Paris sind über Photogrammetrie folgende Mitteilungen enthalten:

25. „Note sur la construction des plans d'après les vues du terrain obtenues de stations aériennes", Band CXI, 1890.

26. „Histoire des appareils à mesurer les bases", Band CXII, 1891.

27. „Sur les progrès de l'art de lever les plans à l'aide de la Photographie en Europe et en Amérique", Band CXVI, 1893.

28. „Reconnaissance faite à l'aide de la Photographie, pour la délimination de la frontière d'Alaska et de la Colombie britannique", Band CXIX, 1894.

29. „Note sur les levers photographiques exécutés en 1894 par les ingénieurs canadiens et le Service du Coast and geodetic Survey des États-Unis pour la délimination de l'Alaska et de la Colombie britannique", Band CXX, 1895.

30. „Sur de nouvelles et importantes applications faites en Canada de la méthode du lever des plans à l'aide de la Photographie", Band CXXVIII, 1899.

31. „Sur les travaux de reconnaissance exécutés par les ingénieurs russes par la méthode photographique", Band CXXX, 1900.

32. „De l'emploi du stéréoscope en Topographie et en Astronomie", Band CXXXVI. 1903.

33. „Sur un moyen rapide d'obtenir le plan d'un terrain en pays de plaines, d'après une vue photographique prise en ballon", Band CXXXVI, 1903.

34. „Sur l'emploi d'images stéréoscopiques dans la construction des plans topographiques", Band CXXXVIII, 1904.

35. „Sur différents résultats récemment obtenus par la Métrophotographie", Band CXXXIX, 1904.

36. „Sur une carte topographique d'une assez grande étendue levée en très peu de temps à l'aide de la Photographie", Band CXL, 1905.

37. „Sur le relevé des monuments d'architecture d'après leurs photographies, pratiqué surtout en Allemagne", Band CXLII, 1906.

38. „Sur plusieurs tentatives poursuivies dans la marine allemande pour utiliser la photographie dans les voyages d'exploration", Band CXLII, 1906.

2. Geodätische Arbeiten.

1. Cours d'astronomie et de géodésie. École impériale polytechnique. Paris 1857—1858.

2. Expériences faites avec l'appareil à mesurer les bases appartenant à la commission de la Carte d'Espagne. Traduit de l'Espagnol, Paris 1860.

3. Leçons sur l'art de lever les plans, Paris 1861.

4. Base centrale de la triangulation géodésique d'Espagne. Traduction de Ibanez, Paris 1869.

5. „Mémoire sur un fragment de cadran solaire trouvé en Phénicie", Paris 1872.

6. Histoire de Cartographie, Paris 1892.

3. Astronomische Arbeiten.

Die „Comptes rendus hebdomadaires des séances de l'Académie des sciences" in Paris enthalten seit den fünfziger Jahren eine Fülle Mitteilungen Laussedats über gemachte astronomische Beobachtungen.

Über den Laussedatschen horizontalen Photoheliographen finden sich Arbeiten:

1. im   LI. Bande der „Comptes rendus", Paris 1860,
   „   LXVI. „   „   „   „   „   1863,
   „   LXX.   „   „   „   „   „   1869,
   „   LXXV. „   „   „   „   „   1872.

2. „Sur l'observation photographique des passages de Vénus et sur un appareil de M. Laussedat" in Comptes rendus LXXI. Band, 1870.

3. „La Lunette astronomique horizontale destinée à l'observation du soleil", Paris 1874.

4. „Mémoire sur la méthode graphique des projections appliquées à la construction des cartes des eclipses du soleil", Paris 1874.

5. „Sur un appareil photographique destiné à l'observation des passages de Vénus" in Recueil de Mémoires, rapport et documents relatifs à l'observation du passage de Vénus sur le soleil, Paris 1876.

6 La détermination des différences de longitude par la télégraphie électrique à l'aide d'un cercle méridien portatif (méthode adoptée par Leverrier), Paris 1861.

7. Sur l'organisation de plusieurs services scientifiques aux États-Unis; Astronomie, Paris 1887.

4. Militärische Arbeiten.

1. Reflexions sur deux brochures ayant pour titre:
   a) „De la défense de la Belgique" par M. Van de Velde.
   b) „Faut-il fortifier Bruxelles?" par un officier du génie belge. Paris 1850.

2. „Questions relatives au siège de la citadelle d'Anvers en 1832" in „Revue des journaux militaires étrangers". Paris 1850.

3. Sur la télégraphie optique, Paris 1875.

5. Diverse Arbeiten.

1. Note sur le projet d'institution au Conservatoire d'une chaire d'art appliqué. Ouverture du cours de géométrie appliqué aux arts, Paris 1864.

2. Le Conservatoire des Arts et Métiers depuis sa fondation, Conférence faite à Bordeaux le 24 sept. 1886, Paris 1887.

3. Discours à l'occasion de la réouverture des cours de la Société polytechnique militaire le 16 octobre 1887, Paris 1887.

4. Influence civilisatrice des sciences, discours prononcé à Oran le 29 mars 1888, Paris 1868.

5. L'Electricité au Conservatoire des Arts et Métiers, Paris 1892.

6. L'Isolement du Conservatoire des Arts et Métiers, Paris 1897.

7. Délimination de la frontière franco-allemande, Paris 1901.

8. Programme des cours publics au Conservatoire des Arts et Métiers, Paris 1905.

In seiner Eigenschaft als Direktor des Conservatoire hielt Laussedat bedeutsame Reden bei Eröffnung von verschiedenen staatlichen Anstalten, sprach in glänzenden Gedächtnisreden auf D. Papin, J. Maillard de la Gournerie, auf die Brüder Montgolfier, J. Boussingault, H. Tresca, J. Burat u. a. m.

In vorstehender Zusammenstellung finden sich die größeren Arbeiten Laussedats; groß ist die Zahl der kleinen Abhandlungen, welche Laussedat über Geodäsie, Topographie, Astronomie, Photogrammetrie, Aëronautik usw. in verschiedenen militärischen, photographischen und anderen wissenschaftlichen Journalen Frankreichs veröffentlicht hat.

Zur Theorie der perspektivischen Abbildung nicht paralleler Bildflächen.

Von Universitätsdozent Professor Dr. N. Herz.

In der Photogrammetrie tritt häufig die Aufgabe auf, eine Aufnahme, eines ebenen oder wenigstens fast ebenen Gebietes, die bei nicht paralleler Stellung der Platte gegenüber dem Originale erhalten wurde und die infolgedessen beträchtlich verzerrt erscheinen kann, in eine dem Originale ähnliche Aufnahme zu verwandeln. Es ist dies z. B. bei Ballonaufnahmen der Fall, bei denen sich die Platte nicht parallel zu dem aufzunehmenden horizontalen Gelände befand. Da man aber von den letzteren wenigstens einzelne Punkte ihrer gegenseitigen Lage nach kennt, so wird man die mehr oder weniger verzerrte Ballonaufnahme so umphotographieren, daß das zweite Bild dem Original ähnlich wird. Hierzu genügt es, drei Punkte der Aufnahme mit drei ihrer gegenseitigen Lage nach bekannten Punkten des Geländes zu identifizieren. Man hat dann ein Dreieck $A\,B\,C$ auf der aufgenommenen Platte und ein Dreieck $A_1\,B_1\,C_1$ als verkleinertes Abbild der Natur, dem Dreiecke, welches die drei korrespondierenden Punkte auf dem Gelände bilden, ähnlich, und in derjenigen Größe, welche durch den Maßstab bestimmt ist, in welchem die Reproduktion stattfinden soll. Man hat außerdem den Horizont der Platte (die Gegenachse) G,[1]) und man hat die Dreiecke in eine derartige gegenseitige Lage zu bringen, daß die durch das photographische Objektiv Ω gezogenen Strahlen $A\,\Omega$, $B\,\Omega$, $C\,\Omega$ beziehungsweise durch die Punkte A_1, B_1, C_1 auf der Mattscheibe gehen.

Die eindeutige Zuordnung der Punkte A_1, B_1, C_1 zu den Punkten A, B, C bestimmen eine Kollineation, für welche noch die den unendlich fernen Punkten der Ebene $A_1\,B_1\,C_1$ entsprechenden Punkte der Ebene $A\,B\,C$ (die Gegenachse G) bekannt sind. Die Aufgabe ist gelöst, sobald die Gegenachse G_1 der Ebene $A_1\,B_1\,C_1$ gefunden ist, und die Entfernungen m, n der Gegenachsen G_1 und G von der Kollineationsachse. Es ist dann nur das Gebilde $A_1\,B_1\,C_1$ so zu drehen, daß die Gegenachse G_1 parallel zu G wird und in dieser Lage sind die Gebilde $A\,B\,C$, $A_1\,B_1\,C_1$ so lange zu verschieben, bis die beiden Gegenachsen die Entfernung $m + n$ haben; das Kollineationszentrum liegt dann in der Entfernung m von der Gegenachse G_1 und n von der Gegenachse G und die Verbindungslinien $A\,A_1$, $B\,B_1$, $C\,C_1$ schneiden sich in demselben Punkte Ω (dem Kollineationszentrum), der, wenn die beiden Ebenen $A\,B\,C$, $A_1\,B_1\,C_1$ zusammenfallen, ebenfalls in dieser Ebene liegt und die Entfernung m von der Gegenachse G und n von der Gegenachse G_1 hat. Fallen die beiden Ebenen nicht zusammen, so muß die Kollineationsachse die Schnittlinie der beiden Ebenen bilden; das Kollineationszentrum liegt dann zwischen den beiden Ebenen, aber ebenfalls in den Entfernungen m von der Gegenachse G_1 und n von der Gegenachse G.

---

[1]) Hier soll zunächst vorausgesetzt werden, daß die Gegenachse bekannt sei; wie auf Grund der folgenden Beziehungen zu verfahren sein wird, wenn die Gegenachse G nicht bekannt ist, wird in einer folgenden Abhandlung erörtert.

Die hierzu nötigen Konstruktionen können teilweise wenigstens in der Praxis durch empirische Versuche ersetzt werden.

Sei (Fig. 1) E die Ebene der aufgenommenen Platte, welche jetzt gegeben ist und daher als Original dient. In der Ebene E_1 seien drei Punkte A_1, B_1, C_1 ihrer gegenseitigen Lage nachgegeben, welche die Bilder dreier Punkte A, B, C bilden sollen; d. h. die ganze, in der Ebene E gelegene Aufnahme soll durch ein in der Ebene H gelegenes photographisches

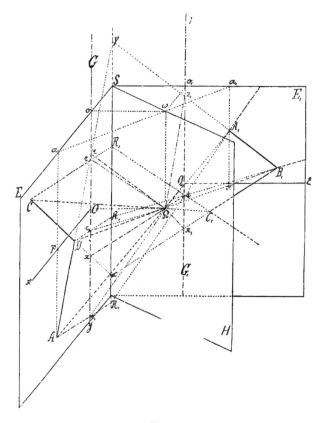

Fig. 1.

Objektiv Ω so in die Ebene E_1 transformiert werden, daß die Bilder von ABC nach $A_1 B_1 C_1$ fallen.

Es werde zunächst angenommen, $A_1 B_1 C_1$ seien für die vorgelegte Stellung der Ebenen und des Objektives wirklich die Bilder von ABC.

Die Ebenen E und E_1 schneiden sich in einer geraden S, welche mit Ω zusammen die Ebene H bestimmt; seien die Schnittlinien dieser drei Ebenen mit einer auf S senkrechten Ebene E', beziehungsweise So, So_1, $S\omega$, wobei ω die Projektion von Ω auf diese Ebene E' ist.

Die unendlich fernen Elemente der Ebene E_1 bilden sich in der Ebene E in einer Geraden G ab, der Gegenachse der Ebene E, welche man erhält, wenn man durch Ω eine zu E_1 parallele Ebene ΩG legt. Ebenso sei die Gegenachse der Ebene E_1 (d. i. der geometrische Ort der Bilder der unendlich fernen Elemente der Ebene E) die Gerade G_1, so daß die Ebene $\Omega G_1 \parallel E$ ist. Eine durch Ω senkrecht auf S gelegte Ebene schneidet die Geraden G und G_1 in zwei Punkte O und O_1, so daß $Oo = \Omega\omega = O_1 o_1$ ist. Die Lage der Gegenachsen gegenüber der Schnittlinie S ist bestimmt durch die Entfernungen $So_1 = m$ und $So = n$.

Das Bild eines Punktes A wird erhalten, indem man den Sehstrahl $A\Omega$ mit E_1 zum Schnitt bringt. Zu diesem Zwecke kann man durch den Sehstrahl ($A\Omega$ und die projizierende Gerade $\Omega\omega$ eine Ebene legen; diese schneidet die Ebene E in einer Geraden $A a$, die Ebene E' daher in der Geraden $a\omega$, welche bis So_1 verlängert, diese Gerade in a_1 trifft. $a_1\pi$ ist daher der Schnitt mit der Ebene E_1 und der Punkt A_1, in welchem diese Gerade den Sehstrahl trifft, ist das Bild A_1.

Diese Konstruktion kann auch ausgeführt werden, wenn die beiden Ebenen E und E_1 in die Zeichnungsfläche umgeklappt werden. Macht man (Fig. 5) $So_1 = m$, $So = n$, und zieht $oO \parallel o_1 O_1 \parallel Ss$, so kann die linke Seite der Zeichnungsfläche als die Ebene E mit der Gegenachse oO, die rechte Seite als die Ebene E_1 mit der Gegenachse $o_1 O_1$ aufgefaßt werden (wobei allerdings, wie in der darstellenden Geometrie überhaupt, jeder der beiden Teile auch als Fortsetzung des anderen Teiles Gebilde, die diesen zugehören, enthalten kann). Macht man $S(o) = So = n$ und zieht $(o)\omega \parallel So_1 \perp Ss$, so kann die Ebene $So_1 (o)$ als die in die Zeichnungsfläche heruntergeklappte Ebene E' angesehen werden, unter der speziellen Voraussetzung, daß die Ebenen E und E_1 aufeinander senkrecht stehen. Soll jetzt das Bild eines Punktes P (Fig. 5) gesucht werden, so wird man von P eine Parallele zu S ziehen und den Abstand des Fußpunktes p (in der Figur nicht gezeichnet) von S in den Zirkel nehmen, wofür man sofort den Abstand Pq des Punktes P von der Linie S nehmen kann, trägt diesen Abstand von S nach (P) auf, zieht $(P)\omega$ bis π, dann $\pi\Pi \parallel Ss$, so wird das Bild Π von P in diese Gerade fallen. Der Ort Π selbst ist dann noch abhängig von der Richtung des Projektionsstrahles, d. i. von der Lage des Projektionszentrums Ω, also von der Strecke $\Omega\omega$.

Die Verbindungslinie AB zweier Punkte (Fig. 1) bestimmt mit Ω eine Ebene $AB\Omega$, welche E in der Geraden AB schneidet; der Schnitt $A_1 B_1$ von $AB\Omega$ mit E_1 ist das Bild von AB auf der Ebene E_1; da aber die Spuren der Ebene $AB A_1 B_1$ mit den beiden Ebenen E und E_1 sich in einem Punkte der Schnittlinie S treffen müssen, so werden sich die beiden Geraden AB und $A_1 B_1$ in demselben Punkte γ von S treffen. S ist daher die Kollineationsachse für die in den beiden Ebenen E und E_1 liegenden Gebilde. Die Verbindungslinie korrespondierender Punkte $A A_1$, $B B_1$ usw. müssen, der Entstehung des Gebildes $A_1 B_1$ gemäß, durch denselben Punkt Ω gehen; Ω ist daher das Kollineationszentrum.

Der Schnittpunkt z der Linie AB mit der Gegenachse G ist das Bild des unendlich fernen Punktes von $A_1 B_1$; es muß also $\Omega z \parallel A_1 B_1$ sein: aus demselben Grunde muß, wenn $z_1 \cdot$ der Schnitt von $A_1 B_1$ mit der Gegenachse G_1 ist, $\Omega z_1 \parallel AB$ sein.

Um die Lage der Punkte $A, B \ldots$ mit derjenigen der Punkte $A_1, B_1 \ldots$ in eine analytische Beziehung zu bringen, mögen die Punkte der Ebene E auf ein rechtwinkeliges Koordinatensystem bezogen werden, für welches die Gegenachse G die y-Achse, und die dazu Senkrechte durch O die x-Achse sei. Ebenso mögen die Punkte der Ebene E_1 auf ein rechtwinkeliges Achsensystem bezogen werden, für welches G_1 die η-Achse und die durch O_1 dazu Senkrechte die ξ-Achse sei, und zwar seien in der aus der Fig. 1 ersichtlichen Bezeichnung Ox, Oy, $O\xi$, $O\eta$ die positiven Richtungen der Abszissen und Ordinaten. Es ist also

$$Op = x, \; pA = y; \quad O_1 \pi = \xi, \; \pi A_1 = \eta.$$

Die Linie πp (in der Figur nicht gezogen) muß durch Ω gehen (weil sie in der Ebene $A a_1 A_1$ liegt) und es ist $p\pi \parallel a a_1$ (weil die Ebene $x O O_1 \xi$ senkrecht auf S steht, daher parallel $a S a_1$ ist). Da nun

$$\Omega O = m; \qquad \Omega O_1 = n$$

ist, so erhält man

$$\frac{\xi}{n} = \frac{m}{x}.$$

Bezeichnet man ferner $a\omega = u$, $a_1 \omega = v$, so ist auch $p\Omega = u$, $\Omega\pi = v$, und es wird

$$\frac{\eta}{y} = \frac{v}{u} = \frac{\xi}{m} = \frac{n}{x}$$

und aus diesen beiden Gleichungen erhält man

$$\xi = \frac{m\,n}{x} \qquad\qquad x = \frac{m\,n}{\xi}$$

$$\eta = \frac{n\,y}{x} \qquad\qquad y = \frac{m\,\eta}{\xi}. \qquad (1)$$

Wie hieraus ersichtlich, hängt die Lage der Bilder nicht von dem Neigungswinkel J der beiden Ebenen E und E_1 ab; es wird daher das in dieser Weise konstruierte Bild $A_1 B_1 C_1$ in der Ebene E_1 eines Gegenstandes $A B C$ in der Ebene E unverändert bleiben, wenn auch die Neigung der beiden Ebenen E und E_1 geändert würde, so lange nur m und n unverändert bleiben. Allerdings wird dann aber das Projektionszentrum Ω (für die Photographie das photographische Objekt) nicht seine Lage behalten; bei Vergrößerung des Winkels wird sich die Linie $\Omega \omega$ der Schnittlinie S nähern, bei Verkleinerung des Winkels von ihr entfernen. Es wird, wie man leicht sieht, stets

$$S\omega^2 = m^2 + n^2 + 2\,m\,n\; cos\; J.$$

Fallen die beiden Ebenen zusammen (sowohl für $J = 0°$, als für $J = 180°$), so erhält man eine Kollineation in der Ebene, für welche das Kollineationszentrum Ω, wie schon erwähnt, den Abstand n von der Gegenachse G_1 und den Abstand m von der Gegenachse G hat. Daß für die Konstruktion (Fig. 5) die Hilfspunkte (P), (A) usw. in der zu $o o_1$ normalen

Geraden Ss angenommen wurden, enthält demnach keine Beschränkung der Allgemeinheit.

Um die einer Geraden

$$y = Ax + B$$

in der Ebene E entsprechende Gerade der Ebene E_1 zu suchen, hat man für x und y die Werte aus (1) zu substituieren und erhält

$$B\xi - m\eta + Am\,n = 0$$

oder

$$\eta = \frac{B}{m}\xi + An.$$

Einer zur ersten Geraden in E parallelen Geraden

$$y = Ax + B_1$$

entspricht in E_1 die Gerade

$$B_1\xi - m\eta + Am\,n = 0$$

und diese beiden Geraden in E_1 (die Bilder paralleler Geraden) schneiden sich in einem Punkte dessen Koordinaten

$$\xi_0 = 0, \quad \eta_0 = An$$

sind; der Schnittpunkt liegt, wie natürlich, in der Gegenachse G. Ist A sehr groß, so wird auch η_0 sehr groß, d. h. der Schnittpunkt sehr weit entfernt; geraden Linien, die in der Ebene E nahe parallel zu S sind, entsprechen daher auch gerade Linien zu E_1, die sehr nahe parallel zu S sind. Schreibt man für diesen Fall die Gleichungen der Geraden in der Form

$$x = Cy + D$$
$$x = Cy + D'$$

so werden die Gleichungen der entsprechenden Geraden in E_1

$$D\xi + Cm\,\eta = m\,n$$
$$D'\xi + Cm\,\eta = m\,n$$

deren Schnittpunkt die Koordinaten

$$\xi_0 = 0, \quad \eta_0 = \frac{n}{C};$$

hat.

Für die Parallelverschiebung eines Gebildes ABC in der Ebene E in der Richtung Ar_1, Br_2, Cr_3 erhält man die entsprechende Bewegung des Gebildes $A_1B_1C_1$ der Ebene E_1 keineswegs als Parallelverschiebung. Denn den Punkten der Strahlen Ar_1, Br_2, Cr_3 entsprechen Punkte von Strahlen in E_1, welche die Bilder der gegebenen Strahlen sind. Diese Bilder erhält man, wenn man nebst den Ausgangspunkten A_1, B_1, C_1 noch je einen zweiten Punkt kennt. Als solcher kann das Bild des unendlich fernen Punktes der gegebenen Richtung angesehen werden. Zieht man also durch Ω die Gerade Ωr parallel zur gegebenen Richtung Ar_1 und ist r der in der Gegenachse G_1 liegende Punkt dieses durch Ω gehenden Strahles, so sind die Bilder der drei Strahlen, beziehungsweise $A_1 r$, $B_1 r$, $C_1 r$, sämtlich durch r gehend.

Nach früherem muß übrigens, wenn r_1, r_2, r_3 die Schnittpunkte der drei Strahlen mit der Gegenachse G sind, und R_1, R_2, R_3 die Schnittpunkte derselben mit der Kollineationsachse S, $A_1 r$ durch R_1 gehen und parallel zur Ωr_1 sein, ebenso $B_1 r$, beziehungsweise $C_1 r$ durch R_2, beziehungsweise R_3 gehen und parallel zu Ωr_2, beziehungsweise Ωr_3 sein.

In welcher Art die Fortbewegung der Punkte A_1, B_1, C_1 in den betreffenden drei Strahlen erfolgt, wenn ABC sich parallel und gleichmäßig fortbewegt, kann wieder durch die Formeln (1) leicht erhalten werden.

Bezeichnet man mit x_0, y_0 die Koordinaten des Ausgangspunktes A, so werden bei der Bewegung in einer Geraden, deren Gleichung

$$y = A x + B$$

sei, um eine Strecke k, in einer Richtung, welche mit der x-Achse den Winkel α einschließt, die Endkoordinaten x', y' gegeben durch

$$x' = x_0 + k \cos \alpha = x_0 + c k$$
$$y' = y_0 + k \sin \alpha = y_0 + s k$$

wobei

$$c = \cos \alpha = \frac{1}{\sqrt{1 + A^2}}; \quad s = \sin \alpha = \frac{A}{\sqrt{1 + A^2}}$$

$$c^2 + s^2 = 1$$

$$\frac{s}{c} = A$$

ist, und man findet mittels der Gleichungen (1):

$$\xi' = \frac{m n}{x'} = \frac{m n}{x_0 + c k} = \frac{m n}{\dfrac{m n}{\xi_0} + c k}$$

$$\eta' = \frac{n y'}{x'} = \frac{n (y_0 + s k)}{x_0 + c k} = \frac{n \left(\dfrac{m \eta_0}{\xi_0} + s k \right)}{\dfrac{m n}{\xi_0} + c k}$$

daher

$$\xi' = \frac{m n \xi_0}{m n + c k \xi_0}$$

$$\eta' = \frac{n (m \eta_0 + s k \xi_0)}{m n + c k \xi_0}.$$
(2)

Man findet übrigens nach einigen leichten Reduktionen

$$\xi' - \xi_0 = -\frac{k \xi_0}{m n + c k \xi_0} \cdot c \xi_0$$

$$\eta' - \eta_0 = -\frac{k \xi_0}{m n + c k \xi_0} \cdot c \xi_0 \cdot \frac{B}{m}$$

so daß sich

$$\eta' - \eta_0 = \frac{B}{m} (\xi' - \xi_0)$$

als Gleichung der Verschiebungslinie ergibt; diese ist daher nicht von A (der Verschiebungsrichtung in der Ebene E), sondern von B, d. i. von dem Orte des verschobenen Punktes abhängig (in Übereinstimmung mit dem früher Gesagten).

Für die Länge der Verschiebung folgt

$$l^2 = (\xi' - \xi_0)^2 \left(1 + \frac{B^2}{m^2} \right). \qquad 3)$$

Auch die Größe der Verschiebung ist demnach von der Lage der Punkte A, B, C abhängig. Die durch Parallelverschiebung von $A\,B\,C$ nach $A'\,B'\,C'$ entstandene neue Figur $A_1'\,B_1'\,C_1'$ ist übrigens der ursprünglichen nicht ähnlich. Es genügt dies für einen speziellen Fall zu zeigen.

Bei einer Verschiebung parallel zu S um $y' - y = k$ wird, da

$$\xi = \frac{m\,n}{x}$$

ist, $\varDelta\,\xi = 0$, d. h. es findet, wie ebenfalls schon früher gefunden wurde auch in der Ebene E_1 eine Verschiebung parallel zu S statt; da weiter

$$\eta' - \eta = \frac{n\,(y' - y)}{x} = \frac{n\,k}{x}$$

ist, so wird

$$\varDelta\,\eta = \frac{k}{m}\,\xi;$$

die Größe der Verschiebung ist daher von ξ abhängig. Zum Nachweise, daß Anfangs- und Endfigur in E_1 nicht ähnlich sind, bedarf es nur der Bestimmung des Winkels zweier Geraden in ihrer ursprünglichen und in ihrer verschobenen Lage.

Seien drei Punkte gegeben durch ihre Koordinaten

$$\xi_1\,\eta_1 \qquad \xi_2\,\eta_2 \qquad \xi_3\,\eta_3$$

und ihre Koordinaten nach der Verschiebung

$$\xi_1 \quad \eta_1 + \frac{k}{m}\xi_1 \qquad \xi_2 \quad \eta_2 + \frac{k}{m}\xi_2 \qquad \xi_3 \quad \eta_3 + \frac{k}{m}\xi_3$$

so sind die Winkel der Verbindungslinien gegen die ξ-Achse bestimmt: vor der Verschiebung durch

$$tang\,\alpha_{23} = \frac{\eta_3 - \eta_2}{\xi_3 - \xi_2} \qquad tang\,\alpha_{13} = \frac{\eta_3 - \eta_1}{\xi_2 - \xi_1}$$

nach der Verschiebung durch

$$tang\,\alpha_{23}' = \frac{\eta_3' - \eta_2'}{\xi_3' - \xi_2'} = tang\,\alpha_{23} + \frac{k}{m}$$

$$tang\,\alpha_{13}' = tang\,\alpha_{13} + \frac{k}{m}$$

daher, wenn der Winkel $\alpha_{23} - \alpha_{13} = C$ vor der Verschiebung und $\alpha_{23} - \alpha_{13}' = C'$ nach der Verschiebung ist:

$$\cot C = \frac{1 + tang\,\alpha_{13}\,tang\,\alpha_{23}}{tang\,\alpha_{23} - tang\,\alpha_{13}}$$

$$\cot C' = \cot C + \frac{\dfrac{k}{m}(tang\,\alpha_{13} + tang\,\alpha_{23}) + \dfrac{k^2}{m^2}}{tang\,\alpha_{23} - tang\,\alpha_{13}}$$

demnach C' nicht gleich C.

Für eine Verschiebung in horizontaler Richtung um $x' - x_o = k_1$ wird

$$\varDelta\,\xi = -\frac{k_1}{m\,n}\,\xi^2; \qquad \varDelta\,\eta = -\frac{k_1}{m\,n}\,\xi\,\eta.$$

Wesentlich komplizierter werden die Resultate für eine Drehung des Gebildes $A\,B\,C$. Findet eine Drehung um den Winkel ω um den Punkt M (Fig. 2) statt, dessen Koordinaten p, q sind, so folgt, wenn der ursprüngliche Punkt P_o in der Ebene E die Koordinaten x_o, y_o, der gedrehte Punkt P die Koordinaten x', y' hat, mit den aus der Figur ersichtlichen Bezeichnungen

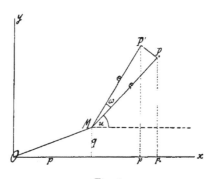

Fig. 2.

$$x' - p = \varrho\,\cos(u + \omega) = (x_o - p)\,\cos\omega - (y_o - q)\,\sin\omega$$
$$y' - q = \varrho\,\sin(u + \omega) = (y_o - q)\,\cos\omega + (x_o - p)\,\sin\omega.$$

Setzt man hier für x_o, y_o, x', y' die aus (1) folgenden Werte ein, so erhält man

$$\frac{m\,n}{\xi'} - p = \left(\frac{m\,n}{\xi_o} - p\right)\cos\omega - \left(\frac{m\,\eta_o}{\xi_o} - q\right)\sin\omega$$

$$\frac{m\,\eta'}{\xi'} - q = \left(\frac{m\,\eta_o}{\xi_o} - q\right)\cos\omega + \left(\frac{m\,n}{\xi_o} - p\right)\sin\omega$$

und nach einigen leichten Reduktionen

$$\frac{\xi'}{n} = \frac{m\,\xi_o}{(m\,n - p\,\xi_o)\cos\omega - (m\,\eta_o - q\,\xi_o)\sin\omega + p\,\xi_o}$$

$$\frac{\eta'}{n} = \frac{(m\,\eta_o - q\,\xi_o)\cos\omega + (m\,n - p\,\xi_o)\sin\omega + q\,\xi_o}{(m\,n - p\,\xi_o)\cos\omega - (m\,\eta_o - q\,\xi_o)\sin\omega + p\,\xi_o}.$$

(4)

Einfache Beziehungen, wie bei der Parallelverschiebung lassen sich aus diesen Gleichungen nicht ableiten; etwas einfacher werden allerdings die Gleichungen durch Einführung zweier Größen π und $\varkappa$ durch die Gleichungen

$$p = \frac{m\,n}{\pi}. \qquad q = \frac{m\,\varkappa}{\pi}$$

so daß der durch die Größen π, $\varkappa$, als Koordinaten eingeführte Punkt M_1 (Fig. 3) der dem Punkte M entsprechende Punkt in der Ebene E_1 ist, wobei aber vorausgesetzt werden muß, daß p nicht Null ist. Dann folgt nach leichter Reduktion

$$(\pi - \xi')\frac{\xi_0}{\xi'} = (\pi - \xi_0)\cos\omega - \frac{\pi\,\eta_0 - \varkappa\,\xi_0}{n}\,\sin\omega$$

$$\frac{\pi\,\eta' - \varkappa\,\xi'}{n}\frac{\xi_0}{\xi'} = \frac{\pi\,\eta_0 - \varkappa\,\xi_0}{n}\cos\omega + (\pi - \xi_0)\,\sin\omega.$$

(4 a)

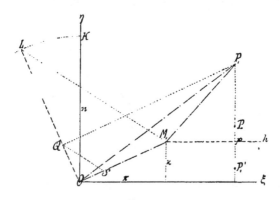

Fig. 3.

Die Größe $\pi\,\eta_0 - \varkappa\,\xi_0$ hat eine einfache Bedeutung; sie stellt die doppelte Fläche des Dreieckes $O\,M_1\,P_1$ vor, und zwar positiv, wenn $O\,P_1$ oberhalb $O\,M_1$ liegt. Setzt man dieselbe gleich $\varDelta$, und bestimmt eine Größe η_1 aus der Gleichung

$$\pi\,\eta_0 - \varkappa\,\xi_0 = (\varkappa - \eta_1)\,n = 2\,\varDelta$$

so bestimmt η_1 die Lage eines Punktes P_1' der leicht auf konstruktivem Wege gefunden werden kann. Zunächst gibt es einen Punkt P_0 (Fig. 3), für welchen $\eta_0 = \eta_1$ wird; dieses ist der Fall, wenn

$$\eta_0 = \varkappa\,\frac{n + \xi_0}{n + \pi}.$$

Dieser Punkt P_0 liegt daher für Punkte rechts von M_1 höher als M_1, weil für diese $\xi_0 > \pi$ ist, und für Punkte links von M_1 tiefer als M_1; da übrigens für diesen Punkt

$$\frac{\eta_0 - \varkappa}{\xi_0 - \pi} = \frac{\varkappa}{n + \pi}$$

ist und $\dfrac{\varkappa}{n+\pi} > \dfrac{\varkappa}{\pi}$, so liegt P_0, wenn rechts von M_1 auch unterhalb der Verbindungslinie $O M_1$, wenn links, oberhalb derselben, also stets zwischen der Verbindungslinie $O M_1$ und der durch M_1 parallel zur ξ-Achse gezogenen Geraden.

P_1 und P_1' liegen nun zu entgegengesetzten Seiten von P_0; denn ist $\varDelta$ positiv, so ist $\varkappa - \eta_1$ positiv, also $\eta_1 < \varkappa$; ist $\varDelta$ negativ, so ist $\eta_1 > \varkappa$; für $\varDelta = 0$ wird $\eta_1 = \varkappa$; d. h. den in der Geraden $O M_1$ liegenden Punkten entsprechen die Punkte der zur ξ-Achse parallelen Geraden $M_1 h$. Zur Konstruktion des Punktes P_1' mache man $O L \perp O M_1$; $O K = O L = n$; $P_1 Q \parallel O M_1$ so ist $\varDelta O P_1 M_1 = \varDelta O M_1 Q$ (die Linie $Q M_1$ braucht nicht gezeichnet zu werden). Wird weiters $Q S \parallel L M_1$ gezogen, so ist $\varDelta O Q M_1 = O L S$ und daher

$$O S = p P_1' = \varkappa - \eta_1.$$

Da der Punkt M_1 für die ganze Drehung fest ist, so ist auch $O L$ und $L M_1$ fest, und die ganze Konstruktion besteht daher nur darin, daß man für irgend einen Punkt P_1 die Normale $P_1 Q$ fällt, dann $Q S \parallel L M_1$ macht, und das Stück $O S$ unter-, beziehungsweise oberhalb $M_1 h$ aufträgt, je nachdem S von O gegen M_1 hin oder auf der entgegengesetzten Seite liegt. (Für Punkte P_1 unterhalb $O M_1$ fällt nämlich Q gegenüber O auf die entgegengesetzte Seite wie L, daher auch S auf die entgegengesetzte Seite wie M_1.) Der Punkt P_0 kann gefunden werden, indem man die Strecke $O K = n$ links von O auf der Abszissenachse aufträgt, den so erhaltenen Punkt K_1 mit M_1 verbindet; diese Verbindungslinie muß durch P_0 gehen.

Setzt man den Wert $\pi \eta_0 - \varkappa \xi_0 = (\varkappa - \eta_1) n$ ein, und setzt weiter

$$(\pi - \xi') \frac{\xi_0}{\xi'} = \pi - \xi_1'$$

$$\frac{\pi \eta' - \varkappa \xi'}{n} \cdot \frac{\xi_0}{\xi'} = \varkappa - \eta_1'$$ (4 b)

so wird

$$\xi_1' - \pi = (\xi_0 - \pi) \cos \omega - (\eta_1 - \varkappa) \sin \omega$$
$$\eta_1' - \varkappa = (\eta_1 - \varkappa) \cos \omega + (\xi_0 - \pi) \sin \omega.$$

Durch Drehung der den Punkten P_1 entsprechenden Punkte P_1' um den Punkt M_1, und zwar um denselben Winkel und in demselben Sinne, um welchen die Punkte P in der Ebene E gedreht wurden, erhält man Punkte ξ_1', η_1' aus denen die Punkte $\xi' \eta'$ nach den Formeln (4 b) abgeleitet werden müssen. Wenn aber

$$\pi \eta' - \varkappa \xi' = (\varkappa - \eta_2) n$$
$$(\varkappa - \eta_2) \frac{\xi_0}{\xi'} = \varkappa - \eta_1$$

gesetzt wird, so folgt

$$\frac{\pi - \xi'}{\xi'} = \frac{\pi - \xi_1'}{\xi_0}$$

$$\frac{\pi}{\xi'} = \frac{\pi - \xi_1' + \xi_0}{\xi_0}; \qquad \frac{\varkappa - \eta_2}{\xi'} = \frac{\varkappa - \eta_1'}{\xi_0}$$

woraus ξ' und η_2 und dann η' folgt.

Wesentlich übersichtlicher werden aber die Verhältnisse bei den Drehungen durch die Betrachtung der Abbildungen von Kreisen. Das Bild einer allgemeinen Kurve zweiter Ordnung

$$A x^2 + 2 B x y + C y^2 + 2 D x + 2 E y + F = 0 \qquad (5)$$

wird durch Benutzung der Formeln (1) erhalten:

$$F \xi^2 + 2 E m \eta \xi + C m^2 \eta^2 + 2 D m n \xi + 2 B m^2 n \eta + A m^2 n^2 = 0 \qquad (5\,a)$$

welches natürlich wieder eine Kurve zweiter Ordnung ist (Schnitt eines schiefen Kreiskegels mit der Ebene E') deren Charakter von dem Binom

$$\varDelta = (E^2 - C F) m^2$$

abhängt. Hieraus folgt: Läßt sich das Trinom

$$T = C y^2 + 2 E y + F$$

a) in zwei **gleiche** Faktoren zerlegen, so wird das Bild der Kurve eine Parabel;

b) in zwei **reelle** Faktoren zerlegen, so wird das Bild eine Hyperbel;

c) in zwei **imaginäre** Faktoren zerlegen, so wird das Bild eine Ellipse. Insbesondere soll nun das Bild eines Kreises, dessen Mittelpunkt die Koordinaten p, q, hat, und dessen Halbmesser r ist, untersucht werden. Seine Gleichung (in der Ebene E) ist

$$(x - p)^2 + (y - q)^2 = r^2 \qquad (6)$$

welche Gleichung durch (1) übergeführt wird in

$$(p^2 + q^2 - r^2) \xi^2 - 2 m q \xi \eta + m^2 \eta^2 - 2 m n p \xi + m^2 n^2 = 0 \qquad (6\,a)$$

Das charakteristische Binom wird hier

$$\varDelta = m^2 (r^2 - p^2)$$

und das Bild daher eine Hyperbel, Parabel oder Ellipse, je nachdem

$$r > p; \qquad r = p; \qquad r < p$$

ist. Dieses läßt sich nun auch leicht geometrisch zeigen. Habe der Mittelpunkt des Kreises die Abszisse $k'P = p$, die Ordinate $O k' = q$ (Fig. 4). Der Kreis K, der die Gegenachse G berührt, für welchen also $r = p$ ist, muß sich als Parabel abbilden, denn das Bild der Kurve hat einen unendlich fernen Punkt, nämlich das Bild des Punktes k'. Da das Bild des horizontalen Durchmessers Pq als Schnitt der Ebene $Pq \, \Omega$ mit der Ebene E_1 die Linie $q \, O_1$ sein muß, so liegt das Bild P_1 des Punktes P (zur Konstruktion von $\varPi$ auch in Fig. 5 benutzt) in der Linie $q \, O_1$. Die Bilder x_1, x, x_2 (Fig. 4 und 5) irgendwelcher Punkte, k_1, k, k_2 des Durchmessers Pq werden in dieser Linie auf bekannte Weise durch Vermittlung von $o S o_1$ erhalten. Die Linie $\eta \, O_1$ ist für die Bilder aller Kreise K, K_1, K_2 mit demselben Mittelpunkte P_1 ein Durchmesser; denn das Bild irgendeiner zu G parallelen Sehne dieser Kreise wird wieder eine zu G_1 parallele Sehne des Bildes in der Ebene E_1 sein, und für gleiche x und ξ werden untereinander gleichen Abständen in der Richtung der y auch untereinander gleiche Abstände in der Richtung der

η entsprechen. Die Richtung G_1 ist daher die zu $q\,O_1$ konjugierte Richtung; die Bilder $\varkappa_1$, $\varkappa$, $\varkappa_2$ sind, beziehungsweise die in diesem Durchmesser $q\,O_1$ gelegenen Scheitel der Bildkurven.

Das Bild des Kreises K_2 ist eine Ellipse; denn der projizierende schiefe Kreiskegel wird von der Ebene E_1 so geschnitten, daß kein Schnitt mit den Erzeugenden in die Unendlichkeit fällt. Der Kreis K_1 hingegen wird als Hyperbel abgebildet, da die Erzeugenden $\Omega\,l_1$ und $\Omega\,l_2$ (l_1 und l_2 die Schnittpunkte des Kreises mit der Gegenachse G) in die Unendlichkeit fallen. $\Omega\,l_1$

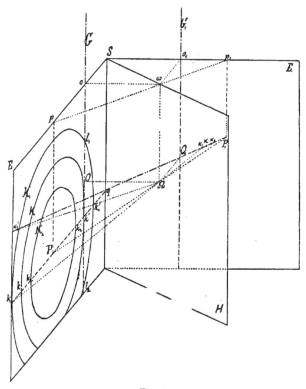

Fig. 4.

$\Omega\,l_2$ sind demnach die Richtungen der Asymptoten. Denkt man sich (Fig. 4) durch l_1, l_2 Parallele zu $P\,q$ gezogen und bezeichnet man die Schnittpunkte mit (l_1), (l_2) so sind die Verbindungslinien $O_1\,(l_1)$, $O_1\,(l_2)$, beziehungsweise zu $\Omega\,l_1$, $\Omega\,l_2$ parallel, und geben daher ebenfalls die Richtungen der Asymptoten (in Fig. 5 ausgeführt). Das Bild des Teiles $l_1\,k_1\,l_2$ liegt rechts von der Kollineationsachse S_1 das Bild des Teiles $l_1\,k_1'\,l_2$ liegt links von derselben.

Die Mittelpunkte der Bildkurven, welche ebenfalls in dem Durchmesser $q\,O_1$ liegen müssen, kann man finden, indem man die Bilder der beiden Scheitel k_1, k_1', beziehungsweise k_2, k_2' sucht, und die Strecken $\varkappa_1\,\varkappa_1'$ halbiert. Man kann jedoch auch, was dann von besonderer Wichtigkeit ist, wenn nicht beide dieser Bilder auf die Zeichnungsfläche fallen; die Mittelpunkte der Bildkurven, die selbstverständlich nicht mit Π zusammenfallen, direkt bestimmen, indem man zunächst jene Punkte des Originales (in der Ebene E) sucht, deren Bilder die Mittelpunkte der Kurven in der Ebene E_1 werden. Für die Bestimmung der Durchmesser in der Richtung $O_1 \Pi$ hat man

in der Ebene E

	die Koordinaten	x	y
des Punktes	k'	$p-r$	q
	P	p	q
	k	$p+r$	q

in der Ebene E_1

		ξ	η
die zugehörigen Koordinaten			
des Punktes	$\varkappa'$	$\dfrac{m\,n}{p-r}$	$\dfrac{n\,q}{p-r}$
	Π	$\dfrac{m\,n}{p}$	$\dfrac{n\,q}{p}$
		$\dfrac{m\,n}{p+r}$	$\dfrac{n\,q}{p+r}$

Für den Mittelpunkt der Bildkurve ist aber

demnach
$$\xi_0 = \tfrac{1}{2}(\xi_1 + \xi_2); \qquad \eta_0 = \tfrac{1}{2}(\eta_1 + \eta_2)$$

$$\xi_0 = \frac{m\,n\,p}{p^2 - r^2} \qquad \eta_0 = \frac{n\,p\,q}{p^2 - r^2}.$$

Der zugehörige Punkt in der Ebene E hat die Koordinaten

$$x_0 = \frac{p^2 - r^2}{p}. \qquad y_0 = q.$$

Da nun (Fig. 5) für den Kreis K_2

$$p^2 - r^2 = (p - r)(p + r) = k' k_2 \times k' k_2' = \overline{k' t^2} = t^2$$

ist, wenn die Länge der von k' an den Kreis gezogenen Tangente mit t bezeichnet wird, so ist

$$x_0 = \frac{t^2}{p} = k' M_2$$

wenn $t M_2 \mid Pq$ ist. Zieht man daher für irgend einen Kreis K_2 die Tangenten $k' t$ von k' an den Kreis, so bestimmt die Berührungssehne denjenigen Punkt M_2, dessen Projektion μ_2 der Mittelpunkt der Bildkurve wird.

Für den Hyperbelmittelpunkt ist wegen $x_1 = -(r-p)$

$$x_0 = -\frac{r^2 - p^2}{p} = -\frac{(r-p)(r+p)}{p} = -\frac{k' k_1 \times k' k_1'}{p}$$

$$= -\frac{k' l_1^2}{p}.$$

Zieht man daher in dem Schnittpunkte l_1 des Kreises K_1 mit der Gegenachse die Tangente $l_1 M_1$ an den Kreis, so ist M_1 derjenige Punkt, dessen Projektion μ_1 der Mittelpunkt der Hyperbel ist (in Fig. 5 : $q M_1 = S(M_1)$ und durch den Schnitt von $\omega(M_1)$ mit $o o_1$ die Vertikale bis zum Durchmesser $q O_1$ gezogen).

Für diejenigen Kreise, deren Mittelpunkte in G liegen, ist $p = 0$, daher

$$x^2 + (y - q)^2 = r^2$$

$$(q^2 - r^2)\,\xi^2 - 2\,m\,q\,\xi\,\eta + m^2\,\eta^2 + m^2\,n^2 = 0$$

daher das Bild stets eine Hyperbel, deren Mittelpunkt immer in O_1 liegt.

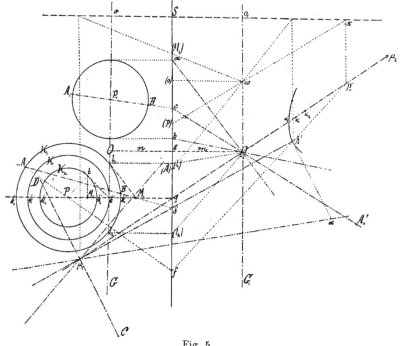

Fig. 5.

Da für die Hyperbel die Asymptotenrichtungen im allgemeinen Falle durch $O_1 (l_1)$, $(O_1 l_2)$ gegeben sind, so werden dieselben die durch μ_1 zu diesen Richtungen parallel gezogenen Geraden (für den Fall eines Kreises, dessen Mittelpunkt P_s in der Gegenachse liegt, werden dieselben $O_1 a$, $O_1 b$ selbst). Halbiert man den Asymptotenwinkel, so erhält man die Achsenrichtung $\mu_1 \delta$, und ist δ der Schnittpunkt mit der Kollineationsachse S, so ist δM_1 jene Linie (in der Ebene E), deren Bild $\mu_1 \delta$ (in der Ebene E_1) ist. Die Endpunkte der Sehne $A B$ des Kreises K_1 stellen daher diejenigen Punkte dar, deren Bilder die in den Hauptachsen gelegenen Scheitel geben. Die Konstruktion der Bilder hat daher keine Schwierigkeit. In Fig. 5 ist noch die Konstruktion durch die Gerade $A P$ ausgeführt. Die Verbindungslinie $A P$ schneidet die

Kollineationsachse in einem Punkte f, der mit Π verbunden das Bild $f\Pi$ der Geraden $f\,P$ gibt; der Schnittpunkt A' von $f\Pi$ mit $\mu_1\,\delta$ ist der Scheitel. Wird $A'\alpha\mid A'\mu_1$ bis zum Schnitt mit der Asymptote gezogen, so ist $A'\alpha$ die Länge der halben imaginären Achse.

Da die Kegelschnittslinie (6 a) nur ein Kreis werden kann, wenn $m\,q = 0$ und $p^2 + q^2 - r^2 = m^2$, also: $q = 0$, $p^2 = m^2 + r^2$ wird, so wird sich im allgemeinen jeder Kreis als eine vom Kreise verschiedene Kegelschnittslinie abbilden. Nun sind aber die Wege, welche die einzelnen Punkte der Ebene E bei einer Drehung beschreiben, Kreise, woraus im Vereine mit dem früher über die Verschiebung Gesagten folgt, daß einer Parallelverschiebung in der Ebene E im allgemeinen nicht auch eine Parallelverschiebung in der Ebene E_1, einer Drehung der Ebene E nicht auch eine Drehung der Ebene E_1 entspricht. Wenn die Bilder $A_1\,B_1\,C_1$ dreier Punkte ABC nicht mit drei der Lage nach gegebenen Punkten $A_o\,B_o\,C_o$ der Natur übereinstimmen und es ist das Bild $A_1\,B_1\,C_1$ kongruent, aber nicht zusammenfallend mit $A_o\,B_o\,C_o$, so kann Koinzidenz durch Verschiebung und Drehung von $A_o\,B_o\,C_o$ erzielt werden. Im allgemeinen wird aber dieses auch nicht der Fall sein. Es kann nun sein, daß eine Parallelverschiebung von ABC das Bild $A_1\,B_1\,C_1$ soweit transformiert, daß dasselbe in ein mit $A_o\,B_o\,C_o$ kongruentes, wenn auch dasselbe nicht direkt deckendes Bild $A_1'\,B_1'\,C_1'$ verwandelt wird; der Weg, auf welchen dabei $A_1\,B_1\,C_1$ in $A_1'\,B_1'\,C_1'$ übergeführt wird, ist dann für jeden Punkt eine Gerade, und zwar so, daß die sämtlichen Überführungsgeraden sich in einem Punkte r der Gegenachse G_1 schneiden, welcher durch die Richtung der Bewegung von ABC bestimmt ist.

Es kann sein, daß $A_1\,B_1\,C_1$ durch Drehung des Originales ABC um einen gewissen Punkt M um einen gewissen Winkel ω in $A_1'\,B_1'\,C_1'\cong A_o\,B_o\,C_o$ übergeführt wird; die Wege, auf welchen diese Überführung für die einzelnen Punkte $A_1\,B_1\,C_1$ geschieht, sind dann Kegelschnittlinien. Es ist daher nicht möglich, die Überführung eines und desselben Photogrammes $A_1\,B_1\,C_1$ in eine durch die Natur gegebene Form und Größe $A_o\,B_o\,C_o$ auf zwei wesentlich verschiedene Arten, entweder bloß durch Parallelverschiebung von ABC oder bloß durch Drehung von ABC zu erzielen. (Die Parallelverschiebung oder Drehung von $A_o\,B_o\,C_o$ braucht ja nicht in Betracht gezogen zu werden, da dieselbe nur dazu dient, dieses Bild mit einem von ABC entworfenen zur Deckung zu bringen, was erst dann geschehen kann, wenn das Bild $A_1'\,B_1'\,C_1'$ von ABC bereits die durch $A_o\,B_o\,C_o$ vorgeschriebene, diesem Dreiecke kongruente Figur erlangt hat.) Von den Hyperbelästen können nun allerdings einzelne Stücke als nahe geradlinig angesehen werden; nämlich die von den Scheiteln weiter entfernten, näher den Asymptoten gelegenen Teile, welche Bilder derjenigen Teile des Kreises K_1 sind, die der Gegenachse G_1 näher gelegen sind. Allzu nahe der Gegenachse gelegene Punkte ABC haben allerdings ihre Bilder in großer Entfernung (wenn auch erst für jene Punkte, die in der Gegenachse G selbst liegen, die Bilder direkt in die Unendlichkeit fallen). Aber schon in denjenigen Gegenden, welche mit P (Fig. 5) etwa gleiche Entfernung von der Gegenachse haben, werden die Stücke der Bildkurven schwach gekrümmt und die Wege der Punkte $A_1 B_1 C_1$ dem Auge als nahe geradlinig erscheinen können. Doch sind die Wege $A_1 A_1'$, $B_1 B_1'$, $C_1 C_1'$ nur dann gleichgerichtet, wenn die Punkte $A_1 B_1 C_1$ auf derselben Seite des Drehungsmittelpunktes P liegen, so daß man sagen kann: Wird ein Dreieck $A B C$ um einen Punkt P außerhalb desselben so gedreht, daß die Bahnen der einzelnen Punkte nahe normal zur Gegenachse gerichtet sind, oder in dem der Gegenachse näher gelegenen Teile der Bahnkreise liegen, so beschreibt das Bild $A_1 B_1 C_1$

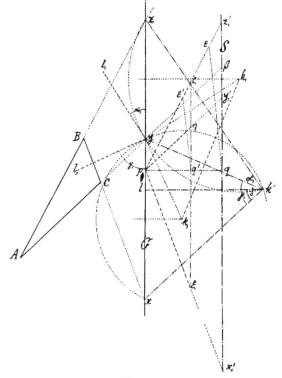

Fig. 6 a

einen Weg, der bei kleinem Drehungswinkel von $A B C$ als eine beträchtliche Verschiebung der Punkte $A_1 B_1 C_1$ angesehen werden kann, und zwar um so näher, je näher auch die bei der Drehung von $A B C$ stattfindenden Wege durch die in der Richtung der Tangenten erfolgende Parallelverschiebung ersetzt werden können. Dieses Resultat ist aber weder allgemein noch streng.

Die Aufgabe: Ein Dreieck $A B C$ bei gegebener Gegenachse P (Fig. 6 a) so durch ein photographisches Objektiv Ω zentral auf eine andere, nicht parallele Ebene E_1 zu projizieren, so daß die Projektion mit einem gegebenen Dreiecke $A_1 B_1 C_1$ (Fig. 6 b) zusammenfällt, kann allgemein und streng auf Grund der Beziehungen der Kollineation gelöst werden, wobei sich in

der Praxis der folgende, aus den früheren Darlegungen unmittelbar folgende
Weg empfiehlt.

I. Seien x, y, z (Fig. 1) die Schnittpunkte der Linien BC, AC, AB mit
der Gegenachse G, so sind die Verbindungslinien Ωx, Ωy, Ωz beziehungsweise parallel zu $B_1 C_1$, $A_1 C_1$, $A_1 B_1$ und schließen daher dieselben Winkel
ein; der Abstand ΩG ist gleich m. Daraus folgt die folgende Konstruktion:
Man verlängert BC, AC, AB (Fig. 6 a) bis zur Gegenachse G und sucht
den Punkt k, von welchem aus die Strecken xy, yz unter den Winkeln γ_1
und α_1 des Dreieckes $A_1 B_1 C_1$ (Fig. 6 b) gesehen werden.

Ausführung: Man legt bei y (Fig. 6 a) an die Strecke yz den Winkel
$zyl_1 = \alpha_1$, an die Strecke yx den Winkel $xyl_3 = \gamma_1$ an, und sucht die Kreise
zyk, xyk, welche durch die betreffenden beiden Punkte gehen, und die
zweiten Schenkel, yl_1 beziehungsweise yl_3 der Winkel α_1, beziehungsweise γ_1
berühren.

Die Mittelpunkte dieser Kreise sind $k_1 k_3$; ihr Schnittpunkt k; dann ist
$\measuredangle ykz = \alpha_1$; $\measuredangle ykx = \gamma_1$; $kl = m$ und das Dreieck $A_1 B_1 C_1$ muß so gedreht
werden, daß seine Seiten $B_1 C_1$, $A_1 C_1$, $A_1 B_1$ parallel den Strahlen kx, ky,
kz werden. Hierzu genügt es, den Winkel $\measuredangle lkx$ (Fig. 6 a) $= \delta = B_1 C_1 g_1$
(Fig. 6 b) zu machen; dann gibt die zu $C_1 g_1$ normale Gerade (G_1) die Richtung
der Gegenachse der Ebene E_1 gegenüber dem Dreiecke $A_1 B_1 C_1$ an.

Fällt einer der Punkte, z. B. z sehr weit (außerhalb der Zeichnungsfläche)
so würde auch k_1 weit außerhalb fallen, und zwar da die Linie $yk_1 \perp yl_1$
durch den Winkel α_1 bestimmt ist, in die Richtung yk_1. Würde auch k_3 in
die Richtung yk_3 ($\perp yl_3$) weit hinausfallen, so würde $k_1 k_3$ immer weiter weg-
rücken, damit aber auch k, welches ja der zu y gegenüber $k_1 k_3$ symmetrisch
gelegene Punkt ist, und es würde dieses bedeuten, daß der Abstand m sehr
groß wäre. In der Praxis wird dieses meist nicht der Fall sein, woraus
folgt, daß wenigstens zwei der drei Punkte x, y, z erreichbar sind. Fällt
dann der dritte, z. B. z sehr weit hinaus, so könnte man die Konstruktion
etwa durch Reduktion auf die Hälfte oder den dritten Teil ausführen, und
dann dementsprechend als den wahren Wert von m den doppelten, beziehungsweise dreifachen Betrag von $(k)l$ annehmen, während die Orientierung des Dreieckes $A_1 B_1 C_1$ auch in der reduzierten Form durch die
Richtungen der Strahlen $(k)x$, $(k)y$, $(k)z$ gegeben ist. Da übrigens die Bestimmung von k nichts anderes ist, als die Aufgabe des Rückwärtseinschneidens, so kann man sich auch anderer Konstruktionen bedienen.

II. Die Strahlen, welche von Ω (Fig. 1) zu den Schnittpunkten x_1, y_1, z_1
der Seiten $B_1 C_1$, $A_1 C_1$, $A_1 B_1$ mit der Gegenachse G_1 gezogen werden, sind
parallel zu den Linien BC, AC, AB, schließen daher dieselben Winkel ein.
Wäre $pq = n$ schon bekannt, so würde man daher in den durch einen beliebigen
Punkt p (Fig. 6 a) parallel zu BC, AC, AB gezogenen Linien px_1', py_1',
pz_1', Strecken $x_1' y_1'$, $y_1' z_1'$ erhalten, welche gleich sein müssen den in der
Gegenachse G_1 (die ebenfalls noch nicht bekannt ist) von den Seiten des
Dreieckes $A_1 B_1 C_1$ ausgeschnittenen Abschnitten $x_1 y_1$, $y_1 z_1$. Diese Abschnitte
müssen aber dann proportional sein den Abschnitten $\xi \eta$, $\eta \zeta$, welche die
von p ausgehenden Strahlen mit irgendeiner beliebigen zu G parallelen

Geraden $\xi \eta \zeta$ einschließen. Die Aufgabe ist demnach die folgende: Parallel zu (G_1) ist eine Linie G_1 (Fig. 6 b) so. zu legen, daß die von den Seiten des Dreieckes $A_1 B_1 C_1$ ausgeschnittenen Abschnitte proportional sind den Abschnitten $\xi \eta,\ \eta \zeta.$

Ausführung: durch einen beliebigen . Punkt p (Fig. 6 a) . zieht man Strahlen $p \xi \parallel B C,\ p \eta \parallel A C,\ p \zeta \parallel A B,\ \xi \eta \zeta \parallel G.$ Weiters macht man auf der durch A_1 (Fig. 6 b) senkrecht zu $C_1 g_1$ gezogenen Geraden (G_1): $A_1 d_1 = \xi \eta$, $A_1 e_1 = \eta \zeta$ und zieht die Parallelen $e_1 a_1 b_1 \parallel A_1 B_1;\ d_1 b_1 c_1 \parallel B_1 C_1$ und macht $A_1 y_1 : A_1 C_1 = a_1 A_1 : a_1 c_1$; dann ist die durch y_1 gezogene Parallele $p_1 y_1 \parallel g_1 A_1$ die Gegenachse der Ebene E_1..

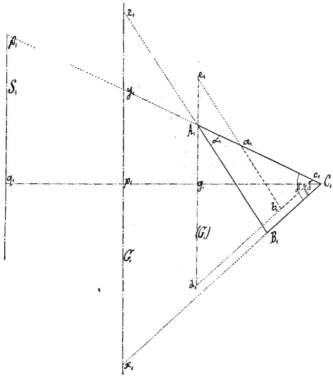

Fig. 6 b. ·

Denn in dem Dreiecke $a_1 b_1 c_1$ liegt die Linie $d_1 e_1$ derart, daß die Stücke $d_1 A_1$ und $A_1 e_1$ zwischen den Seiten des Dreieckes in dem geforderten Verhältnis stehen, und wenn die ganze Figur $a_1 b_1 c_1 d_1 e_1$ in dem Verhältnisse $a_1 c_1 : A_1 C_1$ vergrößert wird, so gilt dasselbe von der neuen, auf das Dreieck $A_1 B_1 C_1$ bezüglichen Figur.

Vergrößert man dann den Abstand $p q'$ in demselben Verhältnis z. B. $p \varepsilon' = a_1 c_1$; $p \varepsilon = A_1 C_1$, $\varepsilon q \parallel \varepsilon' q'$) und zieht durch q eine Parallele zu $\xi \xi$, so schneiden die Verlängerungen der Strahlen $p \xi,\ p \eta,\ p \zeta$ auf der Geraden $q z_1'$

Stücke $x_1'y_1'$, $y_1'z_1'$ ab, welche gleich sein müssen $x_1 y_1$, $y_1 z_1$ und es ist daher $p\,q = n$ und $q\,z_1'$ die Gerade S, d. i. die Kollineationsachse.

Macht man $p_1\,q_1$ (Fig. 6 b) $= m = l\,k$ (Fig. 6 a), so ist S_1 die Kollineationsachse für die Ebene E_1 und man hat nun noch S mit S_1 zur Deckung zu bringen und die beiden Figuren so lange zu verschieben, bis z. B. der Punkt β (Schnittpunkt von $A\,C$ mit der Kollineationsachse) und β_1 (Schnittpunkt von $A_1\,C_1$ mit der Kollineationsachse) zusammenfallen, worauf $A\,B\,C$ und $A_1\,B_1\,C_1$ sich in richtiger Lage gegeneinander befinden.

Mathematisch einfacher ist die Bestimmung der Gegenachse G_1 aus der Doppelverhältnisbeziehung bei der Kollineation. Es müssen nämlich die Doppelverhältnisse von 4 entsprechenden Punkten einander gleich sein, also z. B.

woraus
$$(A\,B\,z\,\infty) = (A_1\,B_1\,\infty\,z_1)$$

oder
$$\frac{z\,A}{z\,B} = \frac{z_1\,B_1}{z_1\,A_1}$$

$$\frac{A\,B}{z\,B} = \frac{A_1\,B_1}{z_1\,A_1}$$

folgt, womit der Punkt z_1 bekannt wird. Ebenso erhält man y_1 und x_1 und damit die Gegenachse G_1. Legt man dann in das Strahlenbüschel p eine Gerade $S \parallel G$ so, daß die Abschnitte zwischen den Strahlen ξ, η, ζ gleich werden den Abschnitten zwischen x_1, y_1, z_1, so gibt diese Gerade S die Kollineationsachse; ebenso kann man mit einem Strahlenbüschel p_1 in der Ebene E_1 verfahren, wobei die Abschnitte $x\,y\,z$ in Betracht kommen, womit die Aufgabe gelöst ist.

Allein die zuerst gegebene Lösung gestattet, wenn man sich in der Praxis mit einer genährten graphischen Lösung begnügt, ein sehr kurzes und bequemes Verfahren.

Zunächst können die Konstruktionen zur Bestimmung von k völlig umgangen werden, wenn man sich das Strahlensystem $k\,x_1$, $k\,y_1$, $k\,z_1$ unter den gegebenen Winkeln etwa auf Pauseleinwand aufträgt, und dasselbe so lange dreht, bis die drei Strahlen durch die gegebenen Punkte x, y, z der gegebenen Gegenachse G gehen.

Zieht man dann die Strahlen $p\,\xi$, $p\,\eta$, $p\,\zeta$ einerseits, und die Verlängerungen der Seiten des Dreieckes $A_1\,B_1\,C_1$ anderseits, legt die beiden Figuren so nebeneinander, daß $(G_1) \parallel G$ ist, und verschiebt das eine der beiden Blätter so lange, bis die Schnittpunkte entsprechender Strahlen: $p\,\xi$ mit $B_1\,C_1$, $p\,\eta$ mit $A_1\,C_1$, $p\,\zeta$ mit $A_1\,B_1$, in eine gerade Linie fallen (die selbstverständlich parallel zu G und G_1 sein wird), so gibt diese gemeinschaftliche Schnittlinie sofort die Linien S und G_1. Erleichtert werden diese Versuche, wenn man eine der beiden Figuren, z. B. $A_1\,B_1\,C_1$ oder aber die Figur $p\,\xi\,\eta\,\zeta$, isoliert von den übrigen Teilen der Figur 6 a, auf Pauseleinwand gezeichnet hat, und in der Richtung G_1, beziehungsweise G eine Reihe nicht zu weit entfernter feiner Bleistiftlinien zieht, durch deren Schnittpunkte mit den einzelnen Strahlen die betreffenden Strahlen der anderen Figur gehen müssen.

Durch diese genäherte Lösung wird allerdings, wenn dann die zu trans-
formierende Photographie $A B C$ und die auf der Mattscheibe ersichtlichen
Punkte $A_1 B_1 C_1$ in der erhaltenen Art gegenübergestellt werden, noch nicht
völlige Koinzidenz erhalten; es wird aber nur mehr ganz geringfügiger
Änderungen bedürfen, um die völlig richtige gegenseitige Lage herzustellen.

Métrophotographie aérienne à l'aide de mon Auto-Panoramo-
graphe.

Par R. Thiele à Moscou.

Les applications de la photographie du haut des airs en ballon monté
ou captif et par cerfs-volants aux reconnaissances géodésiques, météorolo-
giques et stratégiques représentent actuellement un intérêt essentiel et les
tentatives à triompher des difficultés techniques de cet art et de les subor-
donner aux méthodes exactes et concrètes, sont nombreuses et se produisent
partout.

Presque simultanément en Russie, en Autriche et en France s'éleva
la même idée: d'obtenir par un appareil spécial au lieu d'une seule vue in-
suffisante et ne présentant qu'une petite partie, un fragment de la surface
visible de la terre — en un coup un panorama entier, et il n'est pas à
s'étonner que tous ces appareils, poursuivants le même but, montrent une
certaine parenté.

Le premier modèle de mon Panoramographe, exécuté en 1898 et mis
à l'épreuve en 1899 au Parc aérostatique de St Pétersbourg, est décrit dans
les „Recherches sur les instruments" etc. de Laussedat (T. II, sec. part.,
p. 167, Fig. 69).

La description du modèle No 2 et de mes travaux par cerfs-volants était
publiée dans le „Jahrbuch für Photographie" de 1903 de Dr. Eder (Fig. 24
— 33) et les modèles No 3 et 4 sont annoncés dans diverses conférences et
publications en Russie.

Mon dernier modèle No 5 (Fig. 1 et 2) est considérablement perfec-
tionné en plusieurs détails, relativement à la construction des obturateurs et
le fonctionnement du mécanisme de niveau électrique. L'arrangement des
six chambres à axes inclinés de 30° à l'horizon, au dessus de la septième
— centrale — à axe vertical, est resté le même qu'au modèle No 4, seulement le format des plaques est agrandi de $13 \times 13\,cm$ à $14 \times 14\,cm$ pour
mieux conserver intactes les parties des négatifs près de l'horizon. Les
objectifs (Protars de Zeiss-Krausse à Paris, Serie III^a, Foc. $= 95\,mm$,
scrupuleusement choisis de même foyer) sont également gardés les mêmes.
Le courant électrique, faisant opérer le déclenchement simultané des sept
obturateurs, qui se communiquait aux modèles No 2 et 3 d'en bas, de Petru-

placement du treuil à l'aide des accumulateurs, se produit maintenant au moyen de quatres petites piles sèches de 4 à 4·5 volts, placées en deux poches spéciales aux deux côtés du niveau électrique, se trouvant immédiatement au dessus de la chambre centrale entre les chambres noires No 3 et 6, d'où les conducteurs se ramifient aux obturateurs. La fonction de niveau électrique, retenant le courant jusqu'au moment précis où l'axe optique de la chambre centrale devient vertical, est reglée au moyen d'un mécanisme de montre, dont le cadran, divisé en 60 minutes et servant comme isolateur, est muni d'une petite plaque de contact bombée en argent. Avant de hisser l'appareil la seule aiguille recourbée et assez flexible est mise à tant de minutes de la plaque de contact, qu'il est nécessaire pour atteindre la hauteur voulue, pour

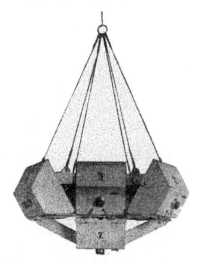

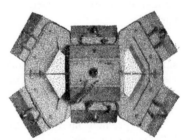

Fig. 1.   Fig. 2.

raison de quoi l'appareil est nommé „Auto-Panoramographe". La disposition actuelle des six chambres inclinées au dessus de la chambre centrale rend à l'appareil une forme oblongue et le fait plus compact que la forme hexagone reguliere, de même plus constant contre le mouvement giratoire, en conservant en même temps l'angle exacte de 60° entre les axes optiques des six chambres inclinées, se croisant au point principal de la plaque centrale. L'angle utilisé par la plaque de 14 cm, incliné 30° à l'horizon, surpasse les 60° nécessaires et coupe la ligne de l'horizon réel assez loin de l'extrémité supérieure de la plaque et il reste encore aux côtés droits et gauches des négatifs les raies, portant l'image réitérative des plaques voisines. Les extrémités inférieures des six plaques inclinées surcoupent aussi l'image orthogonale de la plaque centrale, d'où résulte un panorama entier sans le moindre manque d'image. La ligne d'horizon principal, conjoint avec le point principal comme axe optique et la distance focale représentent les axes perspectives des coordonnées, sur lesquelles se base la reconstitution des vues perspectives, reçues par l'appareil, en projection horizontale. Les traces de ces coordonnées, qui se croisent dans l'axe optique de l'objectif, sont marquées à l'intérieur de chaque chambre noire sur le cadre devant les chassis (Fig. 3) et se photographient automatiquement au moment de l'exposition. En joignant les traces opposées des ligues d'horizon principal $H\,H$ et de la verticale principale $V\,V$ à l'épreuve, leur intersection donne le point principal du „Perspectomètre" à l'aide duquel la perspective se reconstitue en plan, quand, bien entendu, le lever fait est en pays de plaines ou légèrement accidenté.

Le Perspectomètre, embrassant 60°, (Fig. 4) est une feuille transparente de celluloide ou verre poli, couverte des carrés perspectifs, dont les côtés verticaux sont coupés au point perspectif principal O', c'est-à-dire au point d'intersection de la verticale principale $V\,V$ avec la ligne d'horizon réel $h\,h$.

La constitution des carrés perspectifs du Perspectomètre est adaptée à la hauteur conditionelle de 200 m; la ligne principale de la construction est divisée en quatre parties, dont chacune = 50 m correspondant aux dimensions des côtés des carrés perspectifs.

Pour éviter la reduction trop sensible des carés perspectifs en haut, auprès de l'horizon réel et pour mieux distinguer leur contenant, les carrés du Perspectomètre sont divisés — de bas en haut — en cinq gradations, dont chaque suivante s'augmente en nombre carré contre la précédée. En cousé-quence de ces gradations, les côtés des carrés (en deux sens) mesurent:

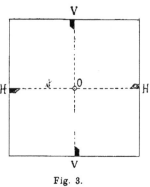

Fig. 3.

1. entre les parallèles   1 — 40 =   50 m } mesure normale

2.   „   „   „   41 —   60 = 100 m ⎫
3.   „   „   „   61 —   80 = 200 m ⎬ mesures
4.   „   „   „   81 — 120 = 400 m ⎪ augmentantes.
5.   „   „   „   121 — 200 = 800 m ⎭

Ces gradations aident a examiner le dessin entre les carrés supérieurs et facilitent la lecture des carrés nombrés pendant leur restitution en plan. Le Perspectomètre se dessine préalablement en dimension agrandie, conformément à la grandeur de la distance focale de l'objectiv et au degré de l'inclinaison des chambres latérales. Le négatif, fait d'après le dessin en grandeur précise, s'imprime au moyen du procédé au charbon en couleur rouge foncée, qui se distingue aisément du fond noir du négatif, du diapositif ou de l'épreuve photographique.

Le négatif du Perspectomètre peut également s'imprimer directement à l'épreuve non fixée, pour éviter les conséquences des abréviations du papier. En ce cas on mettra soigneusement l'épreuve sur le négatif et en

apparition de la lumière — on joindra l'horizon de l'épreuve à la ligne
d'horizon *h h* du Perspectomètre et les points principaux *O* de ce dernier
avec le même point de l'épreuve imprimé du négatif, où il était préalablement marqué d'après les traces des coordonnées.

Au moment du lever on obtiendra facilement la hauteur de l'appareil

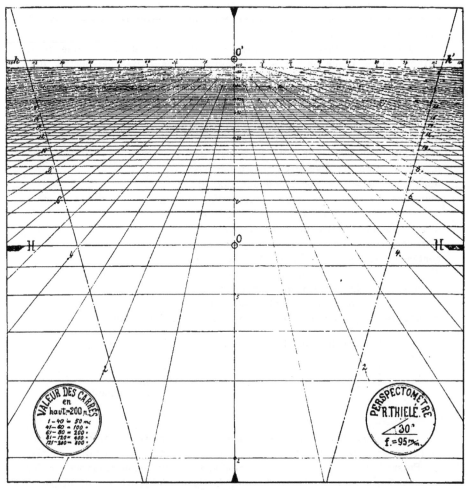

Fig. 4.

après la détermination de l'échelle. Cette dernière résulte incessament par
un simple calcul d'après une ligne de base connue, dont les termes sont
photographiées sur la plaque centrale (Fig. 5). Soit *a a'* l'image de la base
connue sur le négatif, *b b'* la grandeur le la base à l'échelle choisie, *f* la
distance focale de l'objectif employé, *h* la hauteur cherchée de l'appareil, on a

d'où

$$h : b\,b' = f : a\,a'$$

$$h = \frac{a\,a'}{b\,b'} \cdot f.$$

Quand, en conséquence d'un enlévement trop bas et de l'éloignement de l'appareil par le vent, les termes de la base se dessinent sur une ou même deux plaques latérales, il faut, que l'on restitue préalablement les vues perspectives, sur lesquelles se trouvent les termes, à leur projection horizontale à l'aide du Perspectomètre. Pour cet objet, on joindra (Fig. 6) les points des termes $a\,a'$ aux deux coins approchés $c\,d$ et $c'\,d'$ des carrés où ils se trouvent et prolongera $c\,a$, $d\,a$, $c'\,a'$ et $d'\,a'$ jusqu'à leur rencontre en $e\,f$ et $e'\,f'$ avec les parallèles g et i. En joigeant $c\,c'$, $d\,d'$, $e\,e'$ et $f\,f'$ au point principal O' et prolongeant ces droites jusqu'á leur rencontre en c_1, $d_1{}^1$, e_1, et f_1 avec la parallèle la plus proche, d'où ces droites se mènent perpendiculairement à la construction des carrés géométriques, correspondants aux carrés perspectifs, la construction précédée se transfère aux carrés géométriques (en déterminant les positions des termes $a\,a'$ en a_1 et a'_1) c'est-à-dire à leur projection horizontale.

Sachant, que les côtés des carrés perspectifs $= 50\ m$, la détermination de la grandeur de la base sur le plan est donnée et également l'échelle désirée pour tracer le plan.

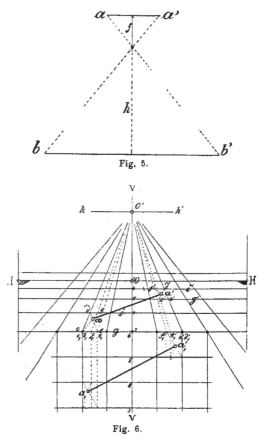

Fig. 5.

Fig. 6.

Quand les termes de la base sont photographiés sur deux négatifs du lever, chacune des deux vues doit être restituée séparément, et les constructions précédées dans les carrés perspectifs faites, on les transfère sur le papier, préalablement quadrillé (Fig. 7), où l'on détermine leur projection horizontale.

Une grandeinfluence a aussi la précision de la configuration des objets éloignés de la station de l'appareil à l'inclinaison des chambres latérales à l'horizon. En augmentant l'inclinaison, l'horizon réel $h\,h'$ se sépare et s'éloigne de plus en plus de l'horizontale principale $H\,H$, en conséquence les carrés perspectifs s'élargissent et les objets, y contenus, gagnent de plus en plus d'évidence (Fig. 8). La figure représente la grande différence entre les carrés perspectifs d'un Perspectomètre pour l'axe optique horizontal (1 — 8 [a]) et d'un Perspectomètre pour axe incliné de 45° (I — VIII[b]), comme toutes les deux positions de l'appareil ont la même ligne du fondament pour la construction du Perspectomètre. La hauteur de l'appareil est aussi d'une grande importance à l'exactitude de la reconstitution du plan. Le rayon principal, s'est-à-dire l'axe optique de l'objectif, prolongé en dehors

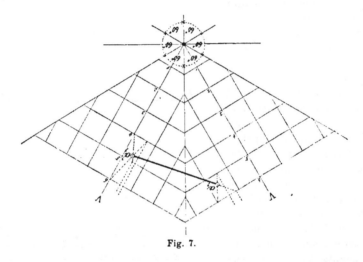

Fig. 7.

perpendiculairement au plan de tableau, se déplace sur la surface du terrain conformément à la hauteur d'enlévement de l'appareil. Quand l'appareil s'élève jusqu'à 250 m (Fig. 9), le rayon r_1 touche le terrain trés prés de la station de l'appareil; s'élevant jusqu'à 1000 m, le rayon principal r_3 rencontre la surface déjà à une distance considérable, de 1800 m environ de la station de l'appareil et s'éloigne à la grande distance de $3\frac{1}{2}$ km de la station dans une hauteur de 2000 m. Proportionellement à l'enlèvement de l'appareil et selon l'éloignement du rayon principal de la station, le champ de vue, c'est-à-dire l'image sur la plaque sensible, s'élargit en tous sens.

Examinant attentivement la photographie jointe (Fig. 10), représentante une de nos forteresse de Sud de Kharbine, levée d'une hauteur de 135 m seulement, ou distingue encore la position et les contours des objets, situés près de la parallèle 60 du Perspectomètre imprimé à l'épreuve. Le rayon principal de ce lever abattu en O sur le parallèle No 7 du Perspectomètre, à une distance de 236 m de la station de l'appareil. Si ce dernier s'était élevé de la même station à la hauteur verticale de 1000 m, le rayon principal serait tombé sur un objet, éloigné a la distance de $\frac{1000}{135} = 7\cdot4$ fois plus loin, c'est-à-dire à la distance de 1635 m. Une telle distance répond

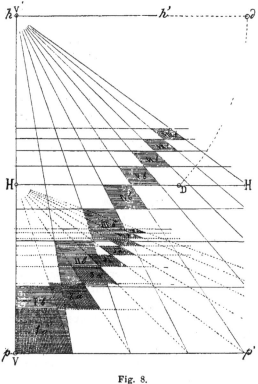

Fig. 8.

aux parallèles 47 et 48, et les objets s'y trouvants se présenteraient en même grandeur et exactitude comme la forteresse au centre de la vue comprise. En même temps, d'une hauteur de 1000 m de la même station, la

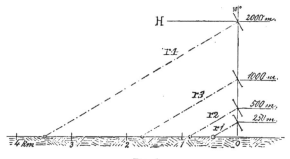

Fig. 9.

forteresse ne se marquerait pas sur la plaque latérale, mais déjà sur la plaque centrale en projection orthogonale.

Quant à la fixation des contours des forêts, grands cours d'eau, rivages de la mer ou des grands lacs, ils se produisent — d'une hauteur suffisante — à des distances énormes, bien entendu, dans des conditions atmosphériques favorables.

La table I suivante donne les distances de la station à diverses parallèles du Perspectomètre en hauteurs croissantes:

Table I.

Hauteur de l'appareil	Distances de la Station aux parallèles No					
	10	20	30	40	60	80
	m è t r e s					
200	500	1.000	1.500	2.000	3.000	4.000
300	750	1.500	2.250	3.000	4 500	6.000
500	1.250	2·500	3.750	5.000	7.500	10.000
1000	2.500	5.000	7.500	10.000	15.000	20.000
8000	5.000	10.000	15.000	20.000	30.000	40.000

Comme il est dit, la valeur des carrés perspectifs augmente proportionellement selon l'exhaussement de l'appareil. La même dépendance de la hauteur s'étend également à l'image de la plaque centrale, qui représente immédiatement une projection horizontale du lever fait à l'échelle déterminée par la hauteur de l'appareil.

La table II montre les augmentations successives des distances de longueur et carrées de l'image à la surface de la plaque centrale en diverses hauteurs de l'appareil en chiffres arrondis.

Table II.

Hauteur de l'appareil	Grandeur de l'image de la plaque centrale	
	en longeur	aire carrée
	m è t r e s	
200	150	22.500
300	225	50.600
500	375	140.600
1000	750	562.500
2000	1500	2,250.000

Ces deux tables montrent à l'évidence l'importance des élévations plus grandes à la distinction des levers reçus et à l'exactitude de la reconstitution en plan. Un exhaussement de l'appareil à 1000 m suffit pour tracer un plan d'environ 300 km carrés, ne profîtant pour la restitution que des carrés normals du Perspectomètre entre les parallèles 1—40.

Voilà encore une autre préférence des élévations plus hautes: plus l'appareil s'élève, plus distinctement se dessinent à grande distance les cours d'eau et les ravins, et moins ils seront cachés par les arbres et bords.

Fig. 10.

En même temps les élévations naturelles du terrain peu importantes se planent où leur restitution se produit à l'aide du Perspectomètre dans les limites de défauts admissibles.

En temps de guerre les levers de l'Autopanoramographe représentent un grand avantage et par conséquence qu'ils embrassent l'horizon entier, en marquant en même temps les dispositions de l'ennemi en connexité avec les propres positions occupées.

En été 1905 je reçus l'ordre de me rendre avec mon appareil sur le théâtre de la guerre pour lever les situations japonaises, mais — malheureusement — trop tard. Mon arrivé à Kharbine coïncida à la conclusion de la paix et ma proposition, de lever comme document historique le front de nos positions ensemble avec les positions opposées des Japons, ne fut pas accepté et il ne me resta plus rien à faire, qu'a opérer avec mon appareil devant les autorités supérieures dans les environs de Kharbine. Le plan ci-joint (Tafel II), levé le 25 oct. 1905 d'une hauteur de 280 m était verifié officiellement par les autorités du génie, qui ont affirmé sa coïncidence avec leurs propres plans jusqu'aux moindres details.

Il n'est pas douteux non plus, que les propriétés de l'Autopanoramographe le prédestinent aussi spécialement aux explorations des régions polaires.

La grande diaphanéité de l'air au nord et les espaces énormes, qui se photographient sur les plaques latérales de l'appareil, élevé par un systéme de cerfs-volants bien choisi (la vitesse d'un navire au train suffit à leur exhaussement) permettent d'attendre des résultats remarquables pendant la longue journée d'été polaire. Le développement des levers donne immédiatement les contours des rivages à une lointaine de 50 km et plus et, mettant le négatif où l'on remarque les traces d'une rivage sur le Perspectomètre et sachant le cours du navire au moment du déclenchement des obturateurs, on trouve tout à l'heure la direction nécessaire. L'image du navire, photographié sur la plaque centrale, sert comme base du lever et boussole.

Pour obtenir des renseignements exacts du lever de l'Autopanoramographe, on n'a pas besoin de faire des croquis; en joignant seulement les négatifs ou diapositifs au Perspectomètre diaphane, les distances en tous sens sont facilement à prendre. Egalement les vues perspectives, jointes au Perspectomètre, peuvent être projétées à l'écran pour y prendre les mesures et pour mieux examiner les détails nécessaires du panorama en présence de plusieurs personnes.

Mon Autopanoramographe dans son état actuel est construit entièrement en aluminium et pèse — tout à fait chargé — six kilogrammes, ses dimensions sout: longueur 55 cm, largeur 42 cm, hauteur 27 cm. Son activité et le calcul du Perspectomètre trouvent leur raison d'être préférablement pour les levers en pays de plaines ou peu accidenté.

Cependant, les magnifiques propriétés du télémètre stéréoscopique et du Stéréocomparateur de Dr. Pulfrich m'ont donné l'idée de construire un „Stéréopanoramographe, pour en profiter en pays très accidenté comme notre Caucase. Deux appareils (Fig. 11), chacun à six chambres inclinées de 30° à l'horizon, sont inflexiblement réunis par un système de tuyaux à une distance de deux mètre l'un à l'autre, au milieu entre eux il y a une chambre noire commune à axe vertical, portant le niveau électrique avec mécanisme et batterie.

Les perspectives immenses, qui se découvrent en appliquant la Stéréophotogrammétrie à un grand nombre de sciences et à la topographie, permettent d'espérer, que ces applications, faites aux levers photographiques à

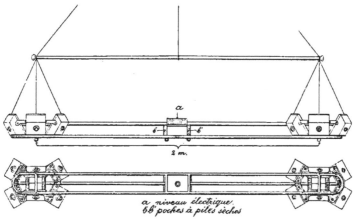

Fig. 11.

vol d'oiseau en suivant une voie correcte, c'est-à-dire en prenant pour base
la vitesse et la précision de la reconstitution des perspectives en plan, nous
amèneront tôt ou tard à l'établissement de la Stéréophototopographie aérienne.

Die Photographie und Photogrammetrie im Dienste der Denkmalpflege und das Denkmälerarchiv.

Von E. Doležal, o. ö. Professor an der k. k. technischen Hochschule in Wien.

I.

Geschichtliches über Denkmalpflege und Verwendung der Photographie für ihre Zwecke.

Die Denkmalpflege gehört zu den schönsten und dankbarsten Aufgaben
eines Kulturvolkes und verdient es in vollem Maße, daß ihr vom Staate,
von verschiedenen Körperschaften und vielen Privaten die größte Aufmerksamkeit entgegengebracht wird.

Es bilden ja die meisten Denkmäler unvergängliche Gedenkzeugen
ruhmvoller Vergangenheit und darum sind sie vorzüglich geeignet, das
Bewußtsein unserer Zusammengehörigkeit mit dem heimatlichen Boden zu
wecken, zu fördern und lebendig zu erhalten. Ihre erzene oder steinerne
Sprache treibt uns aber auch mächtig an, den großen Taten unserer Vor-
fahren nachzustreben und immer bemüht zu sein, das Erbe, welches sie uns
hinterlassen, würdig zu verwalten.

Ein intensives und ernstes Studium der Schönheiten, welche in den Denkmälern aufgespeichert liegen, wird aber auch viel zur Förderung des Fortschrittes in der Kunst beitragen. Die wahre Kunst war jederzeit bestrebt, aus den reichen Schätzen, welche die Vergangenheit in der Malerei, der Plastik, der Baukunst hinterlassen hat, neue Anregungen zu schöpfen, und dieselben mit den sich immer mehr und mehr entwickelnden Mitteln des technischen Könnens zu verarbeiten.

Wir leben in einer Zeit, wo die Malerei, die Plastik und die Baukunst von einer mächtigen Bewegung erfaßt sind, wo anscheinend die alten Bahnen der historischen Entwicklung verlassen werden und die Künstler ängstlich bestrebt sind, ihren Werken einen von der Tradition unbeeinflußten, individuellen Charakter einzuprägen.

Aber auch die neue Richtung muß, wenn auch vielleicht unbewußt, aus der Schatzkammer der Vergangenheit schöpfen, und sie sucht nur das uralte Streben nach dem unerreichten Ideale in ein neuzeitliches Gewand zu kleiden.

> „Am guten Alten im Treuen halten,
> Am kräftigen Neuen sich stärken und freuen,
> Wird niemand gereuen."

Dieser schöne, im Bremer Rathauskeller verewigte Spruch Emanuel Geibels trifft wohl die richtige Mitte in dem immer wieder sich erneuernden Streite zwischen den Alten und den Jungen.

Darum bilden auch die wirklich künstlerischen Denkmale der aufeinander folgenden Stilperioden, so verschieden sie in der Auffassung, in der Ausführung ausgefallen sind, dennoch eine harmonische Kette, deren Ende in den Händen der hohen Göttin der Schönheit liegt.

Zu den Denkmälern rechnet man alle Werke, welche für die Kunst, die Kulturgeschichte oder die nationale Entwicklung eines Volkes von irgendeiner Bedeutung sind und die charakteristischen Merkmale der Vergangenheit tragen.

Hierzu sind zu rechnen:

1. Werke der kirchlichen und profanen Architektur;

2. die gesamten beweglichen und unbeweglichen Ausstattungsgegenstände dieser Bauten, welche in das Gebiet der Plastik, der Malerei und des Kunstgewerbes fallen;

3. Urkunden, Handschriften, Druckwerke und

4. die Werke der Malerei und Bildhauerkunst.

Frühzeitig haben viele Staaten der Erforschung und Erhaltung von beweglichen und unbeweglichen Denkmalen ihre Obsorge zugewendet. Die staatlichen Bemühungen werden auch auf das wirksamste von autonomen Körperschaften, künstlerischen und wissenschaftlichen Vereinigungen und kunstsinnigen Privatpersonen unterstützt.

Die in obiger Richtung getroffenen Maßnahmen erstrecken sich:

1. Auf die gesetzlichen Bestimmungen, welche für die Erhaltung der Denkmäler Vorsorge treffen;

2. auf Schaffung von Institutionen, welchen die Aufgabe zufällt, im Dienste der Denkmalpflege und Erhaltung zu wirken;

3. auf Gründung von Museen und Sammelstellen der Werke des Kunstschaffens und

4. auf die Publikation von Schriften und Werken, welche in Monographien die Denkmäler behandeln oder in Form von kunsttopographischen Darstellungen deren Inventarisierung besorgen.

In legislativer Hinsicht hat besonders der Kirchenstaat seinerzeit reges Interesse an der Sache gezeigt und frühzeitig entsprechende Verordnungen erlassen, welche später in fast allen zivilisierten Staaten Nachahmung fanden.

Hinsichtlich des zweiten Punktes machte im Jahre 1601 Schweden den Anfang mit der „Königlichen Akademie der schönen Wissenschaften, Geschichte und Altertumskunde", ihm folgte Portugal 1721 usw.

Geradezu großartig sind die Maßnahmen, welche Frankreich in dieser Richtung getroffen hat. Schon im Jahre 1830 wurde der erste Schritt unternommen und 1837 die berühmte

„Commission des Monuments historiques"

geschaffen, welche sich die doppelte Aufgabe stellte:

a) alle von künstlerischem und kunstgeschichtlichem Standpunkte bemerkenswerte Denkmäler zu verzeichnen und

b) für die Erhaltung derjenigen Denkmäler zu sorgen, die als Typen bezeichnet werden können, die sich gleichsam als Marksteine des Fortschrittes, als Höhepunkte einer gewissen Kunstperiode darstellen — und auf diese Weise die Musterwerke aller Systeme, die nacheinander von französischen Architekten aufgenommen werden sollen, für immerwährende Zeiten zu erhalten.

Aus der ersprießlichen Tätigkeit der „Commission des Monuments historiques" ist besonders hervorzuheben die Herausgabe des Werkes

„Archives de la commission des monuments historiques, publiées par ordre de son excellence M. Achille Foud, ministre d'état 1853—1872",

welche Publikation der französischen Regierung 400.000 Francs kostete und einen unvergänglichen Beleg für den Eifer und das Geschick bildet, mit welchem die Kommission ihrer nicht leichten Aufgabe nachzukommen suchte. Architekten wie Viollet-le-Duc, Ruprich-Robert, Questel, Révoil u. a. haben an dem großen Werke gearbeitet und darin die Perlen der Baudenkmäler Frankreichs in „Bild und Maß" der Nachwelt erhalten.

Die bedeutendsten Denkmäler sind in zeichnerischen Monographien niedergelegt, viele besonders wichtige sogar in vollen Detailaufnahmen mit Rissen, Schnitten, Ansichten und Detâilausführungen.

Seit dem Jahre 1883 werden auch photographische Aufnahmen der Denkmäler angefertigt, deren Ausführung vom Staate Privatphotographen übertragen wird. Ungefähr 10.000 photographische Aufnahmen der wichtigsten Denkmäler Frankreichs sind im Formate $30 \times 40\, cm$ hergestellt worden und es kann, nachdem ein vortrefflicher Katalog existiert, jede gewünschte Aufnahme im Buchhandel erhalten werden.

Die Photographien selbst zeigen zumeist künstlerische Auffassung und geschmackvolle Durchführung.

Die eigentliche Photogrammetrie wurde in Frankreich für die Denkmalpflege nur in beschränktem Ausmaße verwendet, und zwar war es hauptsächlich der Archäologe Dr. Le Bon, der sie auf seinen Studienreisen verwertete; siehe seine Werke:

„Les Civilisations de l'Inde", Didot et Cie., Paris 1887 und

„Les Levers topographiques et la Photographie en Vòyage", Gauthier-Villar et Fils, Paris 1889.

In Deutschland fand die Denkmalpflege frühzeitig in den verschiedenen Staaten eine mehr oder minder ausgedehnte Beachtung.

In Preußen hat der kunstsinnige König Friedrich Wilhelm IV. durch die Kabinettsordre vom Jahre 1844 das Amt der Konservatoren für die Kunstdenkmäler geschaffen und eine Instruktion erlassen, welche heute noch als Grundlage und Richtschnur der gesamten Denkmalpflege anzusehen ist.

Im Jahre 1891 wurden durch eine planmäßige Organisierung die Bestrebungen des Staates, der Provinzialverbände, der Kommunen, der Vereine von Altertums- und Geschichtsforschern usw. systematisch zusammengefaßt, indem in den einzelnen Provinzen „Kommissionen zur Erforschung und zum Schutze der Denkmäler in der Provinz" geschaffen wurden, in welchen alle beteiligten Körperschaften Sitz und Stimme haben und in gemeinsamer Arbeit an der Sammlung des historischen Denkmälerarchivs tätig sind.

Bekanntlich ist auch, angeregt durch die Denkmaltage und als ein Erfolg derselben aufs freudigste zu begrüßen die Herausgabe eines „Handbuches der deutschen Kunstdenkmäler" mit Unterstützung Sr. Majestät des Kaiser Wilhelm II. gegenwärtig in Vorbereitung.

Was die rationelle Denkmalpflege leistet, zeigen die reichen Denkmälerverzeichnisse und Beschreibungen mehrerer preußischen Provinzen und einzelner deutscher Staaten — Sachsen, Baden, Bayern —, welche in der wissenschaftlichen Behandlung und illustrativen Ausstattung vollständig auf der Höhe der Zeit stehen und in jeder Richtung als mustergiltig bezeichnet werden müssen.

Die vorzüglichen Werke:

Hartung: „Motive der mittelalterlichen Baukunst",

Schmitz: „Dom zu Köln"

und viele andere zeigen, daß heute die Photographie den anderen Vervielfältigungsverfahren, dem Stich und der Lithographie, den Rang abgelaufen hat und besonders bei Darstellung architektonischer Details in ausgedehntestem Maße Verwendung findet.

In Preußen muß auch die Meßbildanstalt rühmend hervorgehoben werden, welche im Dienste der Denkmalpflege seit mehr als 22 Jahren tätig ist.

Diese Anstalt ist eine Schöpfung des um die Architekturphotogrammetrie hochverdienten Geheimen Baurates Prof. Dr. A. Meydenbauer.

Ein Verdienst des ehemaligen preußischen Unterrichtsministers v. Goßler ist es, Meydenbauers Bestrebungen gewürdigt und ihm Gelegenheit gegeben zu haben, seinen Plan, mit Hilfe der Photogrammetrie ein Denkmäler-archiv zu schaffen, wenn nicht vollends, so doch zum Teil realisieren zu können.

Österreich blieb hinter den anderen Staaten in der Denkmalpflege nicht zurück und frühzeitig wurde eine zielbewußte Organisation zum Zwecke der Erhaltung der Kunst- und geschichtlichen Denkmäler vom Staate durchgeführt.

Im Jahre 1850 wurde die k. k. Zentralkommission für Erforschung und Erhaltung der Kunst- und historischen Denkmäler in Wien ins Leben gerufen, im Jahre 1873 zweckentsprechend ausgestaltet und durch das Regulativ vom Jahre 1895 dem Geiste der Zeit angepaßt.

Die „Mitteilungen" und „Jahrbücher" dieses Institutes zeigen in trefflichen Arbeiten österreichischer Forscher, wie rege auf diesem Gebiete gearbeitet wird. Die in jüngster Zeit publizierte „Österreichische Kunsttopographie", I. Band, Niederösterreich, herausgegeben von der k. k. Zentralkommission für die Erhaltung Kunst- und historischer Denkmale, redigiert von Professor M. Dvořak, bekundet, daß das Streben der Zentralkommission dahin abzielt, ein übersichtliches, beschreibendes Kunstinventar aller Kronländer zu geben.

Die Bedeutung der Photographie für die Abbilduug von Altertümern und Kunstwerken der Monarchie wurde ebenfalls erfaßt und die photographischen Gesellschaften und Vereine der Lichtbildkunst ersucht, ihre Mitglieder auf die photographische Wiedergabe historisch interessanter Objekte aufmerksam zu machen.

Auch die Verwendung der Photogrammetrie fand gebührende Beachtung und wurden in dieser Richtung zur Erprobung des Verfahrens Probeaufnahmen durchgeführt, welche zufriedenstellende Resultate lieferten.

Bei der großen Aufmerksamkeit und dem lebhaften Interesse, welches man hohenorts der Erhaltung des heimatlichen Kunstbesitzes zuwendet, bei dem tiefen Verständnisse, welches man allen für die Förderung der Kunst verwendbaren Errungenschaften der modernen Wissenschaft entgegenbringt, kann angenommen werden, daß die Photogrammetrie in Bälde offiziell als Hilfsmittel zur Erhaltung und Festlegung der österreichischen Denkmäler herangezogen werden wird.

Es würde zu weit führen, die legislatorischen Vorkehrungen zu besprechen, die zur Pflege und zum Schutze der Denkmäler auch in anderen Staaten getroffen wurden.

Italien und Griechenland haben vor allen ein großes Interesse an der Konservierung ihrer historischen Objekte und kommen ihren diesbezüglichen Aufgaben nach Maßgabe der beschränkten finanziellen Mittel nach. Das reiche England sorgt natürlich in ganz hervorragender und munifizenter Weise für die Erhaltung und bildnerische Reproduktion seiner vielseitigen Kunstschätze.

Die Photographie findet allerorts Verwendung, wenn auch nicht immer in ausgedehnter und rationeller Weise, und was die Photogrammetrie betrifft, so kann sich nur Preußen rühmen, diese offiziell zur Herstellung eines Denkmälerarchives herangezogen zu haben.

Neben der staatlichen Obsorge waren es in der zweiten Hälfte unseres Jahrhunderts insbesondere archäologische und historische Vereine, welche für die Ausdehnung und Vertiefung des Studiums der Kunstgeschichte tätig waren. Diese Vereine haben aber auch für die Erhaltung wichtiger Monumente und zur Aufklärung in der Denkmalpflege sehr viel beigetragen.

In Frankreich nimmt die Institution der archäologischen Kongresse, welche von dem bekannten Forscher de Gaumont ins Leben gerufen wurde, regen Anteil an allen die Förderung der Denkmalpflege betreffenden Aufgaben und Arbeiten.

In ähnlicher Weise haben seinerzeit in Deutschland die kunsthistorischen Kongresse segensreich gewirkt. Sie sind in letzter Zeit in wirksamer Weise durch die „Tage für Denkmalpflege" abgelöst worden, auf denen alljährlich eine große Zahl deutscher Künstler, Kunsthistoriker und künstlerischer Körperschaften zusammentreten, um über die mit der Denkmalpflege zusammenhängenden Fragen zu beraten. Solche Tagungen fanden statt in Dresden 1900, Freiberg 1901, Düsseldorf 1902, Erfurt 1903 usw.

Neben den verschiedenen gelehrten Vereinen und den Denkmaltagen spielen auch die Museen eine wichtige Rolle in der Denkmalpflege.

Frankreich, welches eine Reihe Kommunal-, Departement- und privater Museen besitzt, kann in dieser Richtung als Vorbild dienen.

Zurzeit haben Deutschland und Österreich und andere Staaten Museen geschaffen, welche einerseits verschiedenen Objekten des Kunstgewerbes sichere Unterkunft bieten, anderseits aber bildliche Darstellungen, Zeichnungen und Photographien von Baudenkmälern aufnehmen und der Nachwelt erhalten.

Hohen Reichtum an Kunstschätzen birgt z. B. das Germanische Museum in Nürnberg, das dank des allgemein bekundeten Interesses für den großen Gedanken, der mit der Stiftung und Erhaltung dieser Anstalt sich verwirklichte, in Deutschland zu einer ganz hervorragenden Stellung gelangte.

Im Dienste der Denkmalpflege stehen noch eine Reihe verschiedener Publikationen, welche vom Staate oder eigenen Gesellschaften herausgegeben werden.

Eine periodische Zeitschrift „Die Denkmalpflege", welche seit 1899 unter Otto Sarrazins und Oskar Hoßfelds trefflicher Leitung von dem „Zentralblatte für Bauverwaltung" in Berlin herausgegeben wird, bringt interessante Aufsätze über Erhaltung und Wiederherstellung von Baudenkmälern, geißelt rücksichtslos sinn- und zwecklose Beschädigung und Vernichtung altehrwürdiger Baudenkmäler und bespricht die Maßnahmen, die zu ihrem Schutze getroffen werden.

Zwei deutsche Publikationen verdienen noch eine besondere Erwähnung, weil sie, auf dem Boden der Hochschule entstanden, den hehren Zweck verfolgen, die akademische Jugend nicht nur für die Erforschung der Baudenkmäler zu interessieren, sondern auch zu aktiver Beteiligung an der Denkmalpflege anzuspornen.

Es sind dies:

a) die „Reiseaufnahmen der Architekturschüler der k. k. Kunstakademie" in den Publikationen des Vereines „Bauhütte zu Wien" und

b) die „Denkmäler der Baukunst", herausgegeben von den Studierenden der Architektur an der Königlichen technischen Hochschule in Berlin-Charlottenburg.

Die ersterwähnte Publikation, welche regelmäßig seit mehr als 30 Jahren erscheint, trägt architektonischen Charakter und bildet einen wertvollen Beitrag für das Studium der Baudenkmäler Österreichs. Kein Geringerer als der erste Meister der neugotischen Schule Deutschlands, Friedrich Schmidt, war der Begründer dieser Einrichtung, welche in mancher Beziehung vorbildlich wirkte.

Das zuletzt genannte Werk bringt durch Darstellung der hervorragenden Baudenkmäler aller Zeiten in einheitlichem Maßstabe eine vergleichende Übersicht und bietet so dem Studium der Architekturgeschichte ein erwünschtes Hilfsmittel und dem praktischen Architekten Anhaltspunkte zu Entwürfen und Ausführungen.

Im „Österreichischen Ingenieur- und Architektenvereine" hat sich in jüngster Zeit ein „Ständiger Photographenausschuß" gebildet, der „ein photographisches Archiv" im Vereine schaffen soll; das Programm, nach dem in Zukunft bei der Sammlung des photographischen Materiales vorgegangen werden soll, enthält folgende, die Denkmalpflege betreffenden Hauptgruppen:

1. Überreste alter Bauwerke, wie Kirchen, Schlösser, Befestigungen usw., also Objekte archäologischen Wertes, im Gesamtbilde und in Einzelheiten;

2. Bauwerke aus den verschiedenen älteren Epochen, wie Kirchen, Klöster usw.;

3. Städte mit charakteristischen Straßenbildern, ihren eigenartigen Bauwerken und Denkmälern;

4. Moderne architektonische Bauwerke und Denkmäler im Gesamtbilde und in Einzelheiten.

Im vorstehenden wurden in kurzen Zügen die Maßnahmen besprochen, welche einzelne Staaten ergriffen haben, um die Denkmalpflege zu fördern, und konnte hierbei die ausgedehnte Anwendung, welche die Photographie im Dienste der Denkmalpflege in Frankreich und Deutschland gefunden hat, gebührend hervorgehoben werden.

Die Wichtigkeit der Photographie als Hilfsmittel der objektiven Darstellung in der Kunst ist anerkannt und unbestritten. Der Maler, der Bildhauer, der Architekt, der Kunstgewerbetreibende, sowie der Kunstgelehrte benutzen Photographien bei ihren Studien, sie sind ihnen zum unentbehrlichen Hilfsmittel geworden.

Hierbei ist es aber notwendig, daß das Objekt, welches der Lichtstrahl auf der empfindlichen Platte fixiert, nicht ohne Überlegung photographisch aufgenommen werde. Das Bild, welches entsteht, soll den Eindruck der Treue und Naturwahrheit machen. Aus diesem Grunde müssen verschiedene Momente berücksichtigt werden und zwar: Beleuchtung, welche die Licht- und Schattenwirkung und damit die Plastik des Objektes bedingt; die Farbe und die räumliche Erstreckung des Objektes, endlich der Standpunkt der Aufnahme und die damit zusammenhängende Perspektive, welche die Wirkung des Bildes bedingen.

Der Photograph muß, so wie der Bildhauer und Maler, die Gesetze des Schönen strenge beachten; er muß die künstlerische Einheit in der Darstellung festhalten und bestrebt sein, alle Teile der bildlichen Darstellung auf ein Hauptmoment zu beziehen und diesem unterzuordnen. Er muß die Formen, die Lage und Stellung des Objektes, die Licht- und Schatteneffekte, die Wirkungen der Linear- und Luftperspektive wie ein Künstler studieren und auswerten, um mit seinem Werke ästhetische Wirkungen zu erzielen.

Photographien, welche mit Beachtung der angeführten Momente ausgeführt wurden, werden, wie jedes künstlerische Werk, den individuellen Charakter des Schöpfers, also hier des Photographen tragen, sie werden aber in den meisten Fällen auch allgemeine Befriedigung erringen.

II.
Photogrammetrie und Denkmalpflege.

Das photographische Bild bekommt, wenn es photogrammetrisch adjustiert wird, einen erhöhten Wert, indem es dadurch zu Meßzwecken verwendbar gemacht wird. Die Photogrammetrie wird bei Aufnahmen von Denkmälern überall da von Vorteil sein, wo es sich um Gewinnung von Maßen, um Herstellung von Grund- und Aufrissen handelt.

Die Photographie und Photogrammetrie könnten, rationell und systematisch angewendet, eines der wichtigsten Hilfsmittel der Denkmalpflege werden und sollten in ausgedehntem Maße zur Inventarisierung unserer Kunstschätze herangezogen werden, um die Realisierung eines Denkmälerarchives zu ermöglichen.

Ehe wir auf die Besprechung der Aufnahme eines Bauobjektes nach dem photogrammetrischen Verfahren übergehen, sei es uns gestattet zu zeigen, in welcher Weise die jetzt noch übliche Sicherung eines Baudenkmales in „Bild und Maß" vorgenommen wird.

Es handelt sich hierbei um den Grund- und Aufriß, sowie um eventuelle Ansichten von Einzelheiten des Baudenkmales.

Die Herstellung solcher geometrischen Zeichnungen stützt sich auf direkte Messungen und ist mit ganz ungewöhnlichen Opfern an Zeit und Mühe verbunden.

Die Ausführung von Abmessungen für den Hauptgrundriß erfordert in vielen Fällen ganz besondere Vorkehrungen und Vorsichtsmaßregeln, insbesondere wenn das Objekt, wie z. B. ein Schloß, eine Ruine usw. auf einem schwer zugänglichen Felsen oder am steilen Flußufer gelegen ist.

Hat man die Abmessungen einer Fassade aufzunehmen, einige außen-
liegende Profile des Bauwerkes oder Zierformen, ein reiches Fenster- oder
Portalprofil in richtigen Maßen festzuhalten, so werden Leitern verwendet
und nicht selten ganze Gerüste errichtet; auch kommt es vor, daß der aufzunehmende Architekt in einem hängenden Korbe mittels eines Flaschenzuges
sich an der Außenwand oder im Innern des Baudenkmales heben und
senken läßt, um die nötigen Maße zu erhalten.

Wie leicht ist es hierbei möglich, daß bei der großen körperlichen
und geistigen Inanspruchnahme des Architekten, wenn Regen und Staub
auf das Skizzierpapier oder in die Augen fallen, falsche Maße vermerkt
werden.

Das Auftragen des Grund- und Aufrisses wird im Bureau vorgenommen,
zumeist an einem anderen Orte als dem, wo das Denkmal sich befindet, und
zwar an der Hand von beim Aufmessen entworfenen, kotierten Skizzen, es
geschieht mit dem Zirkel und Maßstabe und geht bei geübten Architekten
glatt von statten.

Haben jüngere und weniger erfahrene Personen das Aufmessen besorgt,
so stellt sich oft der Mangel wichtiger Koten ein; diese können in den
meisten Fällen nicht mehr beschafft werden, da Leitern und Gerüste fehlen
oder gar oft eine größere Reise zu machen wäre, um das Objekt zu
erreichen.

Die Beseitigung solcher Mängel führt zu Kombinationen und vielfach
zu unrichtigen Dimensionierungen.

Wenn schon das Aufmessen größerer Objekte Schwierigkeiten bereitet,
so stellen sich diese in noch erhöhtem Maße bei Aufnahme von heiklen
Zierformen ein.

Die getreue Wiedergabe der Zierformen in alten Bauwerken gehört zu
den schwierigsten Aufgaben des aufnehmenden Architekten, weil der Zeichner
das richtige Verständnis für die Stilformen besitzen muß, um sie unver-
fälscht wiedergeben zu können. Dringt der Zeichner nicht in das Wesen der
Komposition ein, so wird die zeichnerische Wiedergabe des betreffenden
Details den individuellen Charakter des Zeichners tragen; wiederholt sich
die zeichnerische Nachbildung, so kann das Abbild bis zur gänzlichen Un-
kenntlichkeit verunstaltet werden.

Die vorstehenden Ausführungen zeigen die Unverläßlichkeit der maß-
lichen geometrischen Darstellung, sowie die Leichtigkeit, mit der hierbei
eine unrichtige und individuelle künstlerische Wiedergabe von charakteristischen Details eintreten kann. Man kommt daher zu dem Schlusse, daß
gegenwärtig unsere Kenntnis der Baudenkmäler in gar vielen Fällen auf
keinen einwandfreien Grundlagen fußt.

Nur eine vollkommen naturtreue, korrekte und streng objektive bildliche Darstellung kann zur wahren Kenntnis der Baudenkmäler führen.

Die Photographie bietet nun die strengste Objektivität in der Darstellung und die photogrammetrisch adjustierten Bilder gestatten, gestützt
auf einige wenige direkte Messungen oder bekannte Größen, alle Fragen
über das Denkmal und seine Dimensionen zu beantworten.

Durch die Photogrammetrie wird ein neues Element in die Denkmalkunde getragen, sie bietet ein Mittel, die Baudenkmäler tatsächlich in „Bild
und Maß" festzulegen.

Dr. A. Meydenbauer, gegenwärtig Vorsteher der Königlichen Meßbildanstalt zu Berlin, hat die Photogrammetrie als erster in ausgedehntem
Maße zur Aufnahme von Architekturen benutzt.

Bereits im Jahre 1858 kam Meydenbauer bei der Aufnahme des
Domes zu Wetzlar auf den Gedanken, das umständliche und mitunter auch
gefährliche direkte Messen durch Auswertung der scharfen geometrischen
Perspektive des photographischen Bildes zu ersetzen.

Energisch und mit großen Opfern hat Meydenbauer seine Arbeiten
fortgeführt, bis im Jahre 1885 der preußische Kultusminister v. Goßler,
durch den Oberbaudirektor Spiecker auf Meydenbauers Arbeiten aufmerksam gemacht, photogrammetrische Probeaufnahmen veranlaßte, welche
die Verwertbarkeit des Verfahrens für die Denkmäleraufnahmen bewiesen.

Bald darauf wurde die Meßbildanstalt in Berlin gegründet und Meydenbauer mit ihrer Leitung betraut.

Bis heute sind 1022 Bauwerke photogrammetrisch festgelegt und bilden
den Grundstock des preußischen Denkmälerarchives.

Die Bedeutung der Photogrammetrie für die Herstellung von Rissen
der Baudenkmäler erkennend, haben auch andere Staaten diesem Gegen-
stande ihre Aufmerksamkeit zugewendet.

Die Schweiz hat im Jahre 1898 die „Schweizerische Gesellschaft für
Erhaltung historischer Kunstdenkmäler in Basel", deren kunstsinniger Vorstand Dr. Stehlin unter fachmännischer Beratung des Architekten Fechter
sich dieser Frage annahm, die Photogrammetrie in den Dienst der Denkmalpflege gestellt und erfreut sich hierbei finanzieller Unterstützung von Seite
der Bundesregierung.

In Österreich haben Hofrat Dr. A. Schell und Direktor der k. k.
Graphischen Lehr- und Versuchsanstalt, Hofrat Prof. Dr. J. M. Eder, das österreichische Ministerium für Kultus und Unterricht auf die eminente Wichtigkeit der Photogrammetrie aufmerksam gemacht und ihren Bemühungen ist
es zu danken, daß der Verfasser dieses Aufsatzes mit Probeaufnahmen betraut wurde und die Brauchbarkeit der Photogrammetrie für die Aufnahme
von Baudenkmälern dartun konnte.

Nachfolgend wollen wir schildern, wie die photogrammetrische Festlegung eines Baudenkmales in rationeller Weise zu erfolgen hätte. Die
photogrammetrische Aufnahme erfordert mehrere, voneinander mehr oder
weniger getrennte Arbeiten und zwar: Feldarbeiten und Hausarbeiten.

Die Feldarbeiten gliedern sich:

1. In eine eingehende Rekognoszierung des Objektes, wobei die photogrammetrischen Standpunkte ausgewählt und bezeichnet werden, sowie eine
gute Skizze derselben entworfen wird;

2. in die geodätische Festlegung der Standpunkte;

3. in die eigentliche photogrammetrische Aufnahme;

4. in Ergänzungsmessungen und

5. in den Entwurf einer historischen Skizze des Baudenkmales und Angabe der näheren Daten über die Ausführung der Aufnahme.

Die genaue Rekognoszierung ist von größter Bedeutung. Sie hat den Zweck, durch eingehende Besichtigung des Objektes und Entwurf eines präzisen Handrisses Anhaltspunkte zu erhalten, wo die photogrammetrischen Standpunkte zu wählen sind, um in passender gegenseitiger Verbindung sichere Rekonstruktionen einzelner Teile und sukzessive des ganzen Objektes zu gestatten, ferner über die Belichtungsdauer einzelner Partien und über den geeignetsten Zeitpunkt der photographischen Aufnahme ins Klare zu kommen, endlich überlegen zu können, wie die geodätische Festlegung der photogrammetrischen Standpunkte zu erfolgen hätte.

In ähnlicher Weise, wie man für die Außenaufnahme sich den nötigen Handriß und Aufzeichnungen gemacht hat, wird man auch bei der Aufnahme des Interieurs vorzugehen haben.

Bei den Notizen über die Belichtung ist auch anzumerken, daß ein etwa vorkommendes, intensives Licht bei der Aufnahme künstlich gedämpft, und daß bei zu dunklen Stellen für künstliches Licht Sorge getragen werden muß.

Die zweite Arbeit umfaßt die Bezeichnung und geodätische Festlegung der photogrammetrischen Standpunkte sowohl in bezug auf ihre horizontale als vertikale Lage im Raume.

Mit Hilfe eines Universal-Nivellierinstrumentes oder eines Tachymeters läßt sich diese rein geodätische Operation nach bekannten Methoden durchführen.

Die Punkte selbst werden auf ein rechtwinkeliges, im Raume nach dem magnetischen oder astronomischen Meridiane orientiertes Achsensystem bezogen, durch ihre Koordinaten bestimmt und ihre Höhe in bezug auf eine Vergleichungsebene ermittelt.

Steht ein Phototheodolit zur Verfügung, so kann er naturgemäß mit Vorteil für diese Arbeiten verwendet werden.

Nun kommt die eigentliche photogrammetrische Aufnahme an die Reihe.

In jeder Station wird mit aller Schärfe die Orientierung der Bildebene im Raume durchgeführt und die Lage der Bilddistanz durch das Azimut und den Vertikalwinkel fixiert. Über die Art der Belichtung und die Dauer der Exposition werden genaue Aufzeichnungen in einem eigenen Protokolle gemacht, um bei der Entwicklung der Platten die erforderlichen Anhaltspunkte zu haben.

Sämtliche Daten, welche über die Situation und Höhe der photogrammetrischen Stationen, die Lage der Bildebene im Raume, die Belichtung der Platten usw. näheren Aufschluß geben, müssen in übersichtlichen Protokollen vorliegen und besitzen dokumentarischen Wert.

In derselben Weise wie bei den Außenaufnahmen wird auch bei der Innenaufnahme des Baudenkmales vorgegangen. Die inneren Stationen sollen mit größter Sorgfalt festgelegt und an die äußeren angeschlossen werden.

Einen sehr wichtigen Teil der Feldarbeiten bilden die Ergänzungsmessungen, ohne welche die photogrammetrische Aufnahme eines komplizierten Baudenkmales eventuell ein Fragment bleiben müßte.

Nach sorgfältiger Rekognoszierung eines größeren Baudenkmales behufs photogrammetrischer Festlegung gewinnt man gegebenenfalls bald die Überzeugung, daß manche Partien aus den gewählten Standpunkten nicht rekonstruiert werden können, was sich besonders im Inuern der Bauwerke zeigt, weil mit dem photogrammetrischen Apparate nicht alles eingesehen werden kann, wozu noch zumeist die Bedingung hinzutritt, daß dieses Einsehen aus zwei Standpunkten erfolgen muß.

Um nun die Zahl der Standpunkte nicht ins Maßlose zu vermehren, sucht man diese Partien des Bauwerkes durch direkte Messungen, anschließend an festgelegte Teile, zu fixieren.

Diese Messungsresultate werden in einer klar und übersichtlich angegebenen Skizze vermerkt.

Beabsichtigt man Schnitte eines Objektes zur Darstellung zu bringen, so wird es geboten sein, auch die Dachkonstruktion und eventuell vorhandene unterirdische Räume durch direkte Messungen aufzunehmen.

Die Ergänzungsmessungen sind dem photogrammetrischen Elaborate beizuschließen.

Mit diesen Arbeiten ist die photogrammetrische Feldarbeit beendet.

Nun kommen die Hausarbeiten an die Reihe; diese umfassen:

1. Die Entwicklung der Platten und ihre Bezeichnung;

2. die Anfertigung von Kopien (Positiven) auf entsprechenden Papieren;

3. eventuelle Herstellung von Rissen und Schnitten des Baudenkmales, seine Rekonstruktion, und

4. eine vollständige Zusammenstellung der wissenswerten Daten über die Geschichte des Bauobjektes und den Vorgang bei der Aufnahme.

Die gewonnenen Resultate können in einem Archive versichert oder auch in einer Publikation weiteren Kreisen zugänglich gemacht werden.

Deponiert man in einem Archive:

1. Eine genaue Skizze der Standpunkte,

2. ein Koordinatenverzeichnis der Standpunkte, sowie zusammengestellte Daten über die photogrammetrische Aufnahme,

3. die Platten, welche genau bezeichnet sein müssen,

4. die Ergänzungsmessungen und

5. eine historische Skizze des Objektes und näheres über die Aufnahme selbst,

so ist das Baudenkmal der Nachwelt in „Bild und Maß" erhalten.

In einer für weitere Kreise zugänglichen Publikation müssen natürlich die Platten durch möglichst scharfe und maßlich richtige Positive ersetzt werden.

Jeder der Photogrammetrie Kundige wird auf Grund einer solchen Veröffentlichung, auch wenn geometrische Zeichnungen des publizierten Objektes nicht vorliegen, jederzeit in beliebigem Maßstabe das ganze Objekt oder gewünschte Teile desselben rekonstruieren können.

Auf Tafel III liegt die Situation der photogrammetrischen Stationen für die Aufnahme der Kirche St. Leopold in Gersthof bei Wien vor, welche der Autor im Auftrage des Ministeriums für Kultus und Unterricht im

Jahre 1897 photogrammetrisch vermessen hat, und zwar etwa im Maße 1 : 1500 dargestellt; es ist auch die Lage der Bilddistanz, respektive Bildebene in den einzelnen Standpunkten eingetragen.

Auf dem unteren Teile derselben Tafel ist das Koordinaten- und das Höhenverzeichnis für die photogrammetrischen Standpunkte angeschlossen, worin Daten über die Bilddistanz, ihre Größe, Richtung und Neigung mit erforderlicher Vollständigkeit zusammengestellt sind.

Die Tafel IV bringt die Reproduktion der in den Stationen B und C erhaltenen photogrammetrisch adjustierten Positive; die Originalaufnahme hatte das Format 21 × 27 cm, die beliegende Reproduktion ist auf etwa ¹/₂ reduziert.

Diese beiden Photogramme in Verbindung mit den Daten über die Standpunkte, die Länge der Bilddistanz und ihre Neigung zur Basis gestatten, den eingesehenen Teil der Kirche im Grundrisse und Aufrisse zu bestimmen, und zwar in einem beliebigen Maßstabe.

Bei der Wahl der photogrammetrischen Standpunkte sucht der Photogrammetrierende nicht künstlerisch wirksame Bilder zu erhalten, und so kommt es, daß seine Bilder oft nichts weniger als schön wirken.

Um den malerischen Eindruck eines Bauobjektes zur Geltung zu bringen, um die Komposition des Architekten dem Auge des Beschauers in ihrer ganzen Schönheit vorzuführen, ist es erforderlich, jenen Standpunkt zu wählen, von welchem aus sich das Objekt in seinem Gesamtbilde, eventuell auch mit seiner Umgebung möglichst vollständig und natürlich dem beschauenden Auge bietet.

Die letzterwähnten Standpunkte können rein photographische oder malerische Standpunkte genannt werden und sollten gleichfalls in der dem photogrammetrischen Elaborate beigegebenen Skizze ersichtlich gemacht werden.

Solche künstlerische Aufnahmen sind für die Beurteilung der Gesamtwirkung eines Bauwerkes sehr wichtig und könnten mit größeren photogrammetrischen Kameras hergestellt werden, vielleicht im Formate 30 × 40 cm.

Die photographischen Aufnahmen der Baudenkmäler, welche die „Commission des monuments historiques" in Frankreich ausführen läßt, sind von diesem Gesichtspunkte aus aufgenommen und finden reichen Beifall in der Fachwelt.

Von nicht zu unterschätzender Wichtigkeit sind die Aufnahmen der Details von Baudenkmälern.

Fast alle Denkmäler der Baukunst enthalten auch eine reiche Fülle von künstlerisch wertvollen Details. Es finden sich daran kunstvolle Maßwerke, Friese und sonstige architektonische Motive, die auf den photogrammetrischen und rein photographischen (malerischen) Aufnahmen zu klein zur Darstellung kommen und nicht zur Geltung gelangen.

Im Innern der Bauwerke findet man wieder zahlreiche Kapitäle, Wandgemälde usw., schmuckvolle Kunstgegenstände: Gestühle, Altäre, Gitter usw., welche in Monographien dieser Baudenkmale wegen ihres Kunstwertes nicht übergangen werden sollten.

Auch diese Details können am besten auf photographischem Wege fest-gehalten werden. Mit photographischen Apparaten im Formate $13 \times 18\, cm$, oder aber $18 \times 24\, cm$ ließen sich alle derartigen Aufnahmen parallel laufend mit der geometrischen Aufnahme leicht durchführen. Eine große Bedeutung wird bei Festhaltung von architektonischen Details den Teleaufnahmen zufallen müssen.

Sehr oft braucht der Architekt für Studienzwecke von monumentalen Bauwerken, seien es Objekte des Kultus oder der profanen Architektur, einzelne Details, welche künstlerischen Wert besitzen.

Die photographische Aufnahme mit Hilfe einer einfachen Kamera oder eines gewöhnlichen photogrammetrischen Apparates, wobei Objektive von verhältnismäßig kurzen Brennweiten verwendet werden, gibt wohl ein Ge-samtbild des photographierten Teiles des Objektes, aber die Einzelheiten kommen wegen der Kleinheit ihrer Dimensionen nicht mit der wünschens-werten Deutlichkeit zum Ausdrucke.

Eine Vergrößerung der Originalaufnahme ist wohl nur dann zulässig, wenn die zur Aufnahme benutzten Objektive große Schärfe und Winkeltreue aufweisen, weil sonst die Vergrößerung des Bildes auch eine Vergrößerung der dem Objektive anhaftenden Fehler zur Folge hat.

Die maximale Vergrößerungszahl wird gewöhnlich für jeden Objektiv-typus speziell ermittelt und die optischen Institute geben in dieser Richtung die gewünschten Informationen.

Im allgemeinen kann angenommen werden, daß die Originalaufnahme linear 4- bis 6mal vergrößert werden kann.

Geheimer Baurat Prof. Dr. A. Meydenbauer hat nach seinen photo-grammetrischen Aufnahmen, welche mit dem Pantoskope von Busch mit einer Brennweite von 24 bis 52 cm angefertigt sind, Vergrößerungen hergestellt, welche die 6- bis 10fache lineare Ausdehnung des Originales aufweisen.

Wer Gelegenheit hatte, die Vergrößerungen der Meßbildanstalt zu Berlin zu sehen, muß zugeben, daß diese wahre Kunstwerke repräsen-tieren.

Um nun die direkte photographische Wiedergabe eines Originales in größerem Maßstabe zu bewerkstelligen, ohne daß die Dimensionen des photo-graphischen Apparates ins Ungeheuerliche wachsen, kann man sich der von verschiedenen optischen Instituten konstruierten Teleobjektive bedienen.

Diese optischen Systeme gestatten, ähnlich wie es das Fernrohr im Auge tut, Objekte, welche wegen ihrer großen Entfernung zu klein er-scheinen, in größerem Maßstabe auf der lichtempfindlichen Platte zu fixieren. Wenn auch das naturgemäß verminderte Gesichtsfeld eine Beschränkung in der Ausdehnung der Aufnahme bedingt, so reicht diese doch aus, um ent-fernt und versteckt liegende Einzelheiten des Baudenkmales in entsprechender Größe festzuhalten.

Sehr oft befinden sich anziehende architektonische Motive, wie Ver-zierungen, Maßwerke, Fialen, Friese usw. in solchen Höhen und Ent-fernungen, daß nur langbrennweitige Objektive die Details in erwünschter Deutlichkeit liefern könnten.

Das Teleobjektiv, welches durch Variation des Abstandes zwischen dem Positiv- und Negativsysteme sozusagen ein Magazin von Objektiven verschiedener Brennweite darstellt, wird da von unschätzbarem Werte, um so mehr, als man sich die geeignete Größe des Bildes unmittelbar durch Verstellung des Vergrößerungssystemes schaffen kann.

Heute hat das Teleobjektiv noch nicht jene ausgedehnte Anwendung bei Architekturaufnahmen gefunden, die es eigentlich verdienen würde, obwohl bereits von verschiedenen Seiten die Verwendung dieser Neuerung befürwortet wurde.

Die perspektivische Zeichnung des Teleobjektives der bekanntesten Firmen: Zeiß, Steinheil, Voigtländer, Görz, Sutter usw. ist eine winkeltreue, mathematisch präzise, so daß auch einer photogrammetrischen Auswertung des Bildes nichts im Wege steht. Die Verwertung des Teleobjektives bei photogrammetrischen Aufnahmen von Architekturen wird sicherlich in Zukunft die wohlverdiente und berechtigte Beachtung finden müssen.

Gewöhnliche photographische Aufnahmen (monokulare Papierbilder) geben selbst bei den günstigsten Umständen nur eine gewisse Vorstellung der Gestaltung und der Tiefe des abgebildeten Objektes; denn die Kontraste zwischen Licht und Schatten und die geometrische Perspektive ermöglichen noch nicht, daß das Gehirn sich eine ganz richtige Vorstellung von der Gestaltung und den Entfernungen auf dem Bilde entwickelt.

Diese beiden Begriffe bleiben dem Bewußtsein mehr oder weniger unklar und verwischt.

Diese Unbestimmtheit wird behoben, wenn man richtig hergestellte stereoskopische Bilder in einem gut konstruierten Stereoskope betrachtet.

Das Gehirn kombiniert die beiden Bilder derart, daß wir nur ein Bild in natürlicher Plastik sehen; wir kommen zum Bewußtsein der vor- und rückwärts stehenden Teile des Objektes, seiner Vertiefungen und Erhabenheiten und können uns auch eine Vorstellung der Dimensionen und der Entfernung vom Standpunkte machen.

Die Objekte werden mit einer Treue und Sicherheit vor Augen geführt, welche verblüffend wirkt.

Mit Recht sagt Dr. Stolze: „Das Stereoskop ist so recht das berufene Mittel für die Erinnerung an die Wirklichkeit.”

In welcher Weise kann nun das Stereoskop in den Dienst der Denkmalpflege treten?

Stereoskopaufnahmen dienen mehreren Zwecken:

1. Hat man bei photogrammetrischen Aufnahmen aus den photogrammetrischen Standpunkten Stereoskopaufnahmen gemacht, so erleichtern sie in hohem Maße das Aufsuchen der identen Punkte bei photogrammetrischen Rekonstruktionen;

2. werden die Stereoskopbilder photogrammetrisch adjustiert, so gestatten sie auch eine nützliche Auswertung zu Messungszwecken, und

3. gewähren die Stereoskopaufnahmen unmittelbar eine Verwendung für das Skioptikon.

Obwohl die architektonischen Objekte durch die scharf hervortretenden Flächen, die vielen vorspringenden Kanten und regelmäßigen Gliederungen das Aufsuchen der identen Punkte unterstützen und erleichtern, so wird die Betrachtung von Stereoskopbildern, welche von denselben Standpunkten und in derselben Richtung aufgenommen wurden, die sichere Feststellung korrespondierender Punkte, sowie die zeichnerische Darstellung ungemein fördern.

Werden insbesondere kleinere Objekte, wie Monumente, Reliefs, Statuen, Werke des Kunstgewerbes usw., bei welchen auch die Kenntnis der Dimensionen von Belang ist, für photogrammetrische Zwecke mit einem geeigneten Stereoskopapparate aufgenommen, so werden die Stereoskopphotogramme für Meßzwecke brauchbar und wird der Photogrammeter auch auf diesem bis heute brach liegenden Felde der messenden Photographie mit Erfolg tätig wirken können.

Hofrat Dr. A. Schell hat bereits vor etwa 10 Jahren im mathematisch-mechanischen Institute von Starke & Kammerer in Wien nach seinen Angaben einen photogrammetrischen Stereoskopapparat ausführen lassen, der einen Horizontalkreis, ein Orientierungsfernrohr und eine ebensolche Bussole besitzt und bei vertikaler Lage der Bildebene orientierte Aufnahmen aufzunehmen ermöglicht.

Die Aufnahmen mit dem Stereoskopapparate gestatten zufolge ihres allgemein üblichen Formates, daß das Originalnegativ zur direkten Anfertigung von Dispositiven Verwendung finden kann. Bedenkt man, daß bei Aufnahmen in größeren Formaten erst Verkleinerungen von den Originalaufnahmen hergestellt werden müssen, um Laternbilder von dem international üblichen Plattenformate $8.2 \times 8.2\ cm$ zu erhalten, so ist die große Bedeutung der Stereoskopaufnahmen für die Projektion wohl einleuchtend.

Welche Umwälzung die Verwendung von Projektionsbildern in der Vortragstechnik bedingt hat und wie sie den Vortrag unterstützt, lehrt der Besuch modern eingerichteter Vortragssäle.

Neben den Baudenkmälern selbst sind es ihre in künstlerischer und historischer Hinsicht bedeutenden Einrichtungsgegenstände, welchen Künstler und Gelehrte großes Interesse entgegenbringen, und deren Erhaltung und Vervielfältigung daher dringend wünschenswert ist.

Diese Werke gehören:

a) Der Skulptur;

b) der Malerei und

c) dem Kunstgewerbe an.

Die in Kirchen und Profanbauten aufgestellten Denkmale, welche einen geschichtlichen und künstlerischen Wert haben, müssen im Bild und, wo es notwendig ist, auch im Maße festgehalten werden, um im Denkmälerarchive deponiert werden zu können.

III.

Das Denkmälerarchiv.

Nachstehend sollen die Grundsätze entwickelt werden, nach welchen die Inventare von Bauobjekten und anderen Denkmälern der Kunst angelegt und die Denkmälerarchive organisiert werden sollen, um imstande zu sein, den Anforderungen, welche von Künstlern, Kunstforschern, Architekten und Kunstgewerbetreibenden an dieselbe gestellt werden, zu entsprechen.

Das Denkmälerarchiv ist ein Institut, in welchem die Denkmäler eines Landes in „Bild und Maß'' und in kurzer erklärender Beschreibung geordnet sich vorfinden und den Interessenten in verschiedener Form jederzeit zugänglich gemacht werden.

Das Denkmälerarchiv gliedert das gesammelte Aufnahmemateriale in:

1. Baudenkmäler;

2. Werke: *a)* der Malerei;

   b) der Skulptur und

   c) des Kunstgewerbes und schließlich

3. Druckwerke und handschriftliche Aufzeichnungen.

Sollen nun die Aufnahmen und bildlichen Darstellungen der historischen Denkmäler dem Architekten, dem Kunstforscher usw. als Grundlage seiner Detailstudien dienen können, sollen sie den Unterricht in der Kunstgeschichte und sonstige auf Belehrung gerichtete Bestrebungen zu fördern imstande sein, so müssen dieselben:

1. Möglichst vollständig sein;

2. den künstlerischen Forderungen entsprechen; ferner muß

3. die Zuverlässigkeit ihrer Angaben verbürgt erscheinen;

4. die Aufnahmen müssen deutlich und im großen Maßstabe gehalten und

5. das Material muß allgemein zugänglich sein.

Die Aufnahme z. B. einer monumentalen Kirche wird als vollständig bezeichnet werden können, wenn dieselbe in bildlicher und erklärender Darstellung alles enthält, was Architektur, Malerei, Skulptur und Kunstgewerbe an dem betreffenden Bauwerke geschaffen haben.

Im Denkmälerarchive müssen sich entweder die direkt aufgenommenen Grund- und Aufrisse, Ansichten und Schnitte des Objektes befinden oder aber es muß in demselben die photogrammetrische Feldaufnahme deponiert sein, aus welcher ja, wie gezeigt, alle Risse und Ansichten jederzeit und an jedem Orte rekonstruiert werden können.

Alle architektonisch wichtigen Details müssen in entsprechend großer und klarer Darstellung vorhanden sein oder mindestens jederzeit vom Institute auf Wunsch des Interessenten hergestellt werden können.

Selbstverständlich müssen in einem vollständigen Denkmälerarchive auch jene·Werke der Malerei, der Skulptur und des Kunstgewerbes aufgenommen oder reproduziert erscheinen, welche durch ihren künstlerischen oder historischen Wert für die Allgemeinheit von Belang sind, und zwar auch dann, wenn sie im Originale nicht in oder an einem monumentalen Bauwerke untergebracht erscheinen.

Notwendig und eine Hauptbedingung hierbei ist, daß die Aufnahmen, ob direkt oder indirekt, mit größter Sorgfalt und Gewissenhaftigkeit durchgeführt werden, vor allem, daß die Messungen, welche für die bildliche Darstellung der Risse verwendet werden, zuverlässig sind und die Detailaufnahmen mit guten Apparaten hergestellt wurden.

Bei Gesamtdarstellungen, sei es nun von Monumentalbauten oder anderen Werken der Kunst, ist immer den künstlerischen Forderungen volle Rechnung zu tragen.

Soll durch ein Bild der Nachwelt jener Eindruck wachgerufen werden, welcher dem schaffenden Künstler vorschwebte, so muß auf die Auswahl des Standpunktes, von welchem aus die bildliche Darstellung angefertigt wird der größte Wert gelegt werden. Diese Rücksichtnahme ist ebensowohl bei Werken der Baukunst als bei Malereien und Skulpturen unbedingt erforderlich.

In der Wahl des Standpunktes wird sehr oft und gar schwer gesündigt. Man begegnet in kunsthistorischen Publikationen, und zwar nicht nur in wohlfeilen Ausgaben, sondern auch in monumental angelegten Werken Illustrationen, von denen es Staunen erregen muß, daß sie Platz in einer wissenschaftlichen, vornehm gehaltenen Arbeit finden können.

Ein berühmter Architekt sagt:

„Der Künstler wird dem Auge des Beschauers seines Kunstwerkes nur das zumuten können, was in den Grenzen der natürlichen Befähigung des normalen Auges liegt. Überschreitet der Künstler diese Grenzen, so wird der Eindruck seines Kunstwerkes, besonders der Totaleindruck, mögen ihm auch noch so hohe Kunstgedanken zugrunde liegen, mögen seine Einzelformen, seine Zeichnung noch so vollendet gewählt sein, ein geschwächter werden."

Diese Worte sollte ganz besonders der Photograph berücksichtigen, man könnte sie füglich als die goldene Regel für dieses Kunsthandwerk bezeichnen.

Soll dem Beschauer eine Kunstschöpfung als eigenes, abgesondertes, individuelles Werk, unbeeinflußt durch die Eindrücke der Umgebung vorgeführt werden, so muß der Künstler selbstverständlich einen ganz anderen Standpunkt einnehmen, als wenn er das Objekt mit der Stimmung, welche durch die Umgebung über das Kunstwerk gebreitet wird, darstellen will.

Wieder ein ganz anderer Standpunkt muß eingenommen oder gewählt werden, wenn nur eine gewisse Partie des Objektes aufgenommen, eine besondere Schönheit desselben hervorgehoben oder gar nur ein einzelnes Detail wiedergegeben werden soll.

Nachdem die Entfernung des zu wählenden Standpunktes nach der Natur der Sache nicht vollständig in dem Belieben des Künstlers liegt und stets an gewisse Grenzen gebunden sein wird, welche infolge der örtlichen Verhältnisse mitunter sogar recht nahe aneinander heranrücken können, wird es notwendig sein, um die mit dieser Begrenzung verbundenen Übelstände zu kompensieren und Bilder in ziemlich gleichen Maßen zu erhalten. Objektive verschiedener Brennweite zu benutzen.

Für die Aufnahme des Details werden lichtstarke Teleobjektive vorzügliche Dienste leisten.

Für die Werke der Skulptur ist die Standpunktsfrage von derselben Wichtigkeit wie für Monumentalbauten. Es muß jene Ansicht gesucht werden, welche der Konzeption des Künstlers am besten entspricht.

Nach dieser Ansicht braucht bei Skulpturen wohl nicht lange gesucht zu werden, es ist immer die Vorderansicht, und zwar von einem Punkte genommen, in dem möglichst viele Details des Kunstwerkes sichtbar sind. Von diesem Punkte aus muß sich das plastische Kunstwerk dem Beschauer so darstellen, wie es der Phantasie des Künstlers vorschwebte.

Selbstverständlich haben von demselben Standpunkte auch die stereoskopischen Aufnahmen zu erfolgen.

Nicht minder wichtig ist es, daß die Aufnahmen und Risse in einem solchen Maßstabe gehalten sind, daß alles in erwünschter Größe zur Anschauung kommt und die Details klar und deutlich hervortreten.

Wenn nun ein Denkmälerarchiv nach den besprochenen Gesichtspunkten das ausgedehnte Material der historischen und künstlerischen Denkmäler aufnimmt, sammelt und archivarisch übersichtlich ordnet, so hat es aber noch immer nicht seine Aufgabe vollständig erfüllt, sondern es muß auch die entsprechenden und nicht gerade leichten Vorkehrungen treffen, um die im Archive gesammelten Schätze der Forschung auf geeignete und zweckdienliche Weise zugänglich zu machen.

Praktisch und übersichtlich angelegte Kataloge werden dem Forscher zeigen, welche Denkmäler festgelegt sind und was er hiervon für seine Zwecke brauchen kann.

Welchen Nutzen bietet nun ein nach den besprochenen Gesichtspunkten angelegtes Denkmälerarchiv?

Vor allem einen großen Gewinn für die Restaurierungsarbeiten.

Der Zahn der Zeit bewirkt mit überraschender Schnelligkeit sehr auffällige Veränderungen in dem Aussehen monumentaler Kunstwerke. Die Einflüsse von Wind und Wetter, Luft und Licht machen leider immer und immer wieder Restaurierungen von verschiedenen Teilen architektonischer Objekte notwendig.

Gesimspartien und Reliefs bröckeln ab, Friese verblassen, partielle Einstürze kommen mitunter ebenfalls vor und in den Interieurs verschwinden die Adaptierungen und Erneuerungen selten von der Tagesordnung.

Die Restaurierung soll mit der größtmöglichen Schonung des Bestehenden erfolgen, besonders ohne den Charakter des Monumentalbaues zu ändern. Das typische Gepräge des Kunstobjektes muß in neuem Kleide erhalten bleiben, kein fremdes Element darf die Harmonie des Ganzen stören.

Das Denkmälerarchiv liefert dem Restaurateur alle Behelfe für das gründliche Studium des Restaurierungsobjektes.

Die photogrammetrisch adjustierten Bilder in Verbindung mit dem geodätischen Grundoperate gestatten mit Zuhilfenahme der dem Elaborate beiliegenden Ergänzungsmessungen, Grund- und Aufrisse aller erwünschten Teile zu konstruieren.

Eventuelle Teleaufnahmen und Vergrößerungen unterstützen das Studium der Details.

Die Betrachtung eventuell vorhandener stereoskopischer Bilder fördert die körperliche Vorstellung und Projektionsbilder gewähren vergrößerte Darstellungen, welche besonders über kleine Details wünschenswerte Aufklärungen bringen können.

Steht dem Architekten, welcher mit den Restaurierungsarbeiten betraut wird, ein solches Material im Denkmälerarchive zur Verfügung oder wird es ihm durch Aufnahmen verschafft, so ist es wohl einleuchtend, daß die Durchführung des Restaurierungsobjektes sich dann sicher mit der gebotenen Schonung der alten, erhaltungswerten Formen erledigen läßt.

Schon vor vielen Jahren hat der französische Architekt Viollet-le-Duc auf die Bedeutung der Photographie bei Restaurierungsarbeiten aufmerksam gemacht.

Haben die Restauratoren nur Zeichnungen des alten Bauwerkes zur Hand, so werden insbesondere. viele Details in denselben mangelhaft und nicht selten entstellt erscheinen. Es können dann leicht Restaurierungsarbeiten erfolgen, welche stil- und systemwidrig sind.

Die Photographie übersieht nichts und sie kann jedes Detail in der größten Klarheit zur Darstellung bringen.

Die photographische, respektive photogrammetrische Aufnahme, welche nach der Restaurierung am besten von denselben, wenn möglich versicherten Standpunkten ausgeführt wird, gibt der Kritik ein Mittel an die Hand, welches nicht leicht an Sicherheit übertroffen werden kann, um etwaige Fehler zu entdecken und zeigt in untrüglicher Weise, ob bei den Restaurierungsarbeiten nicht Wichtiges übersehen oder ob nicht etwa Falsches eingeschmuggelt wurde.

Die Notwendigkeit, für die Instandsetzung, Ergänzung und Umänderung wichtiger Baudenkmäler zuverlässige Zeichnungen herstellen zu können, bildete den unmittelbaren Anstoß zur Errichtung des preußischen Denkmälerarchives, welches in der Meßbildanstalt zu Berlin durch den Geheimen Baurat Prof. Dr. A. Meydenbauer organisiert wurde.

In einer Notiz der neuen Zeitschrift „Die Denkmalpflege'', I. Jahrgang, Nr. 1, S. 11, Berlin 1899, lesen wir:

„Die neuesten Untersuchungen der Ruinen des ehemaligen Zisterzienserklosters Walkenried in Braunschweig haben gezeigt, daß der bauliche Zustand desselben höchst gefahrdrohend sei und an ein Unterfangen der Grundmauern nicht gedacht werden kann, und es wurde daher beschlossen. den Einsturz abzuwarten und Vorkehrungen zu treffen, daß die niederstürzenden Mauermassen und Architekturteile möglichst wenig beschädigt würden. Um unter diesen Umständen den Wiederaufbau der Ruinen, die dem Landschaftsbilde einen eigenen Reiz verleihen, nach dem Einsturze zu ermöglichen, hat die Königliche Meßbildanstalt in Berlin auf Veranlassung der braunschweigischen Regierung etwa 30 Aufnahmen von den gefährdeten

Ruinen der Klosterkirche angefertigt, nach denen zurzeit geometrische Zeichnungen hergestellt werden.

Der vorliegende Fall zeigt, von welchem Werte das Meßbildverfahren für die Erforschung und Erhaltung der Denkmäler ist; zu wünschen wäre, daß die Einrichtung des in Preußen bestehenden Denkmälerarchives nicht auf diesen Staat beschränkt bleibe, sondern auf das ganze Deutsche Reich ausgedehnt werde."

Von größter Bedeutung für Kunst und Architektur wären die Denkmälerarchive auch durch die wesentliche Unterstützung, welche sie bei dem Studium der Kunstgeschichte gewähren können.

Bei diesem Studium spielt die Anschauung eine noch weit wesentlichere Rolle als der theoretische Unterricht.

Diese Anschauung wird gefördert durch Betrachten und Studieren von Kunstobjekten auf Reisen, durch Veranstaltung von ständigen und temporären Ausstellungen usw.

Auch der theoretische Unterricht kann durch geeignete Anschauungsmittel belebt werden, diese müssen aber ästhetisch durchaus einwandfrei sein, wenn ihre Anwendung Erfolg bringen soll.

Das Denkmälerarchiv stellt dem Unterrichte in der Kunstgeschichte nachstehendes Material zur Verfügung:

1. Baudenkmäler:

a) Grund- und Aufrisse, sowie Schnitte derselben in korrekter maß-licher Darstellung;

b) das photogrammetrische Elaborat mit all jenen ergänzenden Daten, welche die sichere Rekonstruktion gestatten;

c) malerische Gesamtansichten des Baudenkmales;

d) Detailaufnahmen von interessanten äußeren und inneren Partien des Objektes, worunter sich auch Teleaufnahmen vorfinden;

e) stereoskopische Aufnahmen;

f) Diapositive für die Projektion und

g) Vergrößerungen erwünschter Teile des Bauwerkes.

2. Ausstattungsgegenstände der Baudenkmäler kirchlicher und profaner Architektur als Objekte:

a) Der Malerei;

b) der Skulptur und

·c) des Kunstgewerbes.

3. Reproduktionen von Urkunden, Handschriften und älteren Druckwerken, welche bedeutendes historisches Interesse. besitzen.

Der Kunstunterricht, welcher an Universitäten, den Bauschulen der technischen Hochschulen, den Kunstakademien und in katholischen Seminarien Pflege findet, würde also in dem vollständigen Denkmalarchive einen nachhaltigen Rückhalt haben.

Einen großen Wert wird dasselbe auch für Kunsthistoriker, Archäologen, Künstler, Kunstgewerbetreibende usw. gewinnen.

Hier werden sie die bildlichen Darstellungen von Kunstdenkmälern erhalten, welche sie zu ihren Studien benötigen.

Ähnlich wie sich heute der Künstler an den Kunstverlag Aliniari und Brogi in Italien, Lindau und Borchart in Berlin wendet, um Photographien von ihn interessierenden Objekten zu erhalten, wird er sich an das Denkmälerarchiv wenden können.

Analog wie die „Commission des monuments historiques" in Frankreich über besonders wichtige Denkmäler separate Monographien herausgibt, könnte dies auch durch das Denkmälerarchiv geschehen, wodurch gewiß einem vielseitigen Bedürfnisse entsprochen würde.

Diese Publikationen, welche bei den heutigen Hilfsmitteln der Vervielfältigungstechnik wohl nicht schwer durchführbar wären, würden sicherlich beifällige Aufnahme finden.

In der vorstehenden Darstellung wurde die Anlage eines Denkmälerarchives auseinandergesetzt, welches sicherlich in der Lage wäre, allen Ansprüchen zu genügen, welche der Architekt, der Kunsthistoriker, der ausübende Künstler und das Kunstgewerbe an dasselbe stellen könnten.

In Preußen ist, wie bereits erwähnt, in der Königlichen Meßbildanstalt zu Berlin ein Teil dieser Ideen verwirklicht. Dieselbe hat laut den offiziellen Verzeichnissen bis 1. Oktober 1907 in 225 Orten 12.574 Aufnahmen bewältigt.

Die nach dem Verzeichnisse bis jetzt hergestellten Aufnahmen werden in verschiedener Weise verwertet.

Die Grundlagen bilden:

1. Die Meßbilder, das sind in äußerster Schärfe hergestellte photographische Bilder, die sich von gewöhnlichen Photographien dadurch unterscheiden, daß sie die zur Ableitung der genauen geometrischen Maße des aufgenommenen Gegenstandes nötigen Anhaltspunkte ebenso wie das Originalnegativ enthalten.

Die Meßbilder eines Baudenkmales sind in einem Sammelbande vereinigt, von dem je ein Exemplar in den Bibliotheken des Ministeriums der geistlichen pp. Angelegenheiten, der zuständigen königlichen Regierung und im Denkmälerarchive für den Gebrauch hinterlegt ist.

Das in der Anstalt befindliche Hauptverzeichnis enthält die Aufnahmen in der Reihenfolge der Herstellung.

Mit Hilfe einiger wenigen, aber sehr genauen Messungen von Standlinien und Polygonen an Ort und Stelle werden aus den Meßbildern

2. Geometrische Zeichnungen, Grundrisse, Durchschnitte, Ansichten in beliebigem Maßstabe nach bekannten geometrischen Sätzen konstruiert.

Eine größere Anzahl von Baudenkmälern ist bereits rekonstruiert und können die Reproduktionen dieser Zeichnungen käuflich erworben werden.

Geben schon die zusammengehörigen Darstellungen der Meßbilder und geometrischen Zeichnungen ein unbedingt zuverlässiges und annähernd vollständiges Bild des aufgenommenen Bauwerkes, so werden diese Behelfe noch wesentlich ergänzt durch

3. Großbilder des ganzen Bauwerkes, sowie seiner einzelnen Teile: sie werden in einer Präzisions-Vergrößerungskamera nach den Originalaufnahmen auf Bromsilberpapier unveränderlich und schwarz getönt her-

gestellt und zwar, wenn sie sich auf das ganze Objekt beziehen, wenigstens im doppelten, bei Einzelheiten jedoch bis zum sechs- und zehnfachen Ausmaße der Originalaufnahme. Sie gewähren ein ganz besonders eindrucksvolles und deutliches Bild des Bauwerkes und seiner Teile. Die Bildgröße der Großbilder beträgt 68 $\times$ 86 cm, 90 $\times$ 120 cm und 120 $\times$ 150 cm. Die Zahl der bis 1. Oktober 1907 angefertigten Großbilder beläuft sich auf 1.050, die sich auf 225 Städte verteilen.

Ein eleganter illustrierter Katalog enthält die Großbilder in entsprechender Reduktion auf 30 Blättern im Formate 21 $\times$ 29 cm, wobei auf je ein Blatt 35 Bilder kommen. Dieser reiche Schatz an wertvollen Schaubildern kann zu Unterrichtszwecken bei Vorträgen, sowie als ständiger Wandschmuck in Unterrichtsanstalten zur Bildung und Anregung des Kunstgeschmackes mit großem Nutzen verwendet werden.

4. Diapositive für Projektion zu Vortragszwecken.

Die Originalnegative der Meßbildanstalt sind auf Spiegelglasplatten im Formate 40 $\times$ 40 cm hergestellt und werden in einem feuersicheren Raume der Anstalt aufbewahrt.

Näheres über die Tätigkeit der Meßbildanstalt findet sich in den nachstehenden Publikationen:

a) Das Denkmäler-Archiv. Ein Rückblick zum zwanzigjährigen Bestehen der Königlichen Meßbild-Anstalt in Berlin. Verlag der Meßbild-Anstalt, Berlin 1905;

b) Alphabetisches Verzeichnis der Meßbild-Aufnahmen und Platten, ebendaselbst, Berlin 1906;

c) Alphabetisches Verzeichnis der Großbilder von Meßbild-Aufnahmen, ebendaselbst, Berlin 1906.

Dem Referenten in Universitätsangelegenheiten im preußischen Kultusministerium ist der große Nutzen der Arbeiten der Meßbildanstalt nicht entgangen. Gegen 200 Stück der wichtigsten und lehrreichsten Baudenkmäler wurden ausgewählt und die vorhandenen Abbildungen den preußischen Universitäten als ein ganz neues Unterrichtsmaterial zugewiesen. Diese bildlichen Darstellungen sind entweder Kopien nach den photogrammetrischen Originalaufnahmen im Maße 40 $\times$ 40 cm oder aber Vergrößerungen nach diesen Aufnahmen im Formate 60 $\times$ 80 cm, welche für den kunsthistorischen Unterricht eine hohe Förderung bedeuten.

Der Anlage eines Denkmälerarchives steht heute nichts mehr hindernd im Wege; die technische Möglichkeit, auf Grund von photographischen und photogrammetrischen Aufnahmen eine solche Sammelstelle zu organisieren, kann absolut nicht mehr bezweifelt werden.

Die photographische Optik hat eine ungewöhnliche Vollendung erreicht, das photographische Bild, welches in der Photogrammetrie Verwendung findet, ist eine mathematisch korrekte, winkeltreue Projektion des dargestellten Objektes, die photographische Technik ist hoch entwickelt, so daß das Mißtrauen, welches gegen die photographischen Kopien in den ersten Jahren noch bestand, nach und nach vollständig erloschen ist. Die photographischen

Kopien, in Ton und Farbe haltbar, haben in Sammlungswerken das Bürgerrecht gewonnen. Vergrößerungen, auf Bromsilberpapier mit erprobten Vergrößerungsapparaten hergestellt, sind äußerst wirksam und können allen an sie gestellten künstlerischen Ansprüchen vollends entsprechen.

Die Photogrammetrie hat feste theoretische Grundlagen, ist praktisch ausgebildet, in ihrem Dienste stehen vorzügliche und erprobte Instrumente und auf dem Gebiete der Architektur können ihre glänzenden Erfolge absolut nicht bestritten werden.

Es drängt sich nun die Frage auf:

1. Soll das Denkmälerarchiv unmittelbar mit einem „Photogrammetrischen Institute" verbunden werden?

2. Soll das Material für das Denkmälerarchiv ausschließlich vom Personal dieses Institutes beschafft werden, oder

3. Können auch außerhalb des Institutes stehende Personen Material für das Denkmälerarchiv liefern und sammeln?

Wir betrachten das Photogrammetrische Institut nur als Mittel zum Zwecke, genau so wie es die Königliche Meßbildanstalt in Berlin ist.

Ein solches Photogrammetrisches Institut könnte einer staatlichen Institution für Denkmalpflege unterstellt werden. In Österreich wäre es wohl am geeignetsten, wenn das Photogrammetrische Institut und Denkmälerarchiv der k. k. Zentralkommission für Erforschung und Erhaltung der Kunst- und historischen Denkmale angegliedert werden würde.

Es ist übrigens klar, daß in Österreich auch das „Archäologische Institut" die Zentralstelle für Photogrammetrie sehr erfolgreich für seine Zwecke verwerten könnte.

Bezüglich der Beschaffung des Materiales für das Denkmälerarchiv sind wir nicht der Ansicht, daß das „Photogrammetrische Institut" ausschließlich, einzig und allein diese Arbeit bewirken sollte.

In einem Berichte an das österreichische Ministerium für Kultus und Unterricht im Jahre 1897 hat Hofrat Prof. Dr. A. Schell anschließend an die Besprechung der Leistungen der Königlichen Meßbildanstalt in Berlin betont, daß es keineswegs zu empfehlen ist, die photogrammetrischen Aufnahmen historischer Bauwerke einzig und allein von besoldeten Organen ausführen zu lassen; dieselben könnten ebensogut durch sachverständige, jedoch unbesoldete Personen erhalten werden, wodurch das Denkmälerarchiv in kurzer Zeit mit geringen Kosten einen ansehnlichen Grundstock erhalten dürfte.

Die Hörer der Architekturschule an der k. k. technischen Hochschule in Wien, ferner die Schüler der k. k. Akademien der bildenden Künste in Wien, endlich die Schüler der k. k. Kunstakademie in Prag und Krakau machen alljährlich unter Leitung ihrer Professoren Exkursionen in verschiedene Gegenden der Monarchie, um historisch wichtige Bauten in Augenschein zu nehmen und Handzeichnungen von denselben anzufertigen. Diese Handzeichnungen und Skizzen werden gesammelt und die Reiseaufnahmen von den Hörern der Architekturschule der k. k. technischen Hochschule und den Schülern der k. k Akademie der bildenden Künste in Wien in den Publikationen der „Wiener Bauhütte" veröffentlicht.

Wenn die Frequentanten der Kunstschulen und die Hörer der Architektur an den technischen Lehranstalten in den Elementen der Photogrammetrie unterwiesen würden, wie dies jetzt schon bei den Hörern der Ingenieurschule an den meisten technischen Hochschulen geschieht, so könnten bei allen Exkursionen Aufnahmen der vom Zentralarchive bezeichneten Baudenkmale von kunsthisorischem Werte in Bild und Maß durchgeführt werden, Aufnahmen, welche entschieden von subjektiver Auffassung und vielen jetzt bei derlei Aufnahmen unterlaufenden Messungsfehlern gänzlich frei wären.

Von den photogrammetrisch ausgeführten Aufnahmen könnten im Laufe des Studienjahres von den Schülern der Kunstakademien geometrische Zeichnungen in einem entsprechend gewählten Maßstabe hergestellt werden; Vergrößerungen von Negativen könnten photographische Privatanstalten besorgen, so daß durch Zusammenstellung des ganzen, auf die aufgenommenen Objekte bezug habenden Materiales das Archiv eine fortwährende und billige Bereicherung seines Denkmalschatzes erhalten würde.

An dieser Stelle möge ein Ausspruch des Generalkonservators der k. k. Zentralkommission für Erforschung und Erhaltung der Kunst- und historischen Denkmale Hofrat Prof. Dr. J. Neuwirth Platz finden:

„So reich die in den Mitteilungen der Zentralkommission, in den Jahrbüchern und in anderen Publikationen niedergelegten Veröffentlichungen und Angaben über unsere einheimischen Denkmäler sein mögen, so stammen sie doch vielfach aus einer Zeit, in der man ein Denkmal überhaupt noch nicht recht zu charakterisieren verstand. Mit derartig unvollständigen Angaben wird sich als Grundlage unserer Inventarisierung nur in beschränktem Maße rechnen lassen. Was uns vorschweben muß, ist ein Stab von jungen Arbeitern, die hinausgehen von Ort zu Ort und aus eigener Anschauung inventarisieren müssen. Das, was publiziert ist, ist vielleicht zum Teile wertvolles literarisches Material, aber die Inventarisierungen als solche werden sich immer auf Aufnahmen an Ort und Stelle stützen müssen. Da werden wieder Aufgaben gestellt werden, die, wie ich glaube, von den Kunsthistorikern und Technikern in innigem Vereine gelöst werden können und gelöst werden sollen!"

*   *   *

Der Schreiber dieses Aufsatzes hofft, daß es ihm gelungen ist, darzutun, daß die Photographie und Photogrammetrie einen wichtigen Faktor in der Denkmalpflege bilden und geeignet sind, die Verwirklichung des Denkmälerarchives zu erleichtern.

Zum Schlusse vorstehender Ausführungen soll der Wunsch nicht unterdrückt werden, daß alle Kulturstaaten an die Errichtung von Denkmälerarchiven schreiten und in denselben die Schätze der heimischen Kunst und des Kunstgewerbes rationell sammeln und archivarisch übersichtlich ordnen mögen, damit ein offizieller gegenseitiger Austausch der bedeutendsten Kunstschätze eintreten könne, der die Denkmälerarchive zu wahren Sammelstätten der Kunstprodukte von weittragendster Bedeutung machen würde.

Mögen die gegebenen Ausführungen in Fachkreisen Beachtung und
Würdigung finden, mögen sie auch dazu beitragen, maßgebendenorts das
Interesse für diese Frage zu wecken!

Anmerkung. In den vorstehendeu Ausführungen wurden die Photographie und
die Photogrammetrie als Grundlage für die Schaffung eines Denkmälerarchives vorausgesetzt. In neuerer Zeit ist nun durch Verwertung des Stereoskopes für Meßzwecke ein
neuer Zweig der „Photographischen Meßkunst" entstanden, die Stereophotogrammetrie,
welche eine weitere Reihe von Vorzügen bietet.

Das für einen photogrammetrischen Standpunkt giltige Plattenpaar gibt in dem
von Dr. Pulfrich in Jena konstruierten Stereoskope, Stereokomparator genannt, ein
Modell in einem bekannten Maßstabe, an welchem Messungen mit überraschender
Schärfe ausgeführt werden können.

Diese Messungsergebnisse können zu Dimensionsbestimmungen von Objekten benutzt werden, ohne daß Grund- und Aufrißrekonstruktionen notwendig wären, ein für
viele Zwecke sehr vorteilhafter Umstand. Arthur Freiherr von Hühl zeigt in seiner
wertvollen Abhandlung: „Das stereophotogrammetrische Vermessen von Architekturen"
in „Wiener Bauhütte", Wien 1907 an einem schönen Beispiele die vorteilhafte Anwendung der Stereophotogrammetrie für architektonische Zwecke.

Die Stereophotogrammetrie wird bei der Anlage eines Denkmälerarchives gewiß
ebenfalls von großem Nutzen sein und es wäre ein vollkommenes Verkennen ihrer
Leistungsfähigkeit, wollte man ihr im Dienste der Denkmalpflege nicht die gebührende
Stelle einräumen.

Kleinere Mitteilungen.

**Section „Métrophotographie" in der Société française de Photo-
graphie in Paris.** Über Antrag der bekannten Forscher auf photographischem
Gebiete: Montpillard und Wenz wurde in der Société française de Photographie in Paris kurze Zeit nach dem Ableben des Obersten A. Laussedat
eine eigene Sektion geschaffen, welche zuerst „Section de Métrophotographie"
hieß und dann dem Begründer der Photogrammetrie zu Ehren „Section
Laussedat" benannt wurde. Diese Sektion widmet ihre Arbeiten der Photogrammetrie und den damit im Zusammenhange stehenden Gebieten.

(Siehe: Bulletin de la Société française de Photographie No. 23, 1. De-
cember 1907.)

Es sei ausdrücklich bemerkt, daß die im Mai 1907 gegründete „Österreichische Gesellschaft für Photogrammetrie" nicht ohne Einfluß auf die
Bildung obiger Sektion gewesen sein dürfte.

Mission française de l'Équateur. Bereits im Jahre 1901 wurde unter
den Auspizien der französischen Akademie der Wissenschaften und des
Unterrichtsministeriums eine wissenschaftliche Expedition: „Mission française
de l'Équateur" ausgerüstet, deren Leiter und Mitglieder französische Offiziere
sind; sie gehören dem angesehenen Institute „Service géographique de
l'Armée" an.

Diese wissenschaftliche Expedition, welche sich auch mit topographischen
Aufnahmen befaßt, hat naturgemäß die Phototopographie als ein wichtiges Aufnahmeverfahren in ihr Programm aufgenommen; zwei Phototacheometer
nach Vallot bilden das instrumentelle Inventar für die photogrammetrischen
Aufnahmen.

Wie wir vernommen haben, werden die wissenschaftlichen Arbeiten in einem größeren Werke zur Veröffentlichung gelangen.

Carte du massif du Mont Blanc. Es ist bekannt, daß die Herren Henri und Joseph Vallot am Mont Blanc ein wissenschaftliches, gut ausgerüstetes Observatorium aus eigenen Mitteln erbaut haben und schon jahrelang erhalten.

Einen ihrer Programmpunkte bildet die Schaffung einer Karte des Mont Blanc-Gebietes im Maßstabe 1 : 20.000; die Fläche des aufzunehmenden Gebietes beträgt 530 km^2.

Henri Vallot erkannte frühzeitig, daß zur Aufnahme der Fels- und Gletschergebiete die Photogrammetrie bedeutende Vorteile bieten müsse. Er konstruierte ein Phototacheometer, mit dem seit Jahren in der Sommerkampagne photographische Aufnahmen ausgeführt wurden.

In mehreren Publikationen von

Henri Vallot: 1. Annales de l'Observatoire du Mont Blanc, tome II, 1902 und tome VI, 1906;

2. Manuel de Topographie alpine, H. Barrère, Paris 1904;

3. Instructions pratiques pour l'exécution des triangulations complementaires en haute montagne, G. Steinheil, Paris, 1904 und

4. Applications de la Photographie aux lévés topographiques en haute montagne, Gauthier-Villars, Paris, 1907 und

Joseph Vallot: 1. La Photographie des montagnes à l'usage des alpinistes, Gauthier-Villars, Paris, 1899 und

2. Guide de l'alpiniste photographe, L. Laveur, Paris, 1904

finden wir die Erfahrungen und Studien der Brüder Vallot niedergelegt.

Die ganze Karte des Mont Blanc-Massives wird 22 Blätter umfassen und wird Geographen, Geologen und nicht zuletzt den Alpinisten in hohem Maße willkommen sein.

Vor kurzem ist ein Probeblatt: Environs de Chamonix erschienen, welches bei H. Barrère in Paris verlegt ist.

Phototopographische Arbeiten für Ingenieurzwecke in Rußland. Ingenieur R. Thiele, der seit mehr als 10 Jahren in Rußland mit Erfolg die Photogrammetrie und die Phototopographie praktisch verwertet und sie schon zu wiederholten Malen zu generellen Trassenstudien benutzt hat, war in der Sommerkampagne des verflossenen Jahres mit phototopographischen Aufnahmen für Ingenieurzwecke im Kaukasus beschäftigt. Drei auf der nördlichen Abdachung dieses Gebirgskomplexes gelegene Engpässe wurden auf phototopographischem Wege aufgenommen, um die Grundlagen für eine den Kaukasus durchquerende Eisenbahnlinie zu gewinnen.

Die Rekonstruktionsarbeiten werden unter Leitung des Ingenieurs R. Thiele in den Bureaus der Verwaltung des Bahnbaues der Linie: „Uluchanlu—Persische Grenze" durchgeführt.

Phototopographische Arbeiten des k. u. k. militärgeographischen Institutes in Wien im Jahre 1906. Im k. u. k. militärgeographischen Institute in Wien wird der Wert des photographischen Bildes sowie die Photo- und Stereophotogrammetrie in sinngemäßer Weise ausgewertet und das mit großem Nutzen im Dienste der Militärmappierung.

Nach den „Mitteilungen des k. u. k. militärgeographischen Institutes in Wien", XXVI. Band 1906. haben die Mappierungsabteilungen 160 brauchbare Landschaftsbilder geliefert.

Die im Jahre 1905 im Etsch- und Sarcatale, dann am Gardasee gemachten stereophotogrammetrischen Aufnahmen dienten im Winter zur

Konstruktion und Höhenberechnung für etwa 3000 stereophotogrammetrische Punkte, auf Grund welcher die Felsenskizzierungen durchgeführt wurden. Die Konstruktionsergebnisse wurden im Sommer verwertet und hierbei genau überprüft; die Resultate waren sehr befriedigend.

Einzelne kleinere Partien mit etwa 1200 Detailpunkten wurden photogrammetrisch konstruiert und gerechnet.

In den Monaten Juli bis September 1906 wurde die Adamello- und Presanellagruppe durch einen Mappeur stereophotogrammetrisch und durch einen zweiten als Ergänzung auch nach der bisher geübten Methode photogrammetrisch aufgenommen; hierbei wurden 27 stereophotogrammetrische und 43 photogrammetrische Standpunkte erledigt. Die Konstruktions- und Rechnungsarbeiten sind derzeit im Zuge.

Stereophotogrammetrische Aufnahmen des Universitätsdozenten Prof. Dr. N. Herz während der Ferialmonate 1907 in den Zillertaler Alpen. Mit Goerz Doppelanastigmaten Dagor auf orthochromatischen Agfa-Platten 13×18 cm:

29. Juli:	Floitenkees;	Standpunkt:	Greizerhütte	(2203 m ü. d. M.)	11ʰ 30ᵐ a. m.	Basis 12·5 m
14. August:	Hornkees;	„	Berlinerhütte	(2057 m ü. d. M.)	6ʰ p. m.	„ 6·0 m
14.	„	Wateckkees;	„	(2057 m ü. d. M.)	6ʰ 30ᵐ p. m.	„ 9·2 m
25.	„ Gerlossteinwand;	„	Zell	(575 m ü. d. M.)	5ʰ 15ᵐ p. m.	„ 56·5 m
29.	„	„	Klöpfelstaudach	(849 m ü. d. M.)	4ʰ p. m.	„ 14·3 m

Stereophotogrammetrische Aufnahmen des Hauptmann S. Truck für das k. k. Eisenbahnministerium. Dank der großen Förderung, welche die Bestrebungen des Hauptmannes S. Truck, das stereophotogrammetrische Aufnahmeverfahren in der Praxis des Bauingenieurs zur verdienten Verwendung zu bringen, von Seite der Funktionäre der Eisenbahnbaudirektion Oberinspektor F. Wessnitzer und Oberbaurat Baron W. Ferstel gefunden haben, konnten im Sommer 1907 ausgedehnte Terrainaufnahmen in den österreichischen Alpen auf stereophotogrammetrischem Wege ausgeführt werden.

Zum Zwecke der Verfassung des generellen und Detailprojektes für die Fortsetzung der Vintschgaubahn von Mals nach Landeck sind die Felswände am rechten Innufer zwischen Martinsbruck und Finstermünz stereophotogrammetrisch vermessen worden, eine sehr interessante und dankenswerte Arbeit; außerdem wurde dem Hauptmann S. Truck die ehrende Aufgabe übertragen, die Grundlagen für die Projekte der Wasserkraftanlagen, welche vom Studienbureau der Eisenbahndirektion zwecks Vorbereitung des elektrischen Betriebes auf den österreichischen Staatsbahnlinien an einzelnen Wasserläufen in Tirol und Vorarlberg benötigt werden, auf stereophotogrammetrischem Wege zu beschaffen.

Hauptmann Scheinpflugs Ballonfahrten zum Zwecke photogrammetrischer Terrainaufnahmen. Meine erste Fahrt vom 22. Mai 1907 (Aufstieg 9 Uhr 45 Min. a. m. vom Ballonhaus des Äro-Klubs im k. k. Prater, Waldlandung 3 Uhr p. m. bei Siegmundsherberg, mittlere Fahrthöhe 700 bis 800 m, größte erreichte Höhe 1200 m) hatte in erster Linie den Zweck, meinen achtfachen Ballonapparat im allgemeinen zu erproben, ferners bezüglich Abblendung, Expositionszeit, Plattensorte etc. Erfahrungen zu sammeln.

Resultat: Der Ballonapparat im allgemeinen, sowie die gewählte Abblendung und der Momentverschluß entsprachen.

Bezüglich der mitgeführten Plattensorten, als da waren:

1. Langer, Ultra Rapid, orthochromatisch,
2. Langer, Ultra Rapid, orthochromatisch und lichthoffrei,
3. Aktiengesellschaft für Anilinfabrikation (Agfa), orthochromatisch,
4. Hauff-Flavin, orthochromatisch.
5. Schleußner-Viridin,

6. Perxanto-Perutz, München,
7. Perorto Grünsiegel, Perutz, München,
8. Color, Westendorp & Wähner
ist zu berichten:

Sämtliche Plattensorten, mit Ausnahme der Hauff-Flavin-Platten, welche etwas weniger empfindlich zu sein scheinen, deshalb sehr lange entwickelt werden mußten und dadurch schleierig wurden, haben entsprochen. Es gelangen von den 14 Aufnahmen à 8 Platten, die exponiert wurden, 12 und nur 2, die mit Hauff-Flavin-Platten gemacht wurden, gingen verloren. Der Entwickler war für alle Platten derselbe, ein Glycin-Entwickler nach Baron Hübl in halber Konzentration, kalt.

Besonders schöne Bilder lieferten die Langerschen Ultra-Rapidplatten beiderlei Art (österreichisches Fabrikat) und die Colorplatten, wie von dieser altbewährten Marke nicht anders zu erwarten war.

Es wäre jedoch ein Fehler, nicht zu betonten, daß die Bedingungen, unter denen die Platten erprobt wurden, wie Beleuchtung, Klarheit der Luft, Tageszeit und Höhe, durchaus nicht so gleichartig waren, um ein abschließendes Urteil zu rechtfertigen und daß bei den Hauff-Flavin-Platten ein Fehler bei der Entwicklung zwar nicht festgestellt werden konnte, aber auch nicht völlig ausgeschlossen erscheint. Wahrscheinlich sind sie für Ballonaufnahmen etwas zu wenig empfindlich.

Als Mängel ergaben sich:

1. Die ungenügende Vorsorge für die Verpackung des Apparates und der Platten, wobei es als ein besonderes Verdienst des Ballonführers, Oberleutnant Hoffory, zu betonen ist, daß trotzdem ein ernsterer Schaden nicht zu verzeichnen war.

2. Der Mangel von Einrichtungen, um den achtfachen Ballonapparat vor der Aufnahme genähert horizontal stellen zu können, was sich später bei der Verarbeitung der Bilder sehr störend fühlbar machte.

3. Der Apparat und seine Funktion litten ungemein durch den Ballastsand.

Die zweite Fahrt vom 13. September 1907. Aufstieg 10 Uhr 15 Min. a. m. vom Klubplatz im k. k. Prater, Landung äußerst glatt zirka um 4 Uhr p. m. bei Neuhof nächst Jamnitz in Mähren, mittlere Fahrthöhe 1400 m, größte erreichte Höhe 1800 m, Ballonführer Dr. Schlein.

Zweck der Fahrt. Erprobung der neuen Einrichtungen für die Horizontalstellung des Apparates, sowie der inneren Einrichtung des Korbes für Arbeit und Landung. Verwendet wurden Colorplatten.

Resultat: Es wurden 20 Panoramen aufgenommen, die ausnahmslos gelangen. Die Einrichtung zur Horizontalstellung sowohl als auch die innere Einrichtung des Korbes für Arbeit und Landung entsprachen über alles Erwarten. Dagegen konnte mit dem achtfachen Ballonapparat nicht so rasch gearbeitet werden, als es in Anbetracht der relativ großen Ballongeschwindigkeit wünschenswert erschien. Die Panoramen bildeten daher eine nicht durchwegs geschlossene, dachziegelförmig übergreifende Reihe, sondern erscheinen teilweise auseinandergezogen, auch konnten nicht mehr als 20 Aufnahmen gemacht werden, obwohl weit mehr Platten mitgenommen worden waren. Konstruktive Verbesserungen am Ballonapparat, die die Arbeitsgeschwindigkeit zu erhöhen geeignet sind, erwiesen sich daher als dringend nötig.

Die Nachmittagsstunden erwiesen sich bei allen drei Fahrten (es war stets leichter Süd- bis Südostwind) als klarer wie die Vormittagsstunden.

Die gründliche Durchnässung des Sandes vor der Abfahrt beugte allen Störungen am Apparate vor, die dem Ballast bei der ersten Fahrt zuzuschreiben waren.

Die dritte Fahrt am 25. September, 1 Uhr 30 Min. Aufstieg vom Klubplatz im k. k. Prater, Landung um 4 Uhr 30 Min p. m. bei Laa a. d.

Thaya. Kurze Schleiffahrt bei frischem Winde, mittlere Fahrthöhe 1600 m, größte erreichte Höhe 2200 m.

Zweck der Fahrt. Erprobung der Verbesserungen, welche zur Erhöhung der Arbeitsgeschwindigkeit am Ballonapparat angebracht worden waren, womöglich Erzielung dachziegelartig sich überdeckender Bilder.

Resultat: Dank dem Umstande, daß einerseits bei frischem Winde am Erdboden in der Höhe wenig Wind angetroffen wurde, und anderseits die Arbeitsgeschwindigkeit des Ballonapparates von 15 bis 17 Minuten auf 6 bis 9 Minuten gesteigert worden und auch die Fahrthöhe eine größere war, gelang es vollkommen, eine geschlossene Reihe dachziegelförmig übergreifender Bilder zu erhalten. Die Bilder sind beinahe zu dicht geraten.

Die größere Fahrthöhe, bei leichtem Dunst in der Atmosphäre beeinträchtigte ein wenig die Qualität der Bilder. Selbe wurden teilweise flau, sind aber noch brauchbar. Es wurden 20 Aufnahmen à 8 Platten gemacht, die sämtlich gelangen.

Es scheint, daß mit einem Ballon von der Größe des Helios (1200 m³ Leuchtgas), wenn zwei Mann fahren, nicht viel mehr als 20 achtfache Aufnahmen möglich sein dürften. Es empfiehlt sich daher, gar nicht mehr als 160 Platten mitzunehmen und den Rest des Auftriebes für Ballast zu reservieren.

Infolge allzu knapper Bemessung des Ballastes bei frischem Winde (kurze Schleiffahrt über Felder) konnte trotz der ausgezeichneten Führung durch unseren besten und erfahrensten Führer, Herrn Dr. Schlein, ein scharfer Aufschlag des Korbes bei der Landung nicht vermieden werden, der mehrfache kleinere Havarien am Apparat und der Einrichtung des Korbes zur Folge hatte.

Wollte man mehr Aufnahmen machen, so wäre eine Wasserstoffüllung oder ein größerer Ballon nötig; eventuell könnte man es mit Einzelfahrten versuchen, wenn das letztere auch an die Leistungsfähigkeit des Fahrenden sehr große Anforderungen stellen würde. Weitere konstruktive Verbesserungen am Ballonapparat, nach deren Ausführung es vielleicht möglich sein wird, eine Arbeitsgeschwindigkeit von etwa 2 bis 4 Minuten einzuhalten, sind beabsichtigt.   Th. Scheimpflug.

Internationale photographische Ausstellung Dresden 1909 soll eine umfassende Darstellung des Wesens der Photographie in allen ihren Zweigen und in allen Kulturstaaten sein. Sie soll die Entwicklung der Photographie, wie den heutigen Stand ihrer Leistungen in gewerblicher, künstlerischer und wissenschaftlicher Hinsicht und alle ihre technischen Hilfsmittel und Nebenzweige zeigen.

Zur Erreichung dieses Zieles sind folgende Gruppen vorgesehen:

I. Entwicklung, Wissenschaft und Spezialanwendungen der Photographie,

II. Gewerbliche und industrielle Photographie,

III. Amateur-Photographie und

IV. Photographische Industrie.

(Nach dem offiziellen Programme mitgeteilt.)

Die Anordnung in den einzelnen Gruppen ist international. Die Organisation der I. Gruppe ist dem Geheimen Regierungsrate Prof. Dr. Miethe in Berlin-Charlottenburg übertragen; die Photogrammetrie, welche auch in diese Gruppe fällt, hat Prof. E. Doležal von der technischen Hochschule in Wien übernommen.

Wir werden im II. Hefte des Archives Gelegenheit nehmen, näheres über die Abteilung „Photogrammetrie" zu bringen.

Literaturbericht.

Fototopografia e fotogrammetria aerea. Nuovo metodo pel rilevamento topografico di estese zone di terreno. Ing. Attilio Ranza, tenente del Genio. 77 Seiten, 32 Figuren, 16 Tafeln. Roma 1907.

Die Rivista d'artiglieria e genio 1907 Vol. III—IV, bringt eine hochinteressante Arbeit des Ingenieurs Attilio Ranza, italienischen Genieleutnants, zugeteilt der Brigata specialisti in Rom, über Versuche des italienischen Militärs, vom Fesselballon aus topographische Aufnahmen zu machen.

Die Arbeit zeigt den Autor nicht nur als tüchtigen Mathematiker und gewandten Konstrukteur, sondern auch als Mann von Ideen und vorzüglichen Improvisator.

Das Werk beginnt mit dem Nachweis, daß die Unebenheiten des Terrains innerhalb ziemlich weiter Grenzen vernachlässigt werden können, weil die durch sie bedingten Fehler innerhalb der Grenzen der auf graphischem Wege erreichbaren Genauigkeit bleiben.

Von der Anschauung ausgehend, daß der Fesselballon das tauglichste Mittel sei, um einen photographischen Apparat hoch zu bringen, der frei pendelnd aufgehängt ist und elektrisch ausgelöst wird, wird gezeigt, daß es genügt, kleine Schwingungs-Amplitüden abzuwarten und dann in den toten Punkten (Umkehrpunkten) zu exponieren, um bei rasch arbeitendem Momentverschluß zu guten Resultaten zu gelangen.

Als Fesselballon wird eine vom Autor des Buches konstruierte Spezialform benutzt. Das Charakteristische derselben ist, daß das Haltetau durch einen Schlauch längs eines Durchmessers durch den Kugelballon durchgeführt ist und den Ballon an einem Ringe erfaßt, der an dessen Oberseite befestigt ist. Der Zug des Kabels überträgt sich dadurch derart auf das Netz und in weiterer Folge auf die Ballonhülle, daß das Gas nach abwärts gedrückt wird und speziell die untere Hemisphäre des Ballons stets prall gespannt bleibt.

Der Erfinder glaubt dadurch die schädlichen Wirkungen des Windes, der sich sonst gewöhnlich in den Falten und Säcken der unten meist schlaffen Ballonhülle fängt, bedeutend zu vermindern und behauptet, bei dem in Rom verwendeten Modelle, trotz seiner Kleinheit (5 m Durchmesser, respektive 65 m³ Inhalt), bedeutend günstigere Stabilitätsverhältnisse und eine wesentlich größere Tragkraft wie bei Drachenballons gleicher Größe erzielt zu haben.

Durch weitere Anbringung von Luftsäcken, drachenartig wirkenden Flächen und Konussen, behauptet er die Stabilität, respektive Tragkraft noch weiter erhöhen zu können. Der Ballon soll vollkommen genügen, um die kleinen Apparate, die er benutzte, sowie 500 m Kabel auch bei ziemlich starkem Wind hoch zu bringen und kann anderseits, wenn mit Ballastsäcken beschwert, von 2 bis 3 Mann leicht gehandhabt werden. Der Erfinder konnte sich bei seinen Aufnahmen angeblich ohne Schwierigkeiten in den Straßen Roms bewegen.

Das Kabel wird fix auf 500 m abgewickelt und besteht aus zwei durch eine Umspinnung voneinander isolierten Stahldrahtlitzen, welche troßweise zusammengeschlagen sind und die Hin- und Rückleitung für den elektrischen Strom bilden.

Der Apparat selbst, mit einem Objektiv von 62 mm Brennweite und 9 × 12 cm Platten oder auch quadratischen Platten analoger Größe, ist in einem Rahmen montiert und an drei zirka 5 m langen Stahlkabeln, die sich oben in einem Zwischenstück vereinigen, aufgehängt. Die totale Pendellänge wird mit 10 m angegeben. Übrigens gibt der Autor auch eine theoretische Berechnung der kürzesten Pendellänge, welche noch scharfe Bilder erhoffen läßt. Die Auslösung erfolgt elektrisch mit Hilfe einer Batterie von Trockenelementen, die auf Spannung geschaltet sind, derart, daß der Widerstand des dünn gewickelten Elektromagnetes der Summe aus dem inneren Widerstand der Batterie und dem Widerstand der Leitung ungefähr die Wage hält.

Zum Zwecke der Orientierung der Ballonbilder hat sich der Autor eine höchst interessante Methode ausgedacht. Er will sich in der Nähe seiner Winde mit einem Distanzmesser (Teletopometro del Monsignore Cerebotani) aufstellen und Distanz, Horizontal- und Höhenwinkel des Ballons messen; aus der schiefen Distanz und dem Höhenwinkel berechnet er dann Horizontaldistanz und Höhe. Sodann visiert er den Ballon und den unter demselben schwingenden photographischen Apparat mit einem Fernrohr, welches mit einem besonders hergestellten Fadennetz ausgestattet ist, an und trachtet mit demselben die Schwingungsweite und Schwingungsrichtung des Apparates zu beobachten.[1])

Auf einem mitgeführten Skizzenbrett wird sodann der Stand des Beobachters, der Ballonort und von letzterem aus mit Hilfe der gemessenen Schwingungsrichtung und Schwingungsweite die Position des photographischen Apparates festgelegt. (Da die Exposition im toten Punkt erfolgte und der Ballonort offenbar die Mitte der Amplitüde darstellt, wird vom Ballonort aus in dem für die Skizze gewählten Maßstab die halbe gemessene Amplitüde derart aufgetragen, daß die Schwingungsrichtung mit der Visierrichtung vom Beobachter zum Ballon den gemessenen Horizontalwinkel einschließt.) Um die derart ermittelte Aufnahmsposition als Zentrum wird nun mit einem Radius, welcher eine Funktion der Höhe des Apparates über dem Erdboden und des Gesichtsfeldes des Objektivs ist. ein Kreis geschlagen und erhält man auf diesem Wege die ungefähre Größe des Gebietes, das diese erste Aufnahme deckt. Sodann werden vom Beobachtungsort noch drei deutlich sichtbare Fixpunkte des Terrains im Wege der optischen Distanzmessung eingemessen und dann ein neuer Standpunkt derart gewählt, daß die Neuaufnahme mit der alten voraussichtlich gut zum Anschlusse kommt. Die Einmessung des photographischen Apparates erfolgt wie beim ersten Male, auch werden wieder drei Punkte des Terrains innerhalb des vom Bilde bedeckten Gebietes tachymetrisch eingemessen und mit den früher eingemessenen Punkten entweder durch Triangulation oder durch einen Polygonzug verknüpft.

Die pro Bild eingemessenen drei Fixpunkte des Terrains dienen sowohl dazu, die Bilder, welche, weil in den toten Punkten exponiert, mit kleinen Neigungsfehlern behaftet sind, in die Horizontalebene umzuphotographieren, als auch die so korrigierten Bilder aneinander zu passen.

Für das Umphotographieren der Bilder, das mit kleinster Blende erfolgen muß, hat der Autor einen ganz sinnreichen Vorgang und einen entsprechenden Apparat ausgedacht, der aber noch nicht ausgeführt wurde und auch kaum ausgeführt werden dürfte, weil er durch den Photo-Perspektographen überholt ist.

Neuester Zeit befaßt sich die Brigata specialisti auch mit stereo-photogrammetrischen Versuchen vom Ballon aus und wurde auch hierfür ein Apparat konstruiert, bei welchem an den beiden Enden einer 5 m langen Basis kleine photographische Apparate montiert sind. Dieser Apparat soll etwas schwer ausgefallen sein und werden die Versuche mit demselben nur kurz gestreift.

Schließlich erwähnt der Verfasser noch seine Absicht, zu vielfachen Kameras mit vier, respektive sieben Objektiven überzugehen, und zeigen die Skizzen der Apparate, die er bringt, deutlich, daß sie den analogen russischen und österreichischen Apparaten, speziell den letzteren nachgebildet sind.

Die einschlägigen Versuche sollen im Winter des Jahres 1902, wenn auch mit improvisierten Mitteln, begonnen haben und waren auf der Weltausstellung in Mailand 1906 hochinteressante Resultate derselben ausgestellt, die mit Recht allgemeine Aufmerksamkeit erregten. Seitdem sind die Versuche fortgesetzt und die Hilfsmittel stetig verbessert worden und geben die dem Buche beigegebenen

---

[1]) Die Theorie dieses Instrumentes und dieser Messung ist in dem besprochenen Werke sehr schön entwickelt, würde uns aber hier zu weit führen.

schonen Abbildungen einen guten Begriff, wie weit die Italiener in dieser neuen Vermessungstechnik vorgeschritten sind.

Besonders interessant sind die Abbildungen des vom Erfinder erdachten Pallone autodeformatore, ferner die bereits in Mailand ausgestellten Probeaufnahmen und deren Zusammenfügung zu einem Plane eines Teiles von Rom, der offenbar deswegen etwas unscharf geraten ist, weil die Technik des Umphotographierens noch nicht auf der Höhe ist, ferners die Abbildung des stereo-photogrammetrischen Apparates und einiger hübscher Probeleistungen desselben (Bilder des römischen Forums und des Palatins). Persönliches Interesse hat auch das sehr gute Bild des Erfinders bei der Arbeit.

Das Buch zeigt jedenfalls, daß die Italiener auf diesem Gebiete rüstig schaffen und daß es des vollsten Einsatzes der Kräfte bedürfen wird, um mit ihnen gleichen Schritt zu halten.

Wenn das Arbeiten mit dem Fesselballon auch zweifellos weniger raumgreifend ist, als das Arbeiten von Freiballons oder gar lenkbaren Ballons aus, so bleibt es ein nicht genug anzuerkennendes Verdienst des Erfinders Tenente-Ingeniero Attilio Ranza, die Technik des Arbeitens mit dem Fesselballon so weit ausgebildet zu haben, daß man in Fällen, wo die Verwendung des lenkbaren Ballons, des Freiballons oder des Drachens auf praktische Schwierigkeiten stößt, sich mit kleinen gefesselten Ballons helfen kann.   Th. Scheimpflug.

Leitfaden der Kartographie. III. Teil. Der Kartenentwurf aus photographischen und geodätischen Aufnahmen von Ignaz Tschamler. 42 Seiten, 9 Tafeln. Als Manuskript gedruckt. Wien 1906.

Dieser Teil ist hauptsächlich der Bildmeßkunst (Photogrammetrie) gewidmet. Der Verfasser sagt in seinem Vorworte u. a. folgendes: „Trotz der reichlichen Fachliteratur ist die Photogrammetrie selbst in Fachkreisen noch ein Wunder —"; „ich möchte auch gewisse Feinschmecker der Touristik, welche zugleich Amateurphotographen sind, dann jene Lehrer, deren geographisch-pädagogisches Gewissen die Anwendung vom fremden Geiste belebter Karten nicht zuläßt, und schließlich alle jene, welchen die bestehenden Karten nicht entsprechen, für diese Art Spezialaufnahme größerer oder kleinerer Landesgebiete, Gebirgsstädte, Umgebungsräume usw. interessieren; sie mögen Kartographie-Amateure werden — und wenn diese daran gehen, das photographierte Gebiet etwa in 1 : 5000 umzusetzen, dann wird es bald von großartig schönen und guten Karten zu berichten geben." Wir möchten dies auch vielen Kollegen sagen. Allerdings ist für genauere Ingenieurarbeiten unter Rücksichtnahme der immer gebotenen Zeitbeschränkung eine einfache, etwa bloß entsprechend adaptierte Aufnahme-Kamera meist nicht ausreichend — von Ausnahmsfällen abgesehen — und zur Anschaffung der meist sehr teuren (mitunter gar patentierten) Vorrichtungen sind weder Einzelne noch Behörden und Körperschaften geneigt. Und so bleibt die ganze Methode im großen ganzen mit wenig Ausnahmen bisher leider nur der Militärgeographie überlassen. Im Instrumentenbau hat man nebst bedeutenden Fortschritten auch wieder bedauerliche Rückschritte gemacht, indem man ältere Erfahrungen des Feldes nicht berücksichtigte. Vom „Einmaleins" der Bildmeßkunde (aus einer Proportion eine Unbekannte zu bestimmen) ausgehend, hierbei auch den Fall behandelnd, von einem erhöhten Standpunkte aus Distanz und Höhe ohne besondere Instrumente zu finden, wird der Kartenentwurf aus einem Bilde und aus mehreren sowohl lotrechten als schiefen Bildern einschließlich des Vorwärts- und häufig nötigen Rückwärtseinschneidens vorgeführt. (Es wäre wohl endlich an der Zeit, daß renommierte Firmen auf den besseren Objektiven die Bilddistanz für Unendlichstellung aufs genaueste ersichtlich machen.)

Im weiteren folgen sodann Abschnitte über genaues Bildmessen, stereoskopische Aufnahmen, Umprojizieren, geodätische Messungen und über Ballonphotographie; die Aufnahme von hohen Standpunkten gibt sämtliche Details der

Erdoberfläche. Die Ballonphotogrammetrie eignet sich zur Aufnahme von Städte-
gebieten und sehr detaillierten Terrainabschnitten; sie reduziert die Hausarbeiten
auf ein Minimum. In der vorjährigen Londoner Ausstellung waren sehr gute und
umfangreiche Versuche von Th. Scheimpflug (Wien) solcher photogrammetrischer
Ballonaufnahmen und die planliche Darstellung 1 : 1000, 1 : 25.000 und 1 : 75.000
(aus 2000 bis 6000 m Höhe aufgenommen) zu sehen.
    Zum Schlusse möchten wir noch auf einige Bemerkungen des Verfassers
zurückkommen. S. 15 und 16 sagt derselbe: „Betrachten wir das Gros der
Touristenkarten. Hier ist es der rote Strich (Wegmarkierung), der den Touristen
dort hinführt, wo er hin will, doch wehe, wenn er ein Zeichen in der Natur übersieht, dann heißt es, suchen, suchen. Die Bergspitzen sind in der Natur nicht
beschrieben. Detailformen fehlen. Daher wäre es ersprießlich, Touristenkarten
herzustellen, welche so viel Detail enthalten, daß jeder in der Lage wäre, aus dem
gesehenen Detail in der Natur durch kurzen Vergleich mit der Karte den je-
weiligen Standpunkt genau zu bestimmen; solche Karten sind nur durch Photogrammetrie erreichbar." Ähnlich verhält es sich bezüglich der Karten für Ingenieurzwecke. In Österreich ist die Privattopographie fast nicht im Gebrauch; einzelne
schüchterne Versuche hat der Alpenverein, v. Lößl usw. unternommen.

V. Pollack.

Bibliographie.

1. Selbständige Werke:

*Eggert, O.: Einführung in die Geodäsie. Teubner, Leipzig 1907.
Finsterwalder, S.: „Photogrammetrie" in Enzyklopädie der mathematischen Wissen-
    schaften mit Einschluß ihrer Anwendungen, Band VI₁, Heft 1, B. G. Teubner,
    Leipzig 1906.
Flemer: An elementary treatise on Phototopographic Methods and Instruments
    including a consise review of executed phototopographic surveys and of publi-
    cations on this subject. New-York, John Wiley & Sons 1906.
*Galle, A.: Geodäsie. Sammlung Schubert, Band XXIII, Göschen, Leipzig 1907.
*Hartwig, Th.: Das Stereoskop und seine Anwendung in der Sammlung „Aus Natur und
    Geisteswelt". 135. Bändchen, B. G. Teubner, Leipzig 1907.
*Larminat: Topographie pratique de reconnaissance et d'exploration. Paris 1907.
*Niesiolowski-Gawin, V. v.: Ausgewählte Kapitel der Technik mit besonderer Rück-
    sicht auf militärische Anwendungen", 2. Auflage, L. W. Seidel & Sohn. Wien 1908.
Rohr, M. v.: Die binokularen Instrumente. J. Springer, Berlin 1907.
Tschamler: Leitfaden der Kartographie. III. Teil. Der Kartenentwurf aus photogra-
    phischen und geodätischen Aufnahmen. Wien 1906.
Valot, H. & J.: Applications de la Photographie aux lévés topographiques en haute
    montagne. Bibliothèque photographique, Paris, Gauthier-Villars 1907.
    Die mit * bezeichneten Werke enthalten Kapitel über Photogrammetrie oder Stereo-
photogrammetrie als integrierenden Bestandteil.

2. Journalliteratur.

Doležal, E.: a) „Das Grundproblem der Photogrammetrie, seine rechnerische und gra-
    phische Lösung nebst Fehleruntersuchungen" in der „Zeitschrift für
    Mathematik und Physik" 1906.
    b) „Das Problem der 6 Strahlen oder 7 Punkte in der Photogrammetrie"
    in den Sitzungsberichten der kaiserl. Akademie der Wissenschaften in
    Wien, CXV. Band. 1906.

    c) „Photogrammetrische Punktebestimmung von einem Standpunkte" in der „Zeitschrift für Vermessungswesen" 1907.

    d) „Genauigkeit und Prüfung einer stereophotogrammetrischen Aufnahme" in der „Österr. Zeitschrift für Vermessungswesen" 1907.

Fuchs, K.: *a)* „Die Verschwenkungskorrektion in der Photogrammetrie" in der „Zeitschrift für Vermessungswesen" 1907.

    b) „Das Reziprokendreieck" ebenda 1907.

    c) „Photogrammetrische Terrainaufnahme auf Forschungsreisen" in der „Österreich. Zeitschrift für Vermessungswesen" 1907.

Hübl, A. v.: „Das stereophotogrammetrische Vermessen von Architekturen" in der Monatsschrift „Wiener Bauhütte", 1907.

Jaffé: „Neuerungen auf dem Gebiete der Architekturphotographie" in der Monatsschrift „Wiener Bauhütte", 1907.

Klingatsch, A.: *a)* „Über photographische Azimutmessung" in den Sitzungsberichten der kaiserl. Akademie der Wissenschaften in Wien, CXV. Band, 1906.

    b) „Die Fehlerkurven der photographischen Punktbestimmung" ebendaselbst, CXV. Band, 1906.

    c) „Die Fehlerflächen topographischer Aufnahmen" ebendaselbst, CXV. Band, 1907.

Koppe, K.: „Das photographische Messungsverfahren" in der Zeitschrift „Prometheus" 1907.

Pulfrich, C.: „Über ein neues Verfahren der Körpermessung" im „Archiv für Optik", Veit & Cie. Leipzig 1907.

Ranza, A.: „Fototopographia e fotogrammetria aerea" in „Rivista d'artiglieria e genio", vol. III—IV, Roma 1907.

Scheimpflug, Th.: *a)* „Die Herstellung von Karten und Plänen auf photographischem Wege" in den Sitzungsberichten der kaiserl. Akademie der Wissenschaften in Wien, CXVI. Band, 1907.

    b) „Photogrammétrie en ballon" in Procès-Verbaux des séances et mémoires de la „Cinquième conférence de la commission internationale pour l'aérostation scientifique à Milan", Straßburg 1907

Thiele, R.: *a)* „Über phototopographische Aufnahmen für Eisenbahnprojektierungen", Vortrag auf der Jahresversammlung der Eisenbahningenieure zu St. Petersburg 1907 (russisch).

    b) „Über die gegenwärtige Entwicklung der Phototopographie" in „Zeitschrift für Eisenbahnwesen", St. Petersburg 1907 (russisch).

Truck, S.: „Das Pulfrichsche Stahlmeßrohr als Distanzlatte in seiner Anwendung bei stereophotogrammetrischen Aufnahmen" in der „Zeitschrift für Vermessungswesen" 1907.

Vereinsangelegenheiten.

Bericht

über die konstituierende Versammlung der „Österreichischen Gesellschaft für Photogrammetrie" am 5. Mai 1907.

Nach der Begrüßung der Erschienenen durch den Obmann des vorbereitenden Komitees, Professor Doležal, erteilt dieser Herr Oberlandesrat Dr. Kostersitz das Wort, welcher im Namen des vorbereitenden Komitees den Versammelten die Gesichtspunkte auseinandersetzt, welche bei der Aufstellung der Satzungen maßgebend waren.

Besonders hervorzuheben ist: 1. Daß die Mitglieder der Vereinsleitung für drei Jahre zu wählen sind und nach dieser Zeit für die nächsten drei Jahre nicht wählbar sein sollen. Diese Bestimmung wurde aus dem Grunde getroffen, damit sich die Gesamtheit der Mitglieder an dem Vereinsleben betätigen könne, und die Leitung der Gesellschaft nicht in den Händen einiger wenigen konzentriert bleibe. Da die Wiederwahl nach Rücktritt eines Funktionärs satzungsgemäß ausgeschlossen ist. so kann in der Übertragung der Funktionen auf ein anderes Mitglied weder ein Mißtrauensvotum, noch eine persönliche Spitze gesehen werden.

2. Der in den Satzungen aufgestellte Grundsatz. daß die Stimmenabgabe persönlich zu erfolgen habe, steht im Einklange mit allen gegenwärtigen Anschauungen und ist insoferne vollkommen berechtigt, als derjenige, der nicht an den Ort kommt, an welchem der Verein seinen Sitz hat, sich auch nicht in der Lage befindet, über die herrschenden Verhältnisse und Strömungen, sowie über die Bedingungen des Gedeihens des Vereines persönlich zu informieren.

Mit der Schlußredaktion der Satzungen war ein dreigliedriges Komitee. bestehend aus den Herren: Professor Doležal, Dr. Herz und Dr. Kostersitz betraut worden.

Zur formellen Seite bemerkt der Referent, daß er wegen der Legalität der Konstituierung den Referenten für Vereinsangelegenheiten in der k. k. n. ö. Statthalterei im Einvernehmen mit dem vorbereitenden Komitee befragt hat, und daß auf dessen Rat hin die Satzungen eingereicht und sodann umgehend genehmigt wurden. Er beantragt, für diese rasche Erledigung dieser Behörden den Dank der Gesellschaft zu votieren. (Geschieht.)

Hierauf fragt der Vorsitzende, ob jemand von den Anwesenden das Wort wünscht.

Technischer Vorstand Kŕifka beanständet, daß die Höhe des Jahresbeitrages in den Satzungen nicht aufgenommen erscheint, da hiernach selbst unerschwingliche Beträge von der Jahresversammlung votiert werden könnten.

Der Vorsitzende erwidert, daß dieses gegen das Interesse der Gesellschaft wäre, und auch keine Jahresversammlung dieses tun würde; daß aber auch keine Gefahr vorliege, daß jemals eine Vereinsleitung besonders hohe Beträge in Vorschlag bringen würde. Der Jahresbeitrag sei gegenwärtig von dem vorbereitenden Komitee mit 6 K beantragt.

Nach kurzer Debatte wird diese Erklärung zur Kenntnis genommen und der Jahresbeitrag von 6 K mit allen Stimmen (eine Stimmenenthaltung) angenommen.

Hierauf wird zur Wahl der Vereinsleitung geschritten. Es erscheinen gewählt:

Obmann:

E. Doležal, o. ö. Professor an der k. k. technischen Hochschule in Wien.

Obmann-Stellvertreter:

Dr. E. Brückner, o. ö. Universitätsprofessor in Wien.
Dr. N. Herz, Universitätsdozent und k. k. Professor.

Schriftführer:

Th. Scheimpflug, k. u. k. Hauptmann a. D.
Dr. A. Schlein, k. k. Adjunkt der k. k. Zentralanstalt für Meteorologie und Geodynamik in Wien.

Kassenführer:

G. Otto, Vertreter der Firma Karl Zeiß in Jena.

Ausschußmitglieder:

L. Arndt, k. k. Oberingenieur im k. k. Ministerium des Innern.
Dr. M. Dvořak, Universitätsprofessor und Mitglied der k. k. Zentralkommission für Kunst- und historische Denkmale in Wien.
C. Gärtner, Oberbaukommissär der Eisenbahnbaudirektion in Wien.
J. Khu, k. u. k. Hauptmann des Eisenbahn- und Telegraphenregimentes. zugeteilt dem k. u. k. Reichskriegsministerium.
F. Pichler, techn. Offizial. Leiter der Photographischen Abteilung im k. u. k. militär-geogr. Institute in Wien.
H. Urban, Architekt.
Prof. F. Wang, k. k. Oberforstrat im k. k. Ackerbauministerium.
F. Tauber, k. u. k. Hauptmann, zugeteilt der k. k. militär-aëronautischen Abteilung.
S. Truck, k. u. k. Hauptmann a. D.

Schiedsgericht:

Dr. K. Kostersitz, Oberlandesrat.

J. Pachnik, Baurat der Wasserstraßendirektion.

F. Schiffner, k. k. Direktor der k. k. Staatsrealschule im II. Wiener Bezirke.

Ersatzmänner:

E. Engel, k. k. Oberinspektor des Triangulierungs- und Kalkulbureau, Honorardozent an der k. k. Hochschule für Bodenkultur.

J. Putz, k. u. k. Hauptmann des Eisenbahn- und Telegraphenregimentes.

Revisoren:

L. v. Klatecki, k. k. Obergeometer I. Klasse.

R. Rost, von Firma Rud. & Aug. Rost, math.-mech. Institut in Wien.

Mitgliederzahl der Gesellschaft.

Die Gesellschaft zählt mit Ende Jänner 1908 90 Mitglieder.

Die erste Monatsversammlung vom 22. November 1907.

Die erste Monatsversammlung der neu gegründeten Gesellschaft für Photogrammetrie vereinigte ein ungemein zahlreiches und interessantes Publikum.

Anwesend waren unter anderem Exzellenz FML. Frank, der Kommandant des Militär-Geographischen Institutes, mit einem zahlreichen Stabe seiner Officiere, Hofrat Neumann, Hofrat Katasterdirektor Broch, Oberst Baron Hübl, Sektionsrat im Ministerium für Kultus und Unterricht R. v. Förster-Streffleur etc.

Der Obmann und Vorsitzende der Versammlung, Professor Eduard Doležal, eröffnete um 7¹/₂ Uhr die Sitzung und begrüßte herzlichst die Gäste und neueingetretenen Mitglieder.

Nach einem kurzen Dank für den Rektor der Technik und Dekan der Maschinenbauschule für die Überlassung des Saales, entwickelte er das Programm der kommenden Saison. Sowohl Vorträge als Ausstellungen sollen ein tunlichst übersichtliches und anschauliches Bild des heutigen Standes der Entwicklung aller Zweige der Photogrammetrie, sowohl im Inlande als im Auslande geben.

Auf die Entwicklung des Ausstellungs- und Vortragsprogrammes folgte die Besprechung der Gründung des Vereinsorganes, „Des Internationalen Archives für Photogrammetrie", dessen Verlag die bekannte Verlagshandlung und Buchdruckerei Carl Fromme in Wien übernommen hat. Zweck des Archives ist, sämtliche wichtigeren Arbeiten der Photogrammetrie, die in aller Herren Länder derzeit in den verschiedensten Zeitschriften erscheinen, zu vereinen, um dadurch dem Fachmanne einen Überblick zu ermöglichen. Es ist als internationales Organ geplant, in welchem die Aufsätze in deutscher, französischer, englischer und italienischer Sprache erscheinen können.

Im weiteren gab der Vorsitzende einen orientierenden Überblick über die Facharbeiten des heurigen Jahres. Hieran schloß sich der Vortrag des Obmannes Prof. E. Doležal: „Oberst A. Laussedat, der Begründer der Photogrammetrie, sein Leben und seine wissenschaftlichen Arbeiten", der dem erst am 18. März 1907 verstorbenen Altmeister der Photogrammetrie gewidmet war und sich unwillkürlich zu einem geschichtlichen Rückblicke des Werdeganges der Photogrammetrie bis zum heutigen Tage gestaltete. Der Vortrag war durch eine Fülle instruktiver Lichtbilder in wirksamster Weise unterstützt.

Hierauf folgte die Vorlage neuer Publikationen und endlich als letzter aber nicht unwichtigster Programmpunkt die hochinteressante fachliche Besprechung der Ausstellung, welche, mit Projektionsbildern begleitet, durch den Vorsitzenden erfolgen mußte, da bedauerlicherweise die eigentlichen Aussteller nicht anwesend waren.

Diesmal waren jene Arbeiten ausgestellt, bei welchen Photographien kartographisch verwertet wurden und welche ohne für diesen Zweck eigens gebaute photogrammetrische Apparate aufgenommen worden waren.

Es hatten ausgestellt:

1. Herr Linienschiffskapitän Ludwig Ritter von Höhnel seine Arbeiten in Ost-Äquatorialafrika anläßlich seiner beiden Forschungsreisen in den Jahren 1887'88 und 1892/93; Maßstab 1 : 500.000.

2. Herr Kustos am Naturhistorischen Hofmuseum Dr. Arnold Penther die von ihm aufgenommene Karte des Erdschias-Gebietes (Kleinasien), seinerzeit veröffentlicht durch die k. k. Geographische Gesellschaft in Wien in ihren Abhandlungen. I. Band 1905. Nr. 1; Maßstab 1 : 80.000.

3. Herr Major Anton Schindler, Lehrer an der technischen Militärakademie, seine Vermessungen der Ausgrabungen eines Teiles des alten Ephesus in Kleinasien, welche er im Jahre 1897 im Auftrage des k. k. Archäologischen Institutes unter der Direktion des Sektionschefs Dr. Otto Benndorf gemacht hat; Maßstab 1 : 25'000.

4. Herr o. ö. Professor Dr. Franz Wähner an der k. k. deutschen Technischen Hochschule in Prag seine zum Zwecke geologischer Spezialstudien gemachten Aufnahmen des Sonnwendgebirges im Unter-Inntale in Tirol; Maßstab 1 : 10.000. Sämtlich vom k. k. techn. Offizial Ignaz Tschamler unter der Ägide des k. u. k. Militärgeographischen Institutes ausgearbeitet, erregten diese vier Arbeiten, wahre Meisterwerke der kartographischen Technik, allgemeine Bewunderung und waren Musterbeispiele für die Elastizität, welche es der Photogrammetrie ermöglicht, sich den verschiedensten Maßstäben und äußeren Bedingungen anzupassen.

Die zweite Monatsversammlung vom 10. Jänner 1908.

Nach kurzer Begrüßung verliest der Vorsitzende, Prof. E. Doležal, die Namen der neu eingetretenen Mitglieder und bespricht die neuen Publikationen, welche zur Einsicht zirkulieren.

Hierauf hält Dr. Ingenieur Dokulil seinen Vortrag über „Neue Instrumente für die photogrammetrische Aufnahme und Rekonstruktion von Baudenkmälern". Dr. Dokulil bespricht in diesem Vortrage in sehr anregender und interessanter Weise den Phototheodolit von Hofrat Prof. Dr. A. Schell, der im Jahre 1891 bei der Firma Starke & Kammerer hergestellt wurde.

Weiter kommen ein neuer großer Phototheodolit für Architekturzwecke, Format 30 × 30 cm, im Jahre 1905 von der Firma Rud. & Rost in Wien hergestellt, ferner ein photogrammetrischer Stereoskopapparat für Architekturzwecke und ein Photo-Koordinatometer, beide ebenfalls von derselben Firma angefertigt, zur Besprechung: es wird die bezügliche Prüfung und Berichtigung dieser Instrumente, welche vom Hofrate Dr. A. Schell ihrer Konstruktion angegeben worden sind, eingehend behandelt.

Nach dem Vortrag findet eine kurze Diskussion statt, worauf der Vorsitzende Prof. Doležal an die Besprechung seiner Ausstellung „Die Pfarrkirche St. Leopold in Gersthof" schreitet. Die wunderschönen Aufnahmen, die mustergiltige Triangulation und geodätische Arbeiten, welche der Vermessung zugrunde gelegt wurden und die äußerst sorgfältige Durchführung der Rekonstruktion machen diese Arbeit, welche aus dem Jahre 1897 stammt, zu einem Musterbeispiele für die photogrammetrische Aufnahme derartiger Monumentalbauten.

Auch das monumentale Baudenkmal von Fischer von Erlach, die herrliche Karlskirche im IV. Wiener Bezirke, welche im Jahre 1898 photogrammetrisch festgelegt wurde, gelangte zur Vorlage.

––––––––––

Schluß der Redaktion am 1. Februar 1908.

K. u. k. Hofbuchdruckerei Carl Fromme in Wien.

Pfarrkirche „St. Leopold"
in Gersthof—Wien.
Situation der photogrammetrischen Stationen.

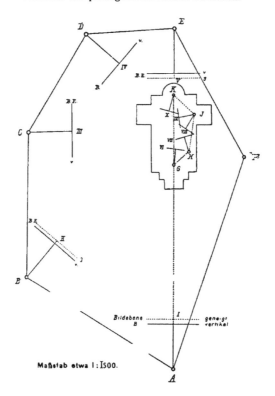

Maßstab etwa 1:1500.

Verzeichnis der für das Rekonstruktionsgerippe erforderlichen Daten.

Standpunkt			Polygonseite		Polygonwinkel		Lage der Bilddistanz			
							Horizontalwinkel		Vertikalwinkel	Größe
Lage	Name	Horizonthöhe	Name	Größe	Name	Größe	Name	Größe		
										mm
Außerhalb der Kirche	A	16·856 *m*	A G	90·000 *m*	F A B	77° 49'37"	I A B	58° 19'00"	0° 00'00"	244·07
	A	16·856	A F	99·340	F A G	19 30 37	I A B	58 19 00	+13 58 00	244·07
	B	16 195	A B	78·998	G A B	58 19 00	II B A	80 09 30	0 00 00	243·94
	B	16·195	B C	64·173	A B C	119 51 07	II B C	39 41 37	+ 9 11 00	243·94
	C	15·434	C D	51·065	B C D	150 35 06	III C B	89 19 00	0 00 00	244·26
	D	12·810	D E	40·835	C D E	123 15 01	IV D E	47 53 00	0 00 00	244·13
	E	11·865	E F	65 042	—	—	—	—	0 00 00	244·46
	E	11·865	—	—	D E F	116 39 52	D E V	86 20 00	+15 15 00	244·46
			—	—	E F A	131 48 59	—	—	—	—
Innerhalb der Kirche	G	13·273	G H	9·980	A G K	180 00 00	VI G H	48 42 00	0 00 00	246·21
	H	13·403	H J	15·490	K G H	48 46 30	G H VII	117 16 00	0 00 00	246·21
	J_1	13·389	J K	13·028	G H J	119 57 00	H J VIII	22 51 00	0 00 00	248·16
	J_2	13·389	—	—	H J K	123 38 00	H J IX	71 58 00	0 00 00	248·16
	K	14·458	K G	30·576	J K G	48 07 50	J K X	68 59 50	0 00 00	248·16

Anmerkung: Die Vergleichungsebene liegt 10 *m* unter dem tiefst gelegenen Polygonpunkte *F*.

Plattenformat: 21 × 27 cm.   Bildebene vertikal.   Bilddistanz: $f = 243·94$ mm.

Photogramm in der Station C.

Plattenformat: 21 × 27 cm.   Bildebene vertikal.   Bilddistanz: $f = 244.26$ mm

INTERNATIONALES
ARCHIV FÜR PHOTOGRAMMETRIE
REDAKTION: PROF. E. DOLEŽAL IN WIEN.

| I. Jahrgang | Juli 1908 | Heft 2. |

Die Orientierung photographischer Aufnahmen von demselben Standpunkt.

Von Prof. A. Klingatsch in Graz.

I.

Von den Problemen der photogrammetrischen Punktbestimmung, jenen nämlich, welche ohne Benutzung anderweitiger geodätischen Feldoperationen lediglich aus den Bildern die Bestimmung der inneren und äußeren Orientierung, sowie die Ermittlung des Standpunktes der Aufnahme zum Zwecke haben, kommen für die Anwendung vorwiegend nur diejenigen in Frage welche die für die Rekonstruktion des Objektes erforderlichen Standpunkte für sich, nämlich unabhängig von den Bildern, welche von anderen Punkten aufgenommen wurden, zu bestimmen lehren, da in diesem Falle im allgemeinen eine auf den Bildern vorzunehmende Konstruktion entfällt.

Die Ermittlung der inneren und äußeren Orientierung, sowie jene des Ortes der Aufnahme aus einer in diesem aufgenommenen Photographie setzt bekanntlich die gegenseitige Lage von sechs Objektpunkten sowie deren Abbildungen als gegeben voraus.

Handelt es sich lediglich um die Horizontalprojektion des Standpunktes, so genügt der Grundriß von sieben Punkten, welche sich auf dem einen Bilde vorfinden, um jenen des Aufstellungsortes zu bestimmen.

Aber auch in dem einfacheren Falle, als die Bildebene bei der Aufnahme vertikal war und die Richtung des Horizontes bekannt ist, sind immer noch fünf abgebildete Punkte und deren Grundrisse erforderlich, um jenen des Ortes der Aufnahme einschließlich der Orientierungselemente zu finden. Die Höhen von zwei gegebenen Punkten genügen, um jene des Standpunktes abzuleiten. Ist bei dieser Orientierungsaufgabe, dem Problem der fünf Punkte, die Richtung des Horizontes nicht bekannt, dann sind, wie Doležal[1]) zeigte, sechs gegebene Punkte erforderlich.

Die hier angeführten Probleme kommen in Frage, wenn eben lediglich das Bild der Aufnahme vorliegt und der Aufnahmsapparat selbst unbekannt ist.

Ist jedoch die innere Orientierung des Instrumentes gegeben, so genügen drei auf einer Aufnahme abgebildete und der Lage nach bekannte

---

[1]) Das Problem der sechs Strahlen oder der sieben Punkte in der Photogrammetrie. Sitzungsberichte d. k. Akad. d. Wissenschaften in Wien. 1906, 115. Band.

Punkte, um die Ortsbestimmung auszuführen. Besitzt .das Instrument einen Horizontalkreis oder ist ein anderes Instrument zur Horizontalwinkelmessung verfügbar, so kann die Ermittlung des Aufnahmsortes durch Rückwärtseinschneiden überhaupt unabhängig von der photographischen Aufnahme erfolgen, was jedenfalls im Interesse der Genauigkeit das zweckmäßigste sein wird. Treffen jedoch diese letzteren Voraussetzungen nicht zu, so ist, wie in den folgenden Abschnitten gezeigt wird, aus drei Perspektiven, welche von demselben Orte bei vertikaler Bildebene und bekannter Richtung des Horizontes aufgenommen wurden, sowohl die innere wie die äußere Orientierung, somit die Bestimmung des Standpunktes der Aufnahme in Situation und Höhe möglich, wenn lediglich Ausmessungen auf den Glasnegativen zuge-

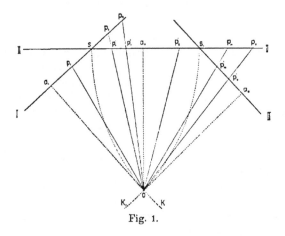

Fig. 1.

lassen werden. Es genügt hiebei, wenn auch nur einer der drei in der Situation als gegeben vorausgesetzten Punkte auf jeder der drei Aufnahmen abgebildet wird. Für die Höhenbestimmung sind die Höhen von zwei gegebenen Punkten erforderlich.

II.

In der Figur sind I II III die horizontalen Spuren der den drei Aufnahmen entsprechenden Bildebenen, $a_1\, a_2\, a_3$ die Projektionen der respektiven Hauptpunkte $A_1\, A_2\, A_3$, o die Projektion des Zentrums O der Perspektiven.

Zu bestimmen sind somit für die innere Orientierung neben dem Horizonte der drei Aufnahmen, die Schnittlinien s, s_1 der Bildebenen I II und II III, ferner die Lage der drei Hauptvertikalen durch $A_1\, A_2\, A_3$ durch die Abstände $\overline{a_1\, s} = \overline{a_2\, s} = c,\ \overline{a_2\, s_1} = \overline{a_3\, s_1} = c_1.$ endlich die Bilddistanz $o\, a_1 = \overline{o\, a_2} = \overline{o\, a_3} = f,$ sowie die beiden Verdrehungswinkel

$$\sphericalangle\, a_1\, o\, a_2 = \varphi,\ \sphericalangle\, a_2\, o\, a_3 = \varphi_1.$$

Die Ermittlung dieser Größen gelingt unter der Voraussetzung, daß sich auf je zwei Photographien die Bilder derselben drei im übrigen ihrer Lage nach unbekannten Objektpunkte auffinden lassen.

Es wären $P_1 P_2 P_3$ und $P_1' P_2' P_3'$ die Abbildungen derselben drei Raumpunkte auf den Bildebenen I und II; $p_1 p_2 p_3$, beziehungsweise $p_1' p_2' p_3'$ ihre Projektionen auf die bezüglichen Spuren, so daß, da die Richtung des Horizontes als gegeben anzusehen ist, die Strecken

$$\overline{p_1 p_2} = d_1, \ \overline{p_1 p_3} = d_2, \ \overline{p_1' p_2'} = d_1', \ \overline{p_1' p_3'} = d_2'$$

den Bildern entnommen werden können.

Der Schnitt s der beiden Träger der Punktreihen $p_1 p_2 p_3$ und $p_1' p_2' p_3'$ ist dann durch die zu ermittelnden Abstände

$$\overline{s p_1} = \xi \text{ und } \overline{s p_1'} = \xi'$$

gegeben.

Eine Gleichung zwischen ξ und ξ' liefert die Bedingung für die Projektivität der beiden Reihen $s p_1 p_2 p_3$ und $s p_1' p_2' p_3'$, welche in der Gleichsetzung der beiden Doppelverhältnisse

$$(s p_1 p_2 p_3) = (s p_1' p_2' p_3') \tag{1}$$

zum Ausdruck kommt.

Die Auflösung von (1) gibt

$$\frac{\overline{p_2 s}}{\overline{p_2 p_1}} : \frac{\overline{p_3 s}}{\overline{p_3 p_1}} = \frac{\overline{p_2' s}}{\overline{p_2' p_1'}} : \frac{\overline{p_3' s}}{\overline{p_3' p_1'}} ,$$

oder mit den früheren Bezeichnungen

$$\frac{\xi + d_1}{d_1} : \frac{\xi + d_2}{d_2} = \frac{\xi' + d_1'}{d_1'} : \frac{\xi' + d_2'}{d_2'} \tag{2}$$

Eine zweite Gleichung zwischen ξ und ξ' ergibt sich aus der Bedingung, daß die beiden Punktreihen (1) perspektivisch liegen, wobei das Zentrum o der Perspektiven dieselben Abstände $\overline{o a_1} = \overline{o a_2} = f$ von den beiden Trägern I und II haben soll.

Nun ist nach der Figur

$$\sphericalangle a_1 o a_2 = \varphi = \sphericalangle a_1 o p_1 + \sphericalangle p_1' o a_2 \left.\right\}$$

und ebenso

$$\varphi = \sphericalangle a_1 o p_2 + \sphericalangle p_2' o a_2 \left.\right\} \tag{3}$$

Da

$$\operatorname{tang} (a_1 o p_1) = \frac{c + \xi}{f}, \ \operatorname{tang} (p_1' o a_2) = \frac{c - \xi'}{f},$$

$$\operatorname{tang} (a_1 o p_2) = \frac{c + \xi + d_1}{f}, \ \operatorname{tang} (p_2' o a_2) = \frac{c - \xi' - d_1'}{f}$$

ist, so gibt (3)

$$(2 c + \xi - \xi') [d_1 d_1' + d_1' (c + \xi) - d_1 (c - \xi')] =$$
$$= (d_1 - d_1') [f^2 - (c + \xi) (c - \xi')] \tag{4}$$

Berücksichtigt man, daß

$$\operatorname{tang} \frac{\varphi}{2} = \frac{c}{f} \tag{5}$$

also

6*

$$\tan g \ \varphi = \frac{2 \ \tan g \ \frac{\varphi}{2}}{1 - \tan g^2 \ \frac{\varphi}{2}} = \frac{2 \ c \cdot f}{f^2 - c^2} \qquad (6)$$

ist, während die erste der beiden Gleichungen (3)

$$\tan g \ \varphi = \frac{(2 \ c + \xi - \xi') \cdot f}{f^2 - (c + \xi) \ (c - \xi')} \qquad (7)$$

gibt, so folgt aus (4), (6) und (7)

$$f^2 + c^2 = 2 \ c \cdot \frac{\xi' d_1 + \xi d_1' + d_1 d_1'}{d_1 - d_1'}. \qquad (8)$$

Für p_3 und p_3', der gemeinsamen Abbildung des dritten Punktes entsprechend, erhält man analog

$$f^2 + c^2 = 2 \ c \cdot \frac{\xi' d_2 + \xi d_2' + d_2 d_2'}{d_2 - d_2'}. \qquad (9)$$

Aus (8) und (9) folgt demnach die zweite Gleichung zur Bestimmung von ξ und ξ', nämlich

$$\frac{\xi' d_1 + \xi d_1' + d_1 d_1'}{\xi' d_2 + \xi d_2' + d_2 d_2'} = \frac{d_1 - d_1'}{d_2 - d_2'}, \qquad (10)$$

welche in Verbindung mit (2) die gesuchten Lösungen,

$$\xi = \frac{- d_1 d_2 (d_1' - d_2') \pm W}{d_1' d_2 - d_1 d_2'}, \quad \xi' = \frac{d_1' d_2' (d_1 - d_2) \mp W'}{d_1' d_2 - d_1 d_2'} \ \bigg\}$$

wo

$$W = \sqrt{d_1 d_2 d_1' d_2' (d_1 - d_2) (d_1' - d_2')} \qquad \qquad \bigg\} (11)$$

ist, enthält.

In dieser Gleichung gelten entweder die oberen oder die unteren Zeichen. Für ihre Auswahl diene die Bemerkung, daß ξ und ξ' stets dasselbe Zeichen erhalten müssen. Ergibt sich für ξ und ξ' ein negativer Wert, so liegt s rechts von p und p_1.

Sind ξ und ξ' aus (11) bestimmt, so können die Punktreihen $s \, p_1 \, p_2 \, p_3$ und $s \, p_1' \, p_2' \, p_3'$ mit s als zusammenfallenden Punkt in perspektivische Lage gebracht werden.

Da (8) oder (9) den Verdrehungswinkel φ nicht enthält, so wird bei jedem Werte φ diese perspektive Lage erhalten bleiben. Wird also bei unveränderter Lage von II der Träger I um s gedreht, so beschreibt nach (8) oder (9) das Zentrum o einen durch s gehenden Kreis K, dessen Mittelpunkt auf II liegt und dessen Halbmesser r mit Rücksicht auf (11) durch einen der folgenden Werte

$$r = \frac{\xi' d_1 + \xi d_1' + d_1 d_1'}{d_1 - d_1'} = \frac{\xi' d_2 + \xi d_2' + d_2 d_2'}{d_2 - d_2'} = \frac{\xi \xi'}{\xi - \xi'} =$$
$$= \frac{(\xi + d_1) (\xi' + d_1')}{(\xi + d_1) - (\xi' + d_1')} = \frac{(\xi + d_2) (\xi' + d_2')}{(\xi + d_2) - (\xi' + d_2')} = \frac{W}{d_1' d_2 - d_1 d_2'} \ \bigg\} (12)$$

bestimmt ist.

Ein weiterer Wert für r ergibt sich aus der Bemerkung, daß für jede Lage von I der auf II liegende Kreismittelpunkt die Projektion des unendlich fernen Punktes von I aus dem dieser Lage entsprechenden Zentrum vorstellt.

Wird demnach in (2) $d_2 = \infty$ und somit

$$d_2' = \frac{\xi' d_1' (\xi + d_1)}{d_1 (\xi' + d_1') - d_1' (\xi + d_1)}$$

gesetzt, so erhält man

$$r = \xi' + d_2' = \frac{\xi' d_1 (\xi' + d_1')}{\xi' d_1 - \xi d_1'}.$$

Sind nun $P_4 P_5 P_6$ und $P_4' P_5' P_6'$ die Abbildungen derselben drei Raumpunkte auf den Bildern II und III, so läßt sich in analoger Weise mit den aus den Photographien zu entnehmenden Abständen

$$\overline{p_4 p_5} = d_4, \ \overline{p_4 p_6} = d_5, \ \overline{p_4' p_5'} = d_4', \ \overline{p_4' p_6'} = d_5'$$

die Schnittlinie s_1 der Ebenen II und III durch die beiden Abstände

$$\overline{s_1 p_4} = \xi_1, \ s_1 p_4' = \xi_1'$$

bestimmen.

Die betreffenden Gleichungen lauten dann analog (11)

$$\left. \xi_1 = \frac{- d_4 d_5 (d_4' - d_5') \pm W_1}{d_4' d_5 - d_4 d_5'}, \ \xi_1' = \frac{d_4' d_5' (d_4 - d_5) \mp W_1}{d_4' d_5 - d_4 d_5'}, \atop \text{wo } W_1 = \sqrt{d_4 d_5 d_4' d_5' (d_4 - d_5) (d_4' - d_5')} \right\} (13)$$

ist.

Wird bei unveränderlicher Lage von II der Träger III um s_1 gedreht, so bewegt sich o auf einem Kreise K_1 durch s_1, dessen Mittelpunkt wieder auf II liegt und dessen Halbmesser r_1 durch den Gleichungen (12) analoge Beziehungen, am einfachsten aus

$$r_1 = \frac{\xi_1 \xi_1'}{\xi_1 - \xi_1'} = \frac{W_1}{d_4' d_5 - d_4 d_5'} \qquad (14)$$

zu berechnen ist.

Das gesuchte Zentrum o ergibt sich demnach im Schnitt der beiden Kreise K und K_1 mit den Gleichungen

$$f^2 + c^2 - 2 cr = o, \ f^2 + c_1^2 - 2 c_1 r_1 = o. \qquad (15)$$

Da aber auf dem Träger II mit den Abständen $\overline{s p_1'} = \xi'$ und $\overline{s_1 p_4} = \xi_1$ und dem ebenfalls meßbaren Abstande $\overline{p_1' p_4}$ auch die Entfernung der beiden Punkte s und s_1, nämlich

$$\overline{s s_1} = m = \overline{s a_2} + \overline{a_2 s_1} = c + c_1 \qquad (16)$$

gegeben ist, so wird die Lage der Hauptvertikalen auf II wegen (15) und (16) durch c oder c_1 bestimmt.

Für diese Entfernungen findet man aber mit (12), (14) und (16)

$$c = \frac{m (2 r_1 - m)}{2 (r + r_1 - m)}, \ c_1 = \frac{m (2 r - m)}{2 (r + r_1 - m)}, \qquad (17)$$

wodurch auch die Hauptvertikale auf I und III gefunden ist.

Für die Bilddistanz folgt dann aus (15)

$$f = \sqrt{c (2 r - c)} = \sqrt{c_1 (2 r_1 - c_1)}, \qquad (18)$$

während die Winkel φ und φ_1 aus (5), (6) oder (7) berechnet werden können, womit die Orientierung gefunden ist.

Der ganzen Betrachtung lag die Annahme zugrunde, daß das perspektivische Zentrum O in der Drehungsachse des Instrumentes liegt. Bei den meisten, insbesondere den älteren Apparaten ist dies nicht der Fall. Für die Untersuchung des eintretenden Fehlers kann wohl vorausgesetzt werden, daß der Abstand e des Objektivs von der Drehungsachse gleich ist dem Abstande der letzteren von der Bildebene.

Nennt man x die auf die Hauptvertikale bezogene Abszisse der tatsächlichen Abbildung eines Punktes, ferner x jene Abszisse, welche bei paralleler Lage der Bildebene erhalten worden wäre, wenn sich das Objektiv über dem Aufstellungspunkt befunden hätte, dann ist, wie sich leicht ergibt, die Änderung

$$\varDelta x = x - x = \frac{e\,x}{D},$$

wenn D den normal zur Bildebene gemessenen Abstand des Punktes vom Objektiv bezeichnet.

Bei einem Plattenformat 13×18 erhält man im ungünstigsten Falle, nämlich für $x = 90\,mm$, ferner für $e = 100\,mm$ und $D = 100\,m$

$$\triangle x = 0{\cdot}09\,mm.$$

Um also aus x den richtigen Abstand x zu erhalten, wäre diese Korrektion in Abzug zu bringen, oder sofern sich die Abstände x, beziehungsweise x auf einen Plattenrand beziehen, zu addieren. Um also für die Bildung der Abstände d die dann allerdings wesentlich kleinere Verbesserung zu vermeiden, wird es sich empfehlen, möglichst ferne gelegene Punkte zu benutzen.

III.

Für die weitere Untersuchung, welche die Bestimmung des Standpunktes bezüglich Situation und Höhe zum Zweck hat, bezeichnen wir mit P_i, P_k die Abbildungen zweier Raumpunkte für die Aufnahme I, mit P_i', P_k' die Abbildung derselben Punkte auf der Aufnahme II, während $p_i\,p$, $p_i'\,p_k'$ die betreffenden Projektionen sind.

Werden nun P_i und P_k' tatsächlich abgebildet, so sind auch p_i und p_k' gegeben; somit sind auch die Winkel $a_1\,o\,p$, und $a_2\,o\,p_k'$ bekannt, welch letztere sich aus den nunmehr bekannten Abszissen der Punkte p_i und p_k und der ebenfalls bekannten Bilddistanz f nach bekannten Formeln herleiten lassen. Mit dem gleichfalls bereits ermittelten Verdrehungsmittel φ zwischen I und II wird demnach

$$\measuredangle\,p_i\,o\,p_k' = \measuredangle\,a_2\,o\,p_k' + \varphi - \measuredangle\,a_1\,o\,p_i.$$

Da ebenso die Horizontalprojektion des Winkels zwischen P_k und dem auf III abgebildeten dritten Punkt P_l ermittelt werden kann, so ist, wie oben angegeben wurde, für die Bestimmung der Situation des Aufstellungspunktes lediglich die Kenntnis des Grundrisses von drei Punkten erforderlich, von welchen je einer auf jedem Bilde zur Darstellung gelangt, da für das Rückwärtseinschneiden aus diesen drei Punkten die hiezu nötigen Winkel leicht hergeleitet werden können. Sind von den gegebenen Punkten mehrere auf jedem Bilde vorhanden, so ergeben sich Kontrollen.

Für die Bestimmung des Horizontes genügt es, den Höhenunterschied zweier Raumpunkte zu kennen, welche sich auch in der Situation vorfinden. Beziehen sich die Abbildungen $P_i P_k P_i' P_k'$ auf diese Standpunkte und wären $P_i P_k$ also auch $p_i p_k$ bekannt, so hat man, wenn schließlich E_i und E_k die Horizontaldistanzen zwischen diesen Punkten und dem Aufstellungsorte des Instrumentes bedeuten für die Höhen H_i und H_k derselben über dem Instrumentenhorizonte die bekannten Gleichungen

$$H_i = \frac{y_i}{o\,p_i}\,E_i, \quad H_k = \frac{y_k}{o\,p_k}\cdot E_k, \tag{19}$$

unter y_i, y_k die zu bestimmenden Ordinaten, nämlich die normalen Abstände von P_i, P_k von dem Horizonte der Aufnahme I verstanden. Ist nun der Höhenunterschied

$$H_i - H_k = \varDelta H \tag{20}$$

gegeben, so kann, da aus der Aufnahme I bei der bekannten Richtung des Horizontes die Differenz

$$y_i - y_k = \varDelta y \tag{21}$$

entnommen wird, aus (19), (20) und (21). y_i, y_k, H_i und H_k und damit einerseits der Horizont der Aufnahme I bestimmt, beziehungsweise kontrolliert werden, während sich anderseits aus der bekannten Höhe des Punktes P_i jene des Aufnahmshorizontes ableiten läßt.

Aus dem Horizonte der Aufnahme I ergibt sich dann leicht jener der Aufnahmen II und III. Sind nämlich $P_1 P_1'$ die Abbildungen desselben Punktes für die Aufnahmen I und II und $y_1 y_1'$ die zugehörigen Ordinaten, so erhält man, da y_1 aus der ersten Aufnahme bereits vorliegt, y_1' aus

$$y_1' = \frac{\overline{o\,p_1'}}{o\,p_1}\cdot y_1$$

und ebenso für die Punkte $P_2 P_2'$, $P_3 P_3'$ analog

$$y_2' = \frac{\overline{o\,p_2'}}{o\,p_2}\cdot y_2, \quad y_3' = \frac{\overline{o\,p_3'}}{o\,p_3}\cdot y_3,$$

wonach der Horizont der zweiten Aufnahme bestimmt und kontrolliert werden kann.

In analoger Weise ergibt sich der Horizont für die Aufnahme III.

Bisher wurde vorausgesetzt, daß sich die beiden Punkte, deren Höhenunterschied $\varDelta H$ gegeben ist, auf derselben Aufnahme, hier der ersten, vorfinden.

Es sei nun die Abbildung P_i des einen Punktes auf der ersten, die Abbildung P_k' des zweiten Punktes auf der zweiten Aufnahme vorhanden, so daß auf den Trägern I und II auch die Punkte p_i und p_k' gegeben sind. Wegen der Projektivität der Punktreihen

$$(s\,p_1\,p_2\,p_k) = (s\,p_1'\,p_2'\,p_k'),$$

oder der Gleichheit der Doppelverhältnisse

$$\frac{\overline{p_2\,s}}{p_2\,p_1} : \frac{\overline{p_k\,s}}{p_k\,p_1} = \frac{\overline{p_2'\,s}}{p_2'\,p_1} : \frac{\overline{p_k'\,s}}{p_k'\,p_1}$$

ist aber die Lage von p_k auf I, und wegen

$$(s\,p_1\,p_2\,p_l) = (s\,p_1{'}\,p_2{'}\,p_l{'}),$$

ebenso die Lage von $p_i{'}$ auf II bestimmt.

In der Punktreihe I sind somit die Punkte $s\,p_1\,p_2\,p_i\,p_k$ und in der Punktreihe II ebenso die entsprechenden $s\,p_1{'}\,p_2{'}\,p_i{'}\,p_k{'}$, demnach auch ihre gegenseitigen Abstände, beziehungsweise diejenigen von o bekannt. Es handelt sich demnach nur mehr, für den auf I vorhandenen Punkt P_i die zugehörige Ordinate y_i und für den auf II vorhandenen Punkt $P_k{'}$ die Ordinate $y_k{'}$ zu ermitteln, damit die Horizonte für I und II bei gegebener Richtung ebenfalls bestimmt sind.

Bezeichnen $y_i{'}$ und y_k die Ordinaten von $P_i{'}$ und P_k auf II, respektive I, so schneiden sich die entsprechenden in I und II gelegenen Geraden $P_i\,P_k$ und $P_i{'}\,P_k{'}$ in der Schnittlinie s der beiden Ebenen I und II, indem sich die kollinearen Punktfelder derselben in perspektivischer Lage mit der oben gedachten Schnittlinie als Kollineationsachse befinden.

Der Abstand des auf s gelegenen Schnittpunktes von $P_i\,P_k$ und $P_i{'}\,P_k{'}$ von dem gemeinsamen Aufnahmshorizont läßt sich in doppelter Weise ausdrücken, wodurch die Gleichung

$$y_i + \frac{\overline{p_i\,s}}{\overline{p_k\,p_i}}\,(y_k - y_i) = y_i{'} + \frac{\overline{p_i{'}s}}{\overline{p_k{'}p}}\,(y_k{'} - y_i{'}) \qquad (22)$$

erhalten wird.

Da (19) mit Rücksicht auf (20)

$$\varDelta H = \frac{y_i}{o\,p_i}\cdot E_i - \frac{y_k}{o\,p_k}\cdot E_k \qquad (23)$$

gibt, so erhält man durch Elimination von $y_i{'}$ und y_k vermöge der Gleichungen

$$y_k = \frac{\overline{o\,p_k}}{\overline{o\,p_k{'}}}\cdot y_k{'}, \quad y_i{'} = \frac{\overline{o\,p_i}}{\overline{o\,p_i{'}}}\cdot y_i$$

aus (22) und (23) die gesuchten Ordinaten y_i und $y_k{'}$ der auf I und II vorhandenen Punkte P_i und P_k und damit die beiden Horizonte, wodurch auch H_i und H_k nach (19) gefunden sind. Der Horizont von III läßt sich dann so wie früher herleiten.

Auch die Höhenbestimmung läßt mehrere Kontrollen zu, da auch P_3, respektive p_3 benutzt werden kann, um $p_i{'}$ und p_k auf den Trägern II und I zu finden.

Das hier behandelte Orientierungsproblem setzt für seine Lösung voraus, daß sich auf je zwei Aufnahmen die Bilder derselben drei Objektpunkte auffinden lassen, welch letztere eben lediglich zur Ermittlung der Orientierung dienen und daher ihrer Lage nach im Raume nicht bekannt zu sein brauchen. Für die Punktbestimmung selbst jedoch muß der Grundriß von drei Punkten und für die Höhenbestimmung müssen die Höhen von zwei Punkten gegeben sein.

Man könnte diese Punktbestimmung als „Rückwärtseinschneiden durch drei Aufnahmen" bezeichnen, wobei die Orientierung zugleich bestimmt wird.

Aus zwei in dieser Weise festgelegten Standpunkten könnte daher auch die Rekonstruktion des Objektes lediglich durch Abmessungen in den Bildern, also ohne jede geodätische Feldoperation durchgeführt werden.

Die obige Forderung, daß auf je zwei Aufnahmen drei genügend weit entfernte Punkte abgebildet werden, wird wohl in der Regel zutreffen — in Ausnahmsfällen können geeignete Punkte auch signalisiert werden; in den meisten Fällen wird man deren mehrere zur Verfügung haben und handelt es sich dann, diejenigen auszuwählen, welche die Strecken ξ und ξ' beziehungsweise ξ_1 und ξ_1' möglichst sicher bestimmen.

Aus (11) folgt, daß die Lösung unbestimmt wird, wenn $d_1 = d_2$ und somit $d_1' = d_2'$ wird, wie auch unmittelbar klar ist.

Es sollen daher die obigen Differenzen möglichst groß sein, und wird diese Forderung um so besser eingehalten werden können, je mehr sich die Aufnahmen übergreifen.

Die theoretische Lösung des analogen räumlichen Problems bietet auch keine Schwierigkeiten. Es sind dann natürlich vier Punkte erforderlich, welche sich auf I II, respektive II III auffinden lassen müssen[1].

Sind nämlich $P_1 P_2 P_3 P_4$ die Abbildungen von vier Raumpunkten auf I, hingegen $P_1' P_2' P_3' P_4'$ die Abbildungen derselben Punkte auf II, so können diese beiden ebenen Vierecke auf zwei verschiedene Arten in perspektivisch kollineare Lagen im Raume gebracht werden; wodurch sich auch die beiden möglichen Lagen für die Schnittlinie s ihrer Ebenen ergeben.

Wird das ebene Punktfeld II im Raum unveränderlich angenommen, hingegen das kollineare ebene Feld I um s gedreht, so beschreibt der Punkt (Zentrum), in welchem sich die Verbindungslinien homologer Punkte schneiden, einen bestimmbaren Kreis, dessen Ebene auf s senkrecht steht und dessen in II liegender Mittelpunkt einem unendlich fernen Punkte des beweglichen Feldes entspricht.

Indem Analoges von II, III gilt, ist die Aufgabe prinzipiell gelöst, da sich die beiden Kreise in dem gesuchten Zentrum schneiden müssen, womit auch die äußere Orientierung, respektive die Bestimmung des Standpunktes der Aufnahme erledigt ist.

IV.

Das folgende Beispiel soll über die zu erwartende Genauigkeit Aufschluß geben.

Mit einem Phototeodolit der bekannten älteren Konstruktion von V. Pollack wurden von demselben Standpunkt drei Aufnahmen gemacht; nach jeder Aufnahme wurde der Horizontalkreis abgelesen. Die Verdrehungswinkel — φ zwischen der ersten und zweiten, φ_1 zwischen der zweiten und dritten Aufnahme — waren

$$\varphi = 22^0 25', \quad \varphi_1 = 19^0 6' \qquad (24)$$

Die Ausmessung der drei Platten erfolgte unter Benutzung eines Retouchierrahmens mit einem Nonienmaßstab von $0.02\,mm$ Angabe unmittelbar

---

[1] Finsterwalder. Über die Konstruktion von Höhenkarten aus Ballonaufnahmen. Sitzungsberichte der k. b. Akad. d. Wissenschaften, München 1900, 30. Band, Seite 156.

auf den Glasnegativen mit „Schichtseite oben", wobei die Messungsrichtung parallel zum Horizont war.

Auf jeder Platte wurden zwei durchgehende Sätze gemessen, wobei sich die letzte Ablesung auf die Einstellung des rechten Randes des abgebildeten Zentimeterrahmens bezieht, welch letztere für die zunächst folgende Rechnung außer Betracht bleibt.

In der unteren Zusammenstellung ist P_3' identisch mit P_4, so daß der entsprechende Punkt auf allen drei Platten noch zur Abbildung gelangte, was für den Rechnungsgang ebenfalls gleichgiltig ist.

Die eingetragenen und alle folgenden Maßzahlen sind in Millimetern gegeben.

Platte	Ablesung für die Einstellung auf										
	P_1	P_2	P_3	P_1'	P_2'	$P_3'=P_4$	P_5	P_6	P_4'	P_5'	P_6'	Rand
I	491·74$_5$	507·49$_5$	550·35									559·98
II				474·00	491·25$_5$	532·56	561·36	589·32				616·98
III									405·59	437·24$_5$	464·82	554·95

Man hat demnach

$$\overline{p_1 p_2} = d_1 = 15·750, \quad \overline{p_1 p_3} = d_2 = 58·605, \quad \overline{p_1' p_2'} = d_1' = 17·255,$$
$$\overline{p_1' p_4'} = d_2' = 58·560;$$
$$\overline{p_4 p_5} = d_4 = 28·800, \quad \overline{p_4 p_6} = d_5 = 56·760, \quad \overline{p_4' p_5'} = d_4' = 31·655,$$
$$\overline{p_4' p_6'} = d_5' = 59·230·$$

Damit wird aus (11) und (13)

$$\overline{s p_1} = \xi = -28·192, \quad \overline{s p_1'} = \xi' = -30·045; \tag{25}$$
$$\overline{s p_4} = \xi_1 = -38·874, \quad \overline{s_1 p_4'} = \xi_1' = -41·9 24. \tag{26}$$

Am bequemsten erhält man dann aus der letzten der Gleichungen (12). respektive (14)

$$r = 457·09, \quad r_1 = 534·47. \tag{27}$$

Da nach (16) der Abstand

$$\overline{s s_1} = c + c_1 = m = d_2' + \xi' - \xi_1 = 67·389$$

wird, so erhält man aus (17)

$$c = 36·516, \quad c_1 = 30·874 \tag{28}$$

und aus (18)

$$f = 179·0. \tag{29}$$

Mit diesem Werte und (28) folgt aus (5)

$$\varphi = 23^0 1·9', \quad \varphi_1 = 19^0 34·2'. \tag{30}$$

Die vom Verfasser [1] aus Richtungsmessungen nach 15 Punkten hergeleitete und somit hier als fehlerfrei anzusehende Bilddistanz desselben Instrumentes ist

$$f = 184·0, \tag{31}$$

---

[1] Über photographische Azimutbestimmung. Sitzungsberichte der k. Akad. d. Wissenschaften in Wien 1906, 115. Band, Seite 113.

so daß, wie man sieht, f und somit auch die Verdrehungswinkel (30) gegenüber dem richtigen Werte (24) sehr unsicher erhalten werden. Der Grund
liegt eben, wie übrigens auch eine leicht durchzuführende Fehleruntersuchung
zeigt, in der großen Unsicherheit der durch (12) und (14) gegebenen Kreis-
halbmesser $r \, r_1$, welche ihrerseits wegen (17) auf die Genauigkeit von c und
$\dot{c_1}$ im allgemeinen ungünstig beeinflussen.

Hingegen sind, wie verschiedene Versuche zeigten, die Abstände ξ und
ξ' auf einige Zehntelmillimeter sicher, so daß sich unabhängig von r und r_1
brauchbare Werte für c und c_1 und damit ebensolche für die Lage der
Hauptvertikalen auf den betreffenden Platten ableiten lassen.

Da nämlich für die Aufnahmen I und II die Abbildungen derselben
Punkte — etwa P_1 und P_1' — nahezu in demselben Horizonte liegen, so hat
jene Stelle des abgebildeten (rechten) Randes, wo eine durch diese Punkte
gehende Horizontale ersteren schneidet, von der unbekannten Hauptvertikale
beider Aufnahmsplatten jedenfalls dieselben Abstände, auch dann, wenn die
Randabbildung von einer Geraden im allgemeinen etwas abweichen würde.

Nennt man nun $\delta \, \delta'$ die Abstände von P und P' vom rechten Rande
der betreffenden Aufnahmsplatten, so ist die Gleichheit der erwähnten Abstände gegeben durch
$$\xi + c + \delta = \xi' - c + \delta',$$
woraus
$$2\,c = \xi' + \delta' - \xi - \delta \qquad (32)$$
folgt.

Bezeichnet ebenso $\delta_1 \, \delta_1'$ den Abstand des Punktes P_4 der Aufnahme II,
beziehungsweise jenen des Punktes P_4' der Aufnahme III von dem rechten
Rande der betreffenden Platte, diese Abstände so wie früher in dem nahezu
gemeinsamen Horizonte der Punkte P_4 und P_4' gemessen, so erhält man
ebenso
$$2\,c_1 = \xi_1' + \delta_1' - \xi_1 - \delta_1. \qquad (33)$$

Da mit Rücksicht auf die oben angegebenen Ergebnisse der Randeinmessung
$$\delta = 68 \cdot 235, \ \delta' = 142 \cdot 980, \ \delta_1 = 84 \cdot 420, \ \delta_1' = 149 \cdot 360,$$
ist, so erhält man mit (25) und (26) aus (32) und (33) unabhängig von r
und r_1
$$c = 36 \cdot 446, \ c_1 = 30 \cdot 910 \qquad (34)$$

Wird die Bildweitenbestimmung anderweitig als bekannt vorausgesetzt
und hiefür der richtige Wert (31) beibehalten, so ergibt sich mit (34)
aus (5)
$$\varphi = 22^0 \, 11', \ \dot{\varphi_1} = 19^0 \, 4', \qquad (35)$$
deren Übereinstimmung mit den gemessenen Werten (24) nichts zu wünschen
übrig läßt.

Wir geben noch eine zweite Ausmessung derselben Platten, wobei im
allgemeinen andere Punkte benutzt wurden und lediglich der auf allen drei
Platten vorhandene Punkt $P_3' = P_4$ derselbe ist, wie bei der ersten Messungs-
reihe.

Die Ergebnisse dieser Ausmessung waren:

Platte	Ablesung für die Einstellung auf											
	P_1	P_2	P_3	P_1'	P_2'	$P_3'=P_1$	P_5	P_6	P_4'	P_5'	P_6'	Rand
I	475 08₅	494 91	536 56									546 21₅
II				436 34	458 23	498 17	535 00	568 63				582 66
III							426 56	466 40	498 27	575 93		

Damit wird

$$d_1 = 19\cdot825, \quad d_2 = 61\cdot475, \quad d_1' = 21\cdot890, \quad d_2' = 61\cdot830,$$
$$d_4 = 36\cdot830, \quad d_5 = 70\cdot460, \quad d_4' = 39\cdot840, \quad d_5' = 71\cdot710\cdot$$

Aus (11) und (13) folgt

$$\xi = -31\cdot118, \quad \xi' = -33\cdot486 \qquad (25')$$
$$\xi_1 = -38\cdot768, \quad \xi_1' = -41\cdot788. \qquad (26')$$

Da P_4 bei beiden Ausmessungen sich auf denselben Punkt bezieht, so müssen die Abstände $\xi_1 = \overline{s_1\,p_4}$ und $\xi_1' = \overline{s_1\,p_4'}$ in (26) und (26') übereinstimmende Werte geben, was tatsächlich bis auf etwa $0\cdot1$ *mm* stattfindet.

Indem wir von den Gleichungen für r und r_1 nunmehr keinen Gebrauch machen, benutzen wir zur Ermittlung von c und c_1 unmittelbar (32) und (33).

Haben $\delta\ \delta'\ \delta_1\ \delta_1'$ dieselbe Bedeutung wie früher, so hat man mit den Ergebnissen der Randeinmessung

$$\delta = 71\cdot130, \quad \delta' = 146\cdot320, \quad \delta_1 = 84\cdot490, \quad \delta_1' = 149\cdot370$$

und damit aus (32) und (33) mit den Werten (25') und (26')

$$c = 36\cdot412, \quad c_1 = 30\cdot930. \qquad (34')$$

Die Differenzen gegen die früheren Werte (34) sind hier kaum größer als die Messungsschärfe der Strecken d und d_1.

Mit dem richtigen Werte f aus (31) hat man nach (5)

$$\varphi = 22^0\,22\cdot7', \quad \varphi_1 = 19^0\,4\cdot i', \qquad (35')$$

welche Werte sowohl mit (35) als auch mit den aus den Kreisablesungen erhaltenen (24), so gut übereinstimmen, als dies bei aus Photographien erhaltenen Winkeln eben möglich ist.

Wir können nunmehr das Ergebnis dieses Abschnittes folgendermaßen zusammenfassen.

Ist von der inneren Orientierung die Bildweite bekannt, oder anderweitig bestimmbar, was stets der Fall sein wird, wenn der Aufnahmsapparat vorliegt, so können Standpunktbestimmungen und somit Rekonstruktionen ohne Winkelmessungen durchgeführt werden, wenn in jedem Standpunkte wenigstens zwei sich genügend übergreifende Aufnahmen ausgeführt werden, auf welchen die drei der Lage nach gegebenen Punkte abgebildet werden.

Aus drei auf beiden Platten vorhandenen, im übrigen ihrer Lage nach unbekannten Punkten kann aus (32) c und damit die Lage der Hauptvertikalen auf beiden Aufnahmen, ebenso wie der Verdrehungswinkel φ hergeleitet werden. Für die Bestimmung des Horizontes finden die unter III gemachten Ausführungen Anwendung.

Nur in dem Falle, als die drei gegebenen Punkte auf den beiden Aufnahmen nicht dargestellt werden können, wäre eine dritte, eventuell eine Zwischenaufnahme erforderlich, um in Ermanglung von Winkelmeßinstrumenten lediglich aus den Bildern die Punktbestimmung durchzuführen.

Notes on the Field-Work of Photographic Surveying as applied in Canada.

By Arthur O. Wheeler. F. R. G. S. Topographer, Department of the Interior, Canada.

Colonel A. Laussedat, member of the Institute of France· and director of the Conservatoire Natiònal des Arts et Metiers, is the originator of the method as far back as 1859. He still continues his investigations, and watches its developement with interest; for not long ago the writer received from him a very valuable and scientific paper entitled „La Métrophotographie" presented to the French Society of Photography, in which he did the writer the great honour of recognizing his first attempts in this direction.

The application to Canadian topographical surveys is due to Dr. E. Deville, Surveyor-General of Dominion Lands. His efforts have been attended by much success, and his valuable and complete work, entitled „Photographic Surveying", published in 1895, not only treats fully of the theory of the subject and the methods employed upon Canadian surveys, but briefly reviews its conception, progress, and the methods employed elsewhere.

In Canada, the principal surveys upon which the method has been employed ˙are: (1) Survey of a portion of the Rocky mountains, by Messrs. J. J. Mc. Arthu̇r, D. L. S., and W. S. Drewry D. L. S.; (2) survey of a portion of Alaska and the Yukon district in connection with the establishment of the boundary line between Alaska and the said district, under the superintendence of Dr. W. F. King, D. T. S., Boundary Commissioner; (3) survey of a portion of the Alberta watershed for irrigation purposes, by the writer; (4) a number of minor surveys in the Yukon district, on the Columbia river and in the Kootenay mining district, by Messrs. J. J. Mc. Arthur, W. S. Drewry and A. St. Cyr.; (5) a survey of the Crow's Nest coal area during the summer of 1900 by the writer. Since the summer of 1900 the writer has been engaged upon Phototopographical Surveys of the Main and Selkirk ranges of the Rocky mountains along the line of the Canadian Pacific Railway.

It is not the writer's intention to enter into the theory of the science, as space would not permit, and Dr. Deville's valuable work leaves little to be said on the subject by a beginner; but in order to understand the following notes it is necessary to say that the photographs taken are perspectives from which, by the rules of geometry and the inverse problem of perspective, contour-lines for any visible part may be reduced to a ground-plan. The elevation above a given datum and the position of the camera-station being known, any point in a view can be projected on the ground-plan. It is, however, essential that points so projected should be recognizable in two views taken at different stations, and that the two stations and the point form the apices of a fairly well conditioned triangle. In other words, the imaginary line between the stations is a base subtending an angle of which the point to be projected is at the apex, the accuracy with which it is projected depending relatively upon the closeness of the angle to 90 degrees.

On the plan, the points are placed in position by projecting thereon the traces of the horizon and prinzipal lines of the two views, and the lines of sight from each camera station to the said points. The intersection of the projection of the lines of sight fixes the position of the point. The traces of the horizon and principal lines are required for plotting these lines of direction.

A sufficient number of points along the ridges and dividing water-courses of the area embraced by the two views are identified and projected on the plan, care being taken to select those that will give the best defi-nition of the ground. In order to draw the contour-lines in proper position, it is necessary to have the relative elevation above datum-level of the points laid down. These elevations are based upon the elevations of the stations from which the views are taken, and are obtained directly from the photo-graphs. The horizon-line corresponds to the altitude of the station. The elevation of any point in a photograph is proportional to its height above or below the horizon-line and the distance that its projection falls within or beyond the trace of that horizon-line. By means of the scale referred to in Mr. Deville's book, elevations are readily obtained, and subsequently contours are drawn in the proper position. Elevations should be taken out from both photographs, and thus made to check one another.

The above is the fundamental principal of the method: there are, however, numerous constructions that assist in obtaining elevations and definition of figures in planes parallel or inclined to the ground-plane. For the most part these require the use of perspective instruments, such as the perspectograph, perspectometer, centrolinead and photograph-board.

One of the most useful and interesting constructions is the method of squares: The perspective of a series of squares is placed upon the pho-tograph, either by drawing or by using the perspectometer. The squares are then projected upon the plan, or such portion of the series as may be required, and the figure which it is desired to trace is drawn at sight. By this means, large streams, flowing through wide, heavily timbered valleys, can be accuratly delineated from a rapidly made camera-survey, where ordinary survey methods would require a party of axemen and the expen-diture of much labour and time, with results not nearly so accurate in detail. The same applies in many other cases, such as lakes, irrigation-systems, towns, villages, parks, etc., provided that sutiable camera-stations

can be obtained at a sufficient elevation to disclose the details of the area
to be mapped, and that te plane of the area is near enough to the horizontal to be within the accuracy of the scale employed.

Certain figures in inclined planes can be referred to the horizontal
by using the proper constructions.

Field Work.

From the foregoing, it will be seen that the results obtained dépend
upon the accuracy with which the camera-stations are fixed in position and
elevation. A triangulation carried to a greater or less degree of refinement
is generally employed for this purpose. In the survey of the Alberta watershed, a primary triangulation was projected over the area in advance of the
photographing. It was carried to a fair degree of accuracy, the work being
done by a 7-inch transit-theodolite reading to ten seconds and checked at
intervals by carefully measured base lines. The sides of the triangles averaged
about 15 miles. A secondary triangulation rested upon the primary, and
fixed the position of the principal summits. For this purpose a 4-inch
transit-theodolite was used, reading to 0·01 degree. Camera-stations were
located by readings to or from them as found most suitable.

At primary points, the signal sighted upon consisted of diamond shaped
drums of white cotton stretched upon a frame attached to a pole, 12 to
15 feet long, surmounted by a white cotton flag. The drum is raised about
six feet from the ground, and measures four feet from the upper to the lower
apex with the sun in the right direction, no difficulty is experienced in
sighting upon either apex at a distance of 25 miles.

For secondary and camera-stations two white cotton targets, set at right
angles on a centre pole with a flag, were found all that could be desired.

In timbered areas, material for the foregoing can generally be found
at or near the station, and only wire for guys, cotton and nails need be
carried up. The assistant can make the signal while the surveyor does the
photographing. In mountainous regions, when the stations are above timber-
line other signals must be employed, chiefly rock-cairns.

It is not necessary that the views be taken at the signal; generally,
more advantageous and commanding points are found at some distance.

Camera-stations may be located by one of four methods:

(1) If close, by taking at the signal the azimuth from a convenient primary or secondary point, and measuring the distance with a tape; this is
the easiest and most accurate method.

(2) If distant from the signal or an independent summit, by erecting
a signal and reading upon it with the transit from outside fixed points.

(3) By taking one reading upon it from an outside fixed point, and
at the station two readings on other fixed points.

(4) By taking four or more readings at the station on outside fixed
points.

To utilise the third and fourth methods when constructing the map
the readings are plotted on tracing paper, and lines drawn in the directions,

obtained. The paper is shifted round until each line passes through the station to which it belongs. The point from which the lines radiate is then a the location of the station on the map, and can be pricked through.

The last method may be advantageously used in the absence of an organized system of triangulation, when the survey is of an exploratory nature and is not carried to a high degree of accuracy.

Most topographical maps are referred to sea-level as a datum; it is therefore necessary that the elevation be carried from some point of known altitude and applied to all the stations of the survey. The relative elevations are obtained from vertical angular readings with the transit instrument, carried to a greater or less degree of refinement.

It will be readily conceived that a difficulty is experienced in finding camera-stations, sufficiently commanding to overlook deep valleys and the streams, roadways etc., passing through them; also that projecting spurs will frequently obstruct the view. To obviate this difficulty and ascertain the points where contour-lines cross, traverses have been conducted up the main water-ways, road-beds and pack-trails.

The lines of direction for such traverses are obtained by angular transit-readings at each station, commencing at a point of known position, and are referred to the astronomical meridian. The elevation is carried through by vertical angular readings at each station, back and forward. For distance some pattern of stadia or micrometer is used. The ordinary chain would be impossible or two slow, requiring a large gang of axemen and chain-bearers.

In the Alberta watershed and Crow's Nest surveys, a modified form of the Lugeol micrometer has been employed. It is manufactured by Mr. A. Hurlimann, of Paris, and has been found to give adequate results. Sights can be taken up to one mile in length, from side to side, or point to point, of the valley at sufficient elevation to overlook the heavy timber generally found in the bottoms. It consists simply of a telescope, having a bisected object-glass, one of the halves being movable along the line of section by a screw. Two images are formed in the field by the bisected lens. Distances are determined by the number of screw-revolutions necessary to bring into optical coincidence, the upper and lower targets of the reflected images. The targets are best made of white opal glass set in wooden frames, and are fastened to a rod a known distance apart: say 15 to 20 links (10 to 13 ft.) This is called the base; it is generally furnished with an iron shoe and is stuck into the ground in a vertical position, the targets extending sideways at right angles. Attached to the screw of the movable half of the object-glass is a graduated head which measures in revolutions and hundreths the section of arc passed over in making the coincidence of the targets. It is merely necessary to find the value of a revolution, in order to enable the distance to be determined for each reading. Tables can readily be constructed so that distances can be taken out by inspection.

The instrument is subject to error from three principal sources: (1) Error due to uneven refraction; (2) error due to wear-and-tear of the screw in the most used parts; and (3) error due to the base not being held perpendicular to the line of sight and the station being at a different altitude. The third error may be corrected by using the vertical angles read at each station with the transit. The first and second errors can only be reduced to a minimum by multiplying the readings.

The distance error of a traverse of this description varies from 1 in 150 to 1 in 400. By checking frequently upon the triangulation and camera work, it is all that can be desired for the purpose.

From 4 to 6 miles a day can be accomplished over very rough ground by a party of three men.

The surveyor's compass is sometimes substituted for the transit-theodolite, but is not so satisfactory although more rapid.

The depth of the bottom of the valley below the traverse-station is measured by an aneroid barometer with sufficiently close results.

The country passed over is rapidly sketched in the field-notes of the traverse and these notes are found very useful to show where the affluent water-courses between the ridges join a main stream, also minor details that cannot be covered by a camera.

Photographing.

The camera and mountain transit used in connection therewith are fully explained in Dr. Deville's book. It is first necessary to adjust the camera carefully, so that the true focal length may be marked by notches on the metal frame against which the plate presses. These notches are reproduced on every view taken, and give the focal length of the bromide enlargements used to plot the survey. (Figs. 1, 2, 3 and 4.) It is further necessary to obtain the readings of the spirit-levels attached to the camera when the plate to be exposed is in a true vertical position. As it is essential that the plate be vertical when the view is taken, the adjustment must be very carefully made and requires some skill.

Upon Canadian surveys a slow isochromatic plate has been used. It is manufactured by Mr. J. B. Edwards, of London, England, or by Mr. G. Cramer, of St. Louis, Missouri, U. S. A.: as the latter firm has, the writer understands, bought out the American patent of the former, both are practically the same plate.

All views are photographed through an orange or lemon coloured screen, to equalize, as nearly as possible, the time of exposure required for the various coloured rays and to admit of a sufficiently long exposure to obtain detail in the shadows.

Before commencing work it is necessary to find the unit of exposure for the batch of plates about to be used. This should be done as near as possible to the field of operations, as the altitude and character of the country are factors of considerable importance.

On a bright unclouded day, at or near noon, a number of plates are exposed to a distant landscape. The greater the variety of contour and colouring the better, such as: timbered hills, grassy slopes, rocky ridges, mountain streams or glassy lakes. Exposures may be given for 10, 20, 30 and 40 seconds to the same view, and the plates are then taken to the dark room and developed. Having developed the test-plates to as nearly as possible the same density, it is an easy matter to select the time giving the best general results. This may be accepted as the unit of exposure.

The exposure for any particular view, at any altitude, time of the year and hour of the day, may now be obtained from the table given on page 188 of Dr. Deville's book. The table is adapted to 50 degrees of north latitude from the investigations of Messrs. Hurter and Driffield. The time so obtained is for light coming from a clear sky, and a proper increase has to be made for other stages of light. On the same page and the page following it is stadet that Messrs. Hurter and Driffield, in the instructions for their actinograph adopt five degrees of brightness, for which they give coefficients of the unit of exposure. With orthochromatic plates and an orange screen the proportions given are as follows:

Very bright. . . . 1.0		Dull 4.0
Bright 1.5		Very dull 8.0
	Mean 2.0	

Very bright is described as light coming from a clear sky; mean is when the sun casts a very faint shadow; very dull the least light in which it would be advisable to photograph; bright is between very bright and the mean, and dull between the mean and very dull. The above table is somewhat indefinite. For the writer's own use he has elaborated the table to some extent: very bright, an unclouded sun casting a dense, sharply-defined shadow; bright, sun slightly obscured, casting a clear shadow but not very dense; mean, a very faint shadow; dull, a clouded sky showing no shadow but landscape clearly distinct; very dull, a lowering sky with landscape immersed in gloom. This is not much more tangible, as in either case there is but a shadow to grasp at. In reality, there are so many factors effecting the time of exposure that it is impossible to make any absolute rules; the more so that it depends, in a large measure, upon what is the portion of the landscape of which it is required to obtain a record. One part may be well lighted up, another buried in shadow; here you find densely timbered benches, there light coloured grassy slopes; again. the snow in one part may be in brilliant sunshine. in another in deep shade; at one time you have the sun at your back, at another you look across the shadows, and at a third you photograph right into the sun; the distance may be obscured by deep violet haze, or the whole dimmed by a thin veil of smoke. It is more by good experience, good judgment and good luck that success is obtained than by cutand-dried rules. In any case the standard rule in landscape photography holds good: „Expose for the shadows, and let the lights take care of themselves".

Considerable difficulty is experienced in reaching many stations with the instruments, and the best part of the day is frequently taken up in doing so and returning; so that, when at the station, the views must be taken whether the conditions are favourable or not.

It may be laid down as a general principle „give plenty of exposure", and the writer might almost add as a general rule „give the right exposure, and half as much more". From an under-exposed plate but little can be obtained that will be servicable to plot from. The shadows in the negative are clear glass, giving black blotches without detail in the enlargement. What is not there cannot be brought out. On the other hand an over-exposed plate may, by skilful treatment, be made to yield a fairly good enlarging negative. In fact, a plate exposed twice or even three times too much will still give useful results. In support of the above opinion, the writer may quote the following from a paper written by Mr. B. J. Edwards, of London in the „Year Book of Photography and Photographic News Almanac for 1890":

„The golden rule, as well stated by Captain Abney in his paper, to which I have referred, is ‚always expose long enough'. An under-exposed negative is entirely worthless; it is a mistaken idea to suppose that detail can be forced out by excess of ammonia or other alkali; but on the other hand, by modifying the developer, it can be kept back to almost any extent, so much so that it has been said that ‚there is no such thing as over-exposure'. Without going as far as this, it is certainly a fact that a good negative can be made from a plate which has received eight or ten times the normal exposure".

In the present case the writer cannot say that he agrees with Mr. Edwards to quite this extent. With photographs for plotting, great risk is run of losing the distance by too much exposure and also of fogging the plates by chemical treatment of the same.

The Canadian cameras are ablong in shape and can be used in what is designated as either the horizontal or vertical position. In the former, the field covers about 57 degrees of arc, and it requires seven views to complete a circuit, making due allowance for overlap. In the latter, about 38 degrees of arc are covered and eleven views required. The vertical position is used to photograph deep valleys immediately below the station, which would otherwise be cut out of the field.

It is the exception, that a full circuit is completed from one station, nor are stations often found where this can be done with advantage. As the writer has already stated, views cannot always be taken under the best conditions for photographing; when, therefore, a circuit has to be made from one or more stations on a hill, it is wise to commence as near as possible on the right of the sun, without allowing it to shine on the lens. By the time the last view is reached, the sun will have moved sufficiently to admit of its being taken. Photographs near the direction of the sun require longer exposure. If absolutely necessary, a view can be taken directly under the sun by cutting off the rays from the lens. In such a case, at least four times the exposure authorized by the stage of light is required.

The orientation point of a view is the point selected from which to obtain the direction of the distance and horizon lines and enable their traces to be laid down on the map for plotting purposes. The azimuth of this point is obtained by an angular reading, from some convenient primary or secondary signal of the triangulation. If the position of some such signal-point can be identified in the photograph, and there is no doubt as to its recognition, it serves the purpose of an orientation point, and no other need be located. For the above purpose a three-inch transit-theodolite, specially built by Messrs. Troughton and Simms, London, is used. It is set on the same tripod as the camera, and is conveniently arranged for carrying. (See „Photographic Surveying", by Dr. E. Deville, pag. 138 and 139.)

It is advisable to have at least two orientation points in each view, in case of one failing to come out clearly in the developement of and enlarging from the negative. Failure to identify an orientation point renders an enlargement useless for plotting.

Difficulty is frequently experienced in finding suitable points. It is of first importance that those selected should be certain of recognition. Great care should be taken that the points chosen are suitable for identification; a point may be visible in the negative and yet not appear in the enlargement. It is not wise to accept objects at an great distance, unless clear and very sharply defined. Distance, as a rule, requires less exposure than the nearer parts of the landscape, and consequently the points, if too distant, may be lost in exposing for the portion of the view required for the plot. The top of an isolated, or comparatively isolated tree, a sharp pointed hill, a nose or peak of rock, the gable of a house or corral, a snow-spot and sometimes the corner of a pond are good objects. Sticks, stones, trees in the mass, rounded hills and distant mountain-points, although enticing, are very uncertain. Seen through the telescope an object looks large, but on the plotting-photographs the same object can be obscured by the point of a needle. A rough pencil-sketch added to the camera and transit-notes will materially assist identification.

In the notes, the hour of the day, stage of light, time of exposure, limits, and general character of the view are entered; also a few remarks as to the kind and relative quantities of timber in each view, thus enabling an efficient timper-map to be made.

A small dark tent is used for changing and marking plates. It is not advisable tu use it until after dark or in deep twilight. If used in bright sunshine, plates may be fogged. A ruby lamp renders changing at night easy, although doing so in the dark is preferable, and merely a matter of practice. By a simple contrivance of snaps and ring, the dark tent can be hung within another tent in a very short time, and so avoid the disturbing element of wind.

It must not be supposed that a simple collection of photographic views and transit-readings, as described above, is all that is necessary to furnish the data of a topographical map. On the contrary, it is only the mechanical portion of the work. To succeed, the operator must be by nature and training a good topographer, with a cast-iron constitution. He must have the knack of finding his way like the Indian; nothing should escape his observation that will tend to an accurate delineation of the country. He must impress upon his memory and be able to recall the panorama seen from every photographic station; doubtful parts must be explored, and stations selected to give the best possible view. He must bear in mind that every part has to be seen from at least two points, sufficiently far apart and so placed that they will give a good base for plotting. It has been said that the mapping can only be done by the surveyor who does the fieldwork; while the writer does not hold with this view entirely, there is no doubt that a better, more artistic and more accurate map can be turned out, provided the surveyor has the necessary attainments as a draughtsman. Unfortunately men who are equally adapted to field and office work are few and far between. By taking certain precautions with the field-work, (such as indicating the triangulation and orientation-points upon the photographs and furnishing a plan of the triangulation-points and camera-stations, together with the direction of the limiting lines of each view), the writer believes that the work may be handed over to a good topographical draughtsman, who, provided he has had some experience of the field-work, can turn out a fair representation of the area surveyed; but, at the same time, it will probably lack much of the vim and accuracy of detail that can only be obtained from an intimate personal knowledge.

Office Work.

The developing and enlarging of the photographs and plotting of the map do not fall within the scope of this paper, but a few words may not be amiss. Any professional photographer can develop the plates and enlarge from the negatives, more or less successfully. To obtain te needful results, however, it is desirable that the surveyor should be trained to do the work himself. He then knows what portion of the view to develop and when enlarging, what parts to bring out most clearly.

Dr. E. Deville in his book goes carefully into the subject of developing and enlarging, and the writer can say from experiment that his instructions, based upon the best scientific observations, if carefully followed, will give good results.

On Canadian surveys, most of the enlarging is done during the winter months, when daylight is short and uncertain. To obviate the difficulty, a 50 candlepower electric lamp is used with the enlarging camera described in Dr. Deville's „Photographic Surveying", and gives a steady, uniform light. The highest density of the negative may be measured by the photometer, and the time of exposure deduced from such measurement. A little practice soon enables the operator to judge the necessary exposure the moment the view is thrown upon the screen. By skilful shading of the thin portions of the negative, the denser parts are given sufficient exposure without blotting out the weaker ones and a uniform print is obtained.

Plotting the contours and drawing the map generally is the most tedious stage of the method. The time required depends to a large extent upon the scale employed and the character of the country. Mountains-regions, where the features — ridges and valleys — are massive, can be more rapidly delineated than foot-hill country, which is more broken in charakter. and not so well defined in contour.

The scale upon which the Canadian surveys have been mapped is as follows: Rocky Mountains' survey, $\dfrac{1}{20.000}$-; Alberta Watershed and Crow's Nest survey, $\dfrac{1}{30.000}$; Alaska surveys, $\dfrac{1}{80.000}$. The larger the scale the greater is the detail required for the drawing. The office-work occupies at least twice the time of the field-work. To offset this the field-work can be accomplished in half the time required for any other method.

The Determination of Heights in Plotting from Photographs.

By D. B. Dowling and H. Matheson, Geological Survey of Canada.

In the mountainous portion of western Canada the photographic method of surveying is adopted by the Geological Survey. The instruments used include transits for the triangulation, and a smaller pattern for use with the camera. The camera is a modified form of the Deville pattern in which the camera box is racked back to the plate. The standard size of plate used is $4^1/_4 \times 6^1/_2$ inches and for plotting the pictures are enlarged two diameters.

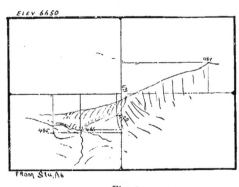

Fig. 1.

After the triangulation is completed and laid on the map sheet camera stations are added and the work of plotting begins. To make a contoured map the determination of the heights of points along the ridges and bottom of slopes is essential. These are selected from the pictures and their position on the ground plan plotted in the usual way by intersection. If the pictures are clear and from well selected points a great number may be chosen that may be seen from two stations.

The determination of the heights of these points represents considerable time and trouble. To facilitate the computation Mr. Matheson has devised an instrument to do most of the work.

In the picture the principal lines representing the centre and the horizontal plans are marked by notches or points on the frame of the picture. The projection of the selected points on the principal lines of the picture is transferred to strips of paper, those on the horizontal line being used to plot their position on the map and those on the vertical line transferred to the outer arm of the computer.

This is a simple instrument consisting of a swinging arm of transparent celluloid attached to a fixed arm projecting from a base. This base

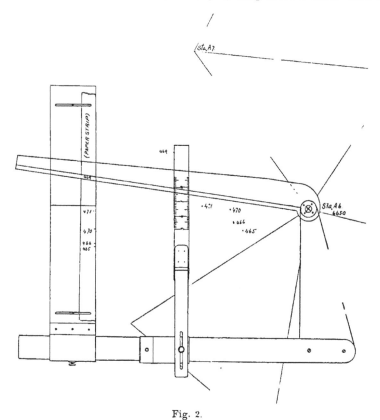

Fig. 2.

is a bar on which are two slides. The outer one beare a flat rule with spring clips under which the strips of paper may be held. This rule is set at the focal length of the picture measuring from the centre around which the swinging arm turns. Another slide is provided with a scale the scale of the map in feet. It has also an adjustment so that it can be shifted across the bar.

When the swinging arm is at right angles to the outer rule or parallel to the base bar the scale on the other slide is adjusted to read the height of the station under the ruled line on the swinging arm. A permanent mark should be made on the outer rule for this position of the swinging arm to represent the principal point in the picture.

The instrument should be made true so that the scale will give the same reading when moved along the bar.

The computer is used by placing it on the map with the centre of the swinging arm above the station point and the edge of the outer arm or rule on the trace of the picture plane or if the bearing of the centre of the picture is plotted, the permanent mark on the outer bar representing the centre of the picture should come above this line of bearing.

The sketch shows the computer placed in position to determine heights for points shown in a picture from Sta. A6. The points numbered in the sketch are plotted on the map and their projections on the vertical line transferred to the strip of paper shown attached to the outer bar or rule. The swinging arm is moved to each of the marks on the strip of paper representing the position above or below the horizon, and the slide which carries the scale is then moved up to each position as plotted on the map. The height of each point is then read from the scale, under the ruled line on the swinging arm.

In the sketch the station is given the height of 6650 feet, which is set on the scale. Point No. 469 is to be determined. The slide carrying the scale is moved so that the edge of the scale touches the point on the map showing the position of 469 and the swinging arm is brought to the mark on the edge of the paper strip corresponding to the ordinate of the picture point No. 469 above the horizon. The scale now reads 7910 feet, the height of the point. The operation for each of the other points in the picture is quickly made and the degree of closeness to which the heights can be read depends on the fineness of the graduation of the scale and also the scale on which the map is being plotted.

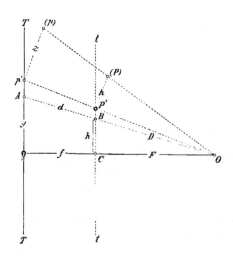

Anmerkung. Die theoretische Begründung für den vorstehend beschriebenen Apparat ist die folgende.

Stellt TT die im Abstande f (Bilddistanz) von der Station O gezogene Bildtrasse mit dem Hauptpunkte Ω und sei P die Situation eines photogrammetrisch bestimmten Punktes, so wird die relative Höhe h über der Station bekanntlich mit Verwertung der Bildordinate z aus den ähnlichen Dreiecken: $O P (P)$ und $O p' (p)$ auf Grund der Proportion bestimmt:

$$h : z = D : d \ldots h = \frac{D}{d} z \quad (1)$$

Zieht man durch den Punkt P eine Normale $t t$ zu $O \Omega$, trägt von Ω die z-Ordinate gegen A auf und verbindet O mit A, so gibt die Strecke $\overline{BC}$ auf $t t$

die gesuchte relative Höhe vor; denn die Dreiecke $O\,C\,B$ und $O\,\Omega\,H$ sind einander ähnlich und daher besteht die Relation:

$$C\,B : z = D : d,$$

woraus

$$\overline{C\,B} = \frac{D}{d}\,z \quad \ldots \ldots \ldots \quad (2)$$

sich ergibt. Es ist somit zufolge der Gleichungen (1) und (2), hat man $\overline{C\,B} = h$, die gesuchte relative Höhe.

Das beschriebene Instrument besitzt bei $T\,T$ ein Lineal, auf welchem ein Papierstreifen mit den markierten x-Ordinaten befestigt wird; $t\,t$ stellt ein verschiebbares Lineal mit einer Teilung vor und $O\,A$ wird durch ein um O drehbaren Arm ersetzt. Wenn nun bei C der Nullpunkt der Höhenskala sich befindet, so kann bei B an der Abschrägung der Linealkante die relative Höhe h an der Skala abgelesen werden.

Wir bemerken, daß Anregungen zur Konstruktion eines Höhenapparates, der auf dem begründeten Prinzipe beruht, vor Jahren in Österreich gemacht worden sind.

Photogrammetrie auf Forschungsreisen.

Von Prof. Karl Fuchs in Preßburg.

Es ist etwas gewöhnliches, daß Reisende in fremden Landen, in fremden Weltteilen, von den durchreisten Landschaften Photographien aufnehmen. Für die Geographie haben solche Einzelaufnahmen wenig Wert, da man den Einzelbildern keine Entfernungen entnehmen kann. Man kann ihnen darum auch weder den Zug der Gebirge, noch die relativen Höhen entnehmen. Die Reisenden würden der Geographie einen ungleich größeren Dienst erweisen, wenn sie Doppelaufnahmen machten. Der Reisende müßte dieselbe Gegend von zwei Punkten I und II aus aufnehmen, die einige hundert Meter voneinander entfernt liegen. Ob die beiden Standpunkte in gleicher öder nicht in gleicher Höhe liegen, ob die Kameraachsen auf den beiden Standpunkten parallel oder nicht parallel waren, ob die Entfernung der beiden Standpunkte voneinander bekannt oder nicht bekannt ist, das ist gleichgiltig. Notwendig ist nur, daß die Kamera auf beiden Standpunkten horizontal steht, d. h. sowohl die optische Achse der Kamera als auch der Horizont der Kamera (die Hüblschen Horizontmarken) müssen horizontal stehen. Um die Kamera in diese Normalstellung zu bringen, genügen zwei Libellen; Libellen einzustellen, das erlernt aber ein Forschungsreisender leicht.

Es herrscht die Meinung, es wäre nicht möglich, aus zwei Bildern (Photogrammen) eine Karte zu gewinnen, wenn die Basis, d. h. die Entfernung der beiden Standpunkte voneinander, nicht gemessen ist. In Wirklichkeit aber gibt die Basis lediglich den Maßstab der Karte; die Karte selber aber kann man ohne gemessene Basis eben so gut konstruieren, wie mit gemessener Basis. Um den Maßstab zu gewinnen, genügt es aber, die Entfernung von irgend zwei in der Karte enthaltenen Punkten, also etwa

ein Stück einer Straße abzumessen, und das ist oft leichter als die Basis
zu messen zwischen Felsen, wo man den einen Standpunkt vom anderen
nicht sieht und wo die Standpunkte vielleicht 20 *m* Höhenunterschied haben.
   Es herrscht auch die Meinung, die Photogrammetrie erfordere die
Anwendung eines Theodoliten. Nun ist ein Theodolit ein sehr empfindliches
Instrument, dessen Handhabung nicht ganz geringe mathematische Kenntnisse und zeitraubende Übung erfordert und dessen Gebrauch viel Zeit und
mehrere Hilfskräfte beansprucht. Auf all das kann ein Forschungsreisender
sich nicht einlassen. Ich will nun zeigen, daß ein Theodolit durchaus nicht
notwendig ist, und daß ein Reisender sich durchaus nicht durch die Scheu
vor dem Theodoliten von den photogrammetrischen Doppelaufnahmen ab-
halten zu lassen braucht; ich will zeigen, wie man aus zwei vorliegenden
Bildern einer Landschaft auf graphischem Wege eine gute Karte konstruieren
kann, wenn auch über die Standpunkte und die Aufstellungen der Kamera
gar keine Angaben vorliegen und
wir von der Kamera nur die
Bildweite (Brennweite des Objektives) kennen.

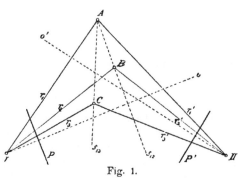

Fig. 1.

   Wir wollen folgendes Problem lösen. Auf den beiden
Bildern einer unbekannten Gegend haben wir drei idente
Bildpunkte. Aus den Koordinaten
dieser drei Punktpaare soll die
relative Lage der betreffenden
drei Objektpunkte $A\,B\,C$ und der
zwei Standpunkte I und II, sowie
deren relative Höhe bestimmt
werden, und endlich die Winkel, die die Kameraachse auf den beiden Standpunkten mit der Basis (Verbindungslinie der Standpunkte) bildet, ermittelt
werden.
   Die Abbildung 1 zeigt die beiden Standpunkte I und II und die drei
Objektpunkte $A\,B\,C$. Von I aus sind die drei Strahlen $r_1\,r_2\,r_3$ nach den
Objektpunkten und die optische Achse o gezogen; normal zur Achse liegt
die Bildplatte P. Das Analoge gilt für den Standpunkt II. Vom Punkte A
aus sind nach B und C die Geraden s_{12} und s_{13} gezogen. Auf diese beiden Linien
stützt sich unsere Rechnung; sie haben die folgende Bedeutung. Durch die
beiden Strahlen $r_1\,r_2$ können wir eine Ebene E_{12} legen, die einen gewissen
Neigungswinkel e_{12} mit dem Horizont bildet, und in der die drei Punkte I
$A\,B$ liegen. Eine entsprechende Ebene E_{12}' geht durch die Strahlen $r_1'\,r_2'$
und enthält die drei Punkte II $A\,B$. Diese zwei Ebenen schneiden sich nur
in der Geraden s_{12}. Zwei andere Ebenen E_{13} und E_{13}' haben dieselben Beziehungen zu den Punkten A und C und schneiden sich in s_{13}.
   Die Abbildung 2 dient der Besprechung der Ebene E_{12}. Die Abbildung
zeigt einen Quadranten der Bildplatte P mit den Bildpunkten A und B der
Objektpunkte A und B. Ferner zeigt die Abbildung eine horizontale Ebene,

die durch den Horizont xx der Platte P und den Standpunkt (Projektionspol) I gelegt ist; mit f ist die Bildweite der Kamera bezeichnet, und o ist
der optische Mittelpunkt der Platte.

Die Konstruktion der Rayons $r_1 r_2$ aus A und B ist klar; die Rayons
bilden mit der optischen Achse die Winkel α_1 und α_2.

Wenn wir durch A und B eine Gerade G legen, die den Horizont in T
trifft, dann gewinnen wir die Spur t_{12} der Ebene E_{12} in der Horizontebene;
die Rayons $r_1 r_2$ bilden mit der Spur t_{12} die Winkel $\tau_1 \tau_2$, die Spur selber
aber bildet mit der optischen Achse einen Winkel τ. Wenn wir vom Fußpunkt B' auf die Spur t_{12} ein Lot η_2 fällen, dann ist der Neigungswinkel e_{12}
der Ebene E_{12} bestimmt; es gilt
nämlich

$$\eta_2 \, tg \, e_{12} = y_2.$$

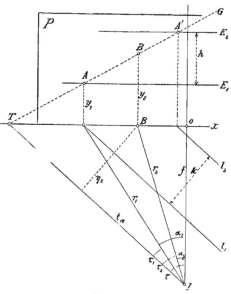

Fig. 2.

Wir legen nun durch den
Bildpunkt A eine horizontale
Ebene E_1. Diese gibt mit der
Ebene E_{12} eine Schnittlinie, deren
Projektion l_1 parallel ist zu t_{12}.
In einer Höhe h über E_1 legen
wir eine zweite Horizontalebene
E_2, die mit E_{12} eine zweite Spur
gibt, deren aus dem Schnittpunkt t' gewonnene Projektion
l_2 ebenfalls zu t_{12} parallel ist,
und der Abstand k dieser beiden
Parallelen $l_1 l_2$ ist berechenbar;
er ist gegeben durch $k \, tg \, e_{12} = h.$

In Abbildung 3 sind die
wichtigsten entsprechenden Daten
auch für den Standpunkt II angedeutet.

Jetzt ist es leicht, die Abbildung 4 zu verstehen, die einen Teil der
Abbildung 1 enthält: sie zeigt die beiden Standpunkte I II und die zwei
Objektpunkte $A B$, sowie die entsprechenden Rayons $r_1 r_2$ und $r_1' r_2'$ und die
Schnittlinie s_{12}. Von I und II aus sind außerdem die Spuren t_{12} und t_{12}' der
Ebenen E_{12} und E_{12}', sowie die optischen Achsen o und o' gezogen.

Wenn wir durch den Objektpunkt (nicht Bildpunkt) A eine horizontale
Ebene E_1 legen, dann gibt sie mit den geneigten Ebenen E_{12} und E_{12}' die
Spuren $l_1 l_1'$. Wenn wir dann auch in der Höhe h über A eine horizontale
Ebene E_2 legen, dann gibt sie die entsprechenden Spuren $l_2 l_2'$, und wir
erhalten zwei einander kreuzende Bänder von den Breiten k und k', deren
Ränder sich in den Punkten A und A' schneiden. Die Größen h und $k k'$,
die in Abbildung 2 wenige Millimeter betrugen, sind also nach unserer
neuen Bedeutung und Darstellung in Abbildung 4 vielleicht hundert oder
mehrere hundert Meter groß.

Die Abbildung 4 haben wir bisher als fertig vorliegend angenommen. Wir wollen sie nun als nicht vorhanden ansehen und zeigen, wie sie aus gegebenen Daten konstruiert werden kann.

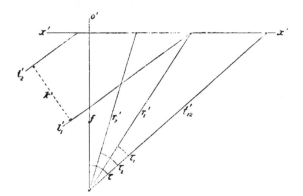

Fig. 3.

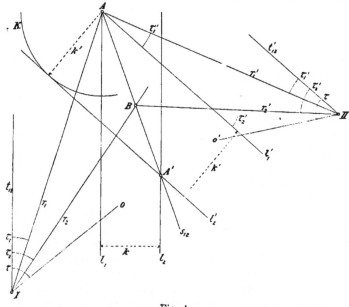

Fig. 4.

Für den ersten Standpunkt I sollen wir aus dem Bilde nach Abbildung 2 die Winkel $\tau \tau_1 \tau_2 c_{12}$ bestimmt haben; für ein beliebiges h, z. B. $h = 100\ m$, können wir dann auch k berechnen. Für den zweiten Standpunkt II sollen die A entsprechenden Stücke $\tau' \tau_1' \tau_2' e_{12}'$ und für denselben Wert h der Wert k' bestimmt sein. Das sind unsere Daten, aus denen wir konstruieren.

Wir setzen in das Zeichenblatt beliebig den Standpunkt I ein und ziehen die vier Strahlen $t_{12}\, r_1\, r_2\, o$. Da wir in keinem bestimmten Maßstab zeichnen wollen, wählen wir den Punkt A auf r_1 ganz beliebig, indem wir etwa $r_1 = 300\ m$ nehmen. Dieser Punkt A ist nun der Angelpunkt unserer Konstruktion. Von A aus ziehen wir $l_1 \parallel t_{12}$ und im Abstande k davon auch $l_2 \parallel l_1$.

Da wir vom Objektpunkte B nur wissen, daß er auf dem Rayon r_2 liegt, nicht aber wie er zu I und A liegt, so wählen wir ein beliebiges B auf r_2 und ziehen durch A und B den Strahl s_{12}, der auf l_2 den Punkt A' gibt. Durch dieselben Punkte $A\,A'$ müssen aber auch die beiden Parallelen $l_1'\,l_2'$ im Abstand k' gehen. Um dieses Band (Linienpaar) $l_1'\,l_2'$ für jedes beliebige B ziehen zu können, ziehen wir um A einen Kreis k vom Radius k' und ziehen von A' aus eine Tangente zu k, und diese Tangente ist sofort die gesuchte Spur l_2', zu der wir sogleich auch l_1' ziehen können. Da wir ferner den Winkel τ_1' kennen, den der Rayon r_1' mit der Spur t_{12}' oder mit l_1' bildet, so können wir auch gleich den Rayon r_1' zeichnen, und nun kennen wir eine Linie, auf der der Standpunkt II liegen muß, wenn B die angenommene Lage hat. Wir kennen aber auch den Winkel τ_2', den der Rayon r_2' mit l_1' oder l_2' bildet; wir können daher auch von B aus diesen Rayon r_2' ziehen. Wo dieser den Rayon r_1' trifft, dort liegt der Standpunkt II, wenn B die angenommene Lage hat. Jetzt ist die Abbildung 4 rekonstruiert.

Wenn wir den Standpunkt II auf diese einfache Weise für mehrere Lagen des Objektpunktes B auf dem Rayons r_2 konstruieren, dann erhalten wir eine Reihe von Punkten, durch die wir eine Kurve legen können, in der der Standpunkt II jedenfalls liegt.

Was wir bisher mit dem fixen Punkte A und dem veränderlichen Punkte B auf Rayon r_2 gemacht haben, das wiederholen wir mit demselben fixen Punkte A und einem veränderlichen Punkte C auf dem Rayon r_3. Wir gewinnen dann eine zweite Kurve, auf der der Standpunkt II liegen muß; II liegt dann also auf dem Schnittpunkt der beiden Kurven.

Sobald der Standpunkt II gefunden ist, haben wir alles andere in der Hand: wir ziehen von II nach A den Rayon r_1', und durch r_1' ist auch die Lage der anderen Rayons und der optischen Achse o' gegeben; wir erhalten so das Bild Abbildung 1.

Jetzt kennen wir die relative Lage der drei Objektpunkte $A\,B\,C$ und der Standpunkte I II, sowie die Richtung der optischen Achsen der beiden Kameras. Da wir nun die Höhenwinkel aller sechs Rayons aus den Bildern kennen, so können wir auch die auf den Angelpunkt A bezogenen relativen Höhen der Punkte berechnen: aus r_1 und seinem Neigungswinkel β_1 berechnen wir die auf A bezogene Höhe des Standpunktes I; aus r_2 und seinem Höhenwinkel β_2 berechnen wir die auf I bezogene Höhe des Punktes B, und aus r_3 und seinem Höhenwinkel β_3 die auf I bezogene Höhe von C. Endlich gibt uns r_1' die auf A bezogene Höhe des Standpunktes II. Dann ist unser Problem vollständig gelöst.

Wenn wir die Lage von II genauer wissen wollen, dann können wir zur Kontrolle noch einen vierten und fünften Punkt D und E behandeln:

wir bekommen dann noch zwei Kurven, in denen II liegen muß; alle vier
Kurven mußten sich bei fehlerfreier Arbeit in demselben Punkte schneiden.
Die so bestimmte Lage des Punktes II können wir noch nach der
Methode der kleinsten Quadrate berichtigen; im allgemeinen wird man das
aber wohl nicht tun, weil es keinen Zweck hat. Die Bilder zeigen die Berge
nur von einer Seite, die Täler aber gar nicht; Wert für den Geographen
hat wohl nur der Lauf der Kämme und die Höhen. Absolute Höhenwerte
kann man allerdings nur dann finden, wenn man eine Distanz im Gesichtsfeld in Metermaß gemessen hat; diese dient dann gleichsam als Basis.

Daß wir die relative Lage der drei Objektpunkte $A B C$ bestimmt haben,
das hat für uns zunächst keinen Wert. Wert hat für uns zunächst nur der
Umstand, daß wir die Winkel kennen gelernt haben, die die optischen
Achsen o und o' mit der Basis, d. h. mit der Verbindungslinie I II bilden.
Auf Grund dieser Winkel können wir dann in bekannter Weise die ganze
Karte entwerfen.

Es ist hiermit gezeigt, daß der Reisende der Wissenschaft einen großen
Dienst erweist, wenn er statt Einzelaufnahmen Doppelaufnahmen von beliebigen Standpunkten in Abstand von mehreren hundert Metern macht. Er
braucht hierzu nur die Kamera und keinen Theodoliten.

Nivellement photogrammetrischer Platten.

Von Prof. Karl Fuchs in Preßburg.

Die photogrammetrischen Platten sind nie absolut eben, die Wölbungen
der Platte aber verursachen eine Verzerrung des Bildes während der Aufnahme. Wenn man die Wölbung der Platte, d. h. die Abweichung $\varDelta f$ von
der theoretischen Ebene für jeden Punkt der Platte kennt. dann kann man
auch leicht für jeden Bildpunkt p von den Koordinaten $x y$ und den Abstand r vom optischen Mittelpunkt o der Platte P die erforderliche Korrektion
bestimmen.

Man kann die Verzerrung des Bildes durch die Unebenheit der Platte
wohl dadurch mildern, daß man die Platte während der Aufnahme gegen eine
ebene Glasplatte preßt; dieses Mittel ist aber kaum vollkommen sicher.

Im folgenden soll gezeigt werden, wie man aus dem gegebenen Bild-
weitenfehler $\varDelta f$ eines Plattenpunktes p die entsprechenden Koordinatenkorrek-
tionen $\varDelta x$ und $\varDelta y$ berechnet; dann soll ein Apparat beschrieben werden, der
diese Abweichungen $\varDelta f$ der wirklichen Platte von der theoretischen Ebene mißt.

1. Die Abbildung 1 zeigt die theoretische Plattenebene F im Abstand
f vom Projektionspol O. Von der wirklichen Platte p ist nur ein Element
gezeichnet, das einen Bildpunkt p enthält. Die Abweichung der Platte von
der theoretischen Ebene in p sei $\varDelta f$. Bei fehlerfreier Platte müßte der Bildpunkt in den Punkt p' fallen. in den Abstand r vom optischen Mittelpunkt

o der Platte Der Bildpunkt p ist also infolge des Fehlers Δf um eine Strecke Δr radial verschoben. Für diesen Abstandsfehler Δr des Punktes p findet man in Abbildung 1 aus ähnlichen Dreiecken den Ausdruck

$$\frac{\Delta r}{r} = \frac{\Delta f}{f}. \tag{1}$$

Für die Koordinatenfehler Δx und Δy, die aus diesem Radialfehler Δr resultieren, findet man leicht die Beziehungen

$$\frac{\Delta r}{r} = \frac{\Delta x}{x} = \frac{\Delta y}{y}. \tag{2}$$

Wenn wir setzen

$$\frac{\Delta f}{f} = \lambda, \tag{3}$$

dann gibt also

$$\Delta x = \lambda x, \quad \Delta y = \lambda y. \tag{4}$$

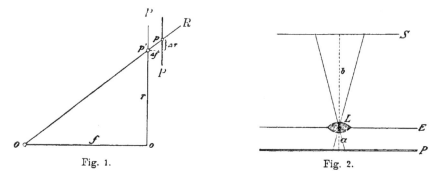

Fig. 1.   Fig. 2.

Diese Formeln geben die Korrektionen der Koordinaten, die durch die Unebenheit der Platte erforderlich werden.

2. Die Abweichung Δf können wir auf folgende Weise messen. Eine Linse L von geringer Brennweite (1 cm oder weniger) kann mittels eines Kreuzschlittens in die horizontale Ebene E geführt werden (Abb. 2). Die photogrammetrische Platte P liegt darunter, möglichst parallel zu E. Die Linse projiziert ein Element des photographischen Bildes auf einen Schirm S, der vertikal verstellt werden kann. Wenn die Platte uneben ist, dann ändert sich von Punkt zu Punkt die Gegenstandsweite a, und folglich auch die Bildweite b. Für die korrespondierenden Änderungen Δa und Δb gilt nach dem Linsengesetz die Beziehung

$$\frac{\Delta a}{\Delta b} = -\frac{a^2}{b^2}. \tag{5}$$

Wenn also die Bildweite zehnmal größer ist als die Gegenstandsweite, dann sind ihre Änderungen Δb hundertmal größer als die Änderungen Δa. Wenn man den Schirm S stets so verstellt, daß das Bild scharf wird, dann kann man aus diesen Verschiebungen des Schirmes die Plattenfehler von Punkt zu Punkt bestimmen. Eine Kollektivlinse macht das Bild schärfer.

Es wird wohl im allgemeinen genügen, wenn man für 100 Platten-punkte den Fehler Δf mißt. So kann man die Platte nivellieren. Aus den Fehlern kann man dann nach (3) die Korrektionskonstanten λ für die ver-messenen Punkte des Bildes berechnen.

Ungleich genauer als mit einer Linse gewinnt man die Δf mittels eines Mikroskopes auf dem Kreuzschlitten.

3. Da man die Koordinaten x der vermessenen Bildpunkte kennt, kann man für jeden Punkt stets der Konstanten λ auch gleich die volle Korrektion Δx noch (4) berechnen. Ebenso kann man die Korrektion Δy berechnen. Wenn man so die Δx für zahlreiche Plattenpunkte berechnet hat, dann kann man auf einer Kopie der Platte Kurven gleicher Korrektion Δx entwerfen; das Ablesen der Korrektion für einen bestimmten Punkt ist dann bedeutend erleichtert.

4. Man kann das beschriebene Verfahren leicht erweitern. Wenn die Platte P während der Aufnahme um einen Winkel δ verschwenkt und um einen Winkel ϑ geneigt war, dann ergeben sich so unangenehme Korrektionen, daß aus diesem Grunde schon Reihen von Plattenpaaren als unbrauchbar verworfen worden sind. Solche verschwenkte Platten kann man in den Apparat so legen, daß sie nicht der Ebene E parallel liegen, sondern wie in der Kamera um Winkel δ und ϑ verschwenkt. Die so bestimmten Δf eliminieren dann mit einem Schlage nicht nur die Unebenheit der Platte, sondern auch die Fehler der Plattenlage. Dabei sind die Korrektionen vom zweiten Grade, genügen also noch für Verschwenkungsfehler von 40 Minuten, was ganz un-gewöhnlich große Fehler sind.

Über die Anwendung von großen Basen im stereophoto-grammetrischen Verfahren.

Von Universitätsdozent Professor Dr. N. Herz in Wien.

Das stereophotogrammetrische Verfahren unterscheidet sich im wesent-lichen von der sogenannten Meßtischphotogrammetrie durch die absolute Parallelstellung der Platten oder im einfachsten Falle durch die Koinzidenz der Plattenebenen in den beiden Aufnahmen. Dabei muß jedoch die Basis ziemlich kurz genommen werden, da sonst die Randteile der Bilder sich nicht decken: Aufnahmsgebilde der einen Platte erscheinen nicht auf der anderen Platte und sind sohin für die Aufnahme nicht verwertbar.

Sei B die Basis, E die mittlere Entfernung des aufzunehmenden Be-reiches und ist $E = nB$, so wird derjenige Punkt, welcher auf der Platte I (vom Aufnahmsstandpunkte I) etwa in der Plattenmitte erscheint, auf der Platte II (vom Aufnahmsstandpunkte II) um $\frac{1}{n} \cdot f$ aus der Plattenmitte ge-rückt sein, wenn f die Brennweite des Objektives ist. Es wird daher von der linken Platte rechts ein Streifen von der Breite $\frac{1}{n}f$ und von der rechten

Platte links ein Streifen von der Breite $\frac{1}{n}f$, im ganzen daher ein Gebiet

von der Breite $\frac{2}{n}f$ der Platte, welchem ein Gebiet von der Breite $\frac{2}{n}E$ der

Natur entspricht, verloren gehen. Rechnet man die Plattenbreite etwa gleich f, so entspricht dieses einer Aufnahmssektion von der Breite E und es wird

daher $\frac{2}{n}$ des aufgenommenen Bereiches verloren sein. Für $n = 10$ $(B = \frac{1}{10}E)$

wird dieses ein Fünftel des aufgenommenen Gebietes, also einen nicht unbeträchtlichen Bruchteil desselben betragen.

Für die Stereophotogrammetrie mit kurzen Basen wird n stets viel größer, 20, 25 und noch mehr, und es fällt daher der Verlust nicht so sehr ins Gewicht; aber auch hier wäre es jedenfalls erwünscht, das ganze Bild ausnutzen zu können.

Derselbe Übelstand macht sich ja auch geltend, wenn die beiden Standpunkte nicht in gleicher Höhe liegen. Da man es hier meist nicht in seiner Macht hat, diese Unterschiede auszugleichen und die Höhenunterschiede nach Belieben zu reduzieren, so war es frühzeitig nötig, diesem Übelstande abzuhelfen, und ist daher an jeder für photogrammetrische Messungen dienenden Kamera eine Verschiebung des Objektives in Höhe vorhanden. Derselbe Ausweg läßt sich nun auch für die Behebung des gleichen Mangels bezüglich der Horizontalausdehnung des aufzunehmenden Geländes einschlagen. Wenn die Platte oder das Objektiv ebenfalls eine genaue und genau meßbare Verschiebung in horizontaler Richtung erhalten würde, so könnte die Adjustierung stets so vorgenommen werden, daß man auf beiden Platten identische Bereiche erhält; die Verschiebung brauchte zu diesem Zwecke nur

$\frac{1}{n}$ der Fokaldistanz sein, also im obigen Falle (für $E = 10\,B$) gleich $\frac{1}{10}f$,

also für eine Fokaldistanz von 120 mm im ganzen 12 mm.

Gegen diese von mir schon vor längerer Zeit vorgeschlagene Kameraeinrichtung wurde zweierlei eingewendet. Erstens, daß die Konstruktion durch mechanische Schwierigkeiten untunlich wird. Diesem Einwurf kann ich nicht zustimmen. Eine einfache Kreuzschlittenverschiebung, wie sie bei jedem Mikrometer, das zwei aufeinander rechtwinkelige Koordinaten geben soll, vorhanden ist, läßt das gewünschte Resultat erreichen und es ist mit Sicherheit zu erwarten, daß die Mechaniker, welche sich mit der Konstruktion von photogrammetrischen Apparaten befassen, in ihrer Präzision doch sicher dieselben guten Resultate erreichen werden, wie die Präzisionsmechaniker, aus deren Händen heutzutage so vorzügliche Fadenmikrometer hervorgegangen sind.

Wesentlicher scheint auf den ersten Blick ein zweiter Einwurf zu sein, welcher die Güte des Objektives betrifft. Sicher ist, daß bei einer anzubringenden Verschiebung des Objektives das brauchbare Gesichtsfeld um

$\frac{1}{n}$ vergrößert werden muß, indem der Bildwinkel um diesen Betrag erweitert wird. Allein auch dieser Einwurf wird hinfällig, wenn man bedenkt, daß ja infolge der so häufig notwendigen Vertikalverschiebung des Objektives diesem Umstande ohnedies bei den diesem Zwecke dienenden Objektiven Rechnung getragen werden muß.

Bei einer derartig eingerichteten Kamera können daher für größere Entfernungen auch größere Basen verwendet werden, wodurch der Vorteil der größeren Plastik der Bilder erreicht wird. Hängt die Genauigkeit der Einstellung von dieser Plastik ab, wie ja die stereophotogrammetrischen Versuche bewiesen haben, so könnten damit an Stelle der photogrammetrischen Aufnahmen mit großen Basen und nicht parallelen Platten (Meßtischphotogrammetrie) die für den Stereokomparator brauchbaren Aufnahmen mit großen Basen und parallelen Platten treten und damit auch eine ganz bedeutende Erhöhung der Genauigkeit auch bei Terrainaufnahmen erzielt werden.

Ein Beitrag zur Stereophotogrammetrie.

Von Eduard Doležal, o. ö. Professor an der k. k. Technischen Hochschule in Wien.

I.

1. Ableitung der Fundamentalformeln der Stereophotogrammetrie.

Die prinzipielle Forderung bei der stereophotogrammetrischen Aufnahme besteht darin, daß die Orientierungswinkel der Bilddistanzen in den Basis-endpunkten einander gleich sind und 90^0 betragen; dies hat zur Folge, daß bei vertikaler Lage der Bildebenen und bei Benutzung desselben photogrammetrischen Instrumentes die Bildebenen in einer und derselben Vertikalebene sich befinden.

Denken wir uns in Fig. 1 in allgemeiner Projektion über den Endpunkten der bekannten Basis S_1 und S_2 in O_1 und O_2 die perspektivischen Zentren, Bildzentren, in Ω_1 und Ω_2 die Hauptpunkte der Photogramme auf den vertikal stehenden Bildebenen BE_1 und BE_2, so schneiden die Projektionsstrahlen des Raumpunktes P, die Geraden $\overline{O_1 P}$ und $\overline{O_2 P}$, die Bildebenen in den Punkten p_1 und p_2, den Bildpunkten.

Legen wir durch das perspektivische Zentrum O_1 ein räumliches, rechtwinkeliges Koordinatensystem derart durch, daß die z-Achse mit der Vertikalen des Standpunktes S_1 zusammenfällt, die xz-Ebene als Vertikalebene die geneigte Basis $\overline{S_1 S_2}$, respektive $\overline{O_1 O_2} = S$ und ihre Reduktion $O_1 O_2' = B$ und den Höhenunterschied $\overline{O_2' O_2} = H$ ihrer Endpunkte enthält, wobei S_2 höher situiert angenommen ist, die xy-Ebene normal zur xz-Ebene verläuft und die Bilddistanz f der Aufnahme in S_1 enthält, so ist die xy-Ebene durch $\overline{O_1 O_2'}$ als Abszissen- und die verlängerte Bilddistanz $\overline{O_1 \Omega_1}$ als Ordinatenachse bestimmt. Die Abstände der Zentren O_1 und O_2 von den Stationen S_1 und S_2 stellen die Instrumenthöhen J_1 und J_2, beziehungsweise die Horizonthöhen

über den Stationen vor und diese geben in Verbindung mit dem Höhenunterschiede der Stationen h zufolge der Beziehung:

$$H = J_2 + h - J_1 = J_2 - J_1 + h$$

den Höhenunterschied der Bildzentren.

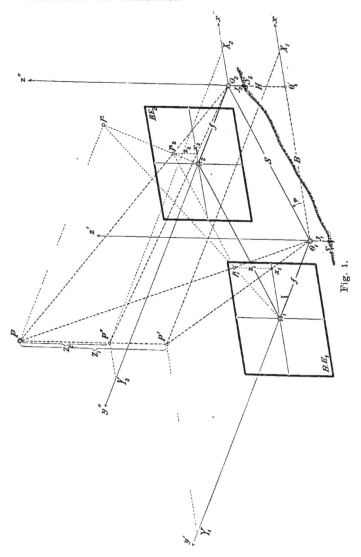

Fig. 1.

Die Raumkoordinaten des Punktes P, bezogen auf O_1 als Koordinatenanfangspunkt, seien: X_1, Y_1, Z_1; analog kann man sich O_2 als Koordinatenanfangspunkt vorstellen und es werden dann die Raumkoordinaten des
Punktes P lauten: X_2, Y_2, Z_2.

Ist der Raumpunkt P rechts von der Hauptvertikalebene und oberhalb des Horizontes des Standpunktes S_2 gelegen (Fig. 1), so bestehen zwischen den angeführten Raumkoordinaten die Beziehungen:

$$\left. \begin{array}{l} X_1 - X_2 = B \\ Y_1 - Y_2 = 0 \\ Z_1 - Z_2 = H \end{array} \right\} , \quad \ldots \quad \ldots \quad (1)$$

wobei Y invariant bleibt.

Abweichend von der bis nun üblichen Bezeichnung der Bildkoordinaten wollen wir konform mit dem gewählten Raumkoordinatensysteme die ebenen Bildkoordinaten, weil ihre Ebenen parallel zur xz-Ebene verlaufen, mit x und z bezeichnen, wobei x horizontal und z vertikal gedacht sind.

Die Bildkoordinaten wurden ausgemessen und seien: x_1, z_1 für den Bildpunkt p_1 und x_2, z_2 für p_2.

Aus der Ähnlichkeit der Dreieckspaare:

$$\Delta O_1 Y_1 P \backsim \Delta O_1 \Omega_1 x_1 \quad \text{und} \quad \Delta O_2 Y_2 P'' \backsim \Delta O_2 \Omega_2 x_2$$

folgen die Proportionen:

$$\left. \begin{array}{l} X_1 : Y_1 = x_1 : f \\ (X_1 - B) : Y_1 = x_2 : f \end{array} \right\} ,$$

woraus die Bestimmungsgleichungen für die Raumkoordinaten X_1 und Y_1 sich ergeben:

$$\left. \begin{array}{l} -f X_1 + x_1 Y_1 = 0 \\ +f X_1 - x_2 Y_1 = f B \end{array} \right\} ;$$

diese aufgelöst, hat man:

$$\left. \begin{array}{l} X_1 = \dfrac{B}{x_1 - x_2} x_1 \\[2mm] Y_1 = \dfrac{B}{x_1 - x_2} f \end{array} \right\} \quad \ldots \ldots \ldots (2)$$

Zufolge der Ähnlichkeit der Dreieckspaare:

$$\Delta O_1 P' P \backsim \Delta O_1 x_1 p_1 \quad \text{und} \quad \Delta O_2 P'' P \backsim \Delta O_2 x_2 p_2$$

ergeben sich die Proportionen:

$$\left. \begin{array}{l} Z_1 : z_1 = Y_1 : f \\ (Z_1 - H) : z_2 = Y_1 : f \end{array} \right\}$$

oder, in Gleichungsform geschrieben:

$$\left. \begin{array}{l} z_1 Y_1 - f Z_1 = 0 \\ f Z_1 - z_2 Y_1 = f H \end{array} \right\}$$

und aufgelöst:

$$\left. \begin{array}{l} Y_1 = \dfrac{H}{z_1 - z_2} f \\[2mm] Z_1 = \dfrac{H}{z_1 - z_2} z_1 \end{array} \right\} \quad \ldots \ldots \ldots (3)$$

Nach Gleichsetzung der Werte für Y_1 in den Gleichungen (2) und (3) ergibt sich vorerst:

$$Y_1 = \frac{B}{x_1 - x_2} f = \frac{H}{z_1 - z_2} f$$

·oder

$$\frac{H}{B} = \frac{z_1 - z_2}{x_1 - x_2} = tg\,\varphi, \quad \ldots \ldots \quad (4)$$

wobei der Winkel φ die Neigung der Verbindungsgeraden der Zentren $\overline{O_1\,O_2} = S$ zum Ausdrucke bringt.

Mit Berücksichtigung dieser Beziehung lassen sich die Werte für die Raumkoordinaten in den Gleichungen (2) und (3) derart umformen, daß sich Ausdrücke ergeben, in welchen entweder B oder H auftritt, nämlich:

$$\left. \begin{array}{l} X_1 = \dfrac{B}{x_1 - x_2}\, x_1 = \dfrac{H}{z_1 - z_2}\, x_1 \\[2mm] Y_1 = \dfrac{B}{x_1 - x_2}\, f = \dfrac{H}{z_1 - z_2}\, f \\[2mm] Z_1 = \dfrac{B}{x_1 - x_2}\, z_1 = \dfrac{H}{z_1 - z_2}\, z_1 \end{array} \right\} \quad \ldots \ldots \; \text{I}$$

Diese Fundamentalgleichungen der Stereophotogrammetrie wurden auf anderem Wege in der Abhandlung: Doležal E.: „Das Grundproblem der Photogrammetrie, seine rechnerische und graphische Lösung nebst Fehleruntersuchungen" in der „Zeitschrift für Mathematik und Physik", 54. Band 1906, 1. Heft, abgeleitet.

Die algebraischen Differenzen der Bildkoordinaten:

$$\left. \begin{array}{l} x_1 - x_2 = h \\ z_1 - z_2 = v \end{array} \right\},$$

welche im Nenner vorstehender Fundamentalgleichungen der Stereophotogrammetrie erscheinen, geben in Verbindung mit der Bilddistanz f ein Maß für die parallaktischen Winkel, welchen die Projektionen der Raumstrahlen $\overline{O_1\,P}$ und $\overline{O_2\,P}$ auf der xy-, beziehungsweise xz-Ebene miteinander einschließen. Wir können füglich

$$(+ x_1) - (+ x_2) = h$$

·als die stereoskopische Horizontal-Parallaxe bezeichnen zum Gegensatze von

$$(+ z_1) - (+ z_2) = v,$$

welche Differenz als stereoskopische Vertikalparallaxe zu benennen ·sein wird. In den angeführten Parallaxendifferenzen werden die Koordinaten mit jenem Qualitätszeichen eingeführt, das ihnen zufolge der Lage des Bildpunktes auf den Photogrammen zukommt.

Die Gleichungen (I) können dann auch in der Form geschrieben werden:

$$\left. \begin{array}{l} X_1 = \dfrac{B}{h}\, x_1 = \dfrac{H}{v}\, x_1 \\[2mm] Y_1 = \dfrac{B}{h}\, f = \dfrac{H}{v}\, f \\[2mm] Z_1 = \dfrac{B}{h}\, z_1 = \dfrac{H}{v}\, z_1 \end{array} \right\} \quad \ldots \ldots \; \text{I}'$$

Die Raumkoordinaten des Punktes P, bezogen auf das Zentrum O_2 als Koordinatenanfangspunkt, werden sich in analoger Weise rechnen; man erhält:

$$
\left.
\begin{aligned}
X_2 &= \frac{B}{x_1 - x_2}\, x_2 = -\frac{H}{z_1 - z_2}\, x_2 \\
Y_2 &= \frac{B}{x_1 - x_2}\, f = \frac{H}{z_1 - z_2}\, f \\
Z_2 &= \frac{B}{x_1 - x_2}\, z_2 = \frac{H}{z_1 - z_2}\, z_2
\end{aligned}
\right\} \quad \ldots\ldots \text{ II}
$$

und

$$
\left.
\begin{aligned}
X_2 &= \frac{B}{h}\, x_2 = \frac{H}{v}\, x_2 \\
Y_2 &= \frac{B}{h}\, f = \frac{H}{v}\, f \\
Z_2 &= \frac{B}{h}\, z_2 = \frac{H}{v}\, z_2
\end{aligned}
\right\} \quad \ldots\ldots \text{ II}'
$$

2. Geltungsbereich der Parallaxen.

Der Aufnahmeraum bei der stereoskopischen Aufnahme kann durch die Hauptvertikal- oder Medianebenen der beiden Bildzentren O_1 und O_2, sowie durch die Horizonte derselben in neun Räume zerlegt werden, welche durch die Qualitätszeichen der Bildkoordinaten korrespondierender Bildpunkte charakterisiert werden.

Der Geltungsbereich der Parallaxen und ihre Form ist aus folgender Zusammenstellung ersichtlich.

Vertikalschichte / Horizontalschichte		Links von der Hauptvertikalebene in O_1		Zwischen den Hauptvertikalebenen von O_1 und O_2		Rechts von der Hauptvertikalebene in O_2	
		x_1	x_2	x_1	x_2	x_1	x_2
		$-$	$-$	$+$	$-$	$+$	$+$
Oberhalb des Horizontes von O_2	z_2 $+$	$-x_1 + x_2$		$x_1 + x_2$		$x_1 - x_2$	
	z_1 $+$	$-z_1$ z_2		$z_1 - z_2$		$z_1 - z_2$	
Zwischen den Horizonten von O_1 und O_2	z_2 $-$	$-x_1 + x_2$		$x_1 + x_2$		$x_1 - x_2$	
	z_1 $+$	$z_1 + z_2$		$z_1 + z_2$		$z_1 - z_2$	
Unterhalb des Horizontes von O_1	z_2 $-$	$-x_1 + x_2$		$x_1 + x_2$		$x_1 - x_2$	
	z_1 $-$	$-z_1 + z_2$		$-z_1 + z_2$		$-z_1 + z_2$	

Es ist einleuchtend, daß zufolge der Lage des Raumpunktes in einem der charakterisierten Räume die Form der Parallaxen sich ändert, wodurch die Fundamentalformeln I und II naturgemäß eine entsprechende Formänderung erleiden.

3. Bestimmung der Parallaxen.

Die Horizontal- und Vertikalparallaxe h und v werden sehr bequem auf dem Stereokomparator (Stereo-Koordinatometer) ausgemessen.

a) Messung der Horizontalparallaxe. Es werden die Platten ohne Rücksicht auf die Neigung der Standlinie derart in den Stereokomparator eingelegt und orientiert, daß die Plattenhorizonte zur Verbindungsgeraden der Okulare oder der horizontalen Schlittenführung des Plattenpaares parallel werden.

Durch Einstellung des linken Plattenbildes erhält man die Abszisse und Ordinate des eingestellten linken Bildpunktes x_1 und z_1; nun wird mittels der Parallaxenschraube die Zurückführung des rechten Bildpunktes auf den Horizont des linken Bildes bewirkt und hierauf die parallaktische Abszissendifferenz $x_1 - x_2 = h$, die Horizontalparallaxe, gemessen.

Dieser Messungsvorgang nötigt den Beobachter Verhältnisse zu schaffen, die in der Wirklichkeit für die aufgenommenen Bilder gar nicht existieren; es werden durch die Operationen am Stereokomparator die ausgemessenen Bildpunkte stets in die Horizontalebene der linken Station gebracht und der Anblick im Stereokomparator wirkt so, als wenn der eingestellte Punkt aus den Endpunkten der auf den Horizont der linken Station reduzierten Basis betrachtet worden wäre.

Diese künstlich geschaffene, für die Messung der Horizontalparallaxe notwendige Orientierung, respektive Justierung der Platten hat den Übel·stand im Gefolge, daß die Platten eine stereoskopische Betrachtung in ihrer ganzen Ausdehnung nicht ermöglichen; man gewahrt nur die Gegenstände in der nächsten Umgebung des auszumessenden Punktes stereoskopisch, wobei das kleine Gesichtsfeld des Mikroskopstereoskopes die bei Betrachtung einer größeren Partie der Platte, respektive des Raumbildes unvermeidliche Störung der Plastik nicht fühlbar macht.

b) Messung der Vertikalparallaxe. Die Messung der Vertikalparallaxe $z_1 - z_2 = v$, welche durch die verschiedene Höhenlage der Basisendpunkte bedingt ist, erfordert nachstehende Überlegung.

Es ist bekannt, daß im stereoskopischen Sehen einzig und allein diejenigen Differenzen als Tiefenunterschiede sich fühlbar machen, die in einer Verschiebung der Bildpunkte in der Richtung der Verbindungslinie der beiden Augen bestehen. Diese Tatsache ist am Stereokomparator durch die „Wandernde Marke", welche mittels der Parallaxenschraube an dem plastischen Raumbilde des durch die Platten dargestellten Objektes geführt wird, ausgewertet.

Bildpunktverschiebungen in einer anderen als horizontalen Richtung werden nicht als Tiefenunterschiede wahrgenommen, sondern als Störungen im stereoskopischen Sehen empfunden und vom Beobachter leicht übersehen.

Dr. Pulfrich hat einen Apparat konstruiert, das Blinkmikroskop,[1])

---

[1]) Dr. C. Pulfrich: „Über die Nutzbarmachung des Stereokomparators für den monokularen Gebrauch und über ein hierfür bestimmtes Vergleichsmikroskop" in „Zeitschrift für Instrumentenkunde" 1904.

welches die Empfindlichkeit unseres Auges für diese Störungen ausnutzt, um die Messung von Parallaxen zu ermöglichen.

Von der Verwendung des Blinkmikroskopes abgesehen, läßt sich eine Orientierung des Plattenpaares angeben, die ein direktes Ausmessen der Vertikalparallaxe am Stereokomparator gestattet.

Es ist nur notwendig, die z-Koordinaten in die Richtung der Parallaxenschraube zu bringen und durch die Verschiebung mittels der Parallaxenschraube, welche nun in der Richtung der z-Koordinate erfolgt, Wirkungen in der Tiefe hervorzurufen.

Es werden die Platten so orientiert, daß die Hauptvertikale des Photogrammes (Stereogrammes) parallel zur Verbindungslinie der Okulare gerichtet wird, wobei die Platten um 90^0 gedreht werden müssen; der Beobachter hat sich in eine solche Lage versetzt zu denken, als wenn seine Augen in der Projektion der Basisendpunkte auf die Vertikale des linken Standpunktes sich befinden würde; die Augen hat man sich dann in einer Vertikalen übereinander zu denken.

Das linke Stereogramm liefert x_1 und z_1 und nach Verschiebung des rechten Stereogrammes und Einstellung des betreffenden Punktes erhält man an der Parallaxenschraube $z_1 - z_2 = v$.

Die parallaktische Messung stützt sich auf die Tiefenwahrnehmung, die durch Horizontalverschiebung der Platten eintritt.

Die Horizontal- und Vertikalparallaxe werden mittels der Parallaxenschraube auf $\pm 0{\cdot}01\,mm$ scharf ausgemessen.

4. Ausgleichung der Bild- und Raumkoordinaten eines Punktes.

Die Kontrollrelationen, die im vorhergehenden abgeleitet worden sind, beziehen sich zufolge der Bedingungsgleichung (4):

$$\frac{z_1 - z_2}{x_1 - x_2} = \frac{H}{B} \quad\ldots\ldots\ldots (5)$$

auf die durch Messung erhaltenen Bildkoordinaten oder aber auf die berechneten Raumkoordinaten durch die Gleichungen (1):

$$\left.\begin{array}{l} X_1 - X_2 = B \\ Z_1 - Z_2 = H \end{array}\right\} \quad\ldots\ldots\ldots (6)$$

a) Die Ausgleichung der Bildkoordinaten ist es, welche vor der rechnerischen Bestimmung der Raumkoordinaten eines Punktes durchgeführt werden soll; setzen uns doch die ausgeglichenen Bildkoordinaten in die Lage, auf Grund der Fundamentalgleichungen I und II unmittelbar die wahrscheinlichsten Werte für die Raumkoordinaten zu gewinnen.

Setzen wir bezüglich der Symbolik voraus, daß

x_1, x_2, z_1, z_2 die theoretischen (wahren),

(x_1), (x_2), (z_1), (z_2) die gemessenen, daher mit Fehlern behafteten Werte der Bildkoordinaten und r_1, r_2, r_3, r_4 die Verbesserungen derselben seien, so bestehen zufolge der Gleichung (5) für die vorliegenden bedingten Beobachtungen:

die theoretische Bedingungsgleichung:

$$B z_1 - B z_2 - H x_1 + H x_2 = 0,$$

die Widerspruchsgleichung:

$$B(z_1) - B(z_2) - H(x_1) + H(x_2) = w$$

und die Verbesserungsgleichung:

$$B v_1 - B v_2 - H v_3 + H v_4 + w = 0 \qquad\qquad \Bigg\} \quad \dots \quad (7)$$

Es sind bedingte Beobachtungen auszugleichen; da die Anzahl der Bedingungsgleichungen $r = 1$, hingegen jene der Unbekannten $n = 4$ ist, so ist $n > 2\,r$; es empfiehlt sich daher, die Ausgleichung mit Hilfe von Korrelaten vorzunehmen.

Die einzige Korrelate K ergibt sich aus der Gleichung:

$$[a\,a]\,K + w = 0,$$

worin

$$a_1 = +\,B,\ a_2 = -\,B,\ a_3 = -\,H \text{ und } a_4 = +\,H$$

bedeuten, so daß

$$[a\,a]\,K + w = 2\,(B^2 + H^2)\,K + w = 0$$

ist und die gesuchte Korrelate sich rechnet mit:

$$K = -\,\frac{w}{2\,(B^2 + H^2)} \quad\dots\dots\quad (8)$$

Die Verbesserungen lauten dann:

$$\begin{aligned}
v_1 &= a_1\,K = -\,\frac{B}{2\,(B^2+H^2)}\,w \\[4pt]
v_2 &= a_2\,K = +\,\frac{B}{2\,(B^2+H^2)}\,w \\[4pt]
v_3 &= a_3\,K = +\,\frac{H}{2\,(B^2+H^2)}\,w \\[4pt]
v_4 &= a_4\,K = -\,\frac{H}{2\,(B^2+H^2)}\,w
\end{aligned} \qquad \Bigg\} \quad \dots\dots \text{ III}$$

Die ausgeglichenen Werte der Bildkoordinaten sind:

$$\begin{aligned}
x_1 &= (x_1) + v_1 & z_1 &= (z_1) + v_3 \\
x_2 &= (x_2) + v_2 & z_2 &= (z_2) + v_4
\end{aligned} \qquad \Big\} \quad \dots\dots \text{ IV}$$

Die Parallaxenkorrektionen rechnen sich aus:

$$\begin{aligned}
h &= x_1 - x_2 \\
v &= z_1 - z_2
\end{aligned} \Big\}$$

mit:

$$\begin{aligned}
\varDelta h &= \sqrt{\varDelta x_1^2 + \varDelta x_2^2} = \sqrt{v_1^2 + v_2^2} \\
\varDelta v &= \sqrt{\varDelta z_1^2 + \varDelta z_2^2} = \sqrt{v_3^2 + v_4^2}
\end{aligned} \Bigg\} \quad \dots\dots \quad (9)$$

welche Ausdrücke nach Einführung der Verbesserungen aus dem Gleichungssysteme III) übergehen in:

$$\begin{aligned}
\varDelta h &= \pm\,\frac{B}{\sqrt{2\,(B^2 + H^2)}}\,w \\[4pt]
\varDelta v &= \pm\,\frac{H}{\sqrt{2\,(B^2 + H^2)}}\,w
\end{aligned} \qquad \Bigg\} \quad \dots\dots\dots \text{ V}$$

Diese Ausdrücke gestatten, die mittleren Fehler in den Parallaxen zu bestimmen, die zufolge der unvermeidlichen Fehler in der Messung der Bildkoordinaten entstehen.

Anmerkung. Um sich eine Vorstellung von dem mittleren Fehler in den Raumkoordinaten zu machen, die durch mittlere Fehler in den Bildkoordinaten verursacht werden, wobei die Annahme gemacht wird, daß B, H und f fehlerfrei sind, kann man auf zwei Arten vorgehen:

α) Man rechnet die Raumkoordinaten mit den ausgeglichenen Werten der Bildkoordinaten und der Parallaxen und erhält X, Y, Z; die gemessenen Werte der Bildkoordinaten und Parallaxen liefern:

$$(X),\ (Y),\ (Z),$$

somit stellen:

$$\left.\begin{aligned} X-(X) &= \varDelta X \\ Y-(Y) &= \varDelta Y \\ Z-(Z) &= \varDelta Z \end{aligned}\right\} \quad \cdots \cdots \cdots \text{ VI}$$

die zu befürchtenden Fehler in den Raumkoordinaten vor.

β) Ein zweiter Weg zur Berechnung insbesondere der mittleren Fehler ist der, daß man, von den Fundamentalgleichungen für die Raumkoordinaten ausgehend, den mittleren Fehler einer Funktion von direkt gemessenen Größen bestimmt.

Da die Abszisse

$$X = \frac{B}{x_1 - x_2}\, x_1$$

ist, so hat man:

$$\varDelta X_1 = \left| \sqrt{\left(\frac{\partial X}{\partial x_1} \varDelta x_1\right)^2 + \left(\frac{\partial X_1}{\partial x_2} \varDelta x_2\right)^2},\right.$$

worin die partiellen Differentialquotienten lauten:

$$\left.\begin{aligned} \frac{\partial X_1}{\partial x_1} &= -\frac{x_2}{(x_1 - x_2)^2} B = -\frac{x_2}{x_1(x_1 - x_2)} X_1 \\ \frac{\partial X_1}{\partial x_2} &= \frac{x_1}{(x_1 - x_2)^2} B = \frac{1}{x_1 - x_2} X_1 \end{aligned}\right\}$$

werden diese Werte in den allgemeinen Ausdruck für den mittleren Fehler in der Abszisse substituiert, so ergeben sich die beiden Fehler der Abszisse, der absolute und relative Fehler, in der Form:

$$\left.\begin{aligned} \varDelta X &= \frac{B}{(x_1 - x_2)^2} \sqrt{(x_2\, \varDelta x_1)^2 + (x_1\, \varDelta x_2)^2} \\ \frac{\varDelta X}{X} &= \frac{1}{x_1 - x_2} \sqrt{\left(\frac{x_2}{x_1} \varDelta x_1\right)^2 + (\varDelta x_2)^2} \end{aligned}\right\} \quad \cdots \ 10)$$

Da gleich sorgfältige Messungen der Bildabszissen vorausgesetzt werden, so wird $\varDelta x_1 = \varDelta x_2 = \varDelta x$ einzuführen sein, somit vereinfachen sich die vorstehenden Formeln; man erhält:

$$\left.\begin{aligned} \varDelta X &= \frac{B}{(x_1 - x_2)^2} \sqrt{x_1^2 + x_2^2}\ \varDelta x \\ \frac{\varDelta X}{X} &= \frac{1}{x_1(x_1 - x_2)} \sqrt{x_1^2 + x_2^2}\ \varDelta x \end{aligned}\right\} \quad \cdots \cdots \ 11)$$

In analoger Weise werden die mittleren Fehler für die anderen Raumkoordinaten abgeleitet auch für den Fall, wenn die Fundamentalformeln mit
den Vertikalparallaxen der Untersuchung zugrunde gelegt werden.

Wir stellen nachfolgend die Formeln zusammen für die absoluten und
relativen Fehler der Raumkoordinaten unter der Voraussetzung, daß die Ho-
rizontal- oder die Vertikalparallaxe in den Fundamentalformeln erscheint.

I. Fall: Horizontalparallaxe verwertet.

Die absoluten Fehler der Raumkoordinaten lauten:

$$\left.\begin{aligned}
\varDelta X &= \frac{B}{(x_1 - x_2)^2}\sqrt{(x_2\,\varDelta x_1)^2 + (x_1\,\varDelta x_2)^2} \\
\varDelta Y &= \frac{Bf}{(x_1 - x_2)^2}\sqrt{\varDelta x_1^2 + \varDelta x_2^2} \\
\varDelta Z &= \frac{B}{(x_1 - x_2)^2}\sqrt{(z_1\,\varDelta x_1)^2 + (z_1\,\varDelta x_2)^2 + (x_1 - x_2)^2\varDelta z_1^2}
\end{aligned}\right\}\text{VII}$$

und die relativen Fehler sind:

$$\left.\begin{aligned}
\frac{\varDelta X}{X} &= \frac{1}{x_1\,(x_1 - x_2)}\sqrt{(x_2\,\varDelta x_1)^2 + (x_1\,\varDelta x_2)^2} \\
\frac{\varDelta Y}{Y} &= \frac{1}{x_1 - x_2}\sqrt{\varDelta x_1^2 + \varDelta x_2^2} \\
\frac{\varDelta Z}{Z} &= \frac{1}{x_1 - x_2}\sqrt{\varDelta x_1^2 + \varDelta x_2^2 + \left(\frac{x_1 - x_2}{z_1}\varDelta z_1\right)^2}
\end{aligned}\right\}\text{VIII}$$

II. Fall: Vertikalparallaxe verwertet.

Dann werden die absoluten Fehler in den Raumkoordinaten:

$$\left.\begin{aligned}
\varDelta X &= \frac{H}{(z_1 - z_2)^2}\sqrt{(x_1\,\varDelta z_1)^2 + (x_1\,\varDelta z_2)^2 + (z_1 - z_2)^2\varDelta x_1^2} \\
\varDelta Y &= \frac{Hf}{(z_1 - z_2)^2}\sqrt{\varDelta z_1^2 + \varDelta z_2^2} \\
\varDelta Z &= \frac{H}{(z_1 - z_2)^2}\sqrt{(z_1\,\varDelta z_1)^2 + (z_2\,\varDelta z_2)^2}
\end{aligned}\right\}\;.\;\text{IX}$$

und die relativen Fehler:

$$\left.\begin{aligned}
\frac{\varDelta X}{X} &= \frac{1}{z_1 - z_2}\sqrt{\varDelta z_1^2 + \varDelta z_2^2 + \left(\frac{z_1 - z_1}{x_1}\varDelta x_1\right)^2} \\
\frac{\varDelta Y}{Y} &= \frac{1}{z_1 - z_2}\sqrt{\varDelta z_1^2 + \varDelta z_2^2} \\
\frac{\varDelta Z}{Z} &= \frac{1}{z_1\,(z_1 - z_2)}\sqrt{(z_2\,\varDelta z_1)^2 + (z_1\,\varDelta z_2)^2}
\end{aligned}\right\}\;.\;\text{X}$$

Werden in den aufgestellten Ausdrücken die absoluten mittleren Fehler
der Bildkoordinaten einander gleichgesetzt, also $\varDelta x_1 = \varDelta x_2 = \varDelta z_1 = \varDelta z_2$
$= \varDelta x = \varDelta z$ eingeführt, so treten nicht unwesentliche Vereinfachungen der
Gleichungen für die mittleren Koordinatenfehler ein; die allgemeinen Ausdrücke können aus den vorstehenden Gleichungen VII bis X einfach gewonnen werden.

b) Hat man die Raumkoordinaten mit den unausgeglichenen Werten der Bildkoordinaten berechnet, so kann die Bestimmung der Fehler insbesondere von X und Z, respektive ihre Ausgleichung auf Grund von bedingten Beobachtungen vorgenommen werden.

Zufolge der ersten der Gleichungen 6) hat man:

als theoretische Bedingungsgleichung: $\qquad X_1 - X_2 - B = 0,$

als Widerspruchsgleichung: $\qquad (X_1) - (X_2) - B = w$ $\qquad$. 12)

und als Verbesserungsgleichung: $\qquad v_1 - v_2 + w = 0,$

wobei die Verbesserungen die Form haben:

$$v_1 = a_1 K$$
$$v_2 = a_2 K$$

hierin ist

$$a_1 = +1, \quad a_2 = -1,$$

und die Korrelate rechnet sich aus:

$$[a\,a]\,K + w = 0,$$

also

$$K = -\frac{w}{[a\,a]} = -\frac{w}{2} \quad \cdots \cdots \quad 13)$$

Es resultiert dann für die Verbesserungen:

$$v_1 = \varDelta X_1 = -\frac{w}{2}$$
$$v_2 = \varDelta X_2 = +\frac{w}{2}$$
$$\qquad \cdots \cdots \quad \text{XI}$$

somit werden die ausgeglichenen Abszissen des Raumpunktes sein:

$$X_1 = (X_1) - \frac{w}{2}$$
$$X_2 = (X_2) + \frac{w}{2}$$
$$\qquad \cdots \cdots \quad \text{XII}$$

Anmerkung. Man kann hier auch Gewichte bei der Ausgleichung einführen; man erhält: $p_1 = \dfrac{m_0^2}{m_1^2}$, worin $m_1 = \mu \sqrt{X_1}$ gesetzt werden kann. somit:

$$p_1 = \frac{m_0^2}{\mu^2 X_1},$$

oder, da $m_0 = \mu$ gesetzt werden kann, so wird für die Gewichte erhalten:

$$p_1 = \frac{1}{X_1} \cdots p_2 = \frac{1}{X_2}.$$

Für die Verbesserungen hat man dann:

$$v_1 = \frac{a_1}{p_1} K_1 \cdots v_2 = \frac{a_2}{p_2} K,$$

worin die Korrelate K berechnet wird aus der Gleichung:

$$\left[\frac{aa}{p}\right]K + w = 0 \ldots K = -\frac{w}{\left[\frac{aa}{p}\right]} \quad \ldots \ldots 14)$$

Da nun

$$\left[\frac{aa}{p}\right] = X_1 + X_2$$

ist, so wird die Korrelate

$$K = -\frac{w}{X_1 + X_2} \quad \ldots \ldots \ldots 15)$$

und die Verbesserungen:

$$\left.\begin{aligned} v_1 &= -\frac{X_1}{X_1 + X_2} w = \varDelta X_1 \\ v_2 &= +\frac{X_2}{X_1 + X_3} w = \varDelta X_2 \end{aligned}\right\} \quad \ldots \ldots \text{XIII}$$

und die ausgeglichenen Werte der Abszissen lauten:

$$\left.\begin{aligned} X_1 &= (X_1) + \varDelta X_1 = (X_1) - \frac{X_1}{X_1 + X_2} w \\ X_2 &= (X_2) + \varDelta X_2 = (X_2) + \frac{X_2}{X_1 + X_2} w \end{aligned}\right\} \quad \ldots \text{XIV}$$

In ähnlicher Weise können auch die Raumkoordinaten Z ausgeglichen werden.

II.

Fundamentalformeln für die Verwendung der schiefen Parallaxe.

Statt die Bildpunkte der Photogramme bei stereophotogrammetrischen Aufnahmen auf die Horizonte und Vertikallinien zu beziehen durch die Koordinaten: x_1, z_1 und x_2, z_2, kann man auch die Verbindungsgerade der perspektivischen Hauptpunkte $\overline{\Omega_1 \Omega_2}$ und die hierzu Normale als Achsenkreuz verwenden und die Koordinaten ermitteln: ξ_1, η_1 und ξ_1, η_2.

Da nun nach Fig. 1 aus leicht erkennbaren Gründen die Verbindungsgeraden der Bildpunkte $\overline{p_1 p_2}$ zu $\overline{\Omega_1 \Omega_2}$ parallel sein müssen, so wird die Beziehung bestehen, daß

$$\eta_1 = \eta_2 = \eta$$

sein muss.

Projiziert man in Fig. 2 η und ξ_1 auf x_1 und z_1 und analog η und ξ_2 auf x_2 und z_2, so erhält man auf Grund der Projektionsgleichungen die Beziehungen:

$$\left.\begin{aligned} \cos\varphi \; \xi_1 - \sin\varphi \; \eta &= x_1 \\ \sin\varphi \; \xi_1 + \cos\varphi \; \eta &= z_1 \\ \cos\varphi \; \xi_2 - \sin\varphi \; \eta &= x_2 \\ \sin\eta \; \xi_2 + \cos\varphi \; \eta &= z_2 \end{aligned}\right\} ; \quad \ldots \ldots (17)$$

und

hieraus rechnen sich:

$$\left.\begin{aligned} \xi_1 &= x_1 \cos\varphi + z_1 \sin\varphi \\ \eta &= -x_1 \sin\varphi + z_1 \cos\varphi \\ \xi_2 &= x_2 \cos\varphi + z_2 \sin\varphi \\ \eta &= -x_2 \sin\varphi + z_2 \cos\varphi \end{aligned}\right\} \quad \ldots \ldots (18)$$

und die wichtige Relation:

$$x_1 - x_2 = (\xi_1 - \xi_2) \cos \varphi \ldots h = s \cos \varphi$$
$$z_1 - z_2 = (\xi_1 - \xi_2) \sin \varphi \ldots v = s \sin \varphi$$

$\qquad \ldots \ldots \text{XV}$

Die Differenz $\xi_1 - \xi_2 = s$, schiefe Parallaxe benannt, weil sie in die geneigte Richtung der Verbindungsgeraden der perspektivischen Haupt-punkte der Photogramme fällt, gestattet eine Transformation der Kardinal-formeln der Stereophotogrammetrie I und II, die mit Vorteil verwendet werden können.

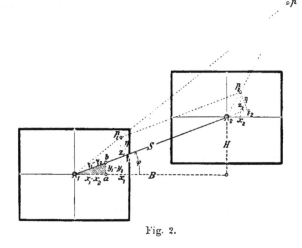

Fig. 2.

Wir erhalten:

$$X_1 = \frac{\dfrac{B}{\cos \varphi}}{\xi_1 - \xi_2} x_1 = \frac{\dfrac{H}{\sin \varphi}}{\xi_1 - \xi_2} x_1$$

$$Y_1 = \frac{\dfrac{B}{\cos \varphi}}{\xi_1 - \xi_2} f = \frac{\dfrac{H}{\sin \varphi}}{\xi_1 - \xi_2} f \qquad , \quad \ldots \quad \text{XVI}$$

$$Z_1 = \frac{\dfrac{B}{\cos \varphi}}{\xi_1 - \xi_2} z_1 = \frac{\dfrac{H}{\sin \varphi}}{\xi_1 - \xi_2} z_1$$

beziehungsweise

$$X_2 = \frac{\dfrac{B}{\cos \varphi}}{\xi_1 - \xi_2} x_2 = \frac{\dfrac{H}{\sin \varphi}}{\xi_1 - \xi_2} x_2$$

$$Y_2 = \frac{\dfrac{B}{\cos \varphi}}{\xi_1 - \xi_2} f = \frac{\dfrac{H}{\sin \varphi}}{\xi_1 - \xi_2} f \qquad \ldots \quad \text{XVII}$$

$$Z_2 = \frac{\dfrac{B}{\cos \varphi}}{\xi_1 - \xi_2} z_2 = \frac{\dfrac{H}{\sin \varphi}}{\xi_1 - \xi_2} z_2$$

Diese Formeln enthalten Größen, die durch zwei verschiedene Orientierungen der Platten auf dem Stereo-Koordinatometer erhalten werden und zwar:

a) Die Bestimmung der schiefen Parallaxe $s = \xi_1 - \xi_2$ erfolgt auf Grund einer Orientierung der Platten, wie sie die Fig. 3 zeigt. Der Neigungswinkel zwischen dem Plattenhorizonte und der Verbindungslinie der Hauptpunkte der Stereogramme ist gleich dem Neigungswinkel φ der Basis zum Horizonte.

Der Eindruck der geneigten Lage des Objektes wird beseitigt, wenn man die Papierebene um den Winkel φ verdreht, wodurch der Plattenhorizont in die horizontale Lage gelangt; man muß dann mit dem Stereoskope und dem Kopfe in derselben Richtung, also nach links folgen. Die Verbindungsgerade der Augenmittelpunkte wird parallel zur geneigten Basis.

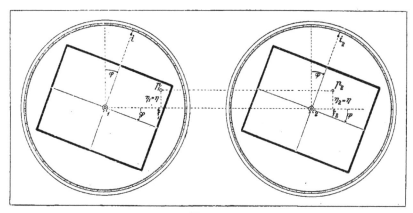

Fig. 3.

Die Platten lassen sich auf dem Stereo-Koordinatometer rasch in die gewünschte Lage bringen; der Winkel φ, um welchen die Plattenhorizonte zur Verbindungslinie der Hauptpunkte $\overline{\Omega_1 \Omega_2}$ der Stereogramme verdreht werden müssen, ist bestimmt durch

$$tg\,\varphi = \frac{H}{B}$$

und die Verdrehung kann mit Zuhilfenahme der Indizes i_1 und i_2 an den geteilten Kreisen vorgenommen werden.

Hat man markante Punkte auf beiden Stereogrammen, die unzweifelhaft sicher identifiziert werden können, oder ·sind Kontrollpunkte vorhanden, so ist eine Orientierung der Platten unmittelbar mit Hilfe dieser Bildpunkte möglich, nachdem die Verbindungsgerade dieser Punkte z. B. $\overline{p_1\,p_2}$ parallel zu $\overline{\Omega_1 \Omega_2}$ sein muß.

Auf Grund dieser Tatsache kann auch die Neigung φ der Basis zum Horizonte aus den korrespondierenden Bildern der Kontrollpunkte erhalten werden.

Diese Aufstellung der Platten im Stereo-Koordinatometer hat den eminenten Vorteil, daß die Höhendifferenzen der Bildpunkte auf beiden Stereogrammen vollkommen entfallen, da sie gleichen Abstand η von $\overline{\Omega_1 \Omega_2}$ haben, also, was zur Folge hat, daß die stereoskopische Betrachtung der Platten in ihrer ganzen Ausdehnung möglich ist, der Beobachter genießt überall eine ungestörte stereoskopische Wirkung des Bildes, also des Gesamtbildes.

Wenn der Beobachter am Stereo-Koordinatometer das Bild am linken Stereogramme einstellt, erhält er ξ_1 und η und durch Verstellung der Parallaxenschraube mißt er $\xi_1 - \xi_2 = s$, voraus $\xi_2 = s + \xi_1$ folgt.

In oberen Formeln bedarf man nur der schiefen Parallaxe $s = \xi_1 - \xi_2$.

b) Die zweite Orientierung der Platten am Stereo-Koordinatometer hat den Zweck, die Bildkoordinaten x_1 und z_1, beziehungsweise x_2 und z_2 zu bestimmen.

Zu dem Behufe müssen die Platten neu justiert und zwar die Plattenhorizonte parallel zur Verbindungsgerade der Okular- oder der Parallaxenschraube gestellt werden; durch bekannte Operationen erhält man x_1 und z_1 am linken, respektive x_2 und z_2 am rechten Stereogramme.

Diese doppelte Orientierung der Platten am Stereo-Koordinatometer erfordert Zeit und Mühe und wird trotz des erwähnten schätzenswerten Vorteiles, daß die stereoskopische Betrachtung eines beliebigen Teiles der Platten nach einmal durchgeführter Justierung möglich ist, praktisch nicht geübt, sondern es wird als vorteilhafter angesehen, die Platten von vornherein ganz ohne Rücksicht auf die Neigung der Standlinie so zu orientieren, daß der Plattenhorizont der Verbindungslinie der Okulare parallel gestellt ist; man erhält dann x_1, z_1 und $h = x_1 - x_2$ und verwertet die Formeln I und II).

Die übliche Orientierung der Stereogramme im Stereo-Koordinatometer erfolgt nach den Plattenhorizonten, sie hat bei geneigter Basis den Übelstand, daß zum Zwecke der Parallaxenmessung immer — von neuem — die Höhendifferenzen der Bildpunkte ausgeglichen werden müssen. Diese Art der Orientierung hat ferner den Nachteil, daß nur ein kleiner Teil der Platten ungestört stereoskopisch betrachtet werden kann, was vielleicht deshalb nicht besonders stört, als das Gesichtsfeld des Mikroskopstereoskopes nicht groß ist.

Die Plattenorientierung nach der Verbindungslinie korrespondierender Punkte, welche die ungestörte stereoskopische Betrachtung des Gesamtbildes gewährleistet, wird dann für die Praxis Bedeutung gewinnen müssen, wenn sich einfache Formeln für die Raumkoordinaten aufstellen lassen, die nur die bei dieser Orientierung gemessenen Bildkoordinaten ξ_1, ξ_2, η und $s = \xi_1 - \xi_2$ enthalten.

Es läßt sich unschwer nachweisen, daß die in der schiefen Lage am Stereokomparator gemessenen Koordinatenwerte: ξ_1, η und $\xi_1 - \xi_2 = s$ bei genauer Kenntnis der Lage und Höhe der Basisendpunkte vollends ausreichen, um die Raumkoordinaten als Funktionen dieser Größen darzustellen.

Werden die in den Gleichungen erscheinenden x_1, z_1 und x_2, z_2 mit Heranziehung der Gleichungen (18) durch ξ_1, η und ξ_2 ausgedrückt und in die genannten Gleichungen XVI und XVII eingeführt, so folgt:

$$X_1 = \frac{\dfrac{B}{cos\,\varphi}}{\xi_1 - \xi_2}(\xi_1\,cos\,\varphi - \eta\,sin\,\varphi) = \frac{\dfrac{H}{sin\,\varphi}}{\xi_1 - \xi_2}(\xi_1\,cos\,\varphi - \eta\,sin\,\varphi)$$

$$Y_1 = \frac{\dfrac{B}{cos\,\varphi}}{\xi_1 - \xi_2}f = \frac{\dfrac{H}{sin\,\varphi}}{\xi_1 - \xi_2}f \qquad\qquad (19)$$

$$Z_1 = \frac{\dfrac{B}{cos\,\varphi}}{\xi_1 - \xi_2}(\xi_1\,sin\,\varphi + \eta\,cos\,\varphi) = \frac{\dfrac{H}{sin\,\varphi}}{\xi_1 - \xi_2}(\xi_1\,sin\,\varphi + \eta\,cos\,\varphi)$$

und

$$X_2 = \frac{\dfrac{B}{cos\,\varphi}}{\xi_1 - \xi_2}(\xi_2\,cos\,\varphi - \eta\,sin\,\varphi) = \frac{\dfrac{H}{sin\,\varphi}}{\xi_1 - \xi_2}(\xi_2\,cos\,\varphi - \eta\,sin\,\varphi)$$

$$Y_2 = \frac{\dfrac{B}{cos\,\varphi}}{\xi_1 - \xi_2}f = \frac{\dfrac{H}{sin\,\varphi}}{\xi_1 - \xi_2}f \qquad\qquad (20)$$

$$Z_2 = \frac{\dfrac{B}{cos\,\varphi}}{\xi_1 - \xi_2}(\xi_2\,sin\,\varphi_1 + \eta\,cos\,\varphi) = \frac{\dfrac{H}{sin\,\varphi}}{\xi_1 - \xi_2}(\xi_2\,sin\,\varphi + \eta\,cos\,\varphi)$$

Nach Unformung vorstehender Ausdrücke durch Einführung von $tg\,\varphi = \dfrac{H}{B}$ ergeben sich die transformierten Formeln für die Raumkoordinaten:

$$X_1 = \frac{B}{\xi_1 - \xi_2}\xi_1 - \frac{H}{\xi_1 - \xi_2}\eta$$

$$Y_1 = \frac{\dfrac{B}{cos\,\varphi}}{\xi_1 - \xi_2}f = \frac{\dfrac{H}{sin\,\varphi}}{\xi_1 - \xi_2}f \qquad \cdots\cdots \text{XVIII}$$

$$Z_1 = \frac{H}{\xi_1 - \xi_2}\xi_1 + \frac{B}{\xi_1 - \xi_2}\eta$$

und

$$X_2 = \frac{B}{\xi_1 - \xi_2}\xi_2 - \frac{H}{\xi_1 - \xi_2}\eta$$

$$Y_2 = \frac{\dfrac{B}{cos\,\varphi}}{\xi_1 - \xi_2}f = \frac{\dfrac{H}{sin\,\varphi}}{\xi_1 - \xi_2}f \qquad \cdots\cdots \text{XIX}$$

$$Z_2 = \frac{H}{\xi_1 - \xi_2}\xi_2 + \frac{B}{\xi_1 - \xi_2}\eta$$

Die Gleichungen (19) und (20) für die Raumkoordinaten lassen eine weitere Umformung zu, die insbesondere für die konstruktive Bestimmung der Koordinaten von großem Vorteile ist; die genannten Gleichungen können geschrieben werden:

Archiv für Photogrammetrie,

$$X_1 = \frac{B}{\xi_1 - \xi_2}\left(\xi_1 - \eta\frac{H}{B}\right) = \frac{B}{\xi_1 - \xi_2}(\xi_1 - \eta\,tg\,\varphi)$$

$$Y_1 = \frac{\frac{B}{cos\,\varphi}}{\xi_1 - \xi_2}f = \frac{\frac{H}{sin\,\varphi}}{\xi_1 - \xi_2}f \qquad\qquad (21)$$

$$Z_1 = \frac{B}{\xi_1 - \xi_2}\left(\xi_1\frac{H}{B} - \eta\right) = \frac{B}{\xi_1 - \xi_2}(\xi_1\,tg\,\varphi + \eta)$$

und analog

$$X_2 = \frac{B}{\xi_1 - \xi_2}\left(\xi_2 - \eta\frac{H}{B}\right) = \frac{B}{\xi_1 - \xi_2}(\xi_2 - \eta\,tg\,\varphi)$$

$$Y_2 = \frac{\frac{B}{cos\,\varphi}}{\xi_1 - \xi_2}f = \frac{\frac{H}{sin\,\varphi}}{\xi_1 - \xi_2}f \qquad\qquad (22)$$

$$Z_2 = \frac{B}{\xi_1 - \xi_2}\left(\xi_2\frac{H}{B} + \eta\right) = \frac{B}{\xi_1 - \xi_2}(\xi_2\,tg\,\varphi + \eta)$$

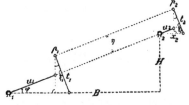

Fig. 4.

Da nun aus der Fig. 4 unmittelbar abgelesen werden kann:

$$u_1 = \xi_1 - \eta\,tg\,\varphi$$
$$u_2 = \xi_2 - \eta\,tg\,\varphi$$

und

$$t_1 = \xi_1\,tg\,\varphi + \eta$$
$$t_2 = \xi_2\,tg\,\varphi + \eta \qquad\qquad (23)$$

so nehmen die Gleichungen (21) und (22) die Form an:

$$X_1 = \frac{B}{\xi_1 - \xi_2}u_1$$

$$Y_1 = \frac{\frac{B}{cos\,\varphi}}{\xi_1 - \xi_2}f = \frac{\frac{H}{sin\,\varphi}}{\xi_1 - \xi_2}f \qquad\qquad XX$$

$$Z_1 = \frac{B}{\xi_1 - \xi_2}t_1$$

sowie:

$$X_2 = \frac{B}{\xi_1 - \xi_2}u_2$$

$$Y_2 = \frac{\frac{B}{cos\,\varphi}}{\xi_1 - \xi_2}f = \frac{\frac{H}{sin\,\varphi}}{\xi_1 - \xi_2}f \qquad\qquad XXI$$

$$Z_2 = \frac{B}{\xi_2 - \xi_2}t_2$$

Bedenkt man, daß die Ausdrücke: u_1, t_1, sowie u_2, t_2 ebenso rasch rechnerisch als graphisch bestimmt werden können, daß es nicht schwer fällt, für die Verwertung der in Fig. 4 angegebenen Beziehung eventuell einen kleinen Apparat anzufertigen, der geradezu mechanisch diese Größen liefert, so gestatten wohl die Formeln (XX und XXI), die Raumkoordinaten gleichfalls bequem zu bestimmen.

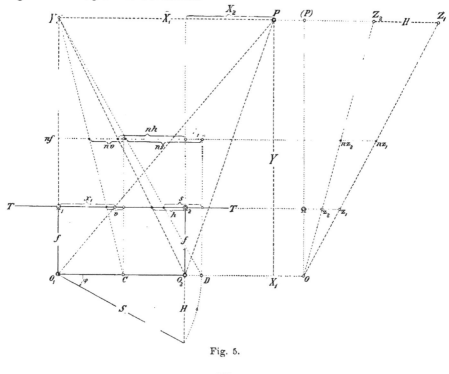

Fig. 5.

III.

Konstruktive Bestimmung der Raumkoordinaten.

Die Ermittlung der Raumkoordinaten durch Konstruktion stützt sich auf die graphische Darstellung der abgeleiteten Ausdrücke derselben; hierbei kommen vornehmlich ähnliche Dreiecke zur Verwendung.

In Fig. 5 kommt die übliche Bestimmung der Raumkoordinaten zur Darstellung, wobei die Horizontalparallaxe $h = x_1 - x_2$, sowie die Bildkoordinaten x_1 und z_1 benutzt wurden.

Eine Kontrolle ergibt sich, wenn die Situation P des Punktes mit O_2 verbunden wird; diese Verbindungsgerade trifft die Bildtrasse TT in einem Punkte, dessen Abstand von Ω_2 die Abszisse x_2 geben muß; auch ist $x_2 = x_1 - h$. Eine weitere Kontrolle wird erhalten, wenn von Z_1 der Höhenunterschied H in entsprechendem Sinne aufgetragen und der erhaltene Punkt Z_2 mit O verbunden wird; diese Verbindungsgerade schneidet auf der Bildtrasse die Bildkoordinate z_2 ab, welche durch direkte Messung auf dem rechten Stereogramme erhalten werden müßte.

Es sei ausdrücklich bemerkt, daß in vielen Fällen statt der kleinen Größen $h = x_1 - x_2$, x_1 und z_1 Vielfache $n\,h = n\,(x_1 - x_2)$, $n\,x_1$ und $n\,z_1$ zu nehmen sind, zu welchem Zwecke dann die Bildtrasse TT im Abstande $n\,f$ von $O_1\,O_2$ gezeichnet werden muß.

Die Fig. 5 zeigt die Verwertung der Vertikal- und schiefen Parallaxe zur Bestimmung der Ordinate Y, in analoger Weise ausgeführt wie mit Zugrundelegung der Horizontalparallaxe. Die Konstruktion stützt sich im ersten Falle auf den Höhenunterschied $H = \overline{O_1\,C_1}$ respektive auf die schiefe Distanz der Bildzentren $\overline{O_1\,O_2} = S = \dfrac{B}{\cos\varphi} = \dfrac{H}{\sin\varphi}$. Die Ver-

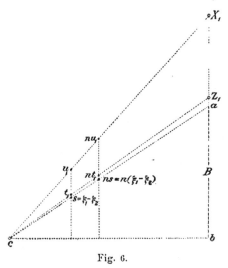

Fig. 6.

bindungsgeraden C und des Endpunktes der Vertikalparallaxe $v = z_1 - z_2$ sowie D und des Endpunktes der Schiefenparallaxe $s = \xi_1 - \xi_2$ schneiden sich in einem Punkte Y, durch welchen auch die Verbindungsgerade O_2 mit dem Endpunkte der Horizontalparallaxe $h = x_1 - x_2$ hindurchgeht.

Um die Situation P des Raumpunktes zu erhalten, muß man noch X_1, respektive X_2 kennen und zur Höhenbestimmung sind noch die dritten Raumkoordinaten Z_1, beziehungsweise Z_2 erforderlich. Es handelt sich bei der konstruktiven Bestimmung um die graphische Darstellung der Ausdrücke XX und XXI, die sich auf die Ähnlichkeit der Dreiecke stützt.

In Fig. 6 kann die Konstruktion der Ausdrücke

$$X_1 = \frac{B}{\xi_1 - \xi_2}\,u_2 \qquad . \qquad Z_1 = \frac{B}{\xi_1 - \xi_2}\,t_1$$

verfolgt werden; analog geht man vor, wenn X_2 und Z_2 bestimmt wird, oder wenn die Ausdrücke für die Raumkoordinaten statt der Grundlinie B den Höhenunterschied H enthalten.

Kleinere Mitteilungen.

Autostereograph des k. u. k. Oberleutnant Eduard v. Orel. Bei Ausarbeitung von Plattenpaaren mittels des Stereokomparators (Dr. C. Pulfrich, Zeiss-Jena) werden bekanntlich die Elemente zur Punktbestimmung an Maßstäben abgelesen und sodann die senkrechte Entfernung des Punktes von der Standlinie mittels der bekannten Abstandsformel $A = \dfrac{B \cdot f}{a}$ gerechnet; hierauf wird dieser ermittelte senkrechte Abstand unter Berücksichtigung der Abszisse x auf das Konstruktionsbrett aufgetragen.

Nachdem einem bestimmten gesuchten Punkte in dem stereoskopischen Raumbilde jeweils ganz bestimmte, durch Einstellen der optischen Marke hervorgerufene Schlittenbewegungen des Stereokomparators entsprechen, mithin die Punktlage durch diese letzteren stets eindeutig festgelegt erscheint, so lag der Gedanke nahe, diese Bewegungen direkt von einem „Auftragsapparat" übernehmen zu lassen — mithin die Bestimmung der Punktlage „automatisch" zu bewirken.

Diesem Gedanken folgend, wurde die Konstruktion eines Auftragapparates durchgeführt. Hätte man die gewöhnliche Abstandsgleichung $A : B = f : a$ beibehalten, so würde die Praxis ungünstige, schiefe und unsichere Schnitte ergeben.

Nachdem die Gleichung auch in der Form: $A : B \cdot x = \dfrac{f}{x} \cdot a$ ihre Giltigkeit behält, dabei aber der Schnittwinkel in der gesuchten Distanz in gleichem Maße zunimmt, als die Basis vergrößert wird, wurde diese modifizierte Abstandsformel dem Auftragapparate zugrunde gelegt.

Dem Stereokomparator wurde ein Konstruktionsbrett unmittelbar angegliedert, der Auftragsapparat mit den Schlitten fest verbunden, wodurch jede, einer bestimmten Punktlage entsprechende Schlittenbewegung direkt ersichtlich und übernommen wird. Eine elektrisch oder pneumatisch betätigte Pickiervorrichtung besorgt das Festhalten des gesuchten Punktes auf der Papierfläche.

Die der Ordinate y entsprechende Schlittenbewegung wird ebenfalls unmittelbar übernommen, auf einer zweiten, über dem eigentlichen Konstruktionsbrette befindlichen Ebene in direkte Beziehung zur Entfernung des gesuchten Punktes gebracht, wodurch die automatische Höhenbestimmung ermöglicht wird. Nachdem somit eine fortwährende, ohne weiteres sichtbare Kontrolle des relativen Höhenunterschiedes irgend eines beliebigen Punktes zum Standpunkte stattfindet, ist man in der Lage, Punkte gleicher Höhe in beliebiger Anzahl aufzusuchen. Diese Anordnung gestattet sonach ein unmittelbares Schichtenlegen.

Auch die Punktbestimmung aus parallel verschwenkten Plattenpaaren ist ohne weitere Komplikation ermöglicht.

Die angestellten Versuche ergaben außerordentlich befriedigende Resultate. Der Auftragapparat läßt sich für jede Basis und für jede Brennweite innerhalb normaler Grenzen einstellen, das Verhältnis dieser beiden kann ebenfalls mit Rücksicht auf die Güte des zu erhaltenden Schnittes beliebig modifiziert werden.

Etwa notwendige Parallaxen- oder Basiskorrekturen lassen sich sofort anbringen.

Der erste Auftragapparat wurde im mathematisch-mechanischen Institute von Rudolf und August Rost in Wien mit anerkennenswerter Präzision ausgeführt; die weitere Bearbeitung mit Einrichtung für direktes Schichtenlegen ist von der Firma Carl Zeiss (Jena) übernommen worden.

Sobald ein in allen Teilen fertiges Instrument vorliegt, wird eine ausführliche Besprechung folgen.

Phototopographische Arbeiten des k. u. k. militärgeographischen Institutes in Wien im Jahre 1907. Die 1907 im Gebiete der Adamello- und

Presanellagruppe durchgeführten stereophotogrammetrischen und photogrammetrischen Aufnahmen dienten im Winter zur Konstruktion und Höhenberechnung für zirka 7600 stereophotographische und 1900 photographische Punkte, auf Grund welcher die Felsenskizzierungen durchgeführt wurden.

Die Konstruktionsergebnisse wurden im Sommer verwertet; die Überprüfung ergab im allgemeinen sehr befriedigende Resultate.

1907 wurden in den Monaten Juli bis September die Ortlergruppe, dann ein Teil der Ötztaleralpen durch zwei Mappeure stereophotographisch und als Ergänzung, ferner zum Zwecke der Kontrolle auch photographisch aufgenommen; hierbei wurden 76 Standpunkte (darunter 13 bloß photographisch) mit 196 stereophotographischen Plattenpaaren erledigt und außerdem 281 photographische Bilder aufgenommen. Die Konstruktions- und Rechnungsarbeiten sind im Zuge.

1906 (Winterarbeit 1906—1907).

Photogrammetrie und Stereophotogrammetrie: Personalstand durchschnittlich : 2·9; Arbeitstage: 515; zur Arbeit nicht verwendete Tage: 13.

1907 (Sommerarbeit).

Photogrammetrie und Stereophotogrammetrie: Personalstand (durchschnittlich): 3·6; Arbeitstage (Feldarbeit): 116, (Zimmerarbeit): 143; zur Arbeit nicht verwendete Tage: 93.

Photogrammetrie auf der geodätischen Ausstellung in Moskau Januar 1908.

Im Januar d. J. hat die „Gesellschaft der russischen Landmesser" ihre Jahresversammlung in Moskau abgehalten und wurde bei dieser Gelegenheit in der Zeit vom 20. Januar bis 2. Februar d. J. eine Ausstellung von geodätischen Instrumenten, Geräten usw. veranstaltet.

Bedeutende Fachmänner haben zur Erklärung der Ausstellungsgegenstände interessante Vorträge gehalten und einschlägige Instrumente demonstriert.

Prof. N. N. Veselowski hat drei Vorträge über photogrammetrische Themen gehalten und zwar:

1. „Photogrammetrische Aufnahme."
2. „Über stereophotogrammetrische Aufnahmen."
3. „Stereophotogrammetrische Bestimmung der Distanzen nach den stereoskopischen Aufnahmen. Demonstration des Stereoskopes und des Stereometers von Zeiss."

Eine wissenschaftliche photographische Expedition nach Assuan in Oberägypten

unternehmen zurzeit die Professoren Dr. Miethe und Dr. Kuribaum. Während letzterer dort mittels eigens konstruierter Apparate Messungen der Wärme vorzunehmen beabsichtigt, die von der Sonne auf die Erde eingestrahlt wird, will Prof. Dr. Miethe die in Oberägypten häufig und besonders schön auftretenden Farbenphänomene während des Sonnenunterganges farbenphotographisch aufnehmen. Auch der ultraviolette Teil des Sonnenspektrums soll während der verschiedenen Höhenstände der Sonne genau erforscht werden. Frühere Arbeiten dieser Art waren ungenau, weil man mit den älteren Apparaten nicht ganz vollkommene Messungen ausführen konnte. Nun aber nimmt Dr. Miethe einen für die Spektrumbeobachtung bestimmten Apparat mit, dessen Linsen aus Quarz sind und dessen Prisma aus Kalkspat besteht, wodurch der ultraviolette Teil besser studiert werden kann. Das wissenschaftliche Programm dieser Expedition erstreckt sich überdies auch auf die Beobachtung der Spektrallinien des Zodiakallichtes. Für diesen Zweck ist eine eigens konstruierte photographische Kamera vorgesehen, die einen Uhrwerkmechanismus erhält, der für solche langdauernde Aufnahmen notwendig ist. Weiter sollen auch Studien und Lichtbilder von der eigentlichen Verflachung der Sonne während ihres Aufgehens gemacht werden. Mittels des besonderen Apparates wird zugleich die Sonnenhöhe festgestellt und ermöglicht, ihren Durchmesser in der Höhe und in der Breite zu ermitteln. Die Resultate dieser interessanten Forschungsreise werden insbesondere, was die letzterwähnten Probleme betrifft, uns Photogrammeter besonders interessieren und wir erwarten daher die bezügliche Publikation mit Freuden.

Das Photographieren von Pflanzen in ihrem Wachstume. Es ist außerordentlich interessant, Pflanzen oder Insekten in ihrer Entwicklung und ihren Gewohnheiten zu beobachten und die Beobachtungen in längeren oder kürzeren Zwischenräumen, besonders aber, wenn die Formen und Lebensäußerungen der Objekte gewisse Wechselungen zeigen, photographisch festzuhalten. In Fällen, wo das Wachstum sehr schnell erfolgt und wo es mit künstlichen Mitteln noch beschleunigt werden kann, hat man derartige Aufnahmen bereits kinematographisch hergestellt. In den meisten Fällen genügt aber bei Pflanzen und auch bei Insekten die gewöhnliche Kamera. Ein Beispiel, wie dieses Pflanzenwachstum photographiert werden kann, gibt Robert in „Phot. Monthly". Er zeigt das Wachstum einer Hyazinthe in 18 Aufnahmen und bemerkt über die Herstellung dieser Aufnahmenreihe folgendes: Eine gute Hyazinthenzwiebel (es eignen sich besonders weiß oder rosa blühende), wurde auf einen mit einem Loch versehenen Karton gebracht, der wieder auf eine Glasbüchse mit Wasser gelegt wurde, so daß sich die Wurzelfäden der Zwiebel nach dem Wasser entwickeln konnten. Zum Vorteile des Wachstumes wurde die Büchse mit der Zwiebel zunächst einige Tage in einen dunklen Raum gebracht. Nach dem Erscheinen der ersten Blattspuren wurde mit der Aufnahme begonnen. Weitere Aufnahmen erfolgten alle drei, beziehungsweise alle zwei Tage. Die letzten sechs Aufnahmen wurden täglich gemacht, so daß die Schlußaufnahme mit dem 30. Tage bei vollentwickelter Blüte erfolgte. Während der ganzen Aufnahmedauer nahmen Pflanze und Apparat die gleichen Stellungen ein. (Verfasser empfiehlt in Fällen, wo der Apparat nicht stehen bleiben kann, die Stellung auf dem Fußboden zu markieren.) Bei der Aufnahme in der Blütezeit wurde die Pflanze mit einem Handspiegel so reflektiert, daß ihre Formen auch in dem Schatten vorzüglich zur Geltung kommen konnten. Beschleunigt kann das Wachstum einer solchen Pflanze werden, wenn das Wasser alle drei Tage gewechselt wird. Da die Wurzeln einer solchen Zwiebel sehr empfindlich sind, muß man jedes Berühren derselben vermeiden. Wenn die Blüte der Pflanze anfängt sich stärker zu entwickeln, muß man sie durch Anbinden an den Hintergrund festmachen.

Unstreitig fällt bei diesem Problem der Photogrammetrie die führende Rolle zu und es steht außer allem Zweifel, daß da Pulfrichs stereophotogrammetrische Apparate zur Aufnahme von kleinen Objekten und sein Stereometer von großem Nutzen sein werden.

Photogrammetrie in Moskau. Staatsrat R. Thiele, der wackere Vertreter der photographischen Meßkunst in Rußland, hat in einem öffentlichen Vortrage: „Photogrammetrie, Stereophotogrammetrie und Aërophototopographie", den er am 2. April d. J. in der Moskauer kaiserlichen Ingenieurhochschule gehalten hat, ein zahlreiches und dankbares Publikum versammelt.

Es kamen neben den zahlreichen Arbeiten des Vortragenden die Arbeiten von Baron Hühl, Paganini, Devilles, Wheeler, von den Hauptleuten Scheimpflug und Truck zur Ausstellung, die ein reges Interesse erweckten.

Anschließend an den erwähnten Vortrag machte Ingenieur Eichenwald eine Mitteilung über die Verwendung der Stereophotogrammetrie in der Astronomie, Anthropologie und in der Architektur sowie zur Aufnahme von Meereswellen, die in hohem Maße die große Zahl von Zuhörern fesselten.

Vom VIII. intern..tionalen Architektenkongresse in Wien Mai 1908. Die Architekturen und Baudenkmäler, als Schöpfungen von Architekten und Baukünstlern boten der Photogrammetrie von jeher ein dankbares Anwendungsgebiet. So ist es nun erklärlich, daß der Begründer der Architekturphotogrammetrie in

Deutschland und des Denkmälerarchives in Preußen, der bekannte Vorsteher der Meßbildanstalt zu Berlin, Geheimer Baurat Prof. Dr. A. Meydenbauer, vor einer so illustren Versammlung von Photogrammetrie-Interessenten einen Vortrag: „Über Meßbildaufnahmen von Baudenkmälern" angekündigt hat.

Sein hohes Alter, Meydenbauer zählt gegenwärtig 75 Jahre, hinderte ihn, eine so weite Reise von Berlin nach Wien anzutreten und so wurde nun Professor E. Doležal von der k. k. technischen Hochschule in Wien, ein Schüler Meydenbauers, geladen, einen Vortrag über Photogrammetrie zu übernehmen.

Am 21. Mai hielt nun Prof. Doležal im Saale des niederösterreichischen Gewerbevereines seinen Vortrag: „Photogrammetrie in der Architektur und in der Denkmalpflege", der mit einer großen Zahl von Projektionsbildern und mit einer schönen Ausstellung von photogrammetrischen Aufnahmen illustriert war.

Nach Erläuterung der Prinzipien der Photogrammetrie und der Stereophotogrammetrie besprach er ein typisches photogrammetrisches Instrument, welches nach Angaben des Hofrates Prof. Schell im mathematisch-mechanischen Institute von Rudolf und August Rost in Wien ausgeführt wurde. Nun erörterte er die Maßnahmen der Denkmalpflege in den einzelnen Staaten, die Verwendung der Photographie und Photogrammetrie, wobei er auf den Wert der letzteren besonders hinwies. Das photographische Bild bekommt, wenn es photogrammetrisch adjustiert wird, einen erhöhten Wert, indem es dadurch zu Meßzwecken verwendbar wird. Die Photographie wird bei Aufnahmen von Denkmälern überall da von Vorteil sein, wo es sich um Gewinnung von Maßen, um Herstellung von Grund- und Aufrissen handelt. Die Photographie und Photogrammetrie können, rationell und systematisch angewendet, eines der wichtigsten Hilfsmittel der Denkmalpflege werden und sollten in ausgedehntem Maße zur Inventarisierung unserer Kunstschätze herangezogen werden, um die Realisierung eines Denkmälerarchivs zu ermöglichen. Nur eine vollkommen naturtreue, korrekte und streng objektive bildliche Darstellung kann zur wahren Kenntnis der Baudenkmale führen. Die Photographie bietet nun die strengste Objektivität in der Darstellung und die photogrammetrisch adjustierten Bilder gestatten, alle Fragen über das Denkmal und seine Dimensionen zu beantworten. Durch die Photogrammetrie wird ein neues Element in die Denkmalkunde getragen, sie bietet ein Mittel, die Baudenkmale tatsächlich in „Bild und Maß" festzulegen. Der Vortragende schilderte nun in eingehender Weise die Art, wie die photogrammetrische Festlegung eines Baudenkmales in rationeller Weise zu erfolgen hätte und entwickelte sodann die Grundsätze, nach denen die Denkmälerarchive organisiert werden sollen, um den Anforderungen der Künstler, Kunstforscher, Architekten und Kunstgewerbetreibenden zu entsprechen.

Die herrlichen photogrammetrischen Aufnahmen Meydenbauers: Dom zu Bamberg, die Hagia Sophia und der Kaiserbrunnen in Konstantinopel, sowie die einzig schönen Großbilder: den Münsterturm in Freiburg i. B., die Abteikirche Maria-Laach, Balbeck, ferner die photogrammetrischen Arbeiten des Prof. Doležal: Die Pfarrkirche St. Leopold in Gersthof bei Wien sowie die Karlskirche im IV. Gemeindebezirke Wiens nebst den instruktiven photogrammetrischen Instrumenten, die beim Vortrage zur Vorführung kamen, hätten einen kleinen Saal der „Baukunstausstellung" füllen können, welche mit dem Architektenkongresse verbunden war.

Es ist zu beklagen, daß der Photogrammetrie im Rahmen der „Baukunstausstellung" nicht jener Platz eingeräumt wurde, der ihr gebührt hätte.

Stereo-Kinematographie.
Die umwandelbare Gesetzmäßigkeit aller Vorgänge in der Natur und die Erkenntnis dieser Gesetze sind die beiden Faktoren, deren der Mensch bedarf, um die Natur selbst und ihre Kräfte sich und seinen Zwecken dienstbar zu machen. Hieraus ist es verständlich, wenn gerade der schaffende Ingenieur zur Erreichung seiner dauernd höher gestellten technischen

Ziele mit allen Mitteln versucht, in das Wesen der Naturgesetze einzudringen, um durch seine Erkenntnis zum Fortschritte zu gelangen.

Prof. O. Flamm von der technischen Hochschule in Berlin-Charlottenburg stellte sich zur Aufgabe, Versuche anzustellen, durch welche er über das eigentliche physikalische Wesen sowohl des Schiffswiderstandes wie über die Wirkungsweise der Schiffsschraube und die hierbei auftretenden gesetzlichen Wasserbewegungen einige Aufklärungen gewinnen könnte.

Er fand, daß das einzige objektive Mittel, die genauen Wege und Geschwindigkeiten der einzelnen Wasserteile innerhalb wie außerhalb der Schraube genau festzustellen, nur die Photographie bieten kann; er beabsichtigt, die Feststellung dieser Bewegungen mittels der Stereo-Kinematographie vorzunehmen.

Angenommen, man hat einzelne Teilchen, welche sich in den kinematographischen Aufnahmen wieder erkennen lassen, im Wasser schwimmen, und man macht von zwei genau fixierten Punkten aus gleichzeitig kinematographische Aufnahmen, schafft also gewissermaßen stereo-kinematographische Bilder, so ist es ohne weiteres möglich, aus der Kenntnis der Bildzahl pro Sekunde und den auf den einzelnen Aufnahmen aufzumessenden Strecken, welche die genannten Teilchen zurückgelegt haben, die Geschwindigkeit zu ermitteln und mit Hilfe des Pulfrich-Zeiss'schen Stereokomparators die räumlichen Wege und die räumliche Geschwindigkeit festzulegen.

Es würde uns freuen, über dieses höchst interessante Problem, das nur photogrammetrisch bewältigt werden kann, und dessen Lösung von Prof. Flamm ganz korrekt eingeleitet wurde, recht bald und Erfolgreiches berichten zu können.

Internationale Photographische Ausstellung Dresden 1909. Da das für das II. Heft des Archives in Aussicht gestellte Ausstellungsprogramm der Abteilung „Photogrammetrie" zurzeit noch nicht abgeschlossen und daher nicht geboten werden kann, so sei es gestattet, einen detaillierteren Überblick über die große Veranstaltung einer „Internationalen Photographischen Ausstellung Dresden 1909" zu bieten, an der seit Jahr und Tag eine Anzahl von bewährten Kräften unermüdlich tätig ist.

Die Notwendigkeit der Veranstaltung einer alle Gebiete der Photographie umfassenden Ausstellung dürfte ernstlich nicht zu bestreiten sein. Die Ausdehnung der direkten und indirekten Anwendung der Photographie auf den verschiedenen wissenschaftlichen und technischen Gebieten hat einen Umfang angenommen, der es selbst dem erfahrensten Fachmanne nicht mehr möglich macht, festzustellen, wo und wie die Photographie als solche oder nur ihrem Prinzipe überall Anwendung findet. Mit ihrem hier in kurzen Zügen wiedergegebenen Programm und einem großen Stab hervorragender Mitarbeiter dürfte die für das Jahr 1909 in Dresden geplante Weltausstellung des photographischen Faches mehr als alle bisherigen Unternehmungen ähnlicher Art in der Lage sein, den von allen Interessentenkreisen sehr erwünschten und auch kulturell bedeutsamen Überblick herbeizuführen. Die Ausstellung wird überdies dadurch, daß möglichst nicht nur das Bildresultat, sondern auch die erforderlichen Vorrichtungen zur Herstellung, die Verwendungsarten u. dgl. gezeigt werden, äußerst anregend und belehrend wirken. In welcher Weise der Ausstellungsstoff zweckmäßig und wirksam zur Darstellung gebracht werden kann, ergibt ein kurzer Blick in die äußere Organisation des Unternehmens, wie sie im wesentlichen im Programm zum Ausdruck gebracht ist. Hiernach gliedert sich die Ausstellung in fünf Hauptgruppen, die wiederum in Abteilungen und Unterabteilungen zerfallen. Als Bearbeiter der einzelnen Gebiete sind Fachleute von Ruf gewonnen worden, darunter Persönlichkeiten, die mit der Einführung der Photographie auf ihren Wissensgebieten bahnbrechend vorangegangen sind.

Die unter der Leitung des Geh. Regierungsrates Prof. Dr. Miethe, Berlin, stehende erste Gruppe, Entwicklung, Wissenschaft und Spezialanwendungen der Photographie, gliedert sich in folgender Weise:

a) Geschichte (Geh. Regierungsrat Prof. Dr. Miethe).
b) Schulen und Lehranstalten.
c) Literatur.
d) Wissenschaftliche Photographie.
  1. Astronomische Photographie (Geh. Hofrat Prof. Dr. Wolf, Heidelberg).
  2. Meteorologische Photographie (Prof. R. Süring, Berlin).
  3. Botanische Photographie (Doz. Dr. Naumann, Dresden).
  4. Zoologische Photographie (Dr. Wandolleck, Dresden).
  5. Anthropologische Photographie (derselbe).
  6. Pathologische Photographie einschließlich der Röntgen-Photographie in der Heilkunde (Dr. Hartung, Dresden).
  7. Photographie für mineralogische und geologische Zwecke (Prof. Dr. Sommerfeld, Tübingen).
  8. Ballonphotographie (Hauptmann Hildebrandt, Berlin).
  9. Photogrammetrie und Meßbildaufnahmen (Prof. Doležal, Wien).
  10. Photographie in den Geisteswissenschaften (Bibliotheks- und Museumsaufnahmen) (Prof. Dr. Krumbacher, München).
  11. Photographie im Dienste der Rechtspflege, des Verkehrs, der Gemeinde- und Staatsverwaltung (Polizeipräsident Köttig, Dresden).
  12. Photographie im Dienste der Presse (Direktor Scherl, Berlin).
  13. Photographie im Dienste der Physik (Prof. Dr. Precht, Hannover).
  14. Photographie im Dienste der Chemie (Photochemiker Wandrowsky, Dresden).
  15. Photographie im Dienste der technischen Wissenschaften und der Industrie (Ingenieur Pieschel).
  16. Photographisch-wissenschaftliche Untersuchungen und Experimente (Redakteur K. W. Wolf, Czapek).
e) Länder- und Völkerkunde (Prof. Seyffert, Dr. Kuhfahl, Hofkunsthändler Holst, Dresden).
f) Farbenphotographie (Dr. König, Höchst a. M.).

Die zweite Gruppe behandelt die gewerbliche und industrielle Photographie und teilt sich in eine von Herrn Prof. Emmerich, München, bearbeitete Gruppe für Berufsphotographie und die vom Deutschen Buchgewerbeverein Leipzig bearbeitete Gruppe für Reproduktionstechnik. In der unter der Leitung des Präsidenten der Dresdener Gesellschaft für Amateurphotographie E. Frohne befindlichen dritten Gruppe für Amateurphotographie wird das Hervorragendste gezeigt werden, was auf diesem Gebiete bis jetzt produziert worden ist.

Die vierte Gruppe, welche ·das gewaltige Gebiet der photographischen Industrie umschließt, wird von Direktor Sulzberger geleitet und gliedert sich in die Abteilungen für Kamerabau und Optik, Trockenplatten und Films, Chemikalien, photographische Papiere und Bedarfsartikel. Die Einteilung erfolgt nach Ländern. Diese Gruppe, im Umfange voraussichtlich die größte der Ausstellung, soll ein übersichtliches Bild alles dessen ergeben, was die Ausübung der Photographie an industrieller und gewerblicher Produktion hervorgerufen hat. Außer der Ausstellung fertiger Erzeugnisse an Kameras, Linsen, Platten etc. soll deren Werdegang in der Fabrik, ihre Roh- und Hilfsmaterialien gezeigt werden.

Wichtig für die Belebung der Ausstellung wird sich die unter der Leitung des Herrn Direktor Goerke von der Urania, Berlin, stehende fünfte Gruppe für photographische Belehrung und Unterhaltung gestalten.

Um in den einzelnen Gruppen Abwechslungen zu schaffen. beziehungsweise die vielleicht etwas monotone Wirkung des schwarz-weißen Bildes zu beheben, werden in den einzelnen Gruppen noch Sonderausstellungen von Gebieten veranstaltet, die mit der Photographie direkt oder auch nur indirekt in Beziehung stehen. So wird z B. die in der ersten Gruppe geplante Abteilung „Photographie im Dienste der Länder- und Völkerkunde" insofern eine Sehenswürdigkeit bilden.

als sie im Rahmen eines großen internationalen Repräsentationsraumes vorgeführt werden soll. Alle Kulturstaaten der Erde sollen hier durch künstlerische photographische Aufnahmen die Schönheiten von Natur und Kunst, oder die Eigenart von Land und Leuten zur Anschauung bringen. Einige charakteristische, kunstgewerbliche und ethnographische Gegenstände sollen den einzelnen Nationalabteilungen beigegeben werden, um sie zu beleben und das Bild zu vervollständigen und künstlerisch abzurunden. Hervorragende Dresdener Künstler werden das Ganze in vornehme architektonische Formen bringen. Ausstellungen von Teppichen, Miniaturen, Silhouetten, ein photographisches Museum, ein internationaler Fürstensaal mit Bildnissen von Staatsoberhäuptern usw. werden noch weitere interessante Unterbrechungen bilden.

Die photographische Industrie wird vor allem dadurch eine Anziehungskraft ausüben, daß sie mehrfach fabrikatorisch auftritt, wodurch dem Publikum Einblicke in die interessantesten Gebiete der verschiedenen Fabrikationszweige gegeben werden. Den Ausstellern in dieser Gruppe dürfte übrigens die Zusage des Reichskanzlers wertvoll sein, wonach den Ausstellungsgegenständen, die noch keinen patentamtlichen Schutz genießen, ein Schutzrecht nach dem Gesetze vom 18. März 1904 gewährleistet wird. Einen außergewöhnlichen Umfang dürfte die Beteiligung des Auslandes an der Ausstellung erlangen. Vor allem wird sich England, woselbst sich ein Komitee, bestehend aus den hervorragendsten und bekanntesten Fachmännern, gebildet hat, beteiligen. Aber auch Frankreich und Amerika werden nicht zurückstehen. Selbst exotische Staaten, vor allen Japan, China, Australien usw. bringen dem Ausstellungsunternehmen das regste Interesse entgegen.

Präsident des Unternehmens ist der in ausstellungstechnischen Fragen sehr erfahrene Prof. Seyffert, Dresden, dem das Komitee schon manch wertvolle und grundlegende Anregung zu verdanken hat. Zur Seite steht ihm der Arbeitsausschuß, dem, abgesehen von den Gruppenleitern u. a., folgende Dresdener Herren angehören: Kaufmann Bohr, Justizrat Dr. Bondi, Generalkonsul Kommerzienrat Klemperer, k. Hofkunsthändler Holst, Direktor Dr. Kuhfahl, Photograph Ranft, Dr. Schettler, Kommerzienrat Silomon, Verlagsbuchhändler Springer und Redakteur Karl Weiß. In den Händen des letztgenannten liegt auch die geschäftliche Leitung des Unternehmens. Überdies gehören dem Ausstellungskomitee der Dresdener Oberbürgermeister Beutler als Ehrenvorsitzender des Direktoriums, der Geheime Regierungsrat Stadler als Kommissär der Sächsischen Staatsregierung und Stadtrat Dr. Koch als Kommissär der Stadt Dresden an. Protektor der Ausstellung ist König Friedrich August von Sachsen, dessen Bruder, Prinz Johann Georg, Präsident des Ehrenausschusses ist. Diesem und dem Direktorium gehören Vertreter der Behörden, der Diplomaten, ferner hervorragende Fachleute und Industrielle an.

Literaturbericht.

Reconnaissances Photographiques Militaires à Terre, en Mer et en Ballon. Von J. Th. Saconney, Capitaine du Génie.

Unter diesem Titel hat der Autor eine Serie von Artikeln zusammengefaßt, welche, wie es scheint, zu verschiedenen Zeiten in der „Revue du Génie militaire" und in anderen französischen Fachzeitschriften erschienen sind. Die Publikation gibt einen dankenswerten Überblick über die Resultate der Arbeiten der französischen Offiziere zwecks Anwendung der Photogrammetrie für militärisch-operative Zwecke. Es dürfte wohl nicht allgemein bekannt sein, daß zuerst die französischen Offiziere Lacombe und Matthieu versucht haben, die Telephotographie für militärische Zwecke zu verwerten. Über diese Versuche erstattete im Jahre 1·87 Kommandant Fribourg einen Bericht an das Ministerium und empfahl dem Geniekorps die Verwertung der Telephotographie für Rekognoszierungszwecke. Späterhin setzten die Herren Guillemont und Jarret diese Versuche fort, jedoch erfuhr man bisher wenig mehr darüber, als daß die einschlägigen Versuche der École de Génie de Grenoble zu ausgezeichneten Resultaten geführt und gezeigt hatten, daß die Telephotographie im Dienste der militärischen Rekognoszierung ein vorzügliches Mittel sei, die allgemeine Aufstellung und die Bewegungen der Truppen im Felde auszukundschaften, die Schußresultate zu beobachten etc. etc. Der Wirkungsbereich der Photographie erstreckte sich hierbei auf Distanzen von 2 bis 6 *km*.

Die vorliegende Arbeit bringt näheres darüber. Ausgehend von den allgemeinen Prinzipien der Photogrammetrie, welche im allgemeinen Laussedat geschaffen hat, zeigt der Verfasser, wie man sich in den Fällen zu benehmen hat. wenn die äußere Orientierung der zu verwertenden Bilder nicht durch eine regelrechte. Triangulierung bestimmt werden konnte, sondern vielmehr das zur Verwertung vorliegende Rohmaterial das Ergebnis einer mehr oder weniger fliegenden Aufnahme ist.

Die leitenden Gedanken hierbei sind:

1. Die Orientierung der Bilder auf graphischem Wege mit Hilfe der Strahlenbüschel, welche aus der bekannten Brennweite und der Lage der Bilder bekannter Objekte am Photogramm abgeleitet werden können.

2. Die Orientierung von Teleaufnahmen, deren Gesichtsfeld stets ein ungemein kleines ist, mit Hilfe von Übersichtsaufnahmen durch Einpassen der ersteren in die letztere. Der Standpunkt der Aufnahme wird mit Hilfe der Übersichtsaufnahme pothenotisch festgelegt, sodann werden zwischen der Übersichtsaufnahme und der Teleaufnahme möglichst markante idente Punkte gesucht und mit Hilfe derselben der Bereich der Teleaufnahme auf dem Übersichtsbilde abgegrenzt, wodurch, da die Lage des Übersichtsbildes im Raume bestimmt ist, auch die Lage der Teleaufnahme definiert erscheint.

3. Die Feststellung der Richtung des Bildhorizontes, d. h. der seitlichen Verdrehung des Bildes um die optische Achse, mit Hilfe des' Niveau Jardinet: die Festlegung der Lage des Horizontes, d. h. der Neigung der Bildebene. mit Hilfe von bekannten Fixpunkten des Geländes oder auch mit Benutzung der Fluchtpunkte bekannter Richtungen oder mit Hilfe von bekannten Horizontalwinkeln.

4. Die Verwendung eigener Spezialapparate, die je nach Arbeitszweck und äußeren Arbeitsbedingungen verschieden konstruiert sind. Hierbei werden für maritime und aëronautische Aufnahmen, wo wegen der Unruhe des Schiffes oder der Gondel Momentaufnahmen gemacht werden müssen, und es daher auf große Lichtstärke ankommt, Apparate mit lang brennweitigen Einzelobjektiven (30 *cm*, 60 *cm* und 1 *m*) verwendet. Für Aufnahmen im Gebirge, wo die Schwierigkeiten des Transportes die Hauptrolle spielen, dagegen Momentaufnahmen im allgemeinen nicht erforderlich sind, verwenden die Franzosen Teleobjektive und zwar: Teleobjektive mit Negativlinsen für improvisierte Aufnahmen, dagegen Teleobjektive mit positiven Systemen als Hinterlinsen, oder auch Apparate mit durch Spiegeln gebrochenem Strahlengang (Telephot) von fixen Observatorien aus.

Für die Übersichtsaufnahmen zu Lande können gewöhnliche Phottheodolite verwendet werden, und wird das Gebiet, welches von Interesse ist. insoweit zur pothenotischen Orientierung wertvolle Fixpunkte vorhanden sind, durch sukzessive aneinander schließende Aufnahmen bestrichen.

An Bord der Schiffe und der lenkbaren Ballons, wo es darauf ankommt. möglichst große Winkel durch Momentaufnahmen zu beherrschen, verwenden die Franzosen den Zylindrograph (Type Moessard, verbessert durch M. Gillon). bei wolchen mit Films gearbeitet wird (Gesichtsfeld 120°. Brennweite 20 *cm*), oder den

Perigraph Lacour, bei welchem mit Platten im Format 18 × 24 gearbeitet wird (Gesichtsfeld 108°, Brennweite 12 cm).

Vom Ballon captif und vom Drachen aus werden als Übersichtsapparate kleinere Apparate für das Plattenformat 13 × 18 mit Zeiss-Objektiven von zirka 13 cm Brennweite und 50° Gesichtsfeld verwendet.

5. Sämtliche Apparate sind mit Spezialeinrichtungen versehen, um die spätere Verwertung der Bilder zu erleichtern, und zwar:

a) Das bei allen photogrammetrischen Bildern übliche Markenkreuz.

b) Das Niveau Jardinet, bestehend aus einem zu einem Rahmen gebogenen Glasrohr, welches teilweise mit Quecksilber gefüllt und in Kombination mit dem Markenkreuz knapp vor der Platte angeordnet ist. Die Quecksilberkuppen bilden sich bei der Aufnahme ab und gestatten hierdurch die Richtung der Horizontlinie, d. h. die seitliche Verdrehung des Apparates im Momente der Aufnahme zu ermitteln.

c) Entsprechend konstruierte Sucher, welche dem Gesichtsfeld der Apparate entsprechend abgegrenzt sind.

d) Sonnenblenden, um seitliche Lichtreflexe von den Objektiven abzuhalten.

e) Diaphragmen im Innern der Kameras, um eventuelles zerstreutes Licht abzufangen.

f) Eine Dosenlibelle zur genäherten Horizontalstellung der Apparate im Momente der Aufnahmen.

g) Da die Apparate soweit als irgend möglich mit vertikaler Platte gebraucht werden sollen, so ist bei denjenigen Apparaten, die im Ballon captif oder im Drachen Verwendung finden sollen, das Objektiv so weit als möglich tief gestellt, wodurch erreicht wird, daß bei den Übersichtsapparaten mit 50° Gesichtsfeld das bestrichene Feld bereits in einer Distanz der zweifachen Höhe des Ballons oder Drachens beginnt, während bei den Apparaten für die eigentliche Rekognoszierung, bei welchen das Gesichtsfeld entsprechend beschränkt ist (60 cm Brennweite bei einem Plattenformat 18 × 24), das bestrichene Feld in einer Horizontaldistanz gleich der fünffachen Höhe beginnt.

6. Was die Auswertung der Bilder betrifft, so wird im wesentlichen nach bekannten Grundsätzen verfahren. Nur gilt als Regel, den Maßstab des zu entwerfenden Planes derart zu wählen, daß nach Möglichkeit in natürlicher Größe gearbeitet werden kann.

Das ergibt bei Arbeiten im Gebirge, wo mit Teleobjektiven von variabler Brennweite gearbeitet wird, die Faustregel, auf Distanzen von 1 bis 6 km die äquivalente Brennweite des Teleobjektes in Metern der Distanz in Kilometern, die halben Kilometer nach unten abgerundet, gleichzumachen; von 6 km aufwärts mit der maximalen Brennweite von 6 m zu arbeiten. Der Plan kann dann im Maßstab 1 : 1000 hergestellt werden.

Bei Aufnahmen vom Ballon captif, vom Drachen, vom Bord eines Schiffes aus, wo die gewöhnlich verwendete Brennweite 60 cm ist, und Distanzen bis zirka 6 km wirksam bestrichen werden, wird der Maßstab des Planes im allgemeinen 1 : 10.000 sein müssen.

7. Wegen der Verwendung so großer Brennweiten und Maßstäbe liegen die Standpunkte in der Regel außerhalb der Zeichenfläche und sind daher eigene Spezialinstrumente erforderlich, um die hieraus sich ergebenden zeichnerischen Schwierigkeiten zu überwinden. Selbe sind: *a)* Das dreifache Lineal von Nicholson (Deville nennt es das Zentrumlineal), welches dazu dient, Rayons zu ziehen, deren Ausgangspunkt weit außerhalb der Zeichenfläche liegt und ein Meßtischblatt mit eingelassenem, geteiltem Metallkreise, mit kleinen Löchern zum Einsetzen der Stützpunkte für das Zentrumlineal.

8. Da bei geneigten Bildern von so großer Bildweite und geringem Gesichtsfelde die wahre Horizontlinie meist außerhalb des Bildes fällt, wird zum Zwecke der Auswertung nach Maßgabe der Angaben des Niveaus Jardinet, durch den

Hauptpunkt des Bildes, der durch das Markenkreuz bestimmt ist, eine Parallele zum Horizont gezogen, und mit dieser Linie so gearbeitet, als wenn sie der wirkliche Bildhorizont wäre, aber natürlich nicht mit der wirklichen Bildweite F (der Brennweite des Objektivs) sondern der reduzierten Bildweite $F \cos i$, wo i die wahre Neigung der Bildebene ist, welche bei Teleaufnahmen im Gebirge in der Regel mit Hilfe der Übersichtsaufnahme (Theodolitaufnahme mit vertikaler Platte), bei Ballon- und Drachenaufnahmen mit Hilfe bekannter Fixpunkte des Terrains, der Fluchtpunkte horizontaler Richtungen, oder bekannter Horizontalwinkel bestimmt wird, endlich zur See mit Hilfe der Strandlinie oder Kimm und der Höhe des Standpunktes über dem Wasser genügend und genau festgelegt erscheint

9. Bei geneigten Bildern von mäßigen Neigungen kann für die mittleren Partien des Bildes die Konvergenz der Vertikalen vernachlässigt werden, das ist deshalb von Wichtigkeit, weil man doch stets trachten wird, die anvisierten militärisch interessanten Objekte möglichst in die Mitte des Bildes zu bekommen. Nur dann, wenn die Ecken der Bilder ausgewertet werden müssen, oder die Neigung der Bildebene sehr groß war, erscheint es nötig, auf die Konvergenz der Vertikalen Rücksicht zu nehmen, was am besten mit Hilfe von zwei Graphikons geschieht, deren Eingang einerseits die Lage der Bildpunkte zur Bildmitte und anderseits die Neigung der Bildebene ist.

Bezüglich der praktischen Durchführung der Feldarbeit unterscheidet der Verfasser drei Fälle. Erstens das Arbeiten im Hochgebirge, zweitens das Arbeiten im Flachlande mit Ballon captifs oder Drachen, drittens das Arbeiten vom Bord eines Schiffes aus, sei es vom Deck, sei es mit Drachen.

Im Hochgebirge wird, wenn irgend möglich, an ein bekanntes Triangulierungsnetz Anlehnung genommen. Die Standpunkte werden jedoch nicht auf den Spitzen der Berge, sondern an möglichst windgeschützten Stellen gewählt, die noch genügenden Überblick gewähren, die Übersichtsbilder mit einem Phototheodolit gemacht und die Standpunkte mit Hilfe dieser Übersichtsbilder auf Grund der bekannten Fixpunkte pothenotisch orientiert. Die Apparate für die Teleaufnahmen (enorm lange Balgkameras ohne Stativ) werden auf Felsplatten oder sonstige möglichst stabile Unterlagen nach Augenmaß horizontal gestellt und auf das aufzunehmende Objekt gerichtet, verkeilt und fix gebettet und möglichst vor Wind und Erschütterungen geschützt. Auf eine genaue Horizontalstellung wird kein Wert gelegt, sondern später bei der Auswertung die Verdrehung und Neigung der Bilder mit Hilfe des Niveaus Jardinet und der Übersichtsbilder bestimmt.

Bei Aufnahmen vom Ballon captif aus arbeiten in der Regel zwei Beobachter. Der eine Beobachter visiert mit dem Rekognoszierungsapparat von 60 cm Brennweite und tief gestelltem Objektiv, bei einspielender Dosenlibelle das zu rekognoszierende Objekt an, während der zweite Beobachter die gegebenen Fixpunkte, die zur Bestimmung des Ballonortes dienen sollen, im Gesichtsfeld seiner kleinen 13 × 18 Kamera, ebenfalls bei einspielender Dosenlibelle, hält. Auf Kommando des ersten Beobachters wird gleichzeitig exponiert. Soll mit dem Objektiv mit 1 m Brennweite gearbeitet werden, was nur in Ausnahmsfällen geschieht, um besonders wichtige Details zu erhalten, so sind beide Beobachter zur Handhabung des ziemlich großen Apparates nötig und muß daher auf eine gleichzeitige Bestimmung des Ballonortes verzichtet werden. Selbe kann nur knapp vorher oder knapp nachher erfolgen. Vom Drachen aus werden vorläufige Rekognoszierungen mit einem Apparat durchgeführt, welcher mit einem Objektiv von 30 cm Brennweite ausgerüstet ist und mit 18 × 24 Platten arbeitet. Wo es einerseits mehr auf Details, anderseits auf eine genaue Festlegung des Standpunktes ankommt, wird mit einer Kombination zweier Apparate gearbeitet, die miteinander starr verbunden sind und von welchen der eine ein Objektiv von 60 cm Brennweite besitzt und auf 18 × 24 Platten zeichnet, bei normaler Verwendung mit horizontaler optischer Achse, und der zweite ein Objektiv von 13 cm besitzt und auf 13 × 18 Platten zeichnet, bei normaler Verwendung mit vertikaler optischer Achse. Selbe werden gleichzeitig exponiert und photographiert der erstere Apparat, wenn entsprechend gerichtet, das zu rekognoszierende Objekt, der zweite Apparat ein System von weißen Flecken oder analogen Fixpunkten am Erdboden, deren gegenseitige Lage bekannt ist.

Die Montierung beider Typen von Drachenapparaten, sowohl des ersteren mit 30 cm Brennweite, als des letzteren, der eigentlich eine Kombination zweier Apparate darstellt, besteht darin, daß sie auf einem umgekehrten Theodolitgestell angebracht um eine vertikale und eine horizontale Achse drehbar, und mit Hilfe von Teilkreisen einstellbar sind. Dieses Theodolitgestell ist dann durch Vermittlung einer höchst eigenartigen Kombination von Stahldrähten mit einem starken Tetraeder am Drachenkabel kardanisch aufgehängt. (Suspension croisée type „Renard".)

Vor der Aufnahme mit Drachen wird zuerst das Drachengespann hochgelassen und möglichst genau die Richtung, Horizontaldistanz und Höhe geschätzt, in der sich die Drachen bei der herrschenden Windrichtung halten. Mit Rücksicht auf diese Schätzung wird sodann der photographische Apparat mit Hilfe seines Theodolitgestelles derart gerichtet, daß er das zu photographierende Objekt bestreicht. Dann erst wird er hoch genommen und in einem Momente exponiert, wo die tatsächlich beobachtete Windrichtung der vorher geschätzten möglichst genau entspricht.

Bei Rekognoszierung feindlicher Objekte vom Bord eines Schiffes aus, im Vorbeifahren, werden die Übersichtsaufnahmen mit dem Zylindrographen gemacht, der freihändig bedient wird, um die Dosenlibelle, trotz der Schwankungen des Schiffes, im Moment der Aufnahme einspielen zu lassen.

Die eigentliche Rekognoszierung erfolgt mit einem Apparat von 60 cm Brennweite, Plattenformat 18 × 24 oder mit einem Apparat von 1 m Brennweite, Plattenformat 24 × 30. Derselbe wird bei der Aufnahme auf ein elastisches Kissen gelegt und im übrigen freihändig derart gerichtet, daß er das zu rekognoszierende Objekt bestreicht und die Dosenlibelle einspielt. Die Zeitpunkte der Aufnahme, die Tourenzahlen der Maschine und die Kurse werden genau notiert. Das Schiff macht hierbei einen sinusförmigen Weg, nähert sich für die Zeit der photographischen Aufnahme möglichst der feindlichen Stellung und entfernt sich dann wieder, um nach Tunlichkeit außer Schußbereich zu gelangen. Die Distanz der einzelnen Aufnahmspositionen, der Basis für die spätere Rekonstruktion entsprechend, macht man am besten ungefähr gleich dem Abstand vom Objekt, zirka 3 Seemeilen = 6 km. Wegen des kleinen Gesichtsfeldes des Rekognoszierungsapparates wird es aber in der Regel nötig sein, sobald sich das Schiff dem Objekt entsprechend genähert hat, eine ganze Serie von aneinander anschließenden Aufnahmen rasch nacheinander zu machen mit etwa einer Minute Zeitintervall, während mit dem Zylindrographen nicht so rasch gearbeitet werden kann, weshalb es nur möglich ist, jede zweite oder dritte Aufnahmsposition mit Hilfe des Zylindrographen festzulegen und die übrigen durch Interpolation zu bestimmen.

Bei Aufnahmen vom Drachen aus muß berücksichtigt werden, daß die wirkliche Windrichtung und die Fahrt des Schiffes eine resultierende, scheinbare Windrichtung schaffen und der Apparat mit Hilfe seines Theodolitgestelles dementsprechend gerichtet werden muß. Anderseits ist gerade zur See, wo die Fahrt des Schiffes einen ungemein wichtigen Behelf bietet, um die Unregelmäßigkeiten des Windes auszugleichen, respektive sich von den Launen des Windes unabhängig zu machen, die Verwendung von Drachen ganz besonders am Platze. Bei den Franzosen hat sich hierfür schon eine vollkommene Technik entwickelt. Die eigentlichen Hebedrachen bleiben während der ganzen Arbeit in der Luft, während der Drachenapparat mit Hilfe eines Remorqueurdrachens vor der Aufnahme längs des Drachenkabels hinaufsegelt und nach erfolgter Aufnahme mit einem Niederholer eingeholt wird [1]).   Th. Scheimpflug.

[1]) Wie Staatsrat Thiele in seinem Vortrage in der vierten Monatsversammlung der „Österr. photogrammetrischen Gesellschaft" am 8. März 1908 berichtete, arbeiten die

Problème de Métrophotographie. J. Th. Saconney, capitaine du génie.
(Mit einer Tafel und einigen Textfiguren.)

Im Novemberhefte 1906 der „Revue du Génie militaire" bringt der genannte Verfasser eine neue Lösung der bekannten Grundaufgabe der Ballonphotogrammetrie, ein Photogramm auf Grund von drei bekannten Fixpunkten, die sich im Bilde identifizieren lassen, im Raume zu orientieren. Wenn auch bereits mehrere Lösungen dieser Aufgabe existieren, so bietet doch die Art, wie hier die Sache behandelt wird, einiges Interesse.

Bekanntlich bestimmen die drei auf der Platte identifizierten Bilder $a\,b\,c$ der bekannten Punkte (Fixpunkte) im Verein mit dem zweiten Hauptpunkte des photographischen Objektivs (Augpunkt der Platte) ein Dreikant, welches der Verfasser sehr treffend das photographische Dreikant nennt. Die Aufgabe besteht nun stets darin, das Dreieck, das die drei gegebenen Terrainpunkte $A\,B\,C$ bestimmen, in das photographische Dreikant $S\,a\,b\,c$ einzupassen. Sobald das geschehen ist, ist es eine einfache Aufgabe der darstellenden Geometrie, die Lage des Ballonortes S und die Neigung der Bildebene i, sowie die seitliche Verdrehung α derselben zu ermitteln.

Der Autor löst seine Aufgabe wie folgt:

Er nimmt an, daß von den drei gegebenen Punkten (Fixpunkten) $A\,B\,C$ mindestens zwei, nämlich $A\,B$ in gleicher Höhe liegen. Wo das nicht der Fall ist, wird auf der Seite $B\,C$ des gegebenen Terraindreiecks durch Interpolation jener Punkt B_1 gesucht, der mit A in gleicher Höhe liegt, und mit dem Dreieck $A\,B_1\,C$ gearbeitet.

Dieses Dreieck $A\,B_1\,C$, bei welchem, wie gesagt, A und B_1 in gleicher Höhe liegen, wird vor allem im gewünschten Maßstabe aufgezeichnet.

Sodann wird das Lot von C auf die Seite $A\,B_1$ gefällt und mit der so ermittelten Höhe des Dreiecks als Radius um den Fußpunkt ω des Lotes als Zentrum ein Kreis geschlagen. Dieser Kreis ist offenbar nichts anderes als der in die Zeichenebene umgelegte geometrische Ort aller möglichen Lagen des Dreieckpunktes C, wenn das Dreieck $A\,B_1\,C$ um seine Seite $A\,B_1$ aus der Zeichenfläche herausgedreht wird.

Sodann wird das photographische Dreikant mit seiner Seite $a\,b\,S$ in die Zeichenfläche gelegt und mit seinen Kanten $a\,S$ und $b\,S$ an die Punkte A und B_1 des Dreiecks $A\,B_1\,C$ angelegt. Der geometrische Ort aller möglichen Lagen von S ist dann bekanntlich ein Kreis, der durch $A\cdot B_1$ geht.

Denkt man sich jetzt die dritte Kante $c\,S$ des photographischen Dreikants stets so weit verlängert, bis sie die Ebene des Kreises durchstößt, den die Spitze C des um die Seite $A\,B_1$ gedrehten Dreiecks $A\,B_1\,C$ im Raume beschreibt, und diesen Durchstoßpunkt γ in gleicher Weise, wie den bereits mehrfach genannten Drehkreis von C in die Zeichenebene umgelegt, so ist der geometrische Ort aller möglichen Lagen dieses Durchstoßpunktes eine Kurve höherer Ordnung. Die Schnittpunkte dieser Kurve mit dem mehrfach erwähnten Drehkreise von C sind Lösungen der Aufgabe, denn sie entsprechen jenen Stellungen des gegebenen Dreikants $S\,a\,b\,c$ und des gegebenen Dreiecks $A\,B_1\,C$, in welchen der Punkt C in die Kante $S\,c$ fällt. Die Entscheidung, welche der möglichen Lösungen in einem gegebenen Falle der Praxis die richtige sei, fällt in der Regel nicht schwer.

Sobald auf diese Weise das gegebene Terraindreieck $A\,B_1\,C$ in das photographische Dreikant $S\,a\,b\,c$ eingepaßt ist, wird das photographische Dreikant im Grund- und Aufrisse entworfen und mit der bekannten Höhenkote von C ein Horizontalschnitt $A\,B_1\,C_1$ durch das Dreikant geführt; ferner werden die Schnittpunkte der Geraden $a\,c$ und $b\,c$ des Photogramms mit den horizontalen Terrain-

linien $A C_1$ und $B_1 C_1$, d. h. die Terrainpunkte sowie die Schnittpunkte der Bild-
geraden $a c$ und $b c$ mit den durch S gelegten Parallelen zu den Terrainlinien
$A C_1$ und $B_1 C_1$, den Fluchtgeraden derselben, d. h. die Horizontpunkte bestimmt;
die Verbindungsgerade der Terrainpunkte nennt der Verfasser die Terrainlinie.
Die Verbindungsgerade der Horizontpunkte ist bekanntlich der Bildhorizont. Der
senkrechte Abstand $O_1 I$ des Hauptpunktes O des Photogramms vom Bildhorizont I
gibt direkt die Neigung i der Platte nach der Formel

$$tg\ i = \frac{O I}{f},$$

wobei f die Brennweite, respektive die Bildweite des Photogramms ist. Der senkrechte Abstand des Bildhorizontes I von der Terrainlinie I' gibt direkt die Höhe
des Ballonortes nach der Formel

$$h = I I' \cos i.$$

Der Winkel, den der Bildhorizont mit den Horizontalmarken des Bildes einschließt, ist die seitliche Verdrehung α der Platte.

Eigentlich ist das Interessanteste an dem ganzen Aufsatz die Bemerkung,
daß derselbe einer in Arbeit befindlichen Instruktion für die Anwendung der
Telephotographie im lenkbaren Luftballon entnommen ist. Th. Scheimpflug.

An elementary treatise on Phototopographic Methods and Instruments

including a consise review of executed phototopographic surveys and of publications
on this subject by J. A. Flemer, Topographical Ingineer, New-York, John
Wiley & Sons; London: Chapman & Hall, Limited 1906.

Flemer ist in der Literatur über Photogrammetrie nicht unbekannt; als
Assistent der „U. S. Coast and Geodetic-Survey" veröffentlichte er bereits im
Jahre 1897 eine schöne Arbeit: „Phototopographic Methods and Instruments"
in „Report of the Superintendent U. S. Coast and Geodetic Survey for 1897,
Appendix Nr. 10, Washington D. C."

Flemer hat an der technischen Hochschule in Berlin die Ingenieurwissen-
schaften studiert und unter Prof. Dr. Doergens im Jahre 1879 Vorlesungen
über Photogrammetrie gehört. Lange bot sich Flemer in seinem Vaterlande keine
Gelegenheit, die phototopographische Methode zu verwerten, bis die topographische
Rekognoszierung von Alaska, welche Halbinsel die Vereinigten Staaten von
Amerika Rußland abkauften, in Angriff genommen wurde.

Mit Captain E. Deville in Ottawa bekannt geworden, hatte Flemer Gelegenheit, die reichen Erfahrungen Devilles kennen zu lernen. Deville ver-
mittelte den brieflichen Verkehr mit Laussedat, mit welchem nun Flemer in
Verbindung trat und an die Ausführung der geplanten phototopographischen Aufnahmen schritt.

Im Sommer 1894 führte Flemer die phototopographische Vermessung eines
Teiles von Alaska aus, setzte diese Arbeiten 1895, 1897 und 1898 fort, wobei er
nach verschiedenen Routen in das Klondikegebiet vorgedrungen war und eine
Karte jener Gegend im Maße von 1 : 80.000 herstellte.

Mit gründlichem theoretischen Wissen und reichem Können ausgerüstet,
ging Flemer, unterstützt durch die praktischen Erfahrungen bei phototopographischen Aufnahmen, daran, ein Lehrbuch der Phototopographie zu verfassen,
dessen Titel oben angeführt wurde.

Im Vorworte wird der Geschichte der Photographie und der photographischen Meßkunst in kurzen Zügen gedacht und auf die Bedeutung hingewiesen,
welche die Photogrammetrie im Dienste der Topographie, Phototopographie, für
geologische, hydrographische, militärische Aufnahmen, dann für Architekturaufnahmen, Ingenieurvermessungen, für meteorologische Beobachtungen usw. besitzt.

Die Phototopographie selbst wird in zwölf Kapiteln behandelt.

Das erste Kapitel gibt eine kurze Übersicht über die Geschichte der Photogrammetrie und Phototopographie in Frankreich, Deutschland, Österreich, Schweden, Schweiz, Italien, Spanien und in Kanada; es werden die bedeutendsten Aufnahmen angeführt und die einschlägigen Publikationen in ziemlicher Vollständigkeit zusammengestellt.

Das zweite Kapitel ist den Elementen der Zentralprojektion, Perspektive, gewidmet, wobei sich Flemer auf die Erläuterung der Prinzipien beschränkt.

Der Autor geht im dritten Kapitel auf die Herstellung eines Photogrammes mittels einer Lochkamera über und erörtert die Bedingungen, unter welchen es zur Konstruktion benutzt werden kann.

Im vierten Kapitel behandelt Flemer die Fundamentalprinzipien der Ikonometrie (Bildmeßkunst), worunter er die Ableitung von Maßen aus Perspektiven versteht.

Die Orientierung der Bildtrasse, die Bestimmung der perspektivischen Konstanten: Horizont, Hauptpunkt und Bilddistanz, das Problem der drei und fünf Strahlen, die Beziehungen zwischen zwei Perspektiven desselben Objektes, das aus zwei verschiedenen Standpunkten aufgenommen wurde, die Hauckschen Kernpunkte und Kernebenen, die Verwendung des Quadratnetzes und der Verschwindungspunkte zu Rekonstruktionszwecken usw. kommen zur klaren Behandlung.

Die Benutzung der auf geneigte Bildebene erhaltenen Perspektiven (Photogramme) zur Winkelbestimmung und zur Rekonstruktion wird im fünften Kapitel erörtert, wobei wieder die Hauck'schen Relationen zur eingehenden Besprechung gelangen. Es wird auf die große Bedeutung der Aufnahmen auf geneigte Bildebene für Ballonaufnahmen hingewiesen.

Das sechste Kapitel ist den phototopographischen Methoden gewidmet. Flemer führt die verschiedenen Methoden zur rechnerischen Lage- und Höhenbestimmung von in der Topographie nötigen Punkten vor und geht dann zur graphischen Bestimmung über, bei welcher insbesondere auf den in Kanada durch Deville eingeführten Arbeitsvorgang speziell eingegangen wird.

Im siebenten Kapitel wird das photographische Objektiv behandelt. Die einfache Linse, dann die Linsenkombination, die Hauptpunkte und Hauptebenen, die wichtigsten Fehler der Linsen und ihre Beseitigung finden eine klare Besprechung; über die Wirkung der Blende bei photographischen Objektiven und über die Exposition wird Näheres gebracht.

Nahezu an hundert Seiten umfaßt das Kapitel, welches die photogrammetrischen Instrumente schildert. Einleitend werden die Bedingungen aufgestellt, die eine photographische Kamera für topographische Aufnahmen besitzen muß. Flemer bespricht zuerst die photogrammetrischen Kameras, die durch entsprechende Adaptierung aus gewöhnlichen Kameras erhalten werden, worauf er zu speziellen photogrammetrischen Kameras, Photogrammeter genannt, übergeht; er führt die kleine Magazinkamera von Meydenbauer, das neue Modell der photogrammetrischen Kamera von Deville, jene der „U. S. Coast and Geodetic Survey" und das neue phototopographische Instrument Paganinis (Modell 1897) für Aufnahmen im Maße 1:50.000 und 1:100.000 vor.

Kombinierte Instrumente, wobei die photogrammetrische Kamera mit einem geodätischen Instrumente in Verbindung ist, Phototheodolite, Phototachymeter, Meßtisch usw., finden eine eingehende Besprechung. Wir finden die verschiedenen Modelle von Paganini auch im Bilde, den Phototheodolit von Finsterwalder, Ney, Koppe, Pollack, Laussedat, Schell, Hübl, Vallot, Bridges-Lee usw.

Auch die Panoramenapparate wurden aufgenommen; das Instrument von Chevallier, der photographische Meßtisch, die Rockwood-Schallenburger Panoramenkamera und der Moëssardsche Zylindrograph werden im neunten Kapitel besprochen.

Im zehnten Kapitel werden die Hilfsmittel vorgeführt, welche von verschiedenen Autoren angegeben worden sind, um die Rekonstruktionsarbeit und die konstruktiven Bestimmungen rasch und bequem zu erledigen. Es werden beschrieben der „Settore grafico", „Squadro grafico" von Paganini, das Zentrolineal und das Perspektometer von Deville, der Perspektograph von Ritter, der Trikolograph von Hauck, das Zeiss'sche Telemeter, der Stereokomparator und das stereophotogrammetrische Meßverfahren.

Das elfte Kapitel ist den photographischen Feldarbeiten gewidmet. Allgemeine Bemerkungen über die Exposition, die Bedeutung der orthochromatischen Platte, die Gelbscheibe und ihre Wirkung, die Entwicklung der orthochromatischen Platten nebst dem Wichtigsten über die verschiedenen Entwickler, das Fixieren der Negative und die Herstellung von Kopien sind gewiß einem jeden, der sich mit photogrammetrischen Aufnahmen befaßt, willkommen.

Das Schlußkapitel behandelt die Vor- und Nachteile der phototopographischen Aufnahme, die Genauigkeit der photogrammetrischen Methode und schließt mit allgemeinen Bemerkungen über Telephotographie.

Das Flemersche Werk, das sich durch eine einfache und klare Diktion auszeichnet, erfreut sich schon heute in Amerika einer großen Verbreitung.

Die Ausstattung des Werkes ist eine vorzügliche, die Figurentafeln sind geradezu mustergiltig.

Es unterliegt keinem Zweifel, daß Flemers schönes Buch von Theoretikern und Praktikern viel gebraucht wird, bietet es doch beiden eine Fülle interessanten Stoffes. D

Bibliographie.

1. Selbständige Werke.

Schindler A.: Leitfaden für den Unterricht in der praktischen Geometrie an der k. u. k. technischen Militärakademie. II. Teil, L. W. Seidel & Sohn, Wien 1907. Das XXVII. Kapitel behandelt die -Photogrammetrie'.

Tapla Th.: Grundzüge der niederen Geodäsie, Franz Deuticke, Leipzig und Wien 1908. Anhang II: Photogrammetrie, bearbeitet von Oberforstrat Prof. F. Wang.

Thiele R.: Phototopographie nach ihrem gegenwärtigen Stande. I. Band: Neueste Phototopographie und gerichtliche Photogrammetrie. K. L. Rücker. St. Petersburg 1908.

Wheeler A. O.: The Selkirk Range, vol. I. and II, Ottawa, Governement printing bureau 1905. Published by the Department of the Interior.

2. Journalliteratur.

Flamm O.: „Beitrag zur Ermittlung der Wirkungsweise der Schiffsschrauben," Vortrag in „Schiffbautechnische Gesellschaft", IX. ordentliche Hauptversammlung. Berlin 25. bis 27. November 1907.

Fourcade H. G.: „On a stereoscopic method of photographic Surveying" in
a) „Transactions of the South african philosophical Society", vol. XIV, part 1. April 1903.
b) „The Journal of the Institute of Land Surveyors of the Transvaal", vol I., Nr. 6, Johannisburg 1907.

Kabdebo: „Die metrophotographische Aufnahme" in „Epitö Ipar", Nr. 2, Budapest 1908.

Körber: „Über Meßbildverfahren" im „Zentralblatt der Bauverwaltung", Nr. 9, Berlin 1908.

Liebenau C Dr.: „Die Photogrammetrie in der Tierzucht" in „Mitteilungen der Deutschen landwirtschaftlichen Gesellschaft", 20. Jahrgang, Stück 19. 1905.

Liebenau C. Dr.: „Die photogrammetrische Beurteilung des Tierkörpers" (mit 21 Tafeln) in „Mitteilungen des landwirtschaftlichen Institutes der Universität Leipzig", herausgegeben von Dr. W. Kirchner, 6. Heft, Berlin 1905.

Neuffer F., k. u. k. Linienschiffsleutnant: „Die Portée-Ermittlung bei Schießversuchen gegen die See" in „Mitteilungen aus dem Gebiete des Seewesens", Jahrgang 1907.

Pulfrich C.: „Über Standphototheodolite und deren Gebrauch an Bord eines Schiffes" in „Zeitschrift für Instrumentenkunde", 3. Heft 1908.

Saconney J. Th., capitaine du génie: „Problème de Métrophotographie" in „Revue du Génie militaire". Paris novembre 1906.

Saconney J. Th.: „Reconnaissances photographiques militaires à terre, en mer et en ballon" in „Revue du Génie militaire", Paris, Jahrgang 1907.

Scheufele W., Dr.: „Die Aufgabe der sechs Punkte in der Photogrammetrie" in „Zeitschrift für Mathematik und Physik". 55. Band 1908. — Von der k. technischen Hochschule in München zur Erlangung der Würde eines Doktors der technischen Wissenschaften genehmigte Dissertation.

Thiele R.: „Über die schnelle und präzise Aufnahme des Delta der Wolga". Bericht erstattet in der Versammlung der kaiserl. russischen Gesellschaft für Fischzucht am 2. Dezember 1906.

Torroja J. M., Dr.: „Fundamento teoretico de la Fototopografia" in „Rivista de la Real Academia de Ciencias exactas, fisicas y naturales de Madrid", tomo VI. números 5, 6, 7 y 8. 1908.

Wheeler Arthur O.: „Photographic methodes employed by the Canadian topographical Survey" in den Verhandlungen des VIII. Internationalen Geographenkongresses und in „Canadian Alpine Journal" 1907.

Wheeler Arthur O.: „Notes on the Altitude of Mts. Columbia, Bryce, Lyell and Forbes" in „Canadian Alpine Journal" 1907.

Vereinsangelegenheiten.

Personalien.

Zwei Mitglieder der „Österreichischen Gesellschaft für Photogrammetrie" wurden von Seiner Majestät dem Kaiser Franz Joseph ausgezeichnet.

Herr Oberst Baron A. Hübl wurde zum k. u. k. Generalmajor ernannt und dem wissenschaftlichen Mitarbeiter des Zeiss-Werkes Dr. Pulfrich wurde das Offizierskreuz des Franz Joseph-Ordens verliehen.

Die Gesellschaft beglückwünscht beide verdienstvolle Mitglieder zu der ehrenden Auszeichnung.

Die dritte Monatsversammlung am 7. Februar 1908.

Diese war der Verwendung der Photogrammetrie für militärische Zwecke gewidmet. Der k. u. k. Oberst Freiherr v. Hübl sprach über „Die Anwendung der Photogrammetrie am Schießplatze in Pola". Er erörterte zuerst die frühere Methode der Bestimmung der Schußweite und erläuterte dann die von ihm vorgeschlagene neue Einrichtung, bei welcher die Entfernungsbestimmung der Wassergarbe nach dem Prinzipe der Stereophotogrammetrie erfolgt. Die äußerst klaren Ausführungen des Vortragenden wurden durch meisterhaft ausgeführte Projektionsbilder des k. u. k. militärgeographischen Institutes belebt und unterstützt.

Ebenso instruktiv und fesselnd gestaltete sich der folgende, gleichfalls durch eine große Anzahl von Projektionsbildern unterstützte Vortrag des k. u. k. Oberleutnants Ed. Ritter v. Orel „Photogrammetrie im k. u. k. militärgeographischen Institute". Der Vortrag zeigte, daß in diesem Institute die Photogrammetrie schon seit einer Reihe von Jahren mit großem Vorteile und in bedeutendem Umfange offiziell verwendet wird.

Der Vorsitzende Prof. E. Doležal sprach den Vortragenden den besten und innigsten Dank der Gesellschaft aus und gedachte dann in warmen Worten Sr. Exzellenz des Herrn Kommandanten des k. u. k. militärgeographischen Institutes, Feldmarschallleutnant Otto Frank, der sich stets als eifriger Förderer der photogrammetrischen Wissenschaft erwiesen hat.

Die vierte Monatsversammlung am 8. März 1908.

Der Verlauf derselben war ein äußerst anregender. Es wurde das erste Heft des neugegründeten Organs der Gesellschaft, des „Internationalen Archivs für Photogrammetrie", vorgelegt, dessen Inhalt und Ausstattung ihm in kurzer Zeit eine große Anzahl

von Abonnenten zuführen sollten, da die neue Zeitschrift allen Interessenten Gelegenheit bietet, sich auf bequeme Weise mit sämtlichen Neuerungen auf photogrammetri-
schem Gebiete bekannt zu machen. Hierauf hielt der russische Staatsrat, Ingenieur
R. Thiele, den angekündigten Vortrag über „Phototopographische Arbeiten in Rußland".

Der Vortragende erwähnte, daß er die Anfangsgründe der Photogrammetrie in
Wien unter Anleitung des Ingenieurs Hafferl erlernte und gab dann eine interessante
Darstellung der Entwicklung der phototopographischen Arbeiten in Rußland, deren Ausgangspunkt eine vom Fürsten Galytzin auf Grund perspektivischer Zeichnungen und
photographischer Bilder hergestellte Aufnahme der Halbinsel Nowaja Semlja bildete.

Herr Staatsrat Thiele schilderte dann auch seine Arbeiten hinsichtlich der Verwendung der Ballonphotographie für kartographische Zwecke, insbesondere den von ihm
erfundenen Autopanoramograph, welcher gleichzeitig sieben Bilder des aufzunehmenden
Terrains liefert, von denen jedoch sechs vor der Verwendung zur Rekonstruktion noch
eine Transformation erfahren müssen. Zur Hebung des Apparates dient ein Drachen
und es wurden in sehr hübschen Projektionsbildern die verschiedenen Stadien der Auf-
lassung der Drachen und die mit dem Panoramograph erzielten Resultate vorgeführt.

Langanhaltender Beifall folgte den Ausführungen des Vortragenden und der Obmann der Gesellschaft sprach gewiß im Sinne aller Zuhörer, als er den Herrn Staatsrat
zu seinen ganz hervorragenden Erfolgen auf dem Gebiete der Photogrammetrie und zu
seinen Verdiensten um die Verbreitung derselben in Rußland herzlichst beglückwünschte.

Jahresbericht, erstattet vom Obmann in der ordentlichen Jahresver-
sammlung am 6. März 1908.

Hochverehrte Versammlung!

Die Konstituierung unseres Vereines erfolgte am 5. Mai 1907 und die eigentliche
Vereinstätigkeit wurde im Herbst 1907 aufgenommen.

Um den Zweck des Vereines, die Theorie und Praxis der Photogrammetrie
zu pflegen, ihre Vervollkommnung und Verbreitung zu fördern und zu ihrer
Anwendung in verschiedenen Wissensgebieten beizutragen, zu erfüllen, wurden
verschiedene Maßnahmen von der Vereinsleitung getroffen.

Vor allem sollen die Monatsversammlungen die Mitglieder und Freunde zu-
sammenführen, um wichtige Fragen unseres Faches in Vorträgen zu behandeln und
in fachmännischen Diskussionen zur Klärung zu bringen.

In den Monatsversammlungen am 22. November 1907, den 10. Januar und 7. Februar 1908 wurden über nachstehende Themen Vorträge gehalten:

1. A. Laussedat, der Begründer der Photogrammetrie, sein Leben und seine
wissenschaftlichen Arbeiten (Prof. E. Doležal).

2. Neue Instrumente für die photogrammetrische Aufnahme und Rekonstruktion
von Baudenkmälern (Konstrukteur Dr. Th. Dokulil).

3. Die Anwendung der Photogrammetrie am Schießplatze in Pola (Oberst Baron
Hübl).

4. Photogrammetrie im k. und k. militärgeographischen Institute in Wien (Oberleutnant v. Orel).

Bei den Monatsversammlungen kamen verschiedene photogrammetrische Arbeiten
österreichischer Forscher zur Ausstellung; wir waren in der angenehmen Lage zu exponieren:

1. Photographische Arbeiten, und zwar:

   a) Aufnahmen des Linienschiffskapitän von Höhnel in Ost-Äquatorialafrika;
   b) die Aufnahmen und Karte des Erdschias-Gebietes in Kleinasien von Dr. A.
   Penther-Tschamler;
   c) die Arbeiten in Ephesus in Kleinasien des Majors A. Schindler und
   d) die Aufnahmen und Karte des Sonnwendgebietes von Prof. F. Wähner.

2. Photogrammetrische Architekturaufnahmen der Gersthofer Pfarrkirche und der
Karlskirche im IV. Wiener Bezirke, ausgeführt von Prof. E. Doležal.

3. Die phototopographischen Arbeiten des k. u. k. militärgeographischen Institutes
in Wien, die zufolge ihrer Reichhaltigkeit und Schönheit Aufsehen erregten.

Gelegentlich der Monatsversammlungen kamen auch photogrammetrische Instrumente verschiedener Konstruktion zur Ausstellung und Besprechung.

Die neuesten Publikationen über Photogrammetrie, sowohl selbständige Werke als
auch Journalartikel wurden vom Obmanne in den Monatsversammlungen vorgelegt und
ihr Inhalt in Kürze geschildert so zwar, daß die Interessenten über die literarischen
Erscheinungen auf dem Gebiete der Photogrammetrie vollständig informiert erscheinen.

Um durch Abhaltung von fachwissenschaftlichen Vorträgen von Mitgliedern in anderen wissenschaftlichen Vereinen den Zweck der Gesellschaft zu fördern, hat der Vereinsobmann am 6. Dezember 1907 in der Architektenvereinigung „Wiener Bauhütte", sowie in der Fachgruppe der Eisenbahnbauingenieure des „Österreichischen Ingenieur- und Architektenvereines" am 16. Januar 1908 über die betreffenden Kreise interessierenden Themen der Photogrammetrie gesprochen.

Mehrere Vereinsmitglieder haben bei größeren photogrammetrischen, respektive stereophotogrammetrischen Arbeiten reiche Erfahrungen gesammelt und zur Förderung der Photogrammetrie wesentlich beigetragen; so hat Universitätsdozent Prof. Dr. N. Herz photogrammetrische Gletscheraufnahmen in Tirol ausgeführt, der k. u. k. Hauptmann a. D. Th. Scheimpflug hat mehrere Ballonfahrten unternommen und seine Pläne, photographische Ballonaufnahmen in den Dienst der Topographie zu stellen und sie mittels seiner Apparate auszuwerten, um ein gutes Stück weiter gebracht, der k. und. k. Hauptmann a. D. S. Truck hat ausgedehnte stereophotogrammetrische Aufnahmen in Tirol und Vorarlberg ausgeführt, um der Stereophotogrammetrie die gebührende Stellung für Ingenieurzwecke zu sichern und Offiziere unseres k. und k. militärgeographischen Institutes haben im Dienste der Phototopographie in Tirol erfolgreich gewirkt.

Die Kassarechnungen und die Bestände wurden von den Revisoren geprüft; die nachstehende Zusammenstellung gibt über die Geldgebahrung unseres jungen Vereines den nötigen Aufschluß.

Kassaübersicht pro 1907.

Soll

Haben

	K		K
Beiträge pro 1907	258.—	Drucksachen	147.50
Rückständige Beiträge pro 1907	108.—	Bücher und Stempel	6.53
		Portos	4.30
		Diverse Ausgaben	47.64
		Vorgetragene Beiträge pro 1907	108.—
		Barbestand	52.03
	366.—		366.—

Obmann:	Revisoren:	Der Schriftführer:
E. Doležal m. p.	L. v. Klatecki m. p.	G. Otto m. p.
	R. Rost m. p.	

Nach Entgegennahme des Berichtes wurde der Vereinsleitung der Dank ausgesprochen.

Nun wurde zur Wahl der Vereinsleitung für das Jahr 1908 geschritten: sie lieferte nach dem freiwilligen Rücktritte des zweiten Obmannstellvertreters Prof. Dr. N. Herz und der Auslosung des Schriftführers Dr. A. Schlein, des Universitätsprofessors Dr. M. Dvořák und des Architekten H. Urban, welche durch die Herren F. Schiffner, k. k. Realschuldirektor, Dr. Th. Dokulil, Konstrukteur an der k. k. techn. Hochschule in Wien, R. Dammer, Architekt und Vorstand der „Wiener Bauhütte" ersetzt worden sind, das folgende Ergebnis:

Obmann:

E. Doležal, o. ö. Professor an der k. k. technischen Hochschule in Wien.

Obmannstellvertreter:

Dr. E. Brückner, o. ö. Universitätsprofessor in Wien.
F. Schiffner, k. k. Realschuldirektor in Wien.

Schriftführer:

Th. Scheimpflug, k. u. k. Hauptmann a. D.
Dr. Th. Dokulil, Konstrukteur an der k. k. technischen Hochschule in Wien

Kassenführer:

G. Otto, Vertreter der Firma Karl Zeiss in Jena.

Ausschußmitglieder:

L. Arndt, k. k. Oberingenieur im k. k. Ministerium des Innern.
R. Dammer, Architekt, Vorstand der „Wiener Bauhütte".
C. Gärtner, Bauoberkommissär der Eisenbahnbaudirektion in Wien.
Dr. H. Jaschke, Assistent an der k. k. Sternwarte in Wien.
J. Khu, k. u. k. Hauptmann des Eisenbahn- und Telegraphenregimentes, zugeteilt dem k. u. k. Reichskriegsministerium.

F. Pichler, technischer Offizial, Leiter der Photographischen Abteilung im k. u. k. militärgeographischen Institute in Wien.
S. Truck, k. u. k. Hauptmann a. D.
Dr. J. Wächter, techn. Rat im k. k. Technischen Militärkomitee.
Prof. F. Wang, k. k. Oberforstrat im k. k. Ackerbauministerium.

Schiedsgericht:

Dr. K. Kostersitz, Oberlandesrat.
J. Pachnik, Oberbaurat der Wasserstraßendirektion.
Dr. A. Schlein, k. k. Adjunkt der k. k. Zentralanstalt für Meteorologie und Geodynamik in Wien.

Ersatzmänner:

E. Engel, k. k. Oberinspektor, Leiter des Triangulierungs- und Kalkulbureau, Honorardozent an der k. k. Hochschule für Bodenkultur.
J. Putz, k. u. k. Hauptmann des Eisenbahn- und Telegraphenregimentes.

Revisoren:

L. v. Klatecki, k. k. Obergeometer I. Klasse.
R. Rost, von Firma Rud. & Aug. Rost, math.-mech. Institut in Wien.

Mitgliederzahl der Gesellschaft.

Die Gesellschaft zählt am Tage der ordentlichen Jahresversammlung 100 Mitglieder.

Die fünfte Monatsversammlung am 8. April 1908.

Diese letzte Vollversammlung in der Vortragssaison 1907—1908 wurde mit der Besprechung der neuesten Publikationen (Handbuch der Photogrammetrie und Phototopographie von Ingenieur R. Thiele und photogrammetrische Beurteilung des Tierkörpers von Dr. E. Liebenau) eingeleitet. Hierauf hielt Herr k. u. k. Hauptmann Theodor Scheimpflug den angekündigten Vortrag: „Über die Entwicklung und den derzeitigen Stand der Ballonphotogrammetrie in den verschiedenen Staaten." Der Vortragende behandelte in interessanter Weise die Geschichte der Ballonphotogrammetrie und führte in sehr gelungenen Projektionsbildern eine Reihe von Apparaten und Hilfsgerätschaften für Ballonaufnahmen vor. Hierauf ging Hauptmann Scheimpflug auf die Ballonphotogrammetrie in Österreich über, gab eine chronologische Zusammenstellung seiner eigenen grundlegenden Arbeiten und zeigte in überzeugender Weise, daß die österreichischen Forschungen auf diesem Gebiete denjenigen der anderen Staaten ebenbürtig an die Seite gestellt werden können. Auch einige ein flugtechnische Fragen wurden besprochen. Besonders interessant war die Vorführung zahlreicher mit dem Scheimpflugschen Photoperspektograph hergestellten Transformationen von Ballonaufnahmen, welche durch ihren Detailreichtum und die Schärfe in allen Teilen allgemeine Bewunderung erregten.
Prof. Dr. Hartwig sprach dann noch über „Stereophotogrammetrische Vermessung bei geneigter und vertikaler Basis". Er führte der Versammlung die von ihm in dieser Richtung unternommenen Arbeiten vor, welche einer von Prof. E. Doležal in der „Zeitschrift für Mathematik und Physik" 1906 gegebenen Anregung ihre Entstehung verdanken und bei den im k. u. k. militärgeographischen Institut durchgeführten praktischen Versuchen ganz vorzügliche Erfolge ergaben. Außerdem wies er darauf hin, daß die stereophotogrammetrische Methode mit vertikaler Basis auch in der Ballonphotogrammetrie zur Verwendung gelangen könne, über welchen Vorschlag sich nach Schluß des Vortrages eine rege Diskussion entspann, an der sich namentlich Prof. Dr. N. Herz beteiligte.
Oberleutnant v. Orel führte hierauf in einigen Projektionsbildern einen nach seinen Angaben in dem Institute Rudolf und August Rost konstruierten Zeichenapparat vor, dessen Zweck es ist, die bei der stereophotogrammetrischen Ausmessung eines Plattenpaares erforderlichen Bewegungen der Platten in die Bewegung eines Zeichenstiftes umzusetzen, welcher automatisch den Lageplan des aufgenommenen Terrainteiles zeichnet. Mit dieser Vorführung schloß die diesjährige Vortragssaison der österreichischen Gesellschaft für Photogrammetrie, deren glänzender Verlauf die Mitglieder der Gesellschaft berechtigt, der Zukunft des jungen Vereines hoffnungsvoll entgegenzuschauen.

Schluß der Redaktion am 1. Juni 1908.

K. u. k. Hofbuchdruckerei Carl Fromme, Wien.

INTERNATIONALES
ARCHIV FÜR PHOTOGRAMMETRIE

Redaktion: Prof. E. DOLEŽAL in Wien.

| I. Jahrgang | November 1908 | Heft 3. |

Über die Bedeutung der photographischen Meßkunst.

Inaugurationsrede des Rectors magnificus der k. k. Technischen Hochschule in Wien,
Prof. E. Doležal, gehalten am 24. Oktober 1908.

Die Photographie, welche die Strahlen des Lichtes in den Dienst der Kunst und der Technik gestellt hat, welche durch das Objektiv und die lichtempfindliche Platte unser Auge zu ersetzen vermag, hat bereits mannigfache Anwendung auf den verschiedensten Gebieten gefunden.

Wenn auch die Worte, die Paul Delaroche aussprach, als er einen Vortrag Daguerres, des Erfinders der Photographie, verließ: „La peinture est morte à dater de ce jour et la Photographie a tué l'observation" sich nicht verwirklichen konnten, weil nur das Genie des Malers das tote Objekt beleben kann und die photographische Kamera, welche nur über einen Sinn verfügt, nie die intellektuelle Beobachtung ersetzen wird, bei welcher stets mehrere unserer Sinne zusammenwirken, ist es dennoch heute schon erwiesen, daß Wissenschaft, Technik und Kunst in der Photographie eine absolut verläßliche, streng objektive und mit unerreichbarer Schnelligkeit arbeitende Gehilfin gewonnen haben.

Die französischen Forscher Gay-Lussac und Arago erkannten sofort, als ihnen die Erfindung Daguerres bekannt wurde, in der Photographie ein nach geometrischen Gesetzen entstandenes perspektivisches Bild und wiesen darauf hin, daß ihre Benutzung zu Messungszwecken bei Architektur- und Terrainaufnahmen möglich sein müsse.

Und in der Tat läßt sich jeder Punkt eines Photogrammes durch rechtwinkelige Koordinaten unzweideutig bestimmen und diese gestatten wieder in Verbindung mit der Bilddistanz Horizontal- und Vertikalwinkel rechnerisch und konstruktiv abzuleiten. Das Photogramm bietet somit alle Daten zur Ausführung einer indirekten Winkelmessung.

In der Geodäsie kann die Festlegung von Punkten im Raume nach verschiedenen Methoden erfolgen. Für die Anwendung der Photographie kommt die Standlinienmethode in Betracht, bei der aus den Endpunkten einer bekannten Grundlinie zwei orientierte Aufnahmen eines Objektes gemacht werden. Jeder in beiden Photogrammen identifizierbare Punkt läßt sich al. Spitze eines Dreiecks festlegen, dessen Basis die Standlinie bildet.

Dieses Verfahren wurde von dem französischen Oberst A. Laussedat in die Praxis eingeführt; der Grundgedanke findet sich aber schon bei dem deutschen Forscher J. H. Lambert und wurde vor Laussedat von dem französischen Ingenieur-Geographen Beautemps-Beaupré mit aus freier Hand entworfenen perspektivischen Zeichnungen zur Durchführung gebracht. Laussedat nannte sein Verfahren Metrophotographie; in Deutschland und in Österreich ist allgemein die vom Geheimen Baurat Dr. A. Meyden-bauer eingeführte Bezeichnung Photogrammetrie gebräuchlich.

Die größte Schwierigkeit bei Auswertung der Photogramme für Lage und Höhe bildet die Auffindung identischer Punkte auf den beiden Bildern, und zwar wächst die Schwierigkeit der Identifizierung mit der Länge der Basis. Je kürzer aber die Basis gewählt wird, desto weniger genau ist wieder das Resultat der Arbeit.

Aus diesem Dilemma, das noch vor einem Jahrzehnt unlösbar schien, wurde aber doch ein überraschend einfacher Ausweg gefunden, der im wesentlichen auf der bekannten Erscheinung des stereoskopischen Sehens, das ist der optischen Raumwahrnehmung beim Sehen mit zwei Augen beruht.

Objekte, welche sich innerhalb einer Entfernung von 400 bis 500 *m* in verschiedenen Abständen befinden, werden nämlich beim Sehen mit beiden Augen als hintereinander liegend wahrgenommen, während sie beim Ge-brauche nur eines Auges gleich weit erscheinen. Durch das Helmholtzsche Telestereoskop kann diese Tiefenwahrnehmung bis auf einige Kilometer er-weitert werden.

Auf diesen Prinzipien und einer Idee des Ingenieurs Grousillier in Berlin, der Verwendung einer fixen Marke, die durch die Verschiebung des einen Stereoskopbildes zu wandern scheint, beruht der von dem wissen-schaftlichen Mitarbeiter des Karl Zeiss-Werkes in Jena, Dr. C. Pulfrich, konstruierte Stereokomparator.

Man sieht darin das aufgenommene Objekt plastisch vor sich, mittels einer Mikrometerschraube vermag man die wandernde Marke mit einem bestimmten Punkte des Gegenstandes auf gleiche Entfernung zu stellen, worauf die zur Festlegung des Punktes erforderlichen Daten ermittelt werden.

Dieses für den Beobachter weit weniger anstrengende Meßverfahren wird nun allgemein als Stereophotogrammetrie bezeichnet.

Die photographische Meßkunst kann sich somit auf drei Methoden stützen: auf die photographische Winkelmessung. die Photogrammetrie Laussedats und die Pulfrichsche Stereophotogrammetrie.

Ihre Bedeutung wird am deutlichsten hervortreten, wenn ich die ver-schiedenen Anwendungsgebiete kurz erörtere, in denen sie zum aus-gesprochenen Vorteile der Sache bereits eingeführt wurde.

Am naheliegendsten war mit Rücksicht auf die Entstehung der Photo-grammetrie ihre Verwendung in der Topographie.

Die Anwendung der alten Methoden war in schwer zugänglichem Terrain, insbesondere in den Felsenregionen des Mittel- und Hochgebirges, mit außerordentlichen Schwierigkeiten verbunden. Dazu kam noch, daß von den beteiligten militärischen und touristischen Kreisen immer höhere An-sprüche an die kartographische Terraindarstellung gemacht wurden.

Da war es die Anwendung der Photographie, welche es ermöglichte, den höchsten Anforderungen auch im schwierigsten Terrain gerecht zu werden. In Italien ist P. Paganini, in Amerika E. Deville, in den Vereinigten Staaten Flemer für die Ausbildung der phototopographischen Methoden tätig gewesen.

In Österreich hat sich vornehmlich der Vorstand der technischen Abteilung des k. u. k. militärgeographischen Institutes, General Baron A. Hübl, mit Aufnahmen im Hochgebirge beschäftigt.

Die erste Probeaufnahme wurde im Jahre 1891 am Bisamberge bei Wien durchgeführt und die gewonnenen Erfahrungen bei der Neuaufnahme der Tatra ausgiebig verwertet. Später folgten noch Aufnahmen des Triglav- und Mangartgebietes, eines ausgedehnten Areales in den Dolomiten und in den letzten Jahren wurden stereophotogrammetrisch die Presanellagruppe, die Ötztaler Alpen und der Ortler bewältigt.

Die Bestrebungen des Baron Hübl fanden durch die Kommandanten des k. u. k. militärgeographischen Institutes, die Generäle Reichsritter Ch. v. Steeb und O. Frank, die nachdruckvollste Förderung, so daß die phototopographischen Arbeiten dieses Institutes eine hohe Vollendung erreicht haben und geradezu mustergiltig geworden sind.

Wie bei topographischen Aufnahmen im Hochgebirge, hat sich die photographische Meßkunst auch bei technischen Arbeiten in diesen schwer zugänglichen Gebieten als vorteilhaft erwiesen.

Der Geheimrat Prof. Dr. K. Koppe, der die geodätischen Vorarbeiten und die Absteckung des Gotthardtunnels leitete, hat später oft bedauert, daß er bei der Durchführung dieser Arbeit mit den photogrammetrischen Methoden noch nicht so vertraut war, um sie zur Lösung dieses schwierigen Problems der Ingenieurkunst heranzuziehen. Dagegen hat er bei den technischen Vorarbeiten für die Jungfraubahn die Präzisionsphotogrammetrie bereits in ausgedehntem Maße verwendet und waren die Erfolge vollständig zufriedenstellend.

Auch bei Wildbachverbauungen und Lawinenstürzen im Hochgebirge sind die Grundbedingungen für eine zweckmäßige Anwendung der Photogrammetrie vorhanden; der Inspektor V. Pollak der k. k. Staatsbahnen war speziell auf dem Gebiete der Lawinenversicherung mit Erfolg tätig und das k. k. Ackerbauministerium hat die bezüglichen Bestrebungen bei Wildbachverbauungen tatkräftigst gefördert.

In der Forsttechnik waren die Österreicher die ersten, welche die Vorteile der photogrammetrischen Methode durch eine Reihe von gelungenen Aufnahmen bewiesen haben. Ich will nur kurz auf die Arbeiten des gegenwärtigen Ministerialrates des Ackerbauministeriums F. Wang in der Wsetiner Bečwa und des Forstrates R. Kobsa in den Staatsforsten des Zillertales und in der Hinterriß in Tirol hinweisen.

Die österreichische Eisenbahn-Baudirektion hat durch Hauptmann S. Truck zu Studien für die Auswertung der Wasserkräfte in den Alpen ebenfalls stereophotogrammetrische Aufnahmen durchführen lassen, welche den Beweis für die Vorteile des Pulfrichschen Meßverfahrens erbrachten.

In Rußland ist der Staatsrat R. Thiele für die Verwendung der Photogrammetrie, insbesondere zu Trassierungszwecken im Gebirge, hervorragend tätig.

Weit universeller als für topographische und technische Zwecke ist die Anwendung der photographischen Meßkunst in der Architektur und Denkmalpflege.

Die Photogramme von architektonischen Objekten gestatten, zufolge der regelmäßigen und symmetrischen Details, zufolge der Fülle von parallelen Linien, der bequemen Verwertung der Verschwindungspunkte, endlich der leichten Identifizierung der meisten Punkte viele Vereinfachungen und rasche Konstruktionen.

Für die Denkmalpflege bildet die Photogrammetrie ein geradezu ideales Hilfsmittel. Und die Erhaltung und Pflege der Denkmäler ist gewiß eine der schönsten Pflichten eines Kulturvolkes, denn diese unvergänglichen Gedenkzeugen der Vergangenheit wirken künstlerisch erziehend und wecken in jeder Brust das Bewußtsein der Zusammengehörigkeit mit dem heimatlichen Boden.

Die Photogrammetrie im Vereine mit der Photographie ist nun berufen, die Schaffung eines der wichtigsten Faktoren der Denkmalpflege zu ermöglichen, eines Archivs, in dem alle Denkmäler in „Bild und Maß" Aufnahme finden und so der Nachwelt sicher erhalten bleiben können.

In Preußen besteht bereits seit dem Jahre 1885 unter der Leitung Meydenbauers eine Meßbildanstalt mit einem Denkmälerarchive, in welchem nahezu 1000 Baudenkmäler Preußens photogrammetrisch festgelegt sind.

Das österreichische Ministerium für Kultus und Unterricht hat über Anregung der Hofräte Prof. Dr. A. Schell und Direktor Prof. Dr. J. M. Eder vor 11 Jahren photogrammetrische Probeaufnahmen angeordnet, deren günstige Resultate zu der Hoffnung berechtigen, daß auch Österreich in absehbarer Zeit an die Schaffung eines photogrammetrischen Institutes und eines Denkmälerarchivs schreiten wird.

Ein solches Archiv würde wesentlich zur Förderung der Kunstjünger und zur Verbreitung des Kunstsinnes in der Bevölkerung beitragen.

Die Eigenheit der photogrammetrischen Methode kommt auch dem Archäologen zustatten, der nicht bloß Farbe und Gestalt des untersuchten Objektes, sondern oft auch die Maße desselben zu seinen Forschungen gebraucht und mitunter in die Lage kommt, diese ermitteln zu müssen, ohne den Gegenstand seines Studiums berühren zu dürfen.

Während der Expedition zur Beobachtung des Venusdurchganges im Jahre 1874 ergab sich ein solcher Fall. Unter militärischer Bedeckung gelang es Dr. Stolze mehrere Aufnahmen der Freitag-Moschee in Shiraz zu erhalten, eines Heiligtums aus der ersten Zeit des Islam, dessen Betreten den Ungläubigen strengstens untersagt ist. Aus den unter persönlicher Lebensgefahr erhaltenen Aufnahmen wurde dann das interessante Bauwerk von Prof. Meydenbauer in „Bild und Maß" gesichert.

Die österreichische archäologische Kommission hat über Anregung der Professoren Benndorf und Niemann photogrammetrische Aufnahmen der

Basilika in Aquileja, der Ruinenfelder von Ephesos in Kleinasien und des berühmten diokletianischen Palastes in Spalato durchführen lassen.

Für archäologische Zwecke können übrigens gewöhnliche photographische Apparate nach der von dem französischen Forscher Dr. Le Bon angegebenen Methode sehr leicht adaptiert werden.

Wenden wir uns nun der geographischen Forschung zu. Diese hat zwar schon den weitaus größten Teil des Erdballes bezwungen und die weißen Stellen auf den Karten sind sehr selten ·geworden. Aber gerade dort, wo sich diese jungfräulichen Stellen befinden, erheben sich gegen die kartographische Aufnahme meistens bedeutende Hindernisse in der Eigenart des Terrains und der Bevölkerung, und der Forschungsreisende wird es mit Freuden begrüßen, daß ihm die photographische Meßkunst viele sonst unüberwindliche Hindernisse leicht aus dem Wege räumt.

Der Wert dieses Verfahrens zeigt sich unter anderem in den schönen kartographischen Arbeiten, welche der Offizial des Wiener k. u. k. militär-geographischen Institutes J. Tschamler nach den photographischen Aufnahmen des Linienschiffskapitäns v. Höhnel, sowie des Dr. Penther angefertigt hat.

Auch die Polarforscher Nanthorst und Fürst Golizyn wären hier zu erwähnen.

Die Photographie zeigt nicht nur den Charakter der Landschaft, sie gestattet auch eine zuverlässige geographische Positionsbestimmung und bietet zahlreiche andere Aufklärungen, die, wenn auch nicht für den Geographen direkt, so doch für andere Wissenszweige von Interesse sind.

So wird der Geologe durch die Kombination zweier Bilder über die Neigung von Schichten und ihren Verlauf, sowie über andere Phänomene, die durch metrische Relationen zum Ausdrucke kommen, Aufklärung erhalten.

Die Photogrammetrie bietet ihm auch ein bequemes Mittel, die Veränderungen, die im Laufe der Zeit auf der Erdoberfläche stattfinden, dem Maße nach festzuhalten. Von Wichtigkeit ist dies in Gebieten, wo sich in den oberen Schichten der Erdkruste Hohlräume befinden und in Bergwerksterrain, wo durch Stollen und Schächte Verbruch des Gebirges und Bodensenkungen stattfinden können.

Hier. möchte ich eine hervorragende Arbeit eines österreichischen Geologen nicht unerwähnt lassen.

Prof. Dr. Franz Wähner von der deutschen technischen Hochschule in Prag, der sich seit mehr als zehn Jahren mit der Erforschung der geologischen Verhältnisse des östlich vom Aachensee in Tirol liegenden Sonnwendgebietes beschäftigt, hat auf Grund eigener photographischer Aufnahmen und einer photogrammetrischen Arbeit des Offizials Tschamler, durch letzteren eine Karte dieses Gebietes herstellen lassen, welche ein wahres Meisterstück der geologischen Kartographie genannt werden muß.

Ich möchte auch hervorheben, daß die Amerikaner die Photogrammetrie systematisch für die geologische Landesaufnahme verwerten.

Es unterliegt keinem Zweifel, daß der photographischen Meßkunst auch in der Kristallographie ein neues Feld der Anwendung erschlossen wird.

Wichtiger noch als für geologische Zwecke ist die Photogrammetrie für meteorologische.

Hier kommt hauptsächlich der Umstand in Betracht, daß bei photogrammetrisch festzulegenden Punkten jede Bezeichnung und Signalisierung entfallen kann.

Rasch dahineilende Wolkengebilde, das Nordlicht oder gar Blitze und andere Phänomene, die oft schon nach Bruchteilen einer Sekunde dem Beobachter entschwinden, können photographisch leicht und sicher fixiert werden.

Im Jahre 1891 wurde in München von dem dort tagenden Meteorologenkongresse der Beschluß gefaßt, durch internationale Wolkenmessungen unter Anwendung der photogrammetrischen Methoden die Bewegungsvorgänge der Atmosphäre zu erforschen. Das Jahr 1897 wurde als internationales Wolkenjahr bestimmt und auf 18 Stationen tatsächlich eine reiche Anzahl von Aufnahmen durchgeführt.

Wenn dieses gewaltige Beobachtungsmateriale ganz verarbeitet sein wird, werden die Meteorologen imstande sein, aus der Fülle der Erscheinungen in der Atmosphäre das Gesetzmäßige herauszufinden und so manches Problem seines hypothetischen Charakters zu entkleiden.

Auch eine zweite wichtige Frage der Meteorologie, das Studium des Gletscherphänomens, wurde durch die Photogrammetrie wesentlich gefördert.

Dieses Studium ist aber von höchster Wichtigkeit, weil es auch mit den wissenschaftlichen Forschungen über Klimatologie und über die Eiszeit im engsten Zusammenhange steht.

Prof. S. Finsterwalder in München ist seit dem Jahre 1887 auf diesem Gebiete unermüdlich tätig.

Bei der großen Genauigkeit der photographischen Winkelmessung ist es leicht erklärlich, daß diese Methode auch in der Astronomie die verdiente Würdigung gefunden hat. Insbesondere wurde sie bei Sonnenaufnahmen, bei Venusdurchgängen und bei Auffindung neuer Gestirne verwendet, ihre größte Errungenschaft besteht aber in einer großartigen Vermessung des Himmels, einer förmlichen Inventarisierung der jetzt bekannten Himmelskörper.

Um den für diese Arbeiten erforderlichen höchsten Grad von Genauigkeit erreichen zu können, mußte einerseits die größte Sorgfalt auf die Ausführung der photographischen Objektive verwendet und anderseits durch Schraubenmikrometer die Genauigkeit der Plattenmessung bedeutend gesteigert werden.

Zur bequemen photographischen Fixierung von Sternschnuppenschwärmen wurden von dem Adjunkten der Wiener Universitätssternwarte Dr. J. Rheden und von Oberlandesrat Dr. K. Kostersitz, dem unermüdlichen Vorkämpfer für ein Höhenobservatorium in Österreich, sehr verwendbare Meteorographen konstruiert.

Die Ermittlung der Länge war in früherer Zeit ein Schmerzenskind der geographischen Positionsbestimmung und selbst so namhafte Forscher wie Alexander v. Humboldt konnten Fehler von einem halben Grade und darüber nicht vermeiden.

Dr. Stolze hat gezeigt, daß die geographische Ortsbestimmung auf photographischem Wege mit den einfachsten Mitteln ausführbar ist; Marcuse u. a. haben diese Vorschläge praktisch erprobt und Prof. Koppe hat die photographische Längenbestimmung mittels Monddistanzen auf einen hohen Grad der Genauigkeit gebracht.

Durch die großen Fortschritte auf allen Gebieten der Photographie und der Elektrotechnik, durch die Entdeckung der Röntgen- und Bequerelstrahlen und die epochalen Versuche Ramsays, welche die Perspektive eröffnen, daß der Stein der Weisen der alten Alchymisten von einem künftigen Forscher doch noch gefunden werden könnte, ist es heute möglich, für das Auge verborgene Vorgänge in der Natur, auf der photographischen Platte festzuhalten, so daß man mit Fug und Recht auch von einer Photogrammetrie des Unsichtbaren sprechen kann.

Hofrat Prof. Mach in Prag ist es gelungen, Schallwellen und ihre Interferenz photogrammetrisch aufzunehmen und dürfte das Studium der Wellenlehre hierdurch manche Anregungen erhalten.

Zu der Photographie des Unsichtbaren können auch die ballistischen Aufnahmen gerechnet werden, denn es handelt sich hierbei nicht bloß um die Flugbahn, sondern auch um die Verdichtungen und Verdünnungen der atmosphärischen Luft um ein im Fluge befindliches Geschoß, um die Gewinnung von Anhaltspunkten für die Ermittlung einer den tatsächlichen Verhältnissen entsprechenden Formel zur Berechnung des Luftwiderstandes.

Die ersten derartigen Aufnahmen wurden im Arsenale zu Woolwich ausgeführt; in Österreich beschäftigten sich die Professoren Mach und Salcher mit dem Probleme und verschafften uns eine genaue Anschauung der Vorgänge, welche sich im Luftraum um das Geschoß abspielen.

Die Frage der Pendelung der fliegenden Geschosse wurde von Hauptmann von Dreger, dem artilleristischen Leiter des Grusonwerkes auf photographischem Wege mit einer Lochkamera untersucht und auch der österreichische Marineartillerie-Ingenieur Kral beschäftigte sich mit ihr.

Zum Studium verschiedener Bewegungen hat man die Chronophotographie oder Kinematographie mit der Photogrammetrie kombiniert.

Prof. F. Steiner in Prag studierte auf chronophotographischem Wege die Schwingungen einer eisernen Brücke, die Bahn beweglicher Punkte einer Maschine, die Geschwindigkeitsschwankungen eines Schwungrades und eines fließenden Gewässers.

Der deutsche Forscher O. Fischer hat den Gang eines Mannes in 31 Phasen photogrammetrisch festgelegt und so war es möglich, für die von den Gebrüdern Weber begründete Theorie der menschlichen Gehwerkzeuge konkrete Unterlagen zu schaffen.

Prof. O. Flamm in Charlottenburg hat durch stereokinematographische Aufnahmen das physikalische Wesen des Schiffswiderstandes, die Wirkungsweise der Schiffsschraube und die hierbei auftretenden gesetzmäßigen Wasserbewegungen zu erforschen gesucht.

Dr. E. Kohlschütter in Hamburg hat sich mit der Verwendung der Stereophotogrammetrie zur Messung der Meereswellen beschäftigt und Prof.

Laas in Charlottenburg hat den Nachweis erbracht, daß die Form der Meereswellen nicht so einfach ist, als es die Theorie bisher annahm. Diese Untersuchungen sind von großer Wichtigkeit, weil sie in der Theorie des Schiffsbaues berücksichtigt werden müssen.

Die Marine der verschiedensten Staaten hat die Photographie in den Dienst der Küstenaufnahmen gestellt. So hat die österreichische Marine gelegentlich der Studienreise Sr. Majestät Schiffes „Pola" im Roten Meere mehrere Häfen an der arabischen Küste photogrammetrisch festgelegt.

Der ehemalige österreichische Marineoffizier Th. Scheimpflug hat die Bedeutung der Photogrammetrie für maritime Zwecke eingehend erörtert und wies darauf hin, daß sie bei fliegenden Aufnahmen von Küstenstrichen, beim Ausloten von Meeresteilen, bei der Rekognoszierung feindlicher Stellungen, zur Konstatierung von Havarien und zur exakten Messung der bei Minensprengungen auftretenden Erscheinungen verwendet werden könne.

Instruktive Untersuchungen über „Die Portée-Ermittlung bei Schießversuchen gegen die See" wurden von General Baron Hübl und Linienschiffsleutnant F. Neuffer im verflossenen Jahre auf stereophotogrammetrischem Wege in Pola angestellt.

Die Möglichkeit der Verwertung der Photogrammetrie im Seekampfe wurde im letzten russisch-japanischen Kriege erwiesen. Die ganze Meerenge von Tsu sima war von den Japanern photogrammetrisch aufgenommen worden. Die mit einem engen numerierten Quadratnetze versehenen Abzüge der Aufnahme befanden sich sowohl auf einer gedeckten Beobachtungsstation als auch auf den durch drahtlose Telegraphie mit dieser Station verbundenen japanischen Schiffen. Als die Russen in die Meerenge einfuhren, konnte die Beobachtungsstation deren jeweilige Stellung den japanischen Schiffen leicht signalisieren und die russischen Fahrzeuge waren der japanischen Schiffsartillerie fast wehrlos ausgeliefert.

Ich war bisher in der Lage, schon auf mehrere wichtige Anwendungen der photographischen Meßkunst für militärische Zwecke hinweisen zu können; hierzu kommt noch, daß in einem Zukunftskriege die Ballonphotogrammetrie sicherlich eine nicht unwesentliche Rolle spielen dürfte.

Schon im Jahre 1862 kam dieselbe im amerikanischen Bürgerkriege bei der Belagerung von Richmond zur Verwendung und ermöglichte es dem General Mac Clellan, die bedrohten Punkte rechtzeitig zu schützen und dem Feinde an gefährdeten Stellen mit überlegenen Kräften entgegenzutreten. Es wurde dabei nach demselben Prinzipe vorgegangen, welches die Japaner viele Jahre später wieder mit so großem Erfolge in der Meerenge von Tsu sima anwendeten.

Die Tatsache, daß photogrammetrische Ballonaufnahmen, insbesondere wenn sie sich auf eine horizontale Bildebene beziehen, unmittelbar einer topographischen Karte gleichen, war der Grund, daß sich militärische und zivile Kreise eingehend mit der Verwertung der Ballonaufnahmen für topographische Zwecke befaßten.

Ist die Eroberung der Luft einmal gelungen, so wird der Topograph imstande sein, mit einem Vermessungsluftschiffe sich geeignete Standpunkte in der erforderlichen Höhe zu wählen und größere zusammenhängende topographische Aufnahmen durchzuführen.

Die großen Erfolge, welche die Aëronautik in der letzten Zeit zu verzeichnen hat, lassen es wahrscheinlich erscheinen, daß diese Eventualität in einer nicht allzu fernen Zeit eintreten dürfte.

In theoretischer Beziehung hat sich Prof. Finsterwalder große Verdienste um die Ballonphotogrammetrie erworben. Hauptmann Scheimpflug hat einen Panoramenapparat konstruiert und mit demselben unter persönlichen finanziellen Opfern eine Reihe von gelungenen Versuchsaufnahmen durchgeführt. Staatsrat R. Thiele hat mit einem ebenfalls von ihm selbst ersonnenen Apparate die Ballonphotogrammetrie bereits praktisch angewendet, indem er das Delta der Wolga und anderer Flüsse aus seinen Aufnahmen kartographisch festlegte.

Wir haben gesehen, daß sich eine große Anzahl von Ingenieuren mit der photographischen Meßkunst befaßten, die meisten dieser Praktiker begnügten sich aber mit geringen theoretischen Hilfsmitteln und so kam es, daß sich die Photogrammetrie in ihren Händen vornehmlich auf die Ausgestaltung der Instrumente beschränkte.

Glücklicherweise hat jedoch auch die Theorie der photographischen Meßkunst durch Mathematiker und Geometer eine wesentliche Förderung erfahren. R. Sturm, Schubert, H. Müller u. a. führten eine Reihe mathematischer Untersuchungen durch, welche im engsten Zusammenhange mit der Photogrammetrie stehen, und zwar ohne daß ihnen dieser Zusammenhang bekannt war.

Geometer, welche das photogrammetrische Problem gewissermaßen als eine Umkehrung der Perspektive auffaßten, stellten den Kontakt zwischen der hochentwickelten projektiven Geometrie und einem ihrer dankbarsten Anwendungsgebiete her. Prof. Guido Hauck in Berlin lenkte durch seine grundlegende Publikation: „Theorie der trilinearen, projektivischen Systeme" die Aufmerksamkeit auf mehrere theoretische Sätze und Beziehungen, welche sich mit Vorteil in der photogrammetrischen Praxis verwerten lassen.

Die theoretischen Fortschritte haben, wenn sie auch in der Praxis nicht entsprechend hoch gewertet wurden, gewiß ebenfalls ihren redlichen Anteil an der Entwicklung der photographischen Meßkunst.

Heute dürfte sich schon ziemlich allgemein die Erkenntnis durchgesetzt haben, daß die Photographie, indem sie ohne Zeitaufwand, ohne besondere Mühe mathematisch genaue Perspektiven irgend eines Objektes liefert, für Vermessungszwecke aller Art ein sehr nützliches Hilfsmittel bietet, und daß sie die Durchführung vieler Aufgaben gestattet, die früher schlechthin unlösbar waren.

Durch die Einführung der Stereophotogrammetrie ist das Gebiet der photographischen Meßkunst noch wesentlich erweitert worden, und es läßt sich heute noch gar nicht überblicken, in wie viele Wissenszweige sie noch als geschätzte Hilfskraft eingreifen wird.

Wenn die Fortschritte der Photogrammetrie bis jetzt den aufrichtigen Freund der Sache nicht ganz befriedigen konnten, so liegt der Grund darin, daß die Anwendung des neuen Verfahrens nicht immer sach- und sinngemäß erfolgte, daß Unberufene sich zu den übertriebensten Erwartungen verstiegen und die Photographie sehr oft zur Lösung von Aufgaben heranzogen, die mit den alten Methoden einfacher und zweckmäßiger zu lösen waren.

Es ist dies eine Erscheinung, die wir leider auf allen Gebieten der menschlichen Forschung wahrnehmen können. Wie viele nützliche Ideen sind in Vergessenheit geraten oder lange in ihrer Entwicklung aufgehalten worden, weil sie noch im embryonalen Zustande oft nur aus Reklamezwecken als bahnbrechend und titanenhaft gepriesen, die übertriebenen Voraussagen natürlich nicht gleich erfüllen konnten und in der auf das Erwartungsfieber folgenden lähmenden Reaktion in Vergessenheit gerieten.

Ich hoffe jedoch zuversichtlich, daß die photographische Meßkunst, nachdem sie ihr erstes Entwicklungsstadium bereits glücklich überwunden hat, sich nunmehr auf den ihrer Eigenart entsprechenden Aufnahmegebieten bald die gebührende Geltung verschaffen wird.

Photogrammetrie mit äußerem Beziehungspunkt.

Von Prof. Karl Fuchs in Preßburg.

I.

Wir beginnen mit dem Normalfall der Photogrammetrie, in dem die Platten auf den beiden Standpunkten I und II in derselben Ebene liegen. Wir wollen die folgenden Buchstaben verwenden. Die Kammern an den Endpunkten der Basis B haben die Brennweite f. Zwei Objektpunkte P und P_0 haben die Abstände a und a_0 von der Basis B; ihre Bildpunkte geben auf der ersten Platte die Abszissen x und x_0, auf der zweiten Platte die Abszissen x' und x_0'; die Rayons geben auf dem Standpunkt I die Richtungswinkel α und α_0, wobei gilt:

$$tg\, \alpha = \frac{x}{f} \qquad tg\, \alpha_0 = \frac{x_0}{f}; \qquad (1)$$

auf dem Standpunkt II geben sie die Richtungswinkel α' und α_0', wobei gilt:

$$tg\, \alpha' = \frac{x'}{f} \qquad tg\, \alpha_0' = \frac{x_0'}{f}; \qquad (2)$$

die Objektpunkte P und P_0 haben die Parallaxen p und p_0, für die gilt:

$$p = x - x' \qquad p_0 = x_0 - x_0' \qquad (3)$$

Wir nennen nun P_0 den äußeren Beziehungspunkt irgendwelchen Objektpunktes P und konstatieren die folgenden relativen Größen:
Relativer Abstand des Objektes P:

$$\varDelta a = a - a_0 \qquad (4)$$

Relative Abszisse des Objektes P (in Abb. 1 stark gezeichnet):

$$\Delta x = x - x_0. \tag{5}$$

Relative zweite Abszisse des Objektes P (in Abb. 1 stark gezeichnet):

$$\Delta x' = x' - x_0'. \tag{6}$$

Relative Parallaxe des Objektes P:

$$\Delta p = p - p_0 \tag{7}$$
$$= \Delta x - \Delta x'. \tag{8}$$

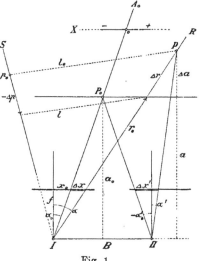

Fig. 1.

Einige der angeführten Größen sollen veranschaulicht werden. Wenn wir die Kamera mit unveränderter Achsenrichtung längs der Basis B von I nach II überführen, dann verschiebt sich auf der Platte der Bildpunkt P um eine Strecke p und der Bildpunkt P_0 um eine Strecke p_0. Die beiden Bildpunkte zeigen in I den Horizontalabstand Δx, in II den Horizontalabstand $\Delta x'$, und während der Überführung der Kamera erfährt der Bildpunkt P in bezug auf den Bildpunkt P_0 die relative Horizontalverschiebung $\Delta p = \Delta x - \Delta x'$.

Mit dem Komparator werden wir auf folgende Weise arbeiten. Wir stellen am Anfang die Marke des Komparators auf das Beziehungsobjekt P_0 ein; zum Beziehungsobjekt wählen wir aber irgend eine Bergspitze mitten im Gesichtsfeld, deren Lage wir genau kennen; wenn die Marke auf P_0 eingestellt ist, dann stellen wir die Parallaxenskala und die Abszissenskala auf Null; der Komparator ist dann in der Nullstellung. Wenn wir dann die Marke auf irgend einen Objektpunkt P einstellen, dann zeigt uns am Komparator die Abszissenskala unmittelbar die relative Abszisse Δx und die Parallaxenskala die relative Parallaxe Δp.

Die Abstandsgleichung für den Normalfall lautet bekanntlich für einen Objektpunkt P:

$$p\,a = B f. \tag{9}$$

Für den Beziehungspunkt P_0 lautet sie:

$$p_0\,a_0 = B f, \tag{10}$$

woraus folgt:

$$p\,a = p_0\,a_0. \tag{11}$$

Nach (4) und (7) können wir das auch so schreiben:

$$(p_0 + \Delta p)\,(a_0 + \Delta a) = p_0\,a_0$$

und hieraus ergibt sich die relative Abstandsformel:

$$-\frac{\Delta a}{a_0} = \frac{\Delta p}{p_0 + \Delta p}. \tag{12}$$

Diese Abstandsformel macht es uns möglich, die Objektpunkte P sehr einfach zu konstruieren, wie gezeigt werden soll.

Durch den Beziehungspunkt P_0 ziehen wir eine Parallele B_0 zur Basis B und nennen sie die verlegte Basis. Alle Punkte der verlegten Basis B_0 haben denselben Abstand a_0 und dieselbe Parallaxe p_0. Die Abstände aller Objektpunkte P werden wir auf diese verlegte Basis B_0 beziehen.

Durch P_0 ziehen wir auch den Rayon R_0, der eine beliebige zu B parallele Gerade X in einem Punkte o schneidet, den wir als Nullpunkt der Abszissenskala verwenden. Da uns der Komparator die relative Abszisse Δx unmittelbar gibt, können wir auch den Rayon R des Objektpunktes P ziehen. Aus der Abb. 1 sehen wir die Proportion:

$$\frac{\Delta a}{a_0} = \frac{\Delta r}{r_0}, \tag{13}$$

wo Δr und Δr von der Basis B_0 ab gemessen sind. Die Formel (12) kann also auch so geschrieben werden:

$$-\frac{\Delta r}{r_0} = \frac{\Delta p}{p_0 + \Delta p}. \tag{14}$$

Von I aus ziehen wir auch einen beliebigen Strahl S, auf dem in beliebigem Maßstab die Parallaxe p_0 aufgetragen ist. Wenn wir dann von p_0 aus die relative Parallaxe Δp auftragen (sie ist in der Abbildung negativ angenommen), dann geben laut (14) die Parallelen l_0 und l den gesuchten Punkt P.

Die Abb. 2 zeigt schematisch einen Apparat, der es uns leicht macht, den Punkt P zu bestimmen, ohne die Parallelen l_0 und l zu ziehen. Das Parallaxenlineal M trägt zwei bewegliche Schlitten $T T_0$ und hat eine Skala, deren Nullpunkt dem Punkte p_0 der Abb. 1 entspricht. Den unteren Schlitten mit dem Dorn stellt man auf p_0 ein, den oberen Schlitten mit dem drehbaren Armlineal L stellt man auf Δp ein. Den Dorn setzt man auf den Punkt I; die übrige Arbeit ist leicht zu verstehen.

So arbeitet man in der Methode der äußeren Beziehungspunkte ausschließlich mit relativen Variabeln Δx, Δp, Δa.

Die Vorteile der Methode der relativen Größen liegen teils im Komparator, teils im Ausgleichsverfahren.

Die Ausgleichung der Plattenpaare ist heute ein wunder Punkt. Jedes Plattenpaar stützt sich auf einige Kontrollpunkte. Trotzdem wollen die Gesichtsfelder der einzelnen Plattenpaare sich nicht genügend vollkommen aneinanderfügen. Da man das ganze Gesichtsfeld heute als ein Ganzes betrachtet, dessen einzelne Punkte P auf einen einzigen Beziehungspunkt, nämlich den Standpunkt I bezogen werden (innerer Beziehungspunkt), und auf eine einzige Basis, die Basis B, so ist es nicht möglich, mehreren Kontrollpunkten gleichzeitig zu genügen. Im neuen Verfahren nimmt man aber nicht einen einzigen äußeren Beziehungspunkt P_0 oder Q, sondern deren mehrere Q_1, Q_2 ... In erster Linie nimmt man die gegebenen Kontrollpunkte; dann aber auch andere wohlbestimmte Punkte. So gibt man möglichst jedem Bergzug, jedem Kamme, jedem Tal einen besonderen Beziehungspunkt. An jeden Beziehungspunkt gliedern sich dann die Punkte P seiner Umgebung an. Solche kleine Beziehungsbereiche kann man aber viel leichter gegeneinander ausgleichen, als die vollen Gesichtsfelder.

Noch mehr ins Gesicht fallen die Vorteile im Komparator. Man kann den Komparator in jedem Moment wieder justieren, indem man einfach die Marke auf den Beziehungspunkt setzt und die Skalen auf Null justiert. Jeder Komparator hat seine Fehlerquellen — schon kleine Temperaturunterschiede verursachen Parallaxenfehler — und diese Fehlerquellen machen sich um so mehr geltend, je größere Strecken x und p man zu messen hat. Die neue Methode mißt aber viel kleinere Strecken $\varDelta x$ und $\varDelta p$, und die Komparatorfehler sind so eliminiert.

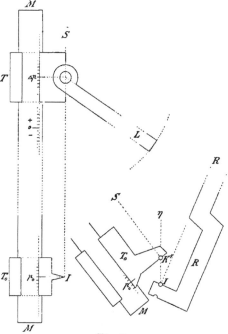

Auch die Plattenpaare haben ihre Fehler. Die Platten waren vielleicht verschwenkt oder sind nicht genau in derselben Ebene gelegen, oder sind nicht vollkommen eben. All diese Fehler stören um so mehr, je größere x und p man zu messen hat. Die kleinen Größen $\varDelta x$ und $\varDelta p$ hingegen tragen wenig Spuren der Plattenfehler; die Plattenfehler sind eliminiert.

Die Praxis denke ich mir so, daß im großen Komparator nur die Beziehungspunkte Q_1, Q_2 ... möglichst genau bestimmt und

Fig. 2.

gegeneinander möglichst ausgeglichen werden. Die Aufarbeitung der einzelnen Beziehungsbereiche geschieht aber in einem kleineren, einfacheren Komparator.

II.

Wir wollen nun den schwierigeren Fall betrachten, daß die Platten wohl parallel sind, aber nicht in derselben Ebene liegen. Wir haben dann eine geknickte Basis, die aus der eigentlichen Basis B und der Ausrückung zusammengesetzt ist (Fig. 3).

Die Abstandsformel des Normalfalles können wir auch jetzt für einen gegebenen Objektpunkt P anwenden, nur haben wir als Basis nicht die Strecke $I\,II$, sondern die Strecke $B'' = I\,II'$ anzusehen, für die gilt:

$$B'' = B - A \, tg \, \alpha'$$
$$= B - A \cdot \frac{x'}{f}. \tag{15}$$

Wenn wir in (9) für B den Wert B'' einsetzen, dann finden wir die erweiterte Abstandsformel:

$$a \, p = B f - A \, x'. \tag{16}$$

Für den Beziehungspunkt P_0 gilt entsprechend:

$$a_0 \, p_0 = B f - A \, x_0'. \tag{17}$$

Durch Subtraktion ergibt sich:

$$a \, p - a_0 \, p_0 = - A \, (x' - x_0')$$
$$= - A \, \Delta x'. \tag{18}$$

Wenn wir wieder $a \, p$ nach (4) und (7) entwickeln und $\Delta x'$ durch (8) bestimmen, dann finden wir leicht:

$$- \Delta a = \frac{(a_0 - A) \, \Delta p - A \, \Delta x}{p_0 + \Delta p}. \tag{19}$$

Hier ist der relative Abstand Δa bestimmt durch die relativen Größen Δp und Δx, die der Komparator direkt liefert.

Durch den Beziehungspunkt P_0 legen wir wieder eine verlegte Basis B_0, die die Eigentümlichkeit hat, daß jeder ihrer Punkte dieselbe Parallaxe p_0 hat, wie P_0. Diese Kurve konstanter Parallaxe p_0 ist aber keine Gerade mehr, sondern eine Parabel. Wenn wir in (16) die Abszisse x' nach (3) durch $x - p$ ersetzen, dann finden wir:

$$a \, p = (B f + A p) - A \, x. \tag{20}$$

Wenn wir hier p konstant gleich p_0 setzen, dann gibt uns diese einfache Gleichung für jeden Rayon x den Abstand a des entsprechenden Kurvenpunktes. Durch mehrere so gefundene Punkte können wir dann die Kurve legen. Herr General v. Hübl hat in den Mitteilungen des k. u. k. militärgeographischen Institutes, Band XXIV, einige Mitteilungen über meine photogrammetrischen Rechnungen gemacht. Dort sind auch Methoden angegeben, wie man diese Parabel leicht konstruieren kann. Diese Parabel soll uns also als verlegte Basis B_0 dienen. Wenn wir im Komparator für einen Neupunkt P die Größen Δx und Δp gefunden haben, dann können wir den Rayon R des Punktes P ziehen. Er schneidet die verlegte Basis B_0 in einem Punkte P'. Wenn wir diesen Basenpunkt P' zum sekundären Beziehungspunkt nehmen, und auf P und P' die Gleichung (19) anwenden, dann fällt das Glied $A \, \Delta x$ aus, denn beide Punkte liegen auf demselben Rayon und sie haben somit die Abszissendifferenz $\Delta x = o$; für P' hat ferner Δp denselben Wert wie für P_0, da sie ja beide auf derselben Kurve konstanter Parallaxe p_0 stehen; für P und P' nimmt also (19) die Form an:

$$\frac{- \Delta a}{a_0 - A} = \frac{\Delta p}{p_0 + \Delta p}. \tag{21}$$

Hier ist a_0 der Abstand des Punktes P' von der Basis B. Wir legen nun durch den Standpunkt II eine Parallele B' zu B und diese schneidet den Rayon R in einem Punkte I'. Der Nenner $a_0 - A$ ist der Abstand des Punktes P' von der Nebenbasis B'. Wenn mir die Rayonstücke $I'P'$ und $P'P$ mit r_0 und $\varDelta r$ bezeichnen, dann gilt offenbar:

$$\frac{\varDelta a}{a_0 - A} = \frac{\varDelta r}{r_0} \qquad (22)$$

und (21) kann so geschrieben werden:

$$\frac{-\varDelta r}{r_0} = \frac{\varDelta p}{p_0 + \varDelta p}. \qquad (23)$$

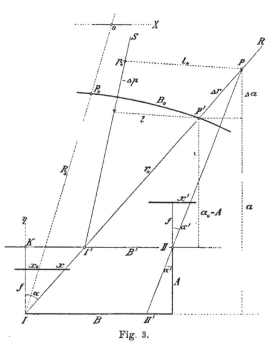

Das ist aber genau die Formel (14). Wir können also in unserem zweiten Fall den Punkt P genau so wie im Normalfall mittels des Proportionierlineals konstruieren; wir brauchen nur den Dorn des unteren Schlittens statt in I in I' anzusetzen. Der Unterschied zwischen den zwei Fällen liegt nur darin, daß im Normalfall der Ansatzpunkt I fix ist, während im zweiten Fall der Ansatzpunkt I' beweglich ist.

Den Übelstand, daß I' beweglich ist, kann man umgehen. Wir ziehen den Strahl S nicht von I' aus, sondern vom Schnittpunkt K der Nebenbasis B' mit der Kameraachse η, d. h.

Fig. 3.

wir setzen den Dorn des Proportionierlineals immer in K an. Da wir die Richtung von S beliebig machen können, legen wir das Lineal M jedesmal so, daß l_0 und l nahezu der Basis parallel zu liegen kommen, wie das ja auch in Abb. 3 der Fall ist. Da ist es gut, wenn das Lineal M zwei oder drei Skalen in verschiedenem Maßstab hat. Da in der Praxis die Strecke KI' immer sehr klein ist, viel weniger als $1\,mm$, so ergibt sich aus diesem Verfahren kein merklicher Fehler. Dann können wir aber die Dornspitze auch ⸴urch eine Heftnadel ersetzen.

Nun haben wir von I aus die Rayons R, von K aus die Strahlen S zu legen. Da empfiehlt es sich, in die Punkte I und K Nägel zu stecken, wie Abb. 2 zeigt, und an diese Nägel die entsprechenden Lineale mittels

Kerben anzusetzen. Da aber I und K auch vertauscht liegen können, so muß man den Schlitten J_0 gegen einen anderen Schlitten vertauschen können, der an den unteren Dorn von unten her angesetzt werden kann.

III.

Wir betrachten endlich den allgemeinen Fall, in dem zwischen den Kamerastellungen in I und II keinerlei gesetzmäßiger Zusammenhang besteht. Wir erhalten das Schema des allgemeinen Falles, wenn wir im Schema des zweiten Falles die linke Kamera um einen Winkel δ verdrehen (Fig. 4). Die Kameraachsen η_1 und η_2 konvergieren dann und schneiden sich in einem Konvergenzpunkt O, der im allgemeinen mitten im Gesichtsfeld liegt. Irgend ein Punkt P gibt auf den beiden Platten irgend welche Abzissen x_1 und x_2, und im Komparator können wir die scheinbare Parallaxe p' des Punktes P messen; es gilt:

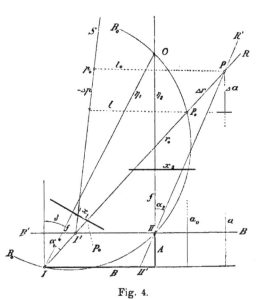

Fig. 4.

$$p' = x_1 - x_2. \qquad (24)$$

Alle Punkte, die die scheinbare Parallaxe $p' = o$ haben, für die also $x_1 = x_2$ ist, liegen bekanntlich in einem Kreise, der durch den Konvergenzpunkt O und die Standpunkte I und II geht, und den wir den Nullkreis nennen wollen. Er geht im allgemeinen mitten durch das Gesichtsfeld und er soll uns als verlegte Basis B_0 dienen.

Die im Komparator abgelesene scheinbare Parallaxe p' hat nun eine merkwürdige Beziehung zum Nullkreis und diese Beziehung soll hiermit entwickelt werden.

Wir suchen zunächst einen Ausdruck für die wahre Parallaxe p_0 irgend eines Nullkreispunktes P_0, der die Plattenabszissen x_1 und $x_2 = x_1$ gibt. Für p_0 gilt die allgemeine Bestimmung:

$$\frac{p_0}{f} = tg\,\alpha_1 - tg\,\alpha_2. \qquad (25)$$

Für $tg\,\alpha_2$ gilt in unserem speziellen Falle wegen $x_2 = x_1$:

$$tg\,\alpha_2 = \frac{x_1}{f}. \qquad (26)$$

Für $tg\,\alpha_1$ aber finden wir auf folgende Art einen Ausdruck. Der Bildpunkt P_0 auf der linken Platte hat in bezug auf I die folgenden Koordinaten:

parallel zu B:　　$f\sin\delta + x_1\cos\delta$
normal zu B:　　$f\cos\delta - x_1\sin\delta$.

Daraus folgt:

$$tg\,\alpha_1 = \frac{f\sin\delta + x_1\cos\delta}{f\cos\delta - x_1\sin\delta}. \tag{27}$$

Wenn wir in (25) die Werte (26) und (24) einsetzen, finden wir leicht:

$$p_0 = \frac{f^2\sin\delta + x_1^2\sin\delta}{f\cos\delta - x_1\sin\delta} \tag{28}$$

$$= \frac{f^2 + x_1^2}{f\,cotg\,\delta - x_1}. \tag{29}$$

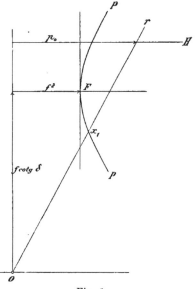

Fig. 5.

Es ist zweckmäßig, für verschiedene Werte von x_1 das entsprechende p_0 zu berechnen, und auf Grund der Resultate auf dem Nullkreise eine Skala der wahren Parallaxen p_0 der Nullkreispunkte zu entwerfen. Es ist auffallend, daß (29) weder B noch A enthält.

Diese wahre Parallaxe p_0 eines Nullkreispunktes P_0 können wir leicht auch graphisch konstruieren (Fig. 5). Von einem Punkte O aus konstruieren wir einen Punkt F von den Koordinaten f^2 und $f\,cotg\,\delta$. Durch F legen wir eine Parabel P, deren vertikale Koordinaten durch $-x_1$ und deren horizontale Koordinaten durch x_1^2 gegeben sind. Die Skala der x_1 tragen wir auf der Parabel auf. Ferner ziehen wir in einer beliebigen Höhe h eine Horizontale H, auf der wir eine Skala mit der Längeneinheit h auftragen. Wenn wir dann von O aus einen Rayon r durch irgend einen Parabelpunkt x_1 ziehen, dann können wir auf H unmittelbar die wahre Parallaxe p_0 des entsprechenden Nullkreispunktes P_0 ablesen. In der Praxis wird man wohl umgekehrt die Parabel ein für allemal zeichnen, und in jedem besonderen Fall den Pol O wählen.

Wenn wir in Abb. 4 durch den Nullkreispunkt P_0 von I aus einen Rayon R ziehen und auf ihm einen Punkt P wählen, dann gibt dieser Punkt links wieder die Plattenabsizisse x_1, rechts aber eine andere Absizisse x_2 und im Komparator zeigt der Punkt P die s c h e i n b a r e Parallaxe:

$$p' = x_1 - x_2. \tag{30}$$

Nun wollen wir auch die wahre Parallaxe p des Punktes P berechnen. Es gilt dann wieder die allgemeine Definition:

$$\frac{p}{f} = tg\,\alpha_1 - tg\,\alpha_2. \tag{31}$$

Für $tg\,\alpha_1$ gilt der alte Wert (27); für $tg\,\alpha_2$ aber gilt in unserem Falle:

$$tg\,\alpha_2 = \frac{x_2}{f} \tag{32}$$

oder mit Rücksicht auf (30):

$$tg\,\alpha_2 = \frac{x_1}{f} - \frac{p'}{f}. \tag{33}$$

Wenn wir (27) und (33) in (31) einsetzen, dann finden wir:

$$p = p_0 + p' \tag{34}$$

oder

$$p' = p - p_0. \tag{35}$$

Das heißt in Worten: wenn wir von der wahren Parallaxe p des Punktes P die wahre Parallaxe p_0 des entsprechenden Nullkreispunktes P_0 abziehen, dann erhalten wir die vom Komparator angezeigte scheinbare Parallaxe p' des Punktes P. Nun ist die Differenz $p - p_0$ nichts anderes, als die auf P_0 bezogene relative Parallaxe Δp des Punktes P. Es gilt also:

$$p' = \Delta P. \tag{36}$$

Das heißt in Worten: Die scheinbare Parallaxe p eines Punktes P, die uns der Komparator liefert, ist nichts anderes, als die wahre relative Parallaxe Δp des Punktes P in bezug auf den entsprechenden Nullkreispunkt P_0; die Punkte P und P_0 haben dieselbe Plattenabszisse x_1.

Wir wollen nun den Abstand a des Objektpunktes P von der Basis B berechnen. Zu dem Zwecke betrachten wir das Dreieck, das von den beiden Rayons R und R' und der Basis B gebildet wird. Dieses Dreieck hat die Basis $I\,II'$ oder

$$B \cdot A\,tg\,\alpha_2. \tag{37}$$

Die Abstandsgleichung lautet dann bekanntlich wie im zweiten Falle:

$$a\,(tg\,\alpha_1 - tg\,\alpha_2) = B - A\,tg\,\alpha_2. \tag{38}$$

Mit Rücksicht auf (31) und (33) können wir auch schreiben:

$$a\,p = B.f - A\,(x_1 - p'). \tag{39}$$

Hier ist p die wahre Parallaxe von P_1 und p' ist die im Komparator bestimmte scheinbare Parallaxe von P. Für p können wir auch (34) einsetzen:

$$a\,(p_0 + p') = B\,f - A\,(x_1 - p'). \tag{40}$$

Hier ist p_0 die wahre Parallaxe des Nullkreispunktes P_0, die wir auf Grund der Abszisse x_1 graphisch leicht konstruieren oder eventuell auf der Nullkreisskala direkt ablesen können.

Nachdem wir hiermit die Abstandsformel für den Punkt P aufgestellt haben, wollen wir auch die Formel für den Abstand a_0 des Punktes P_0 aufstellen. Der Punkt P_0 hat dieselbe linke Abszisse x_1 wie P; seine rechte Abszisse ist aber nicht von x_1 verschieden, d. h. P_0 hat im Komparator die scheinbare Parallaxe $p' = 0$. Die Abstandsformel für P_0 lautet also auf Grund von (40) so:

$$a_0\, p_0 = Bf - A\, x_1. \tag{41}$$

Jetzt können wir aber auch den auf P_0 bezogenen relativen Abstand

$$\varDelta a = a - a_0 \tag{42}$$

des Punktes P bestimmen; wir finden durch Subtraktion aus (40) und (41) unter Rücksicht auf (42):

$$(a_0 + \varDelta a)\,(p_0 + p') - a_0\, p_0 = A\, p'$$

oder wenn wir noch (36) für p' lieber $\varDelta p$ schreiben:

$$\frac{-\varDelta a}{a_0 - A} = \frac{\varDelta p}{p_0 + \varDelta p}. \tag{43}$$

Hier ist $\varDelta a$ der relative Abstand des Punktes P in bezug auf P_0; $\varDelta p$ ist die im Komparator gemessene scheinbare Parallaxe von P; p_0 aber ist die wahre Parallaxe von P_0, die wir auf Grund der im Komparator gemessenen linken Abszisse x_1 von P leicht graphisch bestimmen, eventuell auf der Nullkreisskala ablesen können. Nun ist aber (43) identisch mit der Gleichung (21) des zweiten Falles. Der Unterschied liegt nur darin, daß im zweiten Falle der Beziehungspunkt P' auf einer Parabel konstanter Parallaxe p_0 lag, im allgemeinen Falle aber der Beziehungspunkt P_0 auf dem Nullkreise liegt; in beiden Fällen aber liegt der Beziehungspunkt auf dem Rayon R des Punktes P.

Wir haben somit durch Gleichung (43) den allgemeinen Fall auf den zweiten Fall reduziert, und konstruieren daher den Neupunkt P genau so wie im zweiten Falle a mittels des Proportionierlineales auf Grund des Punktes P'.

Auf einige Verschiedenheiten sei hingewiesen. Im zweiten Falle ist der Beziehungspunkt P_0 ein wirklicher Objektpunkt, auf den der Komparator eingestellt wird, wenn man ihn in die Nullstellung bringen will. Im allgemeinen Falle ist das nicht so, sondern man arbeitet mit dem Komparator in alter Weise. Im zweiten Fall hat man so viel verlegte Basen, wie viel Beziehungspunkte P_0 oder Q man ausgewählt hat. Im allgemeinen Falle ist das anders; da hat man nur eine einzige verlegte Basis, das ist der Nullkreis.

Ich vermute, man kann im Hochgebirge ruhig nach dem allgemeinen Schema mit verschwenkten Platten arbeiten. Man stellt auf beiden Standpunkten die Kameraachsen auf denselben markanten, mitten im Gesichtsfeld gelegenen Objektpunkt ein, so daß der Konvergenzpunkt O ein reelles Objekt ist. Man hat dann den Vorteil, den Komparator sehr leicht in die Nullstellung bringen zu können; vor allem aber fällt bei den Aufnahmen die allerheikelste, allergefährlichste Aufgabe weg: Das Parallelstellen der Achsen; man arbeitet eben mit konvergenten Achsen.

Schlußfolgerungen.

Die photographischen Aufnahmen in der Normalstellung sind sehr schwierig. Es ist schwer, eine Ausrückung A, und noch schwerer eine Verschwenkung δ zu vermeiden. Wenn man die Neupunkte nicht berechnen, sondern graphisch bestimmen will, dann bietet überdies das Normalverfahren keine wesentlichen Vorteile gegen den allgemeinen Fall. Anderseits sind die photographischen Aufnahmen mit Ausrückung und Verschwenkung sehr leicht, da man lediglich darauf zu achten hat, daß die Kamera auf beiden Standpunkten horizontal stehe. Die allerunangenehmsten Plattenpaare sind die, die den Bedingungen der Normalstellung beinahe genügen. Als Normalaufnahmen kann man sie nicht gut behandeln, da sie lästige, oft sehr lästige Korrektionen erfordern; als allgemeine Aufnahmen kann man sie aber oft auch nicht behandeln, weil der Konvergenzpunkt so weit jenseits des Gesichtsfeldes liegt, daß man keinen sicheren Nullkreis gewinnen kann; die Parallaxe p_0 ist zu klein, also zu unsicher. Da scheint es mir doch sicherer, die Normalstellung nicht zu forcieren, sondern direkt nach dem allgemeinen Typus aufzunehmen. Wenn es dabei gelingt eine Ausrückung A zu vermeiden, so daß der Punkt I' mit I zusammenfällt, und man wählt den Konvergenzpunkt mitten im Gesichtsfeld, dann konstruiert man ebenso leicht und ebenso genau, als wenn man eine Normalaufnahme hätte.

Photogrammetrische Arbeiten in Rußland.

Von R. Thiele in Moskau.

Obgleich die Praxis der Photogrammetrie bei uns in Rußland nicht so verbreitet ist wie in Österreich, welches mit vollem Rechte die Pflanzstätte der photogrammetrischen Kultur genannt werden kann, so sind doch verschiedene Arbeiten auf diesem Gebiete zu verzeichnen, über welche zu berichten der Zweck meines Aufsatzes ist.

Wie überall, so gaben auch bei uns Gebirgsaufnahmen die erste Veranlassung zur Anwendung der Photogrammetrie und sind die ersten praktischen Arbeiten auf das Jahr 1891 zurückzuführen, wo unser Wegbauingenieur Nikolas Willer die photogrammetrische Methode behufs Trassierung einer Bahnlinie im Kaukasus verwenden wollte. Leider gelangte der in Berlin bestellte Phototheodolit erst an Ort und Stelle, als die Voruntersuchungen schon beendigt waren und Ingenieur Willer begnügte sich, eine Probearbeit mit demselben zu liefern, welche, mit ausführlicher Beschreibung versehen, in der technischen Abteilung des Wegbauministeriums in St. Petersburg niedergelegt ist. Mit Einstellung der weiteren Voruntersuchungen im Kaukasus endeten auch die photogrammetrischen Arbeiten des Ingenieurs Willer und es ist sogar unbekannt, in wessen Hände jener Phototheodolit überging.

Im Frühjahre 1894 hielt der Bergbauingenieur P. Tutkowski in der Kiewschen Naturforscher-Gesellschaft einen großen Vortrag über Verwendung der Photogrammetrie bei geologischen Forschungen, wobei er höchst interessante eigene Aufnahmsmethoden entwickelte zur Festlegung der Schichtenlagerungen des Gesteines, deren Gefälle und anderer verschiedenartigster geologischen Bloßlegungen und Erscheinungen und den photogrammetrischen Apparat als unentbehrliches Hilfsmittel eines jeden Geologen bei seinen Forschungsarbeiten im Felde aufs wärmste empfahl. Dieser Vortrag Tutkowskis wurde von der Naturforscher-Gesellschaft als eigenes Werk gedruckt mit Zeichnungen unter dem Titel „Über geologische Photographie und Photogrammetrie" (russisch), 1894, Kiew. Eine beinahe gleichzeitige im russischen Bergbaublatt (Nr. 17, September 1894), Jahrg. VII, erschienene Abhandlung des Bergbauingenieurs K. Gamoff, die Photogrammetrie gleichfalls für geologische Forschungen empfehlend, ist im wesentlichen nur eine Übersetzung von Dr. Koppes „Die Photogrammetrie oder Bildmeßkunst", ohne eigene Beobachtungen und Prinzipien.

Im Sommer 1895 machte der Akademiker, Bergbauingenieur F. Tchernyschoff, auf Nowaja Sjemlja mehrere photogrammetrische Aufnahmen vermittels einer gewöhnlichen Reisekamera, welche er zu diesem Zwecke besonders hergerichtet hatte. Der aus erhaltenen Ansichten angefertigte Plan erwies sich als völlig identisch mit der später vorgenommenen topographischen Aufnahme der gleichen Gegend, zum großen Erstaunen des Militärtopographen, welchem die Mappierung übertragen war.

Im darauffolgenden Sommer 1896 wurde von der St. Petersburger Akademie der Wissenschaften eine Expedition nach Nowaja Sjemlja beordert, um dort — unter Leitung des Akademieadjunkten Fürsten Boris Golizyns — verschiedene Beobachtungen, u. a. über die Sonnenfinsternis, anzustellen. Nach Beendigung ihrer Aufgaben verblieben den Mitgliedern der Expedition noch gegen acht Tage Zeit bis zur Ankunft des Dampfers, welcher dieselben von der Insel abzuholen hatte. Diese Zeit wurde benutzt, eine Exkursion ins Innere des Landes vorzunehmen, um eine nach Möglichkeit genaue Karte der besuchten Gegenden aufzunehmen. Selbstverständlich wurde diejenige Methode gewählt, welche bei geringstem Zeitaufwand an Ort und Stelle die größtmöglichste Anzahl von Punkten liefern konnte, d. h. die photogrammetrische.

Da diese Arbeit schon vor der Abreise aus St. Petersburg ins Auge gefaßt war, so hatte Fürst Golizyn — gemeinsam mit zwei Mitgliedern der Expedition, den Pulkowschen Astronomen S. K. Kostinski und Ganski — präliminare photogrammetrische Probeaufnahmen in der Umgebung von Pulkowo gemacht, wozu eine Neysche sogenannte „englische Universalkamera" — der Akademie angehörend — mit Anastigmat Zeiß für Plattenformat 18×24 cm ausgerüstet, verwendet wurde. Auf der Mattscheibe dieses Apparates war ein rechtwinkeliges Koordinatensystem mit Objektivachse als Anfangspunkt aufgezeichnet, in Übereinstimmung mit vier Metallmarken, welche, am Kassettenteile der Kamera angebracht, sich auf den Aufnahmen abbilden. Dank dieser Vorrichtungen und der vermittels eines kleinen

Hildebrandschen Universalinstrumentes, von H. Kostinski ausgeführten Triangulation und Vermessung einiger Hauptpunkte gelang es, während der oberwähnten Exkursion, an drei Lagerplätzen, am 13., 14., 16. bis 17. August die Aufnahmen für drei Pläne zu erhalten, welche zusammen einen Flächenraum von mehr als 300 km^2 ergaben[1]).

Diese, sozusagen „en passant" erhaltenen Pläne bisher völlig unerforschten Landgebietes des Innern der Insel sind dem Berichte des Fürsten Golizyn der Akademie der Wissenschaften beigefügt. Dieselben sind auch enthalten in seinem — separat vom Akademiebericht erschienenen — Werke „Photogrammetrische Vermessung auf Nowaja Sjemlja im Jahre 1896". St. Petersburg 1898 (russisch).

Im Herbste desselben Jahres (1896) hatte ich Gelegenheit, dem damaligen Minister unseres Ministeriums für Wegverbindungen, Fürst Chilkoff, auf die großen Vorteile aufmerksam zu machen, welche die Photogrammetrie im gebirgigen Terrain bei Eisenbahntrassierungen gewähren kann. Da ich damals nur theoretische Kenntnisse der Photogrammetrie besaß, so nahm ich mit Dank den Vorschlag des Ministers an, mich im Auslande praktisch mit dieser neuen Aufnahmsmethode zu befassen und gleichzeitig die nötigen Instrumente zu erwerben, um dieselben bei den für folgendes Frühjahr (1897) geplanten Trassierungen in Transbaikalien verwerten zu können.

Infolgedessen begab ich mich zuerst nach Wien, wo, wie ich durch die einschlägige Literatur wußte, schon damals der eigentliche Kern des photogrammetrischen Fortschrittes war und ich in Herrn Ingenieur Franz Hafferl einen guten Lehrer fand, der so liebenswürdig war, sich eingehend mit mir zu beschäftigen. Ich halte es für meine angenehme Pflicht, ihm hier an öffentlicher Stelle nochmals meinen herzlichsten Dank darzubringen für seine uneigennützige Mühe, welche er mir — dem Fremden — aus Liebe und Hingebung für die Sache gewidmet hat.

Nach meiner Rückkehr im Februar 1897 nach St. Petersburg, wo ich den bei der Firma Lechner (Müller) in Wien bestellten Pollackschen Phototheolit für Platten 18×24 cm vor größerem Auditorium im Ministerium demonstrierte und nachdem ich das mittlerweile nach verschiedenen österreichischen, französischen und englischen (Deville) Quellen in russischer Sprache bearbeitete Manuskript meines ersten Lehrbuches der „praktischen Phototopographie (Photogrammetrie)" dem Ministerium zur Veröffentlichung im eigenen Organe (Journal des Ministeriums der Wegeverbindungen) übergeben hatte, befaßte ich mich mit der mir vom Minister anvertrauten Organisation der für die Vorarbeiten bei der Bahntrassierung in Transbaikalien anberaumten praktischen photogrammetrischen Versuchsarbeiten, wodurch mir Gelegenheit geboten war, dieselben in größerem als bisher bei uns angeführtem Maßstabe vornehmen zu können.

Die mir gestellte Aufgabe bestand darin, in dem an China grenzenden Teile der in vier Arbeitsdistrikte zerlegten, zirka 400 km langen Strecke

---

[1]) Die drei Pläne von Nowaja Sjemlja waren in der Monatsversammlung der österreichischen Gesellschaft für Photogrammetrie vom 8. März 1908 ausgestellt.

Ustj-Onôn[1]) bis zur chinesischen Grenze, die in den ersten drei Distrikten vorgenommene Mappierung der Militärtopographen durch photogrammetrische Aufnahme zu ersetzen. Durch diese Linie sollte die damals längst dem Amûrfluß geplante sibirische Bahn (welche heute ihrer Verwirklichung entgegensicht) mit der in Trassierung begriffenen chinesischen Bahnlinie verbunden werden.

Um die Feldarbeit schneller beendigen zu können, fand ich es für nötig, bei der Firma Lechner (Müller) noch einen zweiten Pollackschen Phototheodolit zu bestellen, ebenfalls für die schnellere Ausarbeitung der Pläne zwei Sätze der von der Florenzer Firma „Officine Galilei" hergestellten Paganinischen Hilfsinstrumente: „Vollkreistransporteur mit einer Minute Genauigkeit zur Situierung der Station", „Graphischer Strahlenzieher" und „Graphischer Höhenmesser" zu bestellen.

In Erwartung der Apparate und der von der Firma Edwards aus London ausgeschriebenen isochromatischen Planfilms 18 × 24 cm organisierte ich zwei Partien, jede aus zwei Studenten unseres Institutes der Wegbauingenieure und einem Laboranten[2]) bestehend; die eine Partie übergab ich der Führung des jungen, für die Photogrammetrie inflammierten Ingenieurs H. Schtschuroff, die zweite, welcher ich noch einen Mechaniker beigegeben hatte, leitete ich selbst, dabei das Ganze überwachend. Das Dienst- und Handlangerpersonal sollte an Ort und Stelle der Arbeit aufgenommen werden.

In einem mir für die ganze Eisenbahnstrecke von St. Petersburg bis Krasnojarsk (zirka 5000 km) zur Verfügung gestellten Waggon traten wir am 2. Mai unsere Reise an, die übrigen 1000 km bis Irkutsk mit Postpferden zurücklegend. Von Irkutsk aus, wo ich die nötigen Instruktionen für die bevorstehende Arbeit erhielt, begaben wir uns über den Baikalsee nach Tschitâ, welche weitere 1000 km bis Mysowâja per Dampfschiff, von dort aus durch das schöne Selêngatal und über das Jâblongebirge zu Pferden zurückgelegt wurden. In Tschitâ eingetroffen, mußte ich zirka eine Woche auf unser ziemlich umfangreiches Gepäck warten, welches von Mysôwaja aus uns per Eilpost nachgesendet wurde. Die Phototheodolite — die Seele unserer Arbeit — hatte ich in meinem eigenen Reisewagen, den ich schon bei Verlassen der Eisenbahn in Krasnojarsk kaufte, aufs sorgfältigste untergebracht und dennoch erwies es sich bei Besichtigung derselben, daß bei einem der Apparate durch die manchmal entsetzlichen Stöße des Wagens während der langen Reise die das Gegengewicht haltende Stange angebrochen und die Vertikalachse etwas verbogen war, wodurch der Horizontalkreis vom unteren Ringe stellenweise abstand. Da mein Mechaniker mit

---

[1]) Ustj-Onôn ist eine kleine, zirka 200 km von Tschita aus gegen Nertschinsk gelegene Ortschaft am Zusammenfluß der Ingoda mit dem aus Mongolien kommenden Onôn; von hier aus ist der Fluß „Schilka" benannt bis zu seiner Vereinigung mit dem chinesischen Grenzfluß Argûn bei der Station Pokrowskaja, von wo aus, bis zu seiner Mündung, der Strom den Namen Amûr trägt.

[2]) Der eine der Laboranten diente im photographischen Laboratorium des Institutes der Wegeverbindungen.

eigenen Mitteln die nötige Reparatur nicht bewältigen konnte, so wurde der geschickteste Mechaniker, welcher in Tschitâ aufzufinden war, herbeigezogen, den Schaden auszubessern.

Das große Frühjahrswasser der Ingoda von 1897, welches so kolossalen Schaden angerichtet hatte durch Wegschwemmen der für den Eisenbahnbau Tschitâ-Strêtensk aufgestapelten Materiale, hatte stellenweise auch die einzige damals existierende Fahrstraße zerstört, welche von Tschitâ nach Ustj-Onôn führte. Ich benutzte den unfreiwilligen Aufenthalt zu einigen praktischen Versuchen mit meinen Studenten und zur Anfertigung runder Signale aus Eisenblech von zirka $^3/_4$ m Durchmesser, mit verschiedenen — auf größere Entfernungen gut sichtbaren — in Ölfarbe gemalten Figuren. Da indes die Ausbesserung der Landstraße ein überlanges Verbleiben in Tschitâ voraussehen ließ, so beschloß ich, nach Beratung mit meinen Gefährten, unsere Weiterbeförderung bis Ustj-Onôn auf Flössen dem noch nicht in seine Grenzen zurückgetretenen Ingodafluß anzuvertrauen, was allerdings mit dem Risiko verbunden war, durch die reißende Strömung an Felsenvorsprünge getrieben und zerschellt zu werden. Wir durchlebten auch wirklich mehrere sehr kritische Momente auf unserer zweitägigen Fahrt, die aber, dank vereinigten Kraftaufwandes an den Steuern und der Geistesgegenwart und Erfahrung unseres Floßführers, glücklich überstanden waren, zumal wir nur die Tagesstunden zu unserer Fahrt benutzten.

In Ustj-Onôn, wo wir erst zu Anfang des Monates Juli eintrafen, vergingen wieder mehrere Tage, ehe die nötigen Leute engagiert waren und das zu unserer Weiterbeförderung bis zum chinesischen Grenzflusse Argûn, wo ich meine Arbeit zu beginnen hatte, nötige Beförderungsmaterial an Pferden, Wagen und Lebensmitteln erworben war. Die Fahrt auf dieser zirka 400 km langen Strecke, mit ein und denselben Pferden zurückgelegt, dauerte wiederum über eine Woche, bevor wir das Ziel unserer Reise, das linke Ufer des Argûn, in der Nähe der Staniza Zuruchâituj erreichten.

Während das Lager auf einer kleinen Anhöhe aufgeschlagen wurde, unternahm ich, von Ingenieur Schtschuroff, zwei Studenten und dreier mit Signalen beladenen Arbeitern begleitet, eine kleine Rekognoszierung der nächsten Umgegend. Das an die nördliche Mandschurei grenzende Gebiet Transbaikaliens ist kein eigentliches Gebirgsland, sondern nur eine beinahe ununterbrochene Kette von meist konischen Erhöhungen, welche selten die Höhe von 200 m — von der Talsohle aus gerechnet — übersteigen, dabei völlig entblößt von Baumwuchs oder Strauchwerk, nur mit niedrigerem Steppengras bewachsen sind. Entblößtes Gestein tritt wenig zutage, trinkbares Wasser findet sich hie und da in kleinen Quellen vor, die indessen bald im Boden versickern und nur selten als Rinnsale die vielen kleinen und größeren Seen mit natronhaltigem Wasser erreichen.

Nachdem passende Stellen für eine längere Basis als auch gute Standpunkte für die ersten Panoramenaufnahmen gewählt und von den Arbeitern mit Signalen bezeichnet waren, kehrten wir zur Lagerstätte zurück, wo schon alles hergerichtet war und uns ein mittlerweile zubereitetes Abendessen erwartete. Beide Phototheodolite waren unterdessen vom Mechaniker untersucht und ausgerichtet worden und nachdem noch alle Vorbereitungen für den Angriff der Arbeit auf den nächsten Morgen getroffen waren, begaben wir uns zur wohlverdienten und nach so langer ermüdender Reise sehnlichst erwarteten Ruhe.

Leider war uns dieselbe nicht beschieden, denn die Milliarden von Stechmücken, welche nach Untergang der Sonne den Sümpfen der Niederungen des Argûn entstiegen, belästigten uns unsäglich. Wir erstickten beinahe selbst im Rauche des Lagerfeuers, ohne die Möglichkeit zu gewinnen, uns vor unseren Peinigern zu retten. Mit Tagesanbruch waren wir schon alle auf den Füßen und betrachteten mit gegenseitigem Erstaunen die Entstellungen unserer Physiognomien, hervorgebracht durch die Mißhandlungen der Stechmücken.

Ein allgemeines Gelächter war die Folge dieser Musterung, wohl aber auch der Entschluß, das Lager sofort abzubrechen und 7 km vom Flusse entfernt an einer den Leuten bekannten Quelle aufzuschlagen, welche sich in nächster Nähe unserer Magistrale befand.

Nach Einnahme des Frühstückes und Verteilung der Arbeit an alle Mitglieder unserer Expedition begann unser erstes Tagewerk, welches die dreifache Ausmessung der 1400 Sashen (2989·4 m) langen Basis und die mit beiden Apparaten ausgeführten Panoramenaufnahmen von sechs Standpunkten zur Folge hatte. Die Höhen der letzteren sowohl als auch der Endpunkte der Basis, welche sich vom Flußufer auf der Talsohle des Korâi-Kôndui längs der gegebenen Magistrale leicht erhob, wurden aufs sorgfältigste mit je einem Goldschmidschen und Naudetschen Aneroid[1]) gemessen, welche Doppelmessungen übereinstimmende Resultate ergaben.

Erst kurz vor Sonnenuntergang erreichten wir unsere neue Lagerstelle und da alle die verflossene Nacht nicht ausgeruht hatten, der folgende Tag aber Sonntag war, so beschloß ich, einen Ruhetag zu geben, um gleichzeitig den Grund des Triangulationsplanes für die Aufnahmsstationen zu legen, welcher in der Folge jeden Tag nach Beendigung der Feldarbeit durch die Daten beider ·Journale vervollständigt wurde. Besonders hervorragende Höhen, wie die des Mogulzak, Tschyr und Kara-Gosogar etc., welche fast von allen Standpunkten aus sichtbar waren, wurden jedesmal mit genauer Winkelmessung als Fixpunkte ins Journal eingetragen.

So lange wir brauchbares Wasser in hinreichender Quantität an unseren Lagerstellen vorfanden, wurden die am Tage gemachten Aufnahmen abends hervorgerufen, was aber nicht lange geschehen konnte, da der Natrongehalt des Wassers sich beim Entwicklungsprozeß auf unliebsame Art bemerkbar machte. Infolgedessen wurden alle aufgenommenen Platten unentwickelt sorgfältig verpackt und aufbewahrt.

In planmäßiger Arbeit, des öfteren durch ·Regentage unterbrochen, (wobei das Regenwasser sorgfältig gesammelt wurde zur Tee- und Speisebereitung), erreichten wir am 1. September den Endpunkt unserer Arbeit,

---

[1]) Unsere Aneroide hatte ich auf der meteorologischen Station in Tschitâ mit dem Hauptbarometer verglichen.

das Kadâlui-Tal, wo die Mappierung der Militärtopographen endete. Hier verabschiedeten sich die vier Studenten und der im Laboratorium des Institutes für Wegbauingenieure dienende Laborant, welche sich beeilen mußten, um rechtzeitig zum Anfange des Kurses in St. Petersburg einzutreffen. In der Zeit vom 22. Juli bis 1. September hatten wir an 17 Arbeitstagen aus 96 Standpunkten eine Strecke von 128 km aufgenommen, wobei der Triangulationsplan durch zwei weitere Basismessungen geprüft und vervollständigt war.

Mittlerweile hatte ich Ordre bekommen, nach Beendigung dieser Arbeit die Aufnahmen in anderer Richtung fortzusetzen. Zum Glück war von den aus St. Petersburg mitgenommenen 150 Dutzend Edwardschen isochromatischen Filmsplatten 18×24 noch nicht ganz die Hälfte verbraucht, so daß ich darauf rechnen konnte, die neue Arbeit mit den vorhandenen Platten zu vollenden. Indes war ich doch besorgt um das Schicksal der aufgenommenen, aber noch nicht entwickelten Platten, und so bat ich den Ingenieur Schtschuroff mit unserem zweiten Laboranten sich nach Ustj-Onôn zu begeben, um dort in Ruhe und Bequemlichkeit die zirka 600 Platten zählenden unentwickelten Aufnahmen hervorzurufen und nach geschehener Arbeit direkt nach Irkutsk zurückzukehren, um dort die photogrammetrischen Zimmerarbeiten für die Konstruktion unseres Planes vorzubereiten.

Die neue Aufnahme hatte ich beschlossen allein mit meinem Mechaniker, welcher sich vorzüglich für die Feldarbeit eingerichtet hatte, zu bewältigen; daher begab ich mich vom Posten Klutschewskôi, wo wir uns von H. Schtschuroff und dem Laboranten trennten und — der vorgerückten Jahreszeit Rechnung tragend — die Zelte gegen Jurten[1]) vertauscht und die austretenden Arbeiter durch neuengagierte ersetzt hatten, nach dem Anfangspunkt der neuen Aufnahme, der unweit von Tschindant gelegenen Quelle Dsun-Timôschkin.

Diese neue Linie bezweckte die Umgehung des bei Abagâitûi sich jäh von Südost nach Nordostnord wendenden Argûns, wodurch nicht nur große Uferbauten und Brücken über den bei Krâsny Jar beinahe einen Kilometer breiten Fluß erspart werden konnten, sondern auch der Tunnelbau durch den Bergkamm „Schiwi-guntej" wegfiel. Die aufzunehmende Strecke bis zur chinesischen Grenze betrug 89 km, von dort auf chinesischem Gebiete 48 km bis zum Austritte des Zêrtuitales am Ausflusse des Kulûn-(Dalâi-nor) Sees „mûtnyi protôk". Auf dem Rückwege hatte ich noch eine Verbindungslinie herzustellen, welche, von der chinesischen Grenze ausgehend, die zweite Aufnahmsstrecke mit der ersten verbinden sollte, und deren Länge 37 km betrug.

---

[1]) Jurten nennt man die Filzzelte der nomadisierenden Burjaten, aus großen Filzdecken bestehend, welche um ein zusammenlegbares kreisförmiges Stangengitter mit fester Türe befestigt werden. Das Dach besteht aus in ein kleines Rad gesteckten Speichen, welche mit dem Stangengitter verbunden, ebenfalls mit zugeschnittener Filzdecke überdeckt und mittels langer Leine zugeschnürt werden. Die oben in der Mitte gelassene Öffnung dient zum Austritte des Rauches, wenn die Jurte geheizt wird. Der Herd befindet sich im Zentrum der Jurte.

Es gelang mir, die Aufnahme dieser im ganzen 174 *km* langen Linie in rund einem Monate, vom 8. September bis 8. Oktober, zu vollenden, in 18 Arbeitstagen 83 Vollpanoramen aufnehmend und außerdem vier Basismessungen, jede von 3 bis 4 *km* Länge auszuführen.

Das Wetter war im allgemeinen der Aufnahme sehr günstig, vom 18. September erhob sich aber starker Wind, dem ein zweitägiger Schneesturm folgte, welcher die Feldarbeit auf drei Tage völlig unmöglich machte. Trotzdem stieg das Barometer und schon am 22. September erfolgte ein jäher Umschlag der Witterung. Bei warmem Sonnenscheine etablierte sich beinahe Windstille, welche uns sehr erwünscht war und unsere Arbeit ungemein beschleunigte. Die Lagerstelle wechselte jeden Tag und am Abend des 25. September war mein Lager schon auf chinesischem Territorium an der Kaladshûiquelle aufgeschlagen.

Da mein Eintreffen auf chinesischem Gebiete schon vordem offiziell dem Taotâi von Chailar gemeldet war, so erhielt ich schon am selben Abend den Besuch eines Offiziers der berittenen Grenzwache, welcher mir feierlichst durch meinen Dolmetsch die freundschaftlichen Gesinnungen seiner Regierung versicherte und gute Führer anbot, wenn ich derselben benötigen würde.

Drei Tage darauf, als ich schon meine Aufnahmen in diesem Rayon beendigt hatte und bereits das Lager abbrechen wollte, bemerkte ich am Morgen am Horizonte starken Rauch, von einem Steppenbrande herrührend, welcher sich in gerader Richtung nach meinem Lager fortpflanzte. Unter obwaltenden Umständen war ein Verlassen dieses Lagerplatzes nicht geraten, zumal ich, dank des nur geringen Windes, vollkommen Zeit genug hatte, in größerer Entfernung um das Lager herum das trockene Gras abbrennen zu lassen, um dadurch einen feuerfreien Schutzgürtel gegen den immer näher herankommenden Steppenbrand zu schaffen. Es währte indessen bis zum Abend, ehe das Feuer uns umzüngelte. Die schon vom Morgen an festgebundenen und an den Füßen gekoppelten Pferde bewiesen große Unruhe und wir selbst waren vollauf beschäftigt, mit an lange Stangen befestigten durchnäßten Filzdecken das hie und da auf das in nächster Umgebung unserer Jurten nicht abgebrannte Gras überspringende Feuer zu löschen. Ich glaube nicht, daß jemals bei einem der Beteiligten das Bild des uns umlohenden Flammenmeeres aus dem Gedächtnisse verlischt.

Es war ein Glück, daß die Aufnahme dieser Gegend schon beendet war, da nach dem Brande die Landschaft ein vollkommen fremdes Ansehen erhalten hatte. Der weiche, gleichmäßig graugrüne Ton der baum- und strauchlosen, nur mit dürrem Grase bewachsenen Berghöhen war einem schwarzen verkohlten Kolorit gewichen, welches nur mit Mühe die früheren Anhöhen erkennen ließ.

Am frühen Morgen zogen wir nach dem seitwärts liegenden, vom Brande verschont gebliebenen Kydshardûitale, von wo aus ich die Aufnahmen des Zêrtuitales ausführte und dann, wie schon gesagt, von hier den Rückweg antrat. Nachdem die oben erwähnte Verbindungslinie der beiden Aufnahmsrichtungen hergestellt war, trafen wir wohlbehalten in dem vor etwas mehr als Monatsfrist verlassenen Posten Klutscheffskôi am 10. Oktober ein, wo ich meine Arbeiter entließ, das ganze Inventar an Pferden, Wagen, Jurten etc. als Krongut in Verwahrung gab und schon am 12. Oktober die Rückreise nach Irkutsk antrat.

Beim Passieren des Onôn, welcher sich im Eisgang befand, kamen sowohl meine Apparate und Aufnahmen als auch wir selbst in nicht geringe Gefahr. Die Fähre[1]) war in der Nacht durch große Eisschollen abgerissen und weggeschwemmt worden. Auf Umwegen die über 50 km entfernte Karakssarskische Fähre zu erreichen, war zu zeitraubend, brachte uns völlig von der Straße ab und es war auch gar nicht vorauszusehen, ob dort die Passage möglich war. Ich nahm daher den Vorschlag des Fährmanns an, meinen Reisewagen in zwei fest zusammengebundenen Kähnen unterzubringen und überzuführen.

Diese ziemlich schwierige Prozedur war dank einer Menge von erbötigen Arbeitern mit großem Kraftaufwande gegen gute Belohnung glücklich bewerkstelligt und da die schon vordem durch einen im Boote abgesandten Kosaken aus der gegenüberliegenden Ortschaft Zugûl-Dazân requirierten Leute und Pferde schon am Ufer erschienen, so stießen wir ab und gelangten glücklich bis in die Mitte des Stromes, alle Eisschollen durch Stangen von unseren Kähnen abhaltend. Hier aber riß uns die starke Strömung vorwärts und erst nach vielen Mühen gelang es, unser Fahrzeug mit seinem Inhalte dem anderen Ufer zu nähern und endlich, 3 km unterhalb der Ortschaft, an ziemlich steilem Ufer zu landen. Die angewachsene Menge der Einwohner Zugûls, welche uns mit Stricken und anderen Rettungsmitteln am Lande nachgefolgt war, kam uns sehr zustatten, da mein Reisewagen an Stricken in die Höhe gehoben werden mußte. Selbstverständlich war die erste Sorge, meine Aufnahmen und dann die Apparate in Sicherheit zu bringen. Nachdem auch der Wagen glücklich und heil das hohe Ufer erreichte und die Pferde vorgespannt waren, kehrten wir in den Dazân[2]) zurück, wo wir, von der Geistlichkeit freundschaftlich empfangen, beherbergt und bewirtet, uns von den ausgestandenen Strapazen ausruhen konnten, um gestärkt am nächsten Morgen unsere Reise fortzusetzen. Die zu passierenden kleineren Flüsse, wie Agâ etc., waren schon fest gefroren und stellten uns keinerlei Schwierigkeiten in den Weg. Die noch nicht stehende Ingoda wurde bei Kaidalôwo auf der Fähre ohne jede Gefahr passiert und nun befanden wir uns wieder auf der großen sibirischen Landstraße, wo wir unsere Reise bis zum nahen Tschitâ und von dort bis Irkutsk ziemlich komfortabel und mittels Postpferden fortsetzen konnten. Den Baikalsee, welcher erst am Ende November zufriert, mit Dampfschiff passierend, trafen

---

[1]) Auf den großen wasserreichen sibirischen Flüssen werden die Fähren (Ssamoljot-Selbstflieger) in der Mitte des Stromes verankert, und von der Kraft des Stromes selbst — nur durch das Steuer regiert — von einen Ufer nach dem anderen, einen Halbkreis beschreibend, zugetrieben.

[2]) Dazân bedeutet eine Art Buddhistenkloster oder vielmehr Bildungsstätte der lamaitischen Priester für die den Lamaismus bekennenden Burjaten und Mongolen.

wir wohl und gesund am 22. Oktober in Irkutsk ein, wo ich schon vom Ingenieur Schtschuroff und unserem Laboranten erwartet wurde. Da seitens der letzteren schon alle Vorbereitungen getroffen waren, so konnten wir schon am nächsten Tage die Auftragung der Triangulations-, Stand- und Fixpunke beider Richtungen samt der Vereinigungslinie auf den Plan beginnen, welche Arbeit, dank den schon während der Feldarbeit hergestellten und aufs sorgfältigste revidierten Triangulationsplänen schnell vonstatten ging. Währenddem hatten mein Laborant und der in einen tüchtigen Photographen umgewandelte Mechaniker Abdrücke der ersten Aufnahmen auf Bromsilberpapier hergestellt und begannen nun unverzüglich die Entwicklung der — 656 Plattenfilms zählenden — 82 Panoramenaufnahmen der zweiten Aufnahmsserie.

Die Herstellung eines genauen Schichtenplanes der zirka 300 *km* langen Strecke der vereinigten Aufnahmslinie im Maßstabe 1 : 42.000 hätte augenscheinlich nicht weniger als sechs Monate Zeit erfordert, da aber die Bahnbauverwaltung eine schnelle Herstellung des Planes erforderte, um a priori eine gegenseitige Abschätzung der für beide Richtungen nötigen Baulichkeiten aufstellen zu können, so wurde beschlossen, vorläufig auf Grund der Höhen- und Talpunkte mit ausreichender Anzahl von Zwischenpunkten die genaue Lage der Wasserscheiden und Bassins mit Angabe der Höhenkoten festzulegen.

Dieser Plan wurde in seiner ganzen Ausdehnung in zirka anderthalb Monaten intensiver Arbeit hergestellt, so daß wir schon den 18. Dezember Irkutsk verlassen konnten, um unseren Plan, von welchem für die Bahnbauverwaltung eine genaue Pause angefertigt war, in Petersburg auszuarbeiten.

Dort erfuhren wir im Laufe der Arbeit, daß die erste Linie aufgegeben war und die Bahn nicht mehr von Ustj-Onôn aus, sondern von der näher zu Tschitâ gelegenen Station Karymskaja durch das Agâtal projektiert war, daher auch der Brückenbau nicht über die Schilka, sondern bei den Zinnwerken (Station Olowjannaja) über den Onôn stattfinden sollte, von wo aus die Linie hinter Ssôktui mit meiner zweiten Aufnahmsrichtung zusammentraf. Infolge dieser Abänderung war die Ausarbeitung der ersten Aufnahme sowohl als auch der Verbindungsstrecke gegenstandslos geworden und ich vollendete nur den Plan der zweiten Aufnahme bis zur chinesischen Grenze, da die weiteren auf chinesischem Gebiete liegenden 48 *km* bis zum „mûtnyi protôk" nicht der Ausarbeitung für die vom Staate aus nur bis zur Grenze geführten Bahnlinie unterlagen.

Aus dem Vorhergehenden dürfte zu ersehen sein, mit welchen Zufälligkeiten und Schwierigkeiten die Voruntersuchungen für Trassierungsarbeiten in den entfernten Teilen des asiatischen Rußlands verknüpft sind, bei völliger Abgeschlossenheit des Aufnahmspersonales von der äußeren Welt, welches, nur auf sich selbst angewiesen, alle Bedarfsartikel und Lebensmittel in großem Vorrate mit sich nehmen muß, was selbstverständlich das Gepäck einer größeren Arbeitspartie wesentlich vermehrt und Verstärkung der Beförderungsmittel und des Dienstpersonales zur unausbleiblichen Folge hat.

Die Genauigkeit dieses ersten durch Photogrammetrie hergestellten Planes (Tafel V, Fig. 1) wurde geprüft durch Einzeichnen der nivellierten Bahntrasse, welche in allen Details sich vollkommen den Schichtenlinien anpaßte.

In den letzten Tagen meines Aufenthaltes in Irkutsk hatte ich noch Gelegenheit, vor ziemlich großem Auditorium von Ingenieuren und Militärtopographen den im Verein mit H. Schtschuroff bearbeiteten photographischen Plan zu demonstrieren und einen Vortrag über Phototopographie zu halten, welcher mit Beifall aufgenommen wurde. Desgleichen erstattete ich im Frühjahr 1898 Bericht über diese Arbeit in der Sitzung der Kaiserl. russ. geographischen Gesellschaft, welchem eine große Anzahl Militärgeographen beiwohnte und welchem rege Debatten folgten, indem seitens eines der höchsten Vertreter der Militärtopographie die Genauigkeit der photogrammetrischen Aufnahmen sehr in Frage gestellt wurde. Durch Hinweis indessen auf die Arbeiten Paganinis für die Mappierung der italienischen Hochgebirge, die großen phototopographischen Arbeiten Devilles in Kanada und die Einführung dieser Methode für die Mappierung im österreichischen militärgeographischen Institute konnte ich die Opposition entwaffnen und da auch Professor Tschernyschoff und der um die Kartographie in Rußland sich große Verdienste erworbene (heute verstorbene) General Tilo für die Phototopographie eintraten, so war das Resümee der Debatten durch den Vorsitzenden, General Rylko, ein für meinen Vortrag höchst günstiges.

Da ich die Ausarbeitung des Planes der zweiten Aufnahmsstrecke allein beendigte, so hatte H. Schtschuroff sich schon Ende April nach Tiflis begeben, um teilzunehmen an den Voruntersuchungen der Eriwan—Dschulfschen Bahnlinie. Hier machte er, zur Vervollständigung der laufenden Trassierungsarbeiten der seiner Leitung übergebenen Distanz die phototopographischen Aufnahmen für folgende Schichtenpläne: 1. des Ufers des Sângiflusses bei Eriwan, 2. der Anhöhe bei dem Kirchdorfe Kusnût, 3. der Umgegend der Ortschaft Arasin mit Projektierung eines kurzen Tunnels vom 187 m Länge und 4. der Alindsha-Tschaischlucht. Beide letztgenannte Pläne sind seinem in der kaukasischen Abteilung der Kaiserl. russ. technischen Gesellschaft in Tiflis gehaltenen Vortrage: „Über Verwendung der Phototopographie zu Trassierungsarbeiten für Verkehrswege" beigefügt [1].

Nach Beendigung meines Planes wurden mir neue phototopographische Aufnahmen in Transkaukasien übertragen. Da ich unterdessen über den neuen Apparat des berühmten Leiters der phototopographischen Mappierung der italienischen Alpen, Ingenieurs Pio Paganini (Modello 1897, per levate rapide da 1 : 50000 à 1 : 100000) unterrichtet war, so entschloß ich mich für die bevorstehenden Arbeiten einen solchen Apparat von der Florenzer Firma „Officine Galilei" zu bestellen, welchen ich auch zu Ende des Monates August erhielt.

---

[1] Journal der kaukasischen Abteilung der Kaiserl. russ. technischen Gesellschaft. T. XXIV, 1898, H. VII.

Der Apparat bestach durch seine Leichtigkeit, Einfachheit der Konstruktion und auch durch die Möglichkeit,' mit sechs Aufnahmen ein volles Panorama zu erhalten, anstatt der bei dem Pollackschen Phototheodolit nötigen acht Platten, bei denen leider ein übergroßer Raum durch den breiten Anlegerahmen verloren geht. Um aber auch den Paganinischen Apparat für nähere Aufnahmen in größerem Maßstabe verwenden zu können, hielt ich für notwendig, die Visiervorrichtung vermittels Diopter der Schmalkalderschen Bussole durch einen kleinen Theodolit zu ersetzen, welcher zum Aufsetzen auf das Paganinische Stativ besonders hergerichtet war, und dessen Fernrohrachse in gleicher Höhe mit der Achse des Anastigmaten des Apparates lag.

Die mit diesem Paganinischen Apparate im Herbste 1898 im Bambaktale und in der Alindsha-Tschaischlucht gemachten phototopographischen Aufnahmen ließen nichts zu wünschen übrig. Höchst interessant war die Vergleichung der Pläne beider Aufnahmen der Alindsha-Tschaischlucht, welche im Sommer von H. Schtschuroff mit dem Pollackschen Phototheodolit und von mir im Spätherbste mit dem Paganinischen Apparate aufgenommen war. Obgleich beide Aufnahmen von völlig verschiedenen Standpunkten aus gemacht waren und für die Höhenschichten verschiedene Ausgangspunkte dienten, wobei H. Schtschuroff, von Eriwan aus die Linie nivellierend, die Meereshöhe benutzte, ich aber als Nullpunkt den niedrigsten Punkt der auf der Talsohle ausgemessenen Basis annahm, so weisen beide — in gleichem Maßstabe angefertigten Pläne die vollkommenste Übereinstimmung, welche sich hauptsächlich in den nach der Nivellierungslinie angefertigten Längsprofilen zeigte (Tafel V, Fig. 2).

Schon vor Beendigung meiner Aufnahmen im Bambaktale war ich gebeten, in der kaukasischen Abteilung der Kaiserl. russ. technischen Gesellschaft in Tiflis einen Vortrag über Phototopographie[1]) zu halten, welcher von vielen Ingenieuren und Militärtopographen besucht war, und welchem zwei Monate später der vorerwähnte Vortrag H. Schtschuroffs an gleicher Stelle folgte.

Im nächstfolgenden Jahre 1899 nahm ich teil an den Voruntersuchungen der damals geplanten, bis heute aber noch nicht ausgeführten Bahnstrecke in Persien, wo mir die Aufgabe zufiel, zuerst einen phototopographischen Plan des Grenzflusses Araks bei der Ortschaft Dschulf herzustellen, behufs Auswahl der möglichst günstigen Stelle zur Überbrückung desselben, alsdann die Schichtenpläne der landeinwärts gelegenen, 5 km langen Tschartaschschlucht und der noch weiter entfernten Umgegend des Silbir-Tschaibaches hinter der Ortschaft Schanguli. Alle diese Aufnahmen sind mit dem durch Theodolit kompensierten Paganinischen Apparat ausgeführt, welcher durch seine Handlichkeit ein angenehmes Arbeiten gestattet.

Zu gleicher Zeit führte H. Schtschuroff mit dem Pollackschen Phototheodolit photogrammetrische Aufnahmen für die seiner Leitung über-

---

[1]) Journal der kaukasischen Abteilung der Kaiserl. russ. technischen Gesellschaft T. XXIV, 1898, H. VI.

gebene Trassierung der am kaukasischen Ufer des Schwarzen Meeres projektierten Bahnstrecke aus, wobei stellenweise dieselben vom Meere aus in
Felugen (türkischen Booten) gemacht werden mußten.

Mit diesen Arbeiten fanden vorläufig unsere phototopographischen
Aufnahmen ihren Abschluß, da in den folgenden Jahren 1900 bis 1902 H.
Schtschuroff mit dem Ausbau der von ihm trassierten Bahnstrecke von
Eriwan aus beschäftigt war, ich aber mein ganzes Interesse der Ausarbeitung des Problems der phototopographischen Luftaufnahmen vermittels
meines, schon im Jahre 1898 projektierten und im Frühjahre 1899 gebauten
Panoramographen widmete, zumal da die von mir angebotenen Voruntersuchungen für die den Ural überquerenden Bahnlinie Orenburg—Taschkent
abgelehnt war in der Befürchtung, daß das stark bewaldete Bergterrain
des Urals keine günstigen Erfolge der phototopographischen Aufnahme
zulasse.

Erst im Frühjahre vergangenen Jahres (1907) wurde mir vom Ober-
leiter des Bahnbaues „Uluchanlu" — persische Grenze (Dshulfinsche Linie)
— Herr Ingenieur Wurzel, welcher schon früher die photographischen
Arbeiten in Transkaukasien für die von ihm geleiteten Eisenbahntrassierungen
und Bauten der Tiflis—Karsschen, Alexandropol—Eriwanschen und Eriwan—
Dshulfinschen Linien nicht nur befürwortet, sondern durch H. Schtschuroff
auch hatte ausführen lassen, der Vorschlag gemacht, für das, seiner Prüfung
unterworfene, schon aus den achtziger Jahren stammende Durchquerungs-
projekt des Kaukasus längs der Ossetinschen Heerstraße, phototopographische
Schichtenpläne dreier miteinander durch das St. Nikolaital verbundene
Engpässe zu liefern.

Gern kam ich dieser Aufforderung nach, welche so sehr meinem eigenen
Wunsch entsprach, photographische Arbeiten im Kaukasus selbst zu machen,
und traf, nachdem alle Vorbereitungen getroffen und ein tüchtiger Laborant
gefunden war, schon am 8. Juni in Tiflis ein, wo nach Empfang der nötigen
Instruktionen wir uns zusammen mit dem mir zukommandierten jungen
Wegbauingenieur H. Korelin sofort auf den Weg nach dem Orte unserer
Bestimmung, das St. Nikolaital, machten. Von hier aus, am Zusammenflusse
des Ardôn- und Zêjaflusses, begann unsere Arbeit der phototopographischen
Aufnahme des St. Nikolaitales und der mit ihm verbundenen Kassarschen,
Zêjaschen und Nusalschen Engpässe, welche eine der Aufnahme unterworfene Strecke von zirka 18 km Länge schwer begehbares. stellenweise
völlig unzugängliches Gebirgsterrain bilden. Nach eingehender Rekognoszierung der unserer Arbeit zugehörigen Gegend stellten wir mit H. Korelin
den Arbeitsplan fest und bestimmten a priori die hauptsächlichsten Auf-
stellungspunkte für den Paganinischen Apparat.

Unser Hauptquartier befand sich in dem vom Wegbauministerium errichteten und uns vom Distriktingenieur zur Verfügung gestellten Distanz-
gebäude im St. Nikolaitale, fast im Mittelpunkt der auszuführenden Arbeit.
wo wir auf der dort geraden Ossetinschen Heerstraße eine Basis von
310 Sushen (6614 m) ausmessen konnten, welcher später noch zwei weitere
Basen, eine im Kassarschen, die andere zu Ende des Nusalschen Engpasses

zugefügt wurden. Als Magistrale unserer Aufnahme diente die von H. Korelin im Bereiche unserer Aufnahme mit dem Nivellir begangene Ossetinsche Heerstraße, wobei mehrere Standpunkte ins Nivellement einbezogen wurden. Diese Vorsichtsmaßregel war geboten, da die häufigen Krümmungen der Engpässe von einem Standpunkte aus oft nicht mehr als zwei benachbarte Signale erkennen ließen, wobei die zuweilen nur geringe Winkelverschiedenheit derselben Veranlassung zu Ungenauigkeiten des Triangulationsplanes hätte geben können.

Fig. 3.

Fig. 3 veranschaulicht den Zusammenfluß der rechts aus der Zêjaschlucht kommenden Zêja und des links den Kassarschen Engpaß durchströmenden Ardon bei ihrem Eintritt ins St. Nikolaital. Im Vordergrunde zieht sich die Ossetinsche Heerstraße hin.

Die 18 *km* lange Strecke wurde von 102 Standpunkten aus auf 350 Platten (18×24 *cm*) in rund einem Monate, vom 20. Juni bis 20. Juli, einschließlich der auf das zweimalige Nivellement verwendeten Zeit, aufgenommen. Die am Tage gemachten phototopographischen Aufnahmen wurden am Abend hervorgerufen und am darauffolgenden Tage auf Zelloidinpapier abgedruckt. Wie bei meinen früheren Arbeiten, so versah ich auch diesmal jeden Abend den Plan der Standpunkte mit den neu hinzugekommenen, um durch fortwährende Kontrollierung der Winkelmessungen das Einschleichen von Fehlern unmöglich zu machen. Unser Dienstpersonal bestand aus vier einheimischen Bergbewohnern, die zum Aufstellen der Signale und Tragen der Apparate verwendet wurden.

Nach Tiflis zurückgekehrt, machten wir uns mit H. Korelin sofort an die Ausführung der Schichtenpläne, wobei noch der junge Ingenieurpraktikant H. Kornylow behilflich war, welcher die Ausführung des Planes des Zêja-engpasses übernahm. Die Höhenkurven wurden, laut Vorschrift der Bahnverwaltung, nicht den Detailformen gemäß, sondern en général in gebrochenen Linien in die Pläne eingezeichnet, da der Hauptzweck der Untersuchung die Ausgleichung der Höhendifferenzen zwischen dem starken Gefälle des Ardonflusses und dem zulässigen Gefälle der Bahnlinie $\left(\frac{20}{1000}\right)$ war.

Die in nebenstehendem Plane eingezeichnete Trassierung beweist, daß durch Einführung der Bahnlinie in die seitliche Zêjaschlucht zirka 120 m Höhe gewonnen wird und durch Zurückführung derselben von Nusâl nach der Station St. Nikolai die Höhendifferenz vollständig aufgehoben ist (siehe in nebenstehender Karte a und b) (Fig. 4).

Die Pläne wurden von uns im Maßstabe 1 : 2000 ohne irgend welches Hilfspersonal bei zweimonatlicher Zimmerarbeit ausgeführt. Für das laufende Jahr 1908 waren weitere Aufnahmen im Kaukasus geplant, wozu wir die Stereophotogrammetrie heran-ziehen wollten, worauf wir indessen leider bei dem langen Lieferungstermin der nötigen Apparate seitens der Firma Zeiß für dieses Jahr verzichten müssen.

Fig. 4.

Jedenfalls werden die zukünftigen photogrammetrischen Arbeiten bei Trassierungen von Bahnlinien auf stereophotogrammetrischem Wege hergestellt werden.

Die von mir im Sommer 1900 mit dem ersten Modell meines Panoramographen ausgeführten Probearbeiten veranlaßten mich, einige Änderungen in der Konstruktion desselben vorzunehmen und infolge meines im Februar 1901 auf dem achten Kongresse der Wasserwegtechniker in St. Petersburg gehaltenen Vortrages: „Über rapide und präzise Aufnahmen von Niederungen großer Flüsse, ihrer Mündungen und Deltas vermittels Photographie und Ärophotographie" wurden mir vom Ministerium der Wegeverbindungen die nötigen Mittel bewilligt sowohl zur geplanten Neukonstruktion meines Apparates als auch zur Ausführung eingehendster Versuchsarbeiten mit demselben[1]).

---

[1]) Die Beschreibung des Panoramographen siehe Heft 1 des Archivs, S. 35 bis 45: „Métrophotographie aérienne à l'aide de mon Auto-Panoramographe".

Im Herbste 1902 **führte** ich im Vereine mit dem **Strombezirkverweser**
Ingenieur **Chalutin** die ersten praktischen Versuchsarbeiten im Flußgebiet
des Pripjat aus, wobei der Panoramograph mit Drachen in die Höhe gebracht wurde.

Fig. 5.

Die seitens der Flußverwaltung unerwartete Genauigkeit des hergestellten Planes des Pripjatflusses bei der Stadt Mosyr 1:5000 veranlaßte die Fortsetzung dieser Aufnahmen im folgenden Jahre. Da indes
die Aufnahme vermittels Drachen von günstiger Windstärke abhängig ist,

so wurde ein kleiner Luftballon von 100 m^3 mit Generator zur Erzeugung von Wasserstoff aus Eisenabfällen beschafft, mit zugehörigen Winden und Gasreservoiren. Dies alles wurde auf zwei vereinigten Pontonkähnen untergebracht, welche, von unserem Dienstdampfer bugsiert, Räumlichkeiten für Unterbringung des zur Gaserzeugung bedarflichen Materials enthielten. Wie Figur 6 zeigt, war der den Ballon und Gasreservoire einschließende Arbeitsraum zum Auflassen und Einholen des Apparates mit einer Bretterwand umgeben.

Meine Aufgabe war, den Pripjatfluß, von seinem Zusammenflusse mit dem Dnjepr aus, aufwärts bis zur Stadt Mosyr aufzunehmen, um danach einen Plan der den Fluß auf dieser 195 km langen Strecke regulierendenEindämmungen herzustellen. Täglich zirka 35 km zurücklegend, wobei die Aufnahmen in Abständen von 5 km gemacht wurden, war die Feldarbeit in neun Tagen, vom 10. bis 18. September, beendigt.

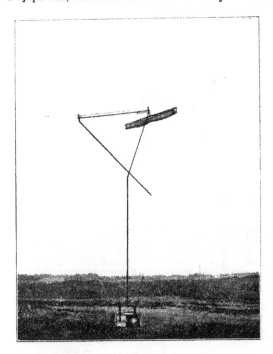

Fig. 6.

Das Hilfspersonal bestand aus einem Studentpraktikanten des Institutes für Wegbauingenieure und einem Techniker, welchen ich das . Ausmessen der Basen und das Eintragen der Azimut- und Winkelmessungen insJournal übertragen hatte, einem Aufseher (ausgedientem Luftschifferfeldwebel) über die Gasbereitung und Ballondienst und sechs Mann Handlanger, zwei von ihnen bedienten das Steuer der Pontons.

Vor jeder Aufnahme wurden an geeigneten Uferstellen große — auf der Photographie gut sichtbare — Prosseninge ausgelegt, deren Zentren die Endpunkte der Basen bildeten. Das Ausarbeiten der Pläne besorgte ich in Moskau.

Auf dem nach diesen Aufnahmen hergestellten Plane der Vereinigung des Pripjat und Dnjeprs, zirka 40 km^2, im Maßstabe 1 : 5000, ist der Lauf des Pripjat mit allen Faschinenquerdämmen und Eindeichungen auf 8 km Länge abgebildet, wobei nicht nur Lage und Größe der Dämme im Wasser, sondern auch deren Einbau im Ufer aufs genaueste angegeben ist.

Im Frühjahre 1904 stellte Ingenieur Chalutin die ausgeführten Arbeiten auf der Versammlung der Wasserbauingenieure in Wilna aus, welche außer-

ordentlichen Beifall erweckten und durch ausführlichen Vortrag H. Cha-
lutins erläutert wurden.

Im Herbste desselben Jahres führte ich mit meinem Panoramographen
unter liebenswürdigster Beihilfe des Luftschifferparkes verschiedene Aufnahmen
in der Umgegend von St. Petersburg aus, um die Möglichkeit zu dokumentieren, die Positionen der Japaner auf dem Kriegsschauplatze vermittels hoch-
fliegender weittragender Drachen aufzunehmen, wobei ich die gemachten
Aufnahmen vor den Spitzen der Militäringenieurverwaltung in aufgestelltem
Zelte auf transportablem Ecrane (die Arbeit auf dem Kriegsschauplatze

imitierend) demonstrierte,
durch Auflegen meines Perspektometers auf die Dia-
positive alle geforderten Entfernungen aufs genaueste be-
stimmend.

Die Militäringenieurver-
waltung bestellte bei mir
hierauf fünf Panoramographen
mit zugehörigen Projektions-
apparaten für Azetylenbe-
leuchtung. Leider traf ich, wie
schon in meiner im 1. Hefte
befindlichen Abhandlung erwähnt, zu spät auf dem Kriegsschauplatze ein, um den er-
sehnten Nutzen für unsere
Armee bringen zu können.
(Ausgestellt war in der Monatsversammlung der Österreichischen Gesellschaft für Photogrammetrie vom 8. März 1908:
Plan der neuen Hafenbauten
in St. Petersburg; Plan des
Sapeurlagers bei Ustj-Ishorsk

Fig. 7.

an der Newa; Plan der Umgebung Charbins mit den Südforts, welch letzterer
im Hefte 1 des Archives, Tafel II, dargestellt ist.)

Einer der bei mir von der Militäringenieurverwaltung bestellten Panoramographen befindet sich im Besitze des Kommandanten der Warschauer
Festungsluftschifferabteilung, Herrn Hauptmann Uljanin[1]), welcher schon verschiedene Aufnahmen und Pläne damit ausgeführt hat. Außerdem hat
sich Hauptmann Uljanin durch eigene Erfindungen sehr verdient gemacht
um die ausgebreitete Verwendung der Photogrammetrie für Militär-
zwecke im allgemeinen und speziell für Artilleriezwecke, indem er durch
Aufnahmen aus der Vogelperspektive versteckte Ziele aus großer Höhe fest-

---

[1]) Mitglied der österreichischen Gesellschaft für Photogrammetrie in Wien.

legt und deren Entfernungen von bekannten Punkten aus durch einfache
Tafeln (der Brennweite des Objektives angepaßt) bestimmt.

Seine Methode der Berechnung von Distanzen aus Photographien vermittels seiner Tafeln hat sich bei den letzten Manövern ausgezeichnet bewährt und allgemeinen Anklang gefunden.

Große Tragkraft bei außerordentlicher Leichtigkeit besitzen die von
Hauptmann Uljanin konstruierten Drachen (Fig. 6 und 7).

Zum Aufheben von Leuten in Körben benutzt H. Uljanin eine in zu-
sammenhängender Reihenfolge befindliche Serie von zweiteiligen Drachen,
deren Seitenflügel *a a'* — durch starke elastische Gummischnüre verbunden

Fig. 8.

— dem Luftdruck sich anpassen (Fig. 8). Fünf bis sechs solcher zweiteiliger
Drachen genügen, einen Mann vollkommen gefahrlos in große Höhe zu heben.

Ein gleichfalls vom Hauptmann Uljanin konstruierter Karren zur Be-
förderung der Drachen mit zugehöriger Winde und Feldlaboratorium ist
gegenwärtig bei der Armee eingeführt und zeichnet sich durch seine Leichtigkeit und große Zweckmäßigkeit aus. Zugehörig zu dieser Feldausstattung
ist ein ebenfalls von Hauptmann Uljanin erdachter und ausgeführter Segelapparat (Fig. 9), durch den Wind am Stahldraht der aufgelassenen Drachen
in vorherbestimmte Höhe getrieben, welche an einem speziell zu diesem
Zwecke hergestellten Aneroid durch einen festen Metallzeiger markiert wird.
Bei Erreichung dieser Höhe berührt der bewegliche Zeiger des Aneroiden

den festen Metallzeiger, wodurch der elektrische Strom die sofortige Auslösung des Momentverschlusses am Objektive und gleichzeitig das Zusammen-
rollen des Segels bewirkt, infolgedessen der Apparat, durch eigene Schwere
getrieben, am Stahldrahte zurück in die Hände des ihn erwartenden Laboranten gleitet, welcher die erhaltene Aufnahme in dem am Wagen befindlichen Feldlaboratorium sofort entwickeln und von dem noch nassen Negative einen Abdruck auf Bromsilberpapier herstellen, hervorrufen. und

Fig. 9.

fixieren kann zum sofortigen Gebrauche und Ablesen der nötigen Entfernungen vermittels aufgelegtem transparenten Perspektometers.

Dieser Segelapparat, welcher sich durch große Leichtigkeit auszeichnet,
ist vermittels obenerwähnter Drachen bei günstiger Windrichtung über 2 *km*
weit vom Auflassungsplatze abgetrieben worden, wozu nicht mehr als 10
Minuten hin und ebensoviel zurück nötig waren.

Dieselbe Kamera, auf einen Horizontalkreis montiert, kann von ein und
demselben Standpunkte aus — durch Drehung um ihre Vertikalachse — nach
und nach alle Richtungen erhalten und auf diese Weise in sechs bis acht
Aufnahmen den vollen Rundkreis photographieren.

Neuerdings hat Hauptmann Uljanin noch einen vorzüglichen Tele-
apparat für direkte Fernaufnahmen konstruiert mit einem lichtstarken
Aplanat von 1 m Focuslänge auf Platten von 24 $\times$ 30 cm. Dieser Apparat
(Fig. 10 u. 11) in seinem Schwerpunkte am Aufhängering des Korbes in
der Höhe des Beobachters befestigt, ist leicht mit einer Hand zu regieren, wobei die Aufnahmsrichtung durch Diopter festgestellt wird und die Platte eine nahezu vertikale Lage beibehält. An der Oberseite des Apparates befinden sich in zwei Vertiefungen ein Aneroid und eine runde Wasserwage, das Deckglas letzterer ist in kleine Quadrate geteilt, deren jedes einen Bogengrad ausmacht. Durch zwei Spiegel von 45° Neigung werden Aneroid und Wasserwage durch zwei kleine Objektive auf die untere Partie des Vordergrundes der Platte reflektiert (Fig. 12), die genaue Höhe des Apparates während der Aufnahme sowohl als auch den genauen Neigungswinkel der Kamera registrierend. Gleichzeitig mit der Hauptaufnahme wird vermittels einer kleineren, oben im Vorderteile des Apparates befindlichen und durch Scharnier herunterklappbaren Kamera auf horizontal liegende Platte (9 $\times$ 12 cm) eine Aufnahme der direkt unter dem Apparate liegenden Umgegend erhalten, welche sowohl zur Orientierung als auch zur Höhenkontrolle dient.

Fig. 10.

Fig. 11.

Auch dieser Apparat des Hauptmannes Uljanin ist durch Verordnung der Militäringenieurverwaltung bereits bei unserem Luftschifferparke eingeführt.

Das Hauptverdienst Uljanins besteht in der photogrammetrischen Eigenschaft seiner Apparate, welchen alle Elemente beigegeben sind, die erhaltenen Aufnahmen zum sofortigen Ablesen der Distanzen vermittels auflegbarer transparenter Berechnungstafeln zu verwenden.

Gegenwärtig wird die Photogrammetrie in drei St. Petersburger Militärlehranstalten (Militäringenieurschule, Militärakademie und Luftschifferlehrpark) durch Herrn Ingenieuroberst Naidjenoff (ebenfalls Mitglied der „Österreichischen Gesellschaft für Photogrammetrie in Wien") vorgetragen, wobei der Ärophotogrammetrie besondere Aufmerksamkeit zugewendet ist. Der Lehrkurs der Photogrammetrie des Herrn Naidjenoff ist mit vielen lithographierten Tafeln höchst instruktiver Zeichnungen versehen,

Fig. 12.

außerdem trägt Herr Naidjenoff sehr viel dazu bei, durch öffentliche Vorlesungen in Militärkreisen größtmöglichste Ausbreitung photogrammetrischen Wissens anzustreben.

An unseren russischen Zivilingenieurbildungsanstalten wird zwar die Photogrammetrie praktisch nicht betrieben, sie ist aber in den Lehrkurs aufgenommen und in den Museen derselben finden sich Phototheodolite vor, so z. B. im St. Petersburger Institute der Wegbauingenieure und Moskauer Konstantinowschen Institute für Landvermesser je ein Pollackscher Phototheodolit für Plattenformat 18×24 cm, in der Moskauer Anstalt für Wegbauingenieure ein Ducretet-Laussedatscher Phototheodolit für Platten 12×16½ cm. In letzterer Anstalt beabsichtigt der Professor der Geodäsie, Herr Solowjoff (auch Mitglied der „Österreichischen Gesellschaft für Photogrammetrie in Wien"), der Photogrammetrie und Stereophotogrammetrie ein größeres Feld in seinen Vorträgen einzuräumen und den Interessenten Gelegenheit für praktische Versuchsarbeiten zu bieten.

Selbstverständlich ist die Photogrammetrie auch an unseren physikalischen Observatorien für meteorologische Beobachtungen und Aufnahmen eingeführt und sind dieselben mit Pulfrichschen Stereokomparatoren versehen. Hierbei sind zu erwähnen unter anderem die Publikationen des Herrn Kusnetzoff „Über Bestimmung der Schnelligkeit und Bewegungsrichtung der Wolken" (Bulletin de l'Academie Impériale des Sciences de St. Pétersbourg. 1899, Septembre. T. XI, Nr. 2) und „Internationale Beobachtungen der Wolken im Konstantinoffschen Observatorium in Pawloff für das erste Beobachtungsjahr vom 1. Mai 1896 bis 30. April 1897". (Ausgabe des Nikolajeffschen physikalischen Hauptobservatoriums, September 1900), beide Abhandlungen in russischer Sprache.

Im allgemeinen ist bei uns in Rußland die Zahl der sich für Photogrammetrie interessierender Offiziere, Militärtopographen und Landmesser eine bedeutende und wenden sich brieflich viele mir völlig unbekannte Personen an mich um Aufschlüsse und Ratschläge.

Außer Vorhergehendem wäre noch manches zu berichten über die ärophotographischen und photogrammetrischen Arbeiten eines Moskauer Matematikers, Herrn Neshdanoff, welcher schon mehr als ein Jahrzehnt sich mit der Drachenphotographie beschäftigt und eine ganze Anzahl Apparate mit höchst sinnreichen Vorrichtungen konstruiert hat. Unter letzteren befindet sich eine dem Kodakschen Panoramenapparat nachgebildete Halbkreiskamera, welche, durch eigens für dieselbe von H. Neshdanoff gebauten Drachen in die Höhe gebracht, beinahe den halben Horizont zu Bilde bringt. Die Aufnahme wird durch einen sehr geistreich erdachten und höchst einfach ausgeführten Transformator auf biegsamem Film als Diapositiv oder als Abdruck auf Bromsilberpapier, vollkommen vermessungsfähig, hergestellt.

Es ist zu bedauern, daß H. Neshdanoff sein reiches Wissen und Wirken in dieser Branche nicht veröffentlicht und nur selten sich herbeiläßt, in einer der Moskauer photographischen Gesellschaften die Ergebnisse seiner Arbeiten zu demonstrieren.

Durch Veröffentlichung der Methode H. Bertillons, die Photogrammetrie in den Dienst des Untersuchungsrichters zu stellen, im ersten Teile meines in russischer Sprache erscheinenden Werkes „Die Photogrammetrie in gegenwärtiger Entwicklung" sieht sich unser Justizministerium veranlaßt, diesem wichtigen Zweige der Photogrammetrie näherzutreten und denselben in die gerichtliche Praxis einzuführen.

Das wäre wohl im großen ganzen alles, was ich über russische photogrammetrische Arbeiten und Bestrebungen mitteilen könnte, ich glaube aber annehmen zu dürfen, daß gegenwärtig bei uns das Bedürfnis für Anwendung der Photogrammetrie zu Vermessungszwecken zu fortschreitender Erkenntnis gelangt, zumal die Vereinfachung der Manipulationen durch den Pulfrichschen Stereokomparator die Photogrammetrie für Ingenieurzwecke besonders empfehlenswert und bei der immensen Ausdehnung unseres Reiches geradezu zur Notwendigkeit macht.

An dieser Stelle möchte ich noch Gelegenheit nehmen, den hochverehrten Leserkreis aufmerksam zu machen auf die parallel gehenden Bestrebungen, welche zwischen den gegenwärtigen ärophotogrammetrischen Arbeiten des Herrn Hauptmann Scheimpflug und den meinigen bestehen. Es dürfte wohl ein Zeichen der Zeit sein, daß gleichzeitig bei uns beiden und vollkommen unabhängig voneinander die Ideen der Ärophotogrammetrie in unseren Apparaten sich verwirklichten. Wenn auch auf verschiedenen Wegen, streben wir doch ein und demselben Ziele zu.

Die hervorragende geniale Konstruktion von Herrn Scheimpflugs Transformator, welcher die höchstmöglichste Genauigkeit der Umwandlung geneigter Aufnahmen auf mechanisch-photographischem Wege in vertikale oder horizontale verwirklicht und dabei auf rein optisch-mathematischen Prinzipien fußt, ist ein kolossaler Schritt vorwärts auf dem Gebiete der Ärophotogrammetrie, weit überflügelnd die bis dato gebräuchliche und schon lange vor der Veröffentlichung Fourcades praktizierte Verstellung des Neigungswinkels der Platte beim Umphotographieren derselben.

Die Zusammenstellung der vermittels des Scheimpflugschen Transformators direkt in die Horizontalprojektion umgewandelten Aufnahmen seines Ballonapparates zu einem fertigen photographisch-geodätischen Plane in Schichtenlinien durch Herbeiziehung des Pulfrichschen Stereokomparators hat eine große Zukunft, ebenso wie mein Bestreben, die mit meinem Autopanoramographen erzeugten geneigten Aufnahmen gleichfalls in horizontale oder vertikale zu transformieren, um — ebenfalls durch Benutzung des Stereokomparators — genaue Schichtenpläne unseres der Vermessung noch sehr bedürftigen russischen Reiches liefern zu können.

Ich biete hiermit dem verdienstvollen Herrn Hauptmann Scheimpflug meine Hand zu freundschaftlichem Zusammenwirken auf dem von uns betretenen Gebiete und hoffe, daß es uns gelingen möge, mit der Zeit eine neue Generation von Ärophotogrammetern heranzubilden und unsere gemeinschaftlichen Bestrebungen der möglichsten Vervollkommnung entgegenzuführen.

Bemerkung zur räumlichen Orientierung von drei Bildfeldern.

Von Prof. Th. Schmid in Wien.

Nach G. Hauck kann man drei Bildfelder immer so in räumlich orientierte Lage bringen, daß ein beliebiges Punktetripel B', B'', B''' zum Schnittpunkte der drei Bildebenen wird. Um eine solche Orientierung herbeizuführen, ist die Aufgabe zu lösen: „Die projektiven Kernbüschel S' und R'' sind so zu schneiden, daß auf zwei durch die zugeordneten Punkte B' und B'' gehenden Geraden kongruente Punktreihen entstehen." Die von Hauck gegebene übersichtliche Lösung findet man auch bei Loria (Vorlesungen über darstellende Geometrie S. 206). Bei Torroja (Fundamento teorico de

la Fototopografia) ist außer dieser noch eine andere rechnerische Lösung
(S. 50) zu finden. Im folgenden sei eine rein geometrische Lösung gezeigt,
welche auch eine gute Einsicht in die Realitätsverhältnisse bietet (s. Figur).
Die projektiven Kernbüschel seien S'' $(a',\ b',\ c')$ und R'' $(a'',\ b'',\ c'')$. Auf
den Strahlen $b',\ b''$ liegen die zugeordneten Punkte $B',\ B''$, durch welche die
Schnitte gelegt werden sollen. Zieht man durch B' und B'' Parallele zu
irgend einem Paare entsprechender Strahlen, etwa zu c' und c'', so ergeben
sich auf a' und a'' die Schnittpunkte A' und A''; auf den Parallelen liegen
ähnliche Punktreihen mit dem Ähnlichkeitsverhältnisse $\dfrac{A''B''}{A'B'}$. Es sind nun
jene Strahlenpaare zu suchen, für welche das Verhältnis Eins wird. Die
Parallelen erhält man auch, indem man das Büschel S' nach B' und das

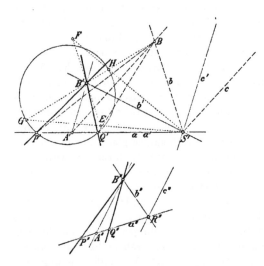

Büschel R'' nach B'' verschiebt, so daß auf a' und a''
wieder ähnliche Schnittreihen
entstehen. Überträgt man das
Büschel R'' nach S', so daß
a'' nach a kommt, und macht
das Dreieck $A'BS'$ ähnlich
dem Dreiecke $A''B''R''$, so
werden die Reihen auf a' und
a kongruent, also die Büschel
B' und B perspektiv. Man
konstruiert jetzt den Apollo-
nischen Kreis, dessen Punkte
mit B und B' Strecken bilden,
welche sich wie BS' zu $B''R''$
verhalten, indem man durch
B' eine Parallele zu b zieht,
$B'E = B'F = B''R''$ macht,
die Schnittpunkte $G,\ H$ von $S'E,\ S'F$ mit BB' sucht und den Kreis mit
GH als Durchmesser zeichnet. Er schneidet a' in den Punkten P' und
Q'. Überträgt man die Winkel, welche BP' und BQ' mit b bilden nach B'',
so erhält man in der ähnlichen Figur die Punkte P'' und Q''. Da nun einerseits $B'P' : BP' = B'Q' : BQ' = B''R'' : BS'$ und anderseits $B''P'' : BP'' =$
$= B''Q'' : BQ' = B''R'' : BS'$, so muß $B'P' = B''P''$ und $B'Q' = B''Q''$ sein,
womit die beiden möglichen kongruenten Schnitte gefunden sind.
Die Realität der beiden Lösungen hängt von den Schnittpunkten $P',\ Q'$ des
Kreises GH mit der Geraden a' ab.

Man kann die Sache auch noch anders auffassen. Sind $A'A'',\ B'B'',\ C'C''$
drei Paare von zugeordneten Punkten, so daß sie auf den entsprechenden
Strahlen $a'a'',\ b'b'',\ c'c''$ der Kernbüschel S' und R'' liegen, dann ist die
Verbindungsebene ABC durch die Kollineation abgebildet, in welcher das
Viereck $A'B'C'S'$ dem Vierecke $A''B''C''R''$ entspricht. Für die Schnitt-
gerade v der beiden Verschwindungsebenen fällt v' und v'' in die uneigent-
liche Gerade. Jede Ebene durch v ist also durch eine Affinität abgebildet.

Ist $B'B''$ ein Paar von zugeordneten Punkten, ferner A'' der Schnittpunkt von a' mit der Parallelen zu c' durch B' und A'' der Schnittpunkt von a'' mit der Parallelen zu c'' durch B'', so ist die Verbindungsebene Bv durch die Affinität abgebildet, in welcher $A'B'S'$ und $A''B''R''$ entsprechende Dreiecke sind. Soll nun B ein Punkt der Bildachse sein, so geht die Ebene Bv durch die Bildachse und man hat in den affinen Feldern nur die durch B' und B'' gehenden kongruenten Punktreihen aufzusuchen, worauf es in der obigen Konstruktion auch tatsächlich hinauskommt (A. Beck, Zeitschrift f. Math. u. Ph. 44. Bd. 1899).

Über die Berücksichtigung der Schraubenfehler bei den Ausmessungen der Photogramme.

Von Universitätsdozent Prof. Dr. N. Herz in Wien.

Bei der Ausmessung von photographischen Platten behufs Aufnahme von topographischen Plänen, Architekturen usw. sind eine Reihe von Fehlerquellen zu eliminieren, welche das Resultat nicht unwesentlich beeinflussen können. Man mißt die Negative, da durch den Kopierprozeß, infolge der Verziehungen der Papierblätter usw., stets Änderungen gegen die Originalplatten zu befürchten sind; man betrachtet das Bild durch mäßig vergrößernde Mikroskope, um den Einstellungsfehler herabzudrücken usw. Bezüglich des zweiten Punktes ist zu erwähnen, daß nach den Erfahrungen, welche insbesondere General v. Hübl bei seinen stereophotogrammetrischen Versuchen machte, eine etwa sechsfache Vergrößerung sich im allgemeinen als die passendste erwies, sowie ja auch astronomische Beobachtungen nicht mit den stärksten Vergrößerungen vorgenommen werden, sondern mäßige Vergrößerungen vorgezogen werden, um den Fehlern und der Unschärfe der Bilder keinen zu großen Einfluß einzuräumen.

Bei Durchmessungen der photogrammetrischen Aufnahmen im stereoskopischen Bilde wird der Einstellfehler so weit herabgedrückt, daß man nach den bisherigen Erfahrungen von General v. Hübl die Resultate der Messungen auf der Platte bis zu $0\cdot01\,mm$ noch mit Sicherheit verbürgen kann. Bei Messungen von dieser Größenordnung erscheint es aber wichtig, einer Fehlerquelle eine besondere Aufmerksamkeit zuzuwenden, welche, wenigstens in sehr vielen Fällen, das Resultat ungünstig beeinflussen könnte, nämlich die unvermeidlichen Fehler der Schraube.

Denkt man sich eine Schraube längs einer Erzeugenden der Spindel aufgeschnitten und in der Ebene ausgebreitet, so sollten sich die Schraubengänge als äquidistante, gegen die Achse nahe senkrecht stehende gerade Linien darstellen (Fig. 1). Die tatsächlichen Verhältnisse aber liegen so, daß die einzelnen Schraubengänge nicht äquidistant sein werden (fortschreitender Schraubenfehler) und sich als etwas, wenn auch nur äußerst wenig durchgebogene Linien (periodische Schraubenfehler) darstellen werden (Fig. 2). Mißt man daher eine Strecke durch Drehung der Schraube (nebst einer ganzen Zahl von Umdrehungen) in dem Teile zwischen a und b, so entspricht der halben Umdrehung eine Verschiebung um weniger als einer halben Schraubengangshöhe: die gemessene Distanz wird zu groß erhalten; im Gegenteile wird, wenn die Messung auf den Teil $b\,c$ der Schraube entfällt, die Distanz zu klein erhalten, weil man eine halbe Umdrehung gemessen hat, welcher $\frac{1}{2}\,r\,mm$ entspricht, wenn $1^{\text{Rev}} = r\,mm$ ist, während die Schlittenverschiebung in Wirklichkeit größer als $\frac{1}{2}\,r\,mm$ ist. Man sieht aber

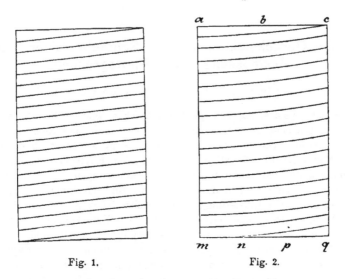

Fig. 1.   Fig. 2.

sofort, daß im Mittel der beiden Messungen der Fehler der Schraube herausfällt. Auch für einen Überschuß von $\frac{m}{n}\,r\,mm$ (ein beliebiger Bruchteil der ganzen Umdrehung), innerhalb des Bereiches $a\,b$ einerseits und $c\,d$ anderseits gemessen, gilt dasselbe. Natürlich kann der Fehler auch eliminiert werden, wenn man die Messungen auf drei Teile der Schraube, $m\,n$, $n\,p$, $p\,q$ verteilt. Es wird wesentlich von der Form der Kurven, welche durch die Abweichung der Schraubenlinie gegeben werden, abhängig sein (mathematisch ausgedrückt, von den Fourierschen Reihen, welche den mathematischen Ausdruck der periodischen Schraubenfehler ergeben), auf wie viel Teile der ganzen Schraubenlinie man die Messung verteilen soll. Die Möglichkeit hierzu ist dadurch gegeben, daß man zur Erhöhung der Genauigkeit des Resultates und behufs Vermeidung grober Messungsfehler jede Messung wiederholt wobei man, um den angestrebten Zweck zu erreichen, den Nullpunkt der Platte verstellen wird; entweder bei zwei Messungen um je $^1/_2$ Umdrehung, oder bei drei Messungen um $^1/_3$ und $^2/_3$ Umdrehungen usw.

Es kann dieses natürlich nicht für jede einzelne Abmessung geschehen, da dieses die Gesamtdurchmessung wesentlich erschweren würde; wohl aber kann man die Durchmessung sämtlicher vorzunehmender Strecken zuerst bei einer gewissen Stellung der Platte: Koinzidenz von Plattenmitte und Marke für eine gewisse Lesung an der Schraube, dann bei einer zweiten Stellung der Platte: Koinzidenz bei einer um 0·5 Umdrehungen verschiedenen Lesung der Schraube, oder aber bei drei Durchmessungen für diejenigen Platten-stellungen, welche den Koinzidenzpunkten 0·0, 0·3, 0·7 entsprechen usw., vor-nehmen. Selbstverständlich ist es hierbei durchaus nicht nötig, für die Koinzidenzpunkte genau 0·0, 0·5, oder 0·0, 0·3, 0·7 usw. zu wählen; denn für die Bestimmung der Entfernungen handelt es sich ja nur um die Diffe-renzen der Schraubenlesungen und für die Eliminierung der Schrauben-fehler genügt eine ganz roh genäherte Erfüllung dieser Bedingungen. Jedoch ist noch zu bemerken, daß man bei dieser Verstellung gut tut, die Ver-schiebung um mehrere ganze Umdrehungen plus den eben erwähnten Bruch-teilen vorzunehmen; also z. B. Koinzidenzpunkte 5·0, 10·3, 15·7 usw., wodurch man auch von dem fortschreitenden Schraubenfehler so gut als möglich unabhängig wird. Je mehr verschiedene Koinzidenzpunkte man wählt, desto sicherer wird natürlich das Messungsresultat, weil man dadurch selbst die periodischen Abweichungen höherer Ordnung (die folgenden Glieder der Fourierschen Reihen) und die fortschreitenden Fehler der Schraube mög-lichst vollständig berücksichtigt, als auch unregelmäßige Schraubenfehler und selbstverständlich auch die durch die unvermeidlichen Beobachtungs-fehler entstandenen Abweichungen möglichst eliminiert.

Ist man in der Lage, eine theoretische Untersuchung über die Schrauben-fehler vorzunehmen, so wird sich dies in allen Fällen auch bei den photo-grammetrischen Arbeiten dienenden Apparaten empfehlen, wie dies ja für astronomische Arbeiten feinerer Art bereits seit langer Zeit Gepflogenheit ist. Über die Art der Ausführung derselben braucht an dieser Stelle nichts erwähnt zu werden, da für dieselbe ausreichende Daten in den Handbüchern der Astronomie und Geodäsie zu finden sind.

Berechnung der Konstanten der Aufstellung aus inneren Daten.

Von Prof. Karl Fuchs in Preßburg.

[.]

Es soll eine Methode angegeben werden, wie man die relative Lage der rechten Kammer zur linken Kammer berechnen kann, wenn nur die beiden gewonnenen photogrammetrischen Platten vorliegen. Man berechnet nach der neuen Methode die relative Lage der Kammern ohne Kontrollpunkte, lediglich aus den Koordinaten x, y, x', y' identer Punktpaare, also aus inneren Daten. Unbestimmt bleibt dabei nur der Maßstab; den können die Platten nicht geben.

Wenn wir die relative Lage der Kammern kennen, dann können wir wohl das Modell der dargestellten Landschaft, also ein Raumgebilde, konstruieren. Um dann das gewonnene Landschaftsbild auch in die allgemeine Landesaufnahme einzugliedern, brauchen wir nachträglich drei Kontrollpunkte, die dann zugleich auch den Maßstab bestimmen, denn drei Punkte bestimmen die Lage eines Raumgebildes.

1. Es soll beschrieben werden, was wir unter relativer Lage der Kammern verstehen wollen. Die Projektionspole der beiden Kammern nennen wir O und O' (Fig. 1).

Die erste Kammer hat ein ebenes Achsenkreuz xy auf der Platte und sein Ursprung ist der optische Mittelpunkt U der Platte. Wir können aber

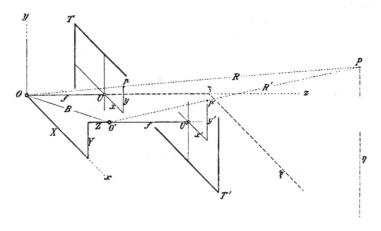

Fig. 1.

auch sagen, die Kammer habe ein natürliches Raumachsenkreuz xyz, dessen Ursprung im Pole O liegt, dessen x- und y-Achse den entsprechenden Plattenachsen parallel sind und dessen z-Achse mit der optischen Achse der Kammer zusammenfällt. Ebenso hat die rechte Kammer ein natürliches Achsenkreuz $x'y'z'$, dessen Ursprung der Pol O' ist. Ein Bildpunkt p von den Plattenkoordinaten xy auf der ersten Platte hat also die Raumkoordinaten xyf in bezug auf O, wobei f die Bildweite der Kammer ist; und analoges gilt für die zweite Kammer.

Der Pol O' der rechten Kammer hat im Achsenkreuz xyz der linken Kammer irgendwelche Koordinaten X, Y, Z. Es sind das die orthogonalen Komponenten der Basis B, die von O direkt nach O' gezogen ist. Ich nenne X die Grundkomponente der Basis, Y die Überhöhung der rechten Kammer und Z die Ausrückung der rechten Kammer aus der Grundlinie oder Grundkomponente X.

Die rechte Kammer kann dieselbe Orientierung haben wie die linke, d. h. ihr Achsenkreuz $x'y'z'$ kann dem Achsenkreuz xyz der linken Kammer parallel sein und diese Stellung mag winkelrecht heißen. Irgendwelche andere winkelschiefe Stellung können wir der rechten Kammer auf folgende typische Weise durch drei Drehungen geben.

Um das eigene Achsenkreuz $x'\,y'\,z'$ der rechten Kammer kümmern wir uns nicht; wir legen aber durch O' ein fixes Achsenkreuz $x\,y\,z$, das dem Kreuze der linken Kammer parallel ist.

Wir verdrehen nun die rechte Kammer um die z-Achse (also um ihre optische Achse) im Sinne von $+x$ nach $+y$ um einen Winkel τ.

Wir neigen dann die optische Achse, also die ganze Kammer, um die x-Achse im Sinne von $+y$ nach $+z$ um einen Winkel ϑ.

Wir verschwenken endlich die Kammer um die y-Achse im Sinne von $+z$ nach $+y$ um einen Winkel δ.

Die Orientierung der rechten Kammer ist somit durch die drei Winkel δ, ϑ, τ bestimmt, die relative Lage der beiden Kammern zueinander also durch sechs Größen:

$$X,\; Y,\; Z,\; \delta,\; \vartheta,\; \tau,$$

durch drei Längen und drei Winkel. Hiermit ist klar beschrieben, was wir unter der relativen Lage der beiden Kammern verstehen wollen.

I. Idente Punkte und idente Strahlen.

2. Irgendein Objektpunkt P soll im Achsenkreuz $(x\,y\,z)$ der linken Kammer die Koordinaten ξ, η, ζ haben. Die rechte Kammer mag durchaus winkelschief stehen. Die von P nach den Polen O und O' gezogenen Rayons R und R' geben auf den beiden Platten die Bildpunkte p und p', deren Plattenkoordinaten x, y und x', y' sind; diese beiden Punkte p und p' sind idente Punkte der beiden Platten.

Wenn wir durch den Objektpunkt P und die beiden Pole O und O' eine Ebene E legen, dann liegen in ihr sowohl die beiden Rayons R und R' als auch die Basis B. Die Ebene schneidet die beiden Platten in zwei Geraden G und G', die auch durch die Bildpunkte p und p' gehen. Die Ebene E durchschneidet aber auch die Landschaft und gibt mit den Bergwänden Schnittlinien S. Alle Punkte der Landschaft nun, die in der Schnittlinie S liegen, haben auf der linken Platte ihre Bildpunkte in der Geraden G, und auf der rechten Platte in der Geraden G'. Die Geraden G und G' enthalten also ausschließlich idente Punkte. Gerade G und G', die aus identen Bildpunkten bestehen, nennen wir idente Strahlen. Wenn wir also durch die Pole O und O' eine beliebige Ebene E legen, dann schneidet sie die beiden Platten in identen Strahlen.

Von der rechten Kammer nehmen wir an, daß sie nicht winkelrecht, sondern winkelschief steht; es ist das der allgemeine Fall. Da die durch O und O' gelegte Basis im allgemeinen zu keiner Platte parallel liegt, so wird sie, zu einem Strahl verlängert, beide Platten durchstoßen: die linke Platte in einem Punkte K und die rechte Platte in einem Punkte K'. Wir nennen diese Durchstoßungspunkte nach G. Hauk die Kernpunkte der Platten.

Es ist klar, daß jede Ebene E, die durch die Pole $O\,O'$ geht, auch durch die Kernpunkte $K\,K'$ geht, da ja diese in der Verbindungslinie der Pole liegen. Daraus folgt aber: alle identen Strahlen G der linken Platte gehen

durch den Kernpunkt K und alle identen Strahlen G der rechten Platte
gehen durch den Kernpunkt K' der Platte.

3. Es soll nun eine Methode angegeben werden, wie man auf zwei
vorliegenden photogrammetrischen Platten lediglich durch Koordinaten-
messungen idente Strahlen finden kann. Zunächst sei auf eine Gefahr aufmerksam gemacht. Drei Objektpunkte $P_1\,P_2\,P_3$ sollen in der Luftlinie in
einer Geraden liegen. Dann können die beiden Kammern wo immer und
wie immer aufgestellt sein, immer werden die Bildpunkte $p_1\,p_2\,p_3$ auf der
linken Platte und die Bildpunkte $p_1'\,p_2'\,p_3'$ auf der rechten Platte je in einer
Geraden liegen und sie erwecken so den Schein, als hätten wir idente Gerade gefunden.

So gewarnt gehen wir von folgender Sachlage aus. Auf den Platten
sei ein Einblick in ein tiefes Tal geboten: Zu beiden Seiten im Vorder-
grund seien Felswände, in der Mitte sehe man sehr entfernte Gebirgsteile
im Hintergrund. Im fernen Hintergrund wählen wir einen Objektpunkt P_0,
der auf den Platten die Bildpunkte p_0 und p_0' gibt.

Wir nehmen nun die linke Platte vor und ziehen durch den Bildpunkt
p_0 Strahlen in verschiedener Richtung, vorwiegend in ziemlich horizontaler
Richtung. Jeder Strahl stellt eine Ebene dar, die den Rayon R in sich
schließt, also sowohl durch den Objektpunkt P_0, als auch durch den Kammer-
pol O geht und all diese Ebenen schneiden sich im Rayon R. Wenn wir
also durch p_0 eine Gerade G ziehen, dann stellt diese eine Ebene E dar und
wenn wir die Gerade im Punkte p_0 drehen, dann drehen wir die Ebene
um R als Achse. In irgend einem Momente wird sie jedenfalls auch durch den
Pol O' gehen und dann gibt sie auf beiden Platten idente Strahlen, wie wir sie
eben suchen. Das Analoge könnten wir auch von der rechten Platte sagen.

Nun wählen wir außer dem Objektpunkte P_0 im Hintergrunde auch
noch zwei Objektpunkte P_1 und P_2 im Vordergrunde, den Punkt P_1 auf
der linken, den Punkt P_2 auf der rechten Felswand. Diese drei Punkte bestimmen eine Ebene E und in ihr ein großes Dreieck $P_1\,P_0\,P_2$. Wenn auf
der linken Platte der Bildpunkt p_0 unter der Verbindungslinie der Bildpunkte p_1 und p_2 liegt, dann liegt auch der Pol O unter der Ebene E und
wir sehen gleichsam die Ebene E von unten. Wenn aber p_0 ober der Verbindungslinie $p_1\,p_2$ liegt, dann liegt auch der Pol O ober der Ebene E. So
erkennen wir aus der Lage des Punktes p_0 auf der Platte sofort, ob die
Ebene E über oder unter der Kammer hinwegstreicht. Sie geht durch den
Standpunkt O, wenn alle drei Punkte $p_1\,p_0\,p_2$ in einer Geraden liegen. Das
gleiche können wir auch von der rechten Platte sagen: der Standpunkt
O' liegt ober oder unter der Ebene E, je nachdem auf der rechten Platte
der Bildpunkt p_0' ober oder unter der Verbindungslinie von $p_1'\,p_2'$ liegt.

Wir ziehen nun auf der linken Platte zwei Vertikale V_1 und V_2 etwa
in gleichen Abständen von der y-Achse der Platte. Auf V_1 wählen wir Punkte
$p_1\,p_2\,\ldots$ von den Ordinaten $y_1\,y_2\,\ldots$ auf den Felsgehängen des linken Vordergrundes. Von jedem dieser Punkte ziehen wir einen Strahl g durch p_0, und
diese Strahlen $g_1\,g_2\,\ldots$ treffen die Vertikale V_2 in Punkten $q_1,\,q_2\,\ldots$ auf dem
Gehänge des rechten Vordergrundes. Wir gewinnen so Punkttriaden:

$$p_1\, p_0\, q_1 \quad \cdot \quad p_2\, p_0\, q_2 \quad \quad p_3\, p_0\, q_3$$

und jede Triade liegt in einer Geraden, die durch p_0 geht.

Nun suchen wir auf der rechten Platte zu $p_1, p_2 \ldots$ und $q_1, q_2 \ldots$ die identen Punkte $p_1', p_2' \ldots q_1', q_2' \ldots$

Wenn wir dann etwa die korrespondierenden Punkte p_1' und q_1' mit einer Geraden g_1' verbinden, dann werden wir vielleicht finden, daß p_0' unter dieser Geraden g_1' liegt. Die durch g_1 bestimmte Ebene E_1 geht also über den Standpunkt O' hinweg. Die Strecke e_1, um die p_0' unter der Geraden g_1' liegt, messen wir (berechnen wir), und nennen sie den Defekt der Ebene E_1'. So bestimmt jeder der Punkte $p_1, p_2 \ldots$ der Vertikalen V_1 eine Ebene $E_1 E_2 \ldots$ und jeder Ebene entspricht irgendein Defekt $e_1, e_2 \ldots$ auf der rechten Platte. Diese Defekte werden, wenn wir auf V_1 immer höhere Punkte p nehmen, von Ebene zu Ebene immer kleiner, wechseln das Zeichen und werden dann wieder immer größer, weil nunmehr die Ebene immer tiefer unter O' hinstreichen.

Wenn wir nun auf der Vertikalen V_1 bei jedem Punkte $p_1, p_2 \ldots$ den entsprechenden Defekt $e_1, e_2 \ldots$ als horizontale Ordinate auftragen, dann gewinnen wir eine Reihe von Punkten $\pi_1, \pi_2 \ldots$, die sehr nahe in einer Geraden liegen, und der Punkt P_1, wo diese Gerade die Vertikale V_1 schneidet, gibt dann keinen oder so gut wie keinen Defekt.

Jetzt haben wir ein Paar identer Strahlen G_1, G_1' auf den beiden Platten gefunden. Wenn wir nämlich von P_1 aus einen Strahl G_1 durch p_0 ziehen, dann trifft dieser die Vertikale V_2 in einem Punkte P_2 und P_1, P_2 liegen in einer Geraden. Wenn wir dann die zu P_1, P_2 identen Punkte P_1', p_0', P_2' auf der rechten Platte aufsuchen, dann werden voraussichtlich die Punkte P_1', p_0', P_2' ebenfalls in einem Strahle G_1' liegen, d. h. G_1 und G_2' sind idente Strahlen.

Hiermit ist der Grundgedanke gegeben, wie man ein Paar identer Geraden G_1, G_1' auf den beiden Platten finden kann. Auf gleiche Weise können wir auch mittels eines zweiten Paares von Angelpunkten p_0, p_0' ein zweites Paar identer Strahlen G_2, G_2' bestimmen.

Jetzt sind aber offenbar auch die Kernpunkte K, K' der beiden Platten, d. h. die Punkte, wo die Platten von der Basis B durchstoßen werden, bekannt: auf der linken Platte ist K der Schnittpunkt der Strahlen G_1, G_2 und auf der rechten Platte ist K' der Schnittpunkt der Strahlen G_1', G_2'.

Auf der ersten Platte soll der Kernpunkt K die Koordinaten x_0 und y_0 haben (auf der zweiten Platte also der Kernpunkt K' die Koordinaten x_0' und y_0'). Im Raumachsenkreuz der ersten Kammer hat also der Kernpunkt K die Koordinaten x_0, y_0, f. Wenn aber die Basis B, die vom Ursprung O ausgeht, durch diesen Punkt K geht, dann gilt offenbar:

$$X : Y : Z = x_0 : y_0 : f, \tag{1}$$

d. h. die relativen Werte der orthogonalen Komponenten der Basis sind bestimmt, wir kennen die Richtung der Basis im Raume.

4. Es läßt sich zeigen, daß durch die beiden Kernpunkte K, K' und durch ein Paar identer Strahlen nicht nur die relativen Werte der Basiskomponenten X, Y, Z bestimmt sind, sondern daß man auch drei Winkel δ, ϑ, τ

14*

berechnen kann, durch die die relative (d. h. auf die erste Kammer bezogene) Orientierung der zweiten Kammer vollkommen bestimmt ist. Allerdings sind die berechneten drei Winkel δ, ϑ, τ nicht identisch mit den bisher so bezeichneten Winkeln.

Durch die Basis B und die Koordinatenachse x legen wir eine Ebene E_0. Diese gibt auf den beiden Platten zwei idente Strahlen G_0 und G_0', von denen G_0 durch den optischen Mittelpunkt U der ersten Platte läuft, während G_0' im allgemeinen nicht durch den optischen Mittelpunkt U'' der zweiten Platte geht. Beide Strahlen gehen aber durch die Pole O und O' und durch die Kernpunkte K und K'. Diese beiden Strahlen G_0 und G_0' kennen wir ohne weiteres, wenn wir die Kernpunkte kennen.

Die beiden Plattenmittelpunkte U, U'' verbinden wir nun mit den Kernpunkten K, K' durch zwei Vektoren l, l', die mit den x-Achsen der beiden Platten die Winkel τ und τ' bilden.[1]) Die Koordinaten $x_0 y_0$ und $x_0' y_0'$ der beiden Kernpunkte K, K' geben also, wenn wir wollen, folgende Gleichungen:

$$x_0 = l\, cos\, \tau \qquad x_0' = l'\, cos\, \tau'$$
$$y_0 = l\, sin\, \tau \qquad \eta_0' = l'\, sin\, \tau'.$$

Die linke Kammer bietet uns nun ein rechtwinkeliges Dreieck, dessen Katheten l und die Bildweite f sind, und ebenso bietet die rechte Kammer ein rechtwinkeliges Dreieck, dessen Katheten l' und die Bildweite f sind. Die Winkel δ und δ' dieser Dreiecke sind also bestimmt durch

$$l\, tg\, \delta = f \qquad l'\, tg\, \delta' = f.$$

In der rechten Kammer errichten wir auf der Platte im Mittelpunkt U' ein Lot h', das den Strahl G_0' in einem Punkte L' trifft. Wir erhalten so ein orthogonales Körpereck, dessen Kanten f, l' und h' sind und das durch das Dreieck $O' L' K'$ geschlossen wird. In der Basis B, die durch O' und K' geht, schneidet sich dann die Ebene $O' L' K'$ und die Ebene $O' U' K'$ und der Winkel $\varDelta \vartheta'$, den die beiden Ebenen miteinander bilden, wird durch das Lot h' gemessen. Es gilt nämlich:

$$f\, cos\, \delta'\, tg\, (\varDelta \vartheta') = h'.$$

Jetzt soll die Bedeutung der fünf Winkel $\tau, \tau', \delta, \delta', \varDelta \vartheta'$ klar gelegt werden. Denken wir uns die Kammern in der allereinfachsten Aufstellung: die Basis B liegt horizontal und die beiden Platten liegen in einer vertikalen Ebene. Genauer gesprochen: die optischen Achsen der Platten liegen horizontal und normal zur Basis und ihre x-Achsen liegen ebenfalls horizontal, also parallel der Basis B.

Nun wollen wir den beiden Kammern dieselbe relative Orientierung geben, die sie im eben durchgerechneten Falle hatten. Zuerst müssen wir die Kammern um die Winkel δ und δ' verschwenken. Die Platten werden dann in zwei Punkten K, K' von der Basis durchstoßen; diese Kernpunkte liegen in den Abständen l und l' von den Plattenmittelpunkten U, U'' und

---

[1]) Die im folgenden skizzierten Berechnungen sollen in einem zweiten Artikel auf breiterer Basis an der Hand von Abbildungen regelrecht durchgeführt werden.

liegen beide in der x-Achse der betreffenden Platte. Die beiden Kammern haben dann die relative Verschwenkung

$$\varDelta\,\delta = \delta - \delta'.$$

Nun winden wir die rechte Kammer um die Basis B um einen Winkel $\varDelta\,\vartheta'$, wobei die Punkte O' und K' in der Basis verbleiben. Die relative Verwindung der Kammern ist also $\varDelta\,\vartheta'$.

Endlich drehen wir die Platten um ihre optischen Achsen, die linke um τ, die rechte um den Winkel τ'. Die relative Verdrehung der Platten ist also:

$$\varDelta\,\tau = \tau - \tau'.$$

Jetzt haben die beiden Kammern genau dieselbe relative Orientierung, wie im zuerst durchgerechneten Fall.

Es bleibt nur noch übrig, unsere drei Winkel $\varDelta\,\delta$, $\varDelta\,\vartheta$, $\varDelta\,\tau$ auf die Winkel δ, ϑ, τ in üblichem Sinne umzurechnen; darauf gehen wir aber nicht ein; das ist Sache der geometrischen Technik.

Wir haben also das folgende wichtige Resultat: wenn wir zwei Platten vor uns haben, die mit ganz willkürlich gestellten Kammern gewonnen worden sind und wir weder irgendwelche Angaben über die Aufstellung, noch irgendwelche Kontrollpunkte zur Verfügung haben, dann können wir lediglich aus identen Punktpaaren, also aus inneren Daten, die Stellung und Orientierung der rechten Kammer zur linken ganz genau berechnen; nur die Länge der Basis B bleibt unbestimmt.

Wir wollen das Problem nun auch von einer ganz anderen Seite angehen.

II. Die Gleichung der inneren Bestimmung.

5. Die rechte Kammer soll winkelrecht aufgestellt sein, beide Platten sollen also zueinander parallel liegen.

Irgendein Objektpunkt P, etwa eine Felsspitze, soll im Achsenkreuz $x\,y\,z$ der linken Kammer die Koordinaten ξ, η, ζ haben. Die nach den Polen O und O' gezogenen Rayons R und R' geben dann auf den Platten die Bildpunkte p und p'. Der Bildpunkt p hat in bezug auf den Ursprung O die Koordinaten x, y, f und da p und P in demselben Rayon liegen, gelten die Proportionen:

$$\frac{x}{f} = \frac{\xi}{\zeta} \qquad \frac{y}{f} = \frac{\eta}{\zeta}. \tag{2}$$

In bezug auf O' hat der Bildpunkt p' die Koordinaten x', y' und der Objektpunkt P hat nach O' die Koordinaten

$$\xi - X, \qquad \eta - Y, \qquad \zeta - Z.$$

Die Proportionen (2) lauten also für die zweite Kammer so:

$$\frac{x}{f} = \frac{\xi - X}{\zeta - Z} \qquad \frac{y}{f} = \frac{\eta - Y}{\zeta - Z}. \tag{3}$$

Wenn wir hier ξ und η mittels (2) eliminieren, dann erhalten wir aus (3) zwei Abstandsgleichungen, die nur die Koordinate ζ, den Abstand, enthalten:

$$\zeta\,(x - x') = f\,X - x\,Z, \qquad \zeta\,(y - y') = f\,Y - y\,Z. \qquad (4)$$

Die erste Gleichung entspricht der Draufsicht, die zweite der Seitensicht. Wenn wir auch noch ζ eliminieren, dann finden wir aus (4):

$$\frac{\varDelta y}{\varDelta x} = \frac{f\,Y - y\,Z}{f\,X - x\,Z}. \qquad (5)$$

Das ist unsere Grundgleichung, die Gleichung der inneren Bestimmung. Sie gibt für gleich orientierte Kammern einen Zusammenhang, der zwischen den Koordinaten x, y, x', y' irgend eines identischen Punktpaares $p\,p'$ und den Komponenten X, Y, Z der Basis B besteht. Diese Gleichung wird dadurch möglich, daß jeder Objektpunkt P wohl vier Plattenkoordinaten gibt, aber selber nur drei Raumkoordinaten hat.

Die Grundgleichung enthält eigentlich nur die relativen Werte der Basiskomponenten, da man eine Komponente wegdividieren kann. Wir wählen Z und setzen:

$$a = \frac{X}{Z}, \qquad b = \frac{Y}{Z} \qquad (6)$$

so daß die Grundgleichung (5) lautet:

$$\frac{\varDelta y}{\varDelta x} = \frac{f\,b - y}{f\,a - x}. \qquad (7)$$

6. Die Grundgleichung wollen wir geometrisch deuten. Wenn wir die rechte Platte so auf die linke legen, daß die Achsen einander decken, dann erscheinen alle Bildpunkte p' der rechten Platte gegen die Bildpunkte p der linken Platte um gewisse Strecken $\varDelta s$ verschoben. Die Richtung dieser Verschiebungen $\varDelta s$ wird nun durch den Bruch $\varDelta y : \varDelta x$ bestimmt: der Bruch gibt die Tangente des Richtungswinkels.

Auch der zweite Bruch in (7) gibt die Tangente eines Richtungswinkels. Es gibt auf der ersten Platte einen Punkt von den Koordinaten $f\,a$ und $f\,b$, den wir mit K bezeichnen wollen. Wenn wir vom Bildpunkte p, dessen Koordinaten x und y sind, eine Gerade s nach dem Punkte K ziehen, dann gibt der rechte Bruch die Tangente des Richtungswinkels dieser Geraden s. Die Gerade (7) sagt also, daß die parallaktische Verschiebung $\varDelta s$ jedes Bildpunktes p in der Richtung einer von p nach dem Punkte K gezogenen Geraden erfolgt.

Aus diesem Satze können wir allerlei Folgerungen ziehen. Statt die rechte Platte auf die linke zu legen, können wir auch auf der rechten Platte den Punkt von den Koordinaten $f\,a$ und $f\,b$ nochmals bezeichnen und K' nennen. Die rechte Platte zeigt alle Punkte p der linken Platte parallaktisch verschoben. Wenn wir nun durch die beiden Punkte K und K' gleichgerichtete Strahlen G und G' ziehen, dann können wir sicher sein, daß alle Punkte p, die links im Strahle G liegen, auch rechts im Strahle G' liegen werden, da ja alle parallaktischen Verschiebungen eben in der Richtung der Strahlen G, respektive G' erfolgen.

Die Bildpunkte p_1', p_2', p_3' ... rechts liegen allerdings ebensogut in einer Geraden, wie die entsprechenden Bildpunkte p_1, p_2, p_3 ... links. Dennoch werden die beiden Punktreihen einander nicht gleichen. Die parallaktischen Verschiebungen der einzelnen Bildpunkte längs des Strahles G' sind nämlich sehr verschieden groß, je nach dem Abstande ζ der betreffenden Objektpunkte P. Die Bilder sehr entfernter Objektpunkte werden eine sehr kleine parallaktische Verschiebung $\varDelta s$ zeigen, die Bilder sehr naher Objektpunkte aber eine sehr große. Die Ordnung der Bildpunkte ist also auf dem rechten Strahle G' eine ganz andere als auf dem linken Strahle G.

Es ist nun klar, daß die Konvergenzpunkte K und K' der parallaktischen Verschiebungen nichts anderes sind, als die schon erwähnten Kernpunkte, d. h. die Durchstoßpunkte der Basis in den beiden Platten und die Geraden G und G' sind idente Strahlen.

7. Die Grundgleichung (5) hat zunächst eine praktische Bedeutung als Kriterium.

Im allereinfachsten Falle der Photogrammetrie, im Urfalle, ist weder eine Ausrückung Z, noch eine Überhöhung Y vorhanden und beide Platten liegen in derselben Ebene und in derselben Höhe. Dann ist also $Z = Y = o$, und (5) lautet:

$$\frac{\varDelta y}{\varDelta x} = o. \tag{8}$$

Das ist nur möglich, wenn $\varDelta y = o$ oder $y = y'$ ist. Im Urfalle haben also die identen Punktpaare keine y-Parallaxe; das ist also das Kriterium des Urfalles.

Im Normalfalle der Photogrammetrie liegen wohl wieder beide Platten in derselben Ebene ($Z = o$), eine Überhöhung Y kann aber vorhanden sein. Dann lautet die Grundgleichung (5):

$$\frac{\varDelta y}{\varDelta x} = \frac{Y}{X} = \text{konstant}, \tag{9}$$

d. h. alle Bildpunkte erscheinen rechts in derselben Richtung verschoben. Das ist also das Kriterium des Normalfalles.

Die Gleichung (5) oder (7) gilt dem allgemeinen Falle gleich orientierter Kammern, wo sowohl Überhöhung Y, als auch Ausrückung Z vorhanden ist. Das Kriterium des allgemeinen Falles lautet also: alle parallaktischen Verschiebungen zielen auf beiden Platten nach einem Punkte K, der auf beiden Platten dieselben Koordonaten hat.

8. Wichtiger ist die Verwendung der Grundgleichung zur Berechnung der Basiskonstanten X, Y, Z, wenn wir sicher sind, daß wir es mit gleich orientierten Kammern zu tun haben. Wir schreiben (7) so:

$$(fa - x)\varDelta y = (fb - y)\varDelta x. \tag{10}$$

Wir wählen nun auf den Platten zwei ganz beliebige Paare von identen Punkten p_1, p_1' und p_2, p_2'. Zuerst setzen wir in (10) die Plattenkoordinaten x_1, y_1 und die beiden Parallaxen $\varDelta x_1$ und $\varDelta y_1$ des ersten Punktpaares ein und haben so eine Bestimmungsgleichung zur Berechnung der beiden Unbekannten a und b. In gleicher Weise gibt das zweite Punktpaar eine zweite Bestimmungsgleichung. Aus diesen beiden Gleichungen können wir also die

Worte von a und b numerisch berechnen und es gilt dann die mit (1) identische Proportion:

$$X:Y:Z=a:b:1. \qquad (11)$$

Hiermit sind also die relativen Werte der Überhöhung Y und der Ausrückung Z berechnet, also die Richtung der Basis B bestimmt. Geometrisch handelt es sich bei dieser Rechnung um die Bestimmung der Koordinaten fa und fb des Schnittpunktes K zweier Geraden. Diese zwei Geraden zeigen die Richtungen, in denen zwei Bildpunkte p_1, p_2 parallaktisch verschoben werden. Daraus ersehen wir, wie wir die beiden Bildpunkte p_1, p_2 wählen müssen, um möglichst genaue Resultate zu gewinnen. Da die parallaktischen Verschiebungen vorwiegend in horizontaler Richtung erfolgen, so müssen wir den einen Punkt möglichst hoch, den anderen möglichst tief wählen, um möglichst stark konvergierende Strahlen zu gewinnen. Zugleich müssen wir die Bildpunkte möglichst im Vordergrunde wählen, da diese die stärksten, also die · am genauesten meßbaren parallaktischen Verschiebungen zeigen.

Es genügen allerdings schon zwei idente Punktpaare zur Berechnung der drei Basiskonstanten X, Y, Z. Wir können aber zur Berechnung der zwei Verhältniszahlen a und b auch beliebig viel Punktpaare heranziehen und beliebig viel Bestimmungsgleichungen aus ihnen gewinnen. Nach der M. d. k. Q. können wir also die Werte von a und b beliebig genau berechnen.

Noch einfacher gestaltet sich die Rechnung im Normalfalle, dem die Gleichung a gilt. Diese Gleichung besagt, daß sämtliche parallaktische Verschiebungen in der Richtung der Basis B erfolgen. Zur Berechnung der Tangente $Y:X$ ihres Neigungswinkels genügt aber schon ein einziges identes Punktpaar.

III. Berechnung des Verschwenkungswinkels.

9. Eine Kammer nennen wir korrekt aufgestellt, wenn mittels zweier Libellen sowohl die optische Achse, als auch die Verbindungslinie der beiden Horizontmarken des inneren Rahmens horizontal gestellt sind. In der Praxis bemüht man sich immer, die Kammern korrekt aufzustellen und auch bei sehr ungenauer Arbeit werden der Neigungswinkel ϑ und der Verdrehungswinkel τ nur klein ausfallen. Nur der Verschwenkungswinkel δ ist oft groß, teils weil es schwer ist eine Verschwenkung zu vermeiden, teils weil wir oft geradezu mit verschwenkten Kammern arbeiten müssen. Es soll nun gezeigt werden, wie wir den Verschwenkungswinkel δ berechnen können, wenn die Fehlerwinkel ϑ und τ klein sind und wenn wir nach der Methode der identen Strahlen das Verhältnis $X:Y:Z$, also die Konstanten a und b berechnet haben.

Wenn die rechte Kammer um einen Winkel δ nach rechts verschwenkt ist und irgendein Bildpunkt p' hat auf der rechten Platte die Koordinaten x', y', dann können wir leicht berechnen, welche Koordinaten x_0, y_0 der Bildpunkt desselben Objektes P hätte, wenn die Kammer nicht verschwenkt wäre. Wir finden leicht:

$$x_0 = f \cdot \frac{x' \cos \delta + f \sin \delta}{f \cos \delta - x' \sin \delta} \qquad y_0 = f \cdot \frac{y'}{f \cos \delta - x' \sin \delta}. \qquad (12)$$

Diese Koordinaten x_0, y_0 hätten wir bei winkelrechter Stellung der rechten Kammer gefunden. Für die winkelrechte Aufstellung gilt aber die Gleichung (7), die wir so schreiben:

$$\frac{y - y_0}{x - x_0} = \frac{f b - y}{f a - x}. \qquad (13)$$

Die Werte von a und b sind uns bekannt. Wenn wir nun die Koordinaten x, y, x', y' eines identischen Punktpaares p, p' messen, dann können wir den Wert q des rechten Bruches in (13) sofort berechnen und (13) nimmt die Form an:

$$y - q x = y_0 - q x_0. \qquad (14)$$

Wenn wir für x_0 und y_0 die Werte (12) einsetzen und die Nenner beseitigen, dann nimmt die Gleichung (14) die Form an:

$$(y - q x)(f \cos \delta - x' \sin \delta) = f y' - q f (x' \cos \delta + f \sin \delta). \qquad (15)$$

Das ist eine lineare Gleichung mit den zwei Unbekannten $\sin \delta$ und $\cos \delta$; alle anderen Größen sind bekannt. Wenn wir also in die Gleichung (15) zuerst die Koordinaten eines beliebigen identen Punktpaares p_1, p_1' und dann auch die Koordinaten irgend eines Punktpaares p_2, p_2' einsetzen, dann haben wir zwei Bestimmungsgleichungen, aus denen wir die Werte von $\sin \delta$ und $\cos \delta$ berechnen können. Einer der beiden Werte genügt uns schon; die beiden Werte kontrollieren also einander.

Offenbar können wir aber aus beliebig viel Punktpaaren beliebig viel Bestimmungsgleichungen gewinnen und so nach der M. d. k. Q. den Wert von δ beliebig genau berechnen.

IV. Berechnung der Korrektionen.

10. Nehmen wir an, wir hätten eine photogrammetrische Aufnahme mit parallelen Platten machen wollen; das ist ja der häufigste Fall. Es ist unvermeidlich, daß sich kleine Winkelfehler δ, ϑ, τ in der Orientierung der rechten Kammer einschleichen. Es soll nun gezeigt werden, wie wir mit Hilfe identer Punktpaare die drei Korrektionen δ, ϑ, τ berechnen können.

Wir beginnen so. Denken wir uns die rechte Kammer zunächst winkelrecht gestellt. Irgendein Punkt p auf der Platte — wir fassen ihn zunächst nicht als Bildpunkt auf — habe die Plattenkoordinaten x', y', also in bezug auf O' die Koordinaten x', y', f. Wenn wir durch O' ein Achsenkreuz x, y, z legen und die Kammer um τ verdrehen, um ϑ neigen und um δ verschwenken, dann erhält der Punkt p neue Koordinaten x_0, y_0, z_0, für die gilt:

$$\begin{aligned} x_0 &= x' + z' \delta - y' \tau \\ y_0 &= y' + x' \tau - z' \vartheta \\ z_0 &= f + y' \vartheta - x' \delta. \end{aligned} \qquad (16)$$

Wir finden diese Ausdrücke so. Durch die Drehung erhält p die Koordinatenzuwächse $\varDelta x = -y'\tau$ und $\varDelta y = +x'\tau$. Durch die Neigung erhält p die Koordinatenzuwächse $\varDelta z = +y\vartheta$ und $\varDelta y = -z\vartheta$. Durch die Verschwenkung aber erhält p die Koordinatenzuwächse $\varDelta z = -x\delta$ und $\varDelta x = +z\delta$. In (16) sind all diese Zuwächse zu den einzelnen Koordinaten zugeschlagen. Wenn wir jetzt nachträglich annehmen, daß p ein Bildpunkt p' ist, den in der winkelschief gestellten Kammer irgendein Rayon R' gibt, dann wissen wir, daß derselbe Rayon in einer winkelrecht aufgestellten Kammer einen Bildpunkt p'' von folgenden Plattenkoordinaten gäbe:

$$x'' = f . \frac{x_0}{z_0} \qquad y'' = f . \frac{y_0}{z_0} . \tag{17}$$

Wir nehmen nun wieder unsere Grundgleichung (5) vor und schreiben sie só:

$$(y - y')(fX - xZ) = (x - x')(fY - yZ). \tag{18}$$

Wenn wir sie auf ein Paar identer Punkte anwenden wollen, deren einen der erwähnte Rayon R' gibt, dann müssen wir in (18) für x' und y' die Werte x'' und y'' aus (14) einsetzen, weil die Gleichung (10) nur für winkelrecht gestellte Kammern gilt. Wenn wir nach der Substitution von (17) in (18) gleich die Nenner beseitigen, dann finden wir die Form:

$$(yz_0 - fy_0)(fX - xZ) = (xz_0 - fx_0)(fY - yZ). \tag{19}$$

Wir wollen nun den Kreis der Verbesserungen erweitern und bedenken, daß wir ja auch die Richtung der Basis B nicht fehlerfrei kennen. Nachdem in der Praxis wohl die Koordinaten Y und Z, nie aber die Komponente X gleich Null sein können, so dividieren wir die Komponente X weg, so daß (19) die Form erhält:

$$(yz_0 - fy_0)(f - xn) = (xz_0 - fx_0)(fm - yn) \tag{20}$$

wobei wir der Kürze wegen gesetzt haben:

$$m = \frac{Y}{X} \qquad n = \frac{Z}{X}. \tag{21}$$

Wenn wir nun annehmen, daß m und n fehlerhaft bestimmt sind, dann müssen wir sie in (20) ersetzen durch $m + \mu$ und $n + \mu$. Wenn wir das tun, dann ausmultiplizieren und die Kleinheiten zweiten Grades vernachlässigen, dann kommen zu (20) noch drei neue Glieder, und wir finden:

$$(yz_0 - fy_0)(f - xn) - fxv\varDelta y$$
$$= (xz_0 - fx_0)(fm - yn) + f(f\mu - yv)\varDelta x. \tag{22}$$

Wenn wir hier die Werte von x_0, y_0, z_0 aus (16) einsetzen, dann erhalten wir eine lineare Gleichung mit den fünf Unbekannten $\mu, v, \delta, \vartheta, \tau$. Um diese fünf Unbekannten zu berechnen, genügt es allerdings, in (20) nacheinander die Plattenkoordinaten von fünf identen Punktpaaren einzusetzen, da wir so fünf Bestimmungsgleichungen erhalten. Wir können aber auch zehn und zwanzig idente Punktpaare aus den verschiedensten Teilen der Platten, insbesondere Punktpaare von Bergen von verschiedensten Entfernungen verarbeiten und so zehn und zwanzig Bestimmungsgleichungen gewinnen. Nach der M. d. k. Q. erhalten wir dann so genaue Werte der Korrektionen, wie wir sie aus Kontrollpunkten nie gewinnen könnten. Dadurch wird aber die Genauigkeit und Zuverlässigkeit der photogrammetrischen Terrainaufnahmen oder Vermessungen, die heute schon groß ist, noch bedeutend gesteigert.

Kleinere Mitteilungen.

Sektion „Métrophotographie" in der „Société française de Photographie" in Paris. Wie wir im I. Hefte unseres „Internationalen Aichives für Photogrammetrie" unter „Kleinere Mitteilungen", S. 70, unseren Lesern zur Kenntnis gebracht haben, hat sich in der „Société française de Photographie" in Paris eine Sektion „Métrophotographie" gebildet, deren Funktionäre im heurigen Frühjahre gewählt wurden, und zwar:

Présidents d'honneur: Deslandres, Membre de l'Instituts, directeur de l'Observatoire de Meudon. Gl. Joly, Président du Comité technique du Génie. Gl. Sebert, Membre de l'Institut, Président du Conseil d'administration de la Société française de photographie. Violle, Membre de l'Institut, Président de la Société française de photographie.

Président: M. J. Vallot.

Vice présidents: M. le Comte de la Baume-Pluvinel, M. E. Wenz-Chaponnière.

Sécrétaire Gl.: M. Montpillard.

Sécrétaire: M. le Capitain Saconney.

Sécrétaire-adjoint: M. Lacour.

Der Raketenapparat des sächsischen Ingenieurs Maul. Schon auf der Naturforscherversammlung vom Jahre 1906 in Stuttgart war dieser Apparat Gegenstand eines sehr interessanten Vortrages. Während der Naturforscherversammlung in Dresden im Jahre 1907 war derselbe zur Besichtigung ausgestellt

Außer dem Apparate selbst war auch eine Sammlung höchst gelungener Probeaufnahmen ausgestellt, die mit dem Apparat gemacht worden waren, sowie eine Zusammenstellung von Bildern, welche die einzelnen Phasen der Funktion des Apparates darstellen.

Selbe zeigen den Apparat:

I. Am Marsch.

II. Beim Laden.

III. Klar zum Schuß.

IV. Im Aufstieg.

Der Moment der Exposition am höchsten Punkt vor der Lösung des Fallschirmes ist leider nicht abgebildet.

V. Am Fallschirm sinkend.

VI. und VII. Zwei Probebilder.

An der Hand dieser Bilder, und soweit ich mich an die Detailkonstruktion des Apparates erinnere, will ich versuchen, ihn kurz zu beschreiben.

Eine mächtige, nahezu 1 m lange, 3 bis 10 cm dicke Rakete, welche mit einer 4 bis 5 m langen Stange mit Windflügeln verbunden ist, steckt in einem zylindrischem Gehäuse. Dieses Gehäuse enthält außerdem in seiner unteren Hälfte den Behälter für den Fallschirm, der nach erfolgter Exposition ausgestoßen wird, um sich auszubreiten. Außerdem eine höchst sinnreiche Kombination von Zündschnüren und elektrischen Kontaktvorrichtungen zur sukzessiven Auflösung der aufeinanderfolgenden Phasen des ganzen Vorganges. In die obere Hälfte des zylindrischen Gehäuses ist ein Gyroskop eingebaut. Auf dem zylindrischen Teil sitzt eine ogivale Spitze aus Blech, in welche theodolitartig, um zwei aufeinander senkrechte Achsen drehbar, die photographische Kamera 18 × 24 eingebaut ist.

Die Spitze des ogivalen Geschoßkopfes ist zu einer Art Luftventil ausgestaltet und dient dazu, in dem Momente, wo die Rakete in ihrem höchsten Punkte steht und daher der Luftdruck auf die Spitze aufgehört hat, durch sein Spiel den Momentverschluß des photographischen Apparates zu betätigen.

Funktion: Der photographische Apparat wird, bevor die Rakete in den Lancierapparat kommt, mit dem Gyroskop gekuppelt und auf Grund eines Teilkreises derart gedreht, daß sein Gesichtsfeld die Gegend, die man aufzunehmen wünscht, bestreicht. Wenn der Apparat gerichtet ist, wird durch einen elektrischen Kontakt ein Fallgewicht ausgelöst, welches die Antriebsschnur des Gyroskops abzieht und dadurch dieses in Bewegung setzt, und, sobald das geschehen ist, jenen Kontakt schließt, der dem elektrischen Strom den Zutritt zum Zünder der Rakete eröffnet. Der Apparat steigt infolge des direkten Antriebes durch den Zündsatz der Rakete etwa 200 bis 300 m hoch; dann geht er aber noch infolge der Trägheit weitere zirka 300 m höher und kommt hierdurch aus dem Bereiche des Rauches der Rakete. Wenn er nun seine vertikale Geschwindigkeit nahezu verloren hat, d. h. seinem höchsten Punkt nahe kommt, so hört der Luftdruck auf die Spitze auf, das Ventil hebt sich ab und ermöglicht die Funktion des Momentverschlusses. Das Abschnappen des Momentverschlusses bewirkt das Ausstoßen des Fallschirmes aus seinem Gehäuse. Sobald sich dieser in der Luft ausgebreitet hat, bewirkt dieser Zug die Trennung des ogivalen Geschoßkopfes mit dem photographischen Apparat von dem übrigen Gehäuse. Der Apparat wird an dem Fallschirm in die Höhe gezogen und kommt dadurch in relative Sicherheit, während, da der Fallschirm ziemlich klein ist, die Stange meist durch den ziemlich schweren Fall beschädigt wird. Leider auch sehr oft das sehr teure Gyroskop. Menschen, die zufällig unten stehen sollten, ist zu raten, sich aus dem Wege zu begeben. Die Bilder zeigen, daß die Sache geht, wenn auch nicht ganz glatt.

Zu bemerken wäre noch, daß auch die Franzosen und die Engländer sich mit dem gleichen Problem befassen. Im Jahrgang 1888 der Zeitschrift „La Natur" findet sich ein Aufsatz von „Denisse" über Raketenphotographie. Nach diesem Aufsatz wird ein Panoramenapparat mit Films durch eine kräftige Rakete hoch gebracht. Knapp bevor die Rakete den höchsten Punkt erreicht, also in dem Moment, wo der Apparat die geringste Bewegung hat, erfolgt die Auslösung der Momentverschlüsse durch Abbrennen einer Zündschnur, worauf sich ein Fallschirm ausbreitet und der Apparat wieder langsam zur Erde sinkt.

Was die englischen Bestrebungen in gleicher Richtung anbetrifft, so sei erwähnt, daß mir bei meinen Arbeiten ein englisches Patent bekannt wurde, das Eigentum der Firma Nobel sein soll, welches den Gedanken schützt, photographische Apparate mit Raketen in die Luft zu senden und mit Fallschirmen sinken zu lassen, um aus der Höhe topographische Aufnahmen des Terrains zu machen.

Der Erfinder geht aber von der irrigen Voraussetzung aus, daß sein Apparat am Fallschirm hängend mit horizontaler Platte sinken werde, und daher seine Aufnahmen ohne weiteres kartographisch brauchbar seien. Wer je einen Fallschirm in Funktion gesehen hat, weiß die heftigen Schwankungen, denen der daran hängende Gegenstand unterworfen ist, zu würdigen.   Th. Scheimpflug.

Eisenbahnbauvorarbeiten in Kärnten. Im Laufe der Sommerkampagne 1908 hat Ingenieur Truck Eisenbahnbauvorarbeiten in Kärnten vorgenommen. Hierbei wurde den Terrainverhältnissen entsprechend kumulativ die stereophotogrammetrische mit der tachymetrischen Aufnahmsmethode in der Weise kombiniert, daß letztere in jenen Aufnahmszonen zur Anwendung gelangte, wo die Stereoaufnahme infolge Bodenbedeckungen durch Wald und Gestrüpp nicht erfolgreich durchführbar war.

Die Operationsbasis wurde im beabsichtigten Linienzuge auch in jenen Aufnahmsstreifen geodätisch festgelegt, nivelliert und signalisiert, welche stereophotogrammetrisch aufgenommen wurden. Da die Signale auf der Platte erschienen und die betreffenden Polygonpunkte daher auch stereophotogrammetrisch bestimmt werden konnten, ergab sich eine einfache und äußerst wünschenswerte Kontrolle sowohl der Lage als auch der Höhe nach und konnten die sonst zeitraubenden geodätischen Einbindungsarbeiten der Standlinien auf ein Minimum reduziert werden.

Die auf Grund gesammelter Erfahrungen während der Feldarbeitskampagne 1907 durch Ingenieur Truck veranlaßten Rekonstruktionen der stereophotogrammetrischen Garnitur und Vervollständigungen durch notwendige Hilfsapparate haben sich gut bewährt und wird das bezügliche Referat seinerzeit folgen.

Auch in der Raschheit der Anfertigung der Pläne sind namhafte Fortschritte durch Anwendung entsprechender Hilfsapparate und rationeller Anordnungen erzielt worden, indem die Pläne der 34 *km* langen Aufnahmsstrecke bereits am 29. Oktober fertiggestellt wurden, während die Feldarbeiten am 7. Oktober zum Abschluß gelangten.

Photographische Meßkunst in Rußland findet durch Vorträge von berufener Seite verdiente Förderung.

Am 10. April d. J. hielt Staatsrat R. Thiele in St. Petersburg vor einem großen Auditorium von Offizieren, Ingenieuren, Topographen, Geographen und anderen Interessenten einen großen Vortrag über Stereophotogrammetrie, der die beifälligste Aufnahme fand; die an den Vortrag sich knüpfende Debatte zeigte, daß russische Ingenieure und Forscher mit regem Interesse und großem Verständnisse die Entwicklung der photographischen Meßkunst verfolgen.

Am 23. April russischen Stils hat der Direktor des kaiserlichen Institutes für Wegbauingenieure in Moskau, Dr. Eichenwald, in St. Petersburg einen Vortrag gleichfalls über Stereophotogrammetrie gehalten, der eine Ergänzung des vorstehend angeführten Vortrages von Thiele bildete; Dr. Eichenwald sprach über die Verwendung der stereophotogrammetrischen Meßkunst in der Astronomie und in der Ozeanographie zur Aufnahme von Meereswellen usw. Seine Ausführungen übten auf die Zuhörer eine große Wirkung aus und waren geeignet, der photographischen Meßkunst neue Freunde zuzuführen.

Stereophotogrammetrie und die neu projektierte Amurbahn. Seit längerer Zeit wird in Ingenieurkreisen Rußlands das Projekt einer neuen Linie der Amurbahn lebhaft diskutiert; die Vorarbeiten sollen mit Hilfe der Stereophotogrammetrie durchgeführt werden. Die erforderlichen Apparate wurden bei der Firma Carl Zeiss in Jena bestellt und zwei akademisch gebildete Ingenieure beschäftigen sich zurzeit mit der Erprobung des stereophotogrammetrischen Verfahrens für Ingenieurzwecke, um gerüstet an die Ausführung ihrer Aufgabe schreiten zu können.

Es unterliegt keinem Zweifel, daß die Stereophotogrammetrie gute Grundlagen für Trassierungen liefern wird, aber nur in Kombination mit der Tachymetrie wird sie diese Aufgabe vollständig zu lösen vermögen und nur höchst selten, ganz ausnahmsweise selbständig,

Ballonphotogrammetrie in Rußland. Diese erfreut sich ganz besonderer Pflege; neben den Arbeiten von Staatsrat R. Thiele (Siehe: Archiv für Photogrammetrie, 1. Heft, S. 35 und 3. Heft, S. 174), der seit Jahren mit großem Erfolge Ballonaufnahmen für topographische Aufnahmen verwendet, sind die Bestrebungen des Kapitains Uljanin in Warschau und anderer Offiziere der an verschiedenen Städten aktivierten Luftschiffer-Abteilungen hervorzuheben.

Ingenieur-Oberst Naidjenoff, Lehrer an der aëronautischen Militärabteilung zu St. Petersburg, hält bereits durch längere Zeit systematische Vorlesungen über Ballonphotogrammetrie; er hat ein Werk in russischer Sprache veröffentlicht: „Photogrammetrie und ihre Anwendung in der Aëronautik", das er seinen Vorlesungen zugrunde legt und das in Fachkreisen mit Interesse gelesen wird.

Es wäre zu wünschen, daß die militär-aëronautischen Abteilungen anderer Staaten diesem Beispiele Rußlands folgten und ihre Luftschiffer-Abteilungen anregen würden, sich mit Ballonphotogrammetrie intensiv zu befassen.

Eine internationale Aëronautische Ausstellung soll nächstes Jahr auf dem Ausstellungsplatze der Stadt München stattfinden: Sie soll ein Bild vom jetzigen Stande der Luftschiffahrt und der damit zusammenhängenden Gebiete geben; es werden daher die Herstellung von Luftschiffen mit allem Zubehör, feinmechanische und physikalische Apparate, die Herstellung des Füllgases, der Bau von Flugmaschinen und von Signaleinrichtungen für Luftschiffe usw. vorgeführt werden. Auch Flugversuche sollen unternommen werden und Preise dafür stehen bereits zur Verfügung.

Es kann nahezu mit Sicherheit angenommen werden, daß die Münchner Luftschiffahrts-Gesellschaft, in deren Vorstand Prof. Dr. S. Finsterwalder, v. Bassus u. a. sich befinden, die Ballonphotogrammetrie in würdiger Weise auf dieser Ausstellung präsentieren werden.

Industria Aerostatica nennt sich eine Gesellschaft in Mailand, welche vom ehemaligen italienischen Offizier Ranza und mehreren Kapitalisten gegründet wurde und sich zur Aufgabe gestellt hat, Luftschiffe mit allen Einrichtungen herzustellen, welche notwendig sind, um photographische Aufnahmen für Zwecke der Kartographie vom Fesselballon aus durchzuführen.

Der Ingenieur-Leutnant A. Ranza, bekannt durch seine schöne Studie: „Fototopografia e fotogrammetria aerea", Roma 1907. (Siehe: Scheimpflugs Referat in Literaturberichte des „Internationalen Archiv für Photogrammetrie", I. Band, 1. Heft, S. 75.), war der „Brigata specialisti" in Rom zugeteilt, wo er seine ersten erfolgreichen Versuche mit der Ballonphotogrammetrie unter Anwendung eines Fesselballons zum Abschlusse brachte; ihm ist es gelungen, überraschend gute Pläne eines Teiles von Rom und Venedig aus Ballonaufnahmen auszuführen.

Ranza verzichtete auf seine militärische Laufbahn, verstand es in Mailand eine Finanzgruppe für seine Pläne zu interessieren und beschäftigt sich nunmehr ausschließlich mit der Vervollkommnung seiner Methoden in der Verwertung von photographischen Ballonaufnahmen.

Architektonische Photographien, nach den Originalaufnahmen der Königlichen Meßbildanstalt zu Berlin hergestellt, werden von der „Neuen Photographischen Gesellschaft A. G. in Steglitz-Berlin" in den Handel gebracht und finden in den Kreisen von Architekten, Kunsthistorikern usw. beifällige Aufnahme.

Die Photographien sind im Formate 40 ✕ 40 cm, der Preis eines Blattes stellt sich auf 1·50 Mark; er ist von vornherein so niedrig gestellt, daß auch bei Abnahme einer größeren Anzahl eine Ermäßigung nicht eintreten kann.

Bis heute sind 153 Blätter herausgegeben; ein genaues Verzeichnis zeigt, welche Baudenkmäler Preußens in dieser Sammlung im Bild erhältlich sind. Wir finden in dem Verzeichnisse das Münster zu Aachen, die Donau zu Bamberg, Köln usw., die Hoch-Königsburg, die Klosterkirche Maria-Laach, das Ordensschloß Marienburg usw.

Diese gelungenen Blätter können auf das freudigste begrüßt werden, bilden sich doch bereits einen Teil jener monographischen Publikation, deren hohe Bedeutung für die Denkmalpflege in dem Aufsatze von Prof. Doležal: „Die Photographie und Photogrammetrie im Dienste der Denkmalpflege und das Denkmäler-archiv" (Siehe: „Internationales Archiv für Photogrammetrie" I. Band, 1. Heft, S. 45.) begründet wurde.

Die stereophotogrammetrischen Instrumente des Carl Zeiss-Werkes in Jena.

Das Carl Zeiss-Werk, welches die Ideen seines wissenschaftlichen Mit-arbeiters Dr. C. Pulfrich bezüglich des stereophotogrammetrischen Instrumentariums verwirklicht hat, versorgt wohl die ganze Welt in dieser Richtung mit seinen er-probten, vorzüglichen Instrumenten. Es ist sicherlich nicht ohne Interesse, zu er-fahren, welchen Absatz die Phototheodolite, die Stereokomparatoren und die Blink-Mikroskope aufweisen, weil man daraus auf die Pflege und Verbreitung der Photogrammetrie, respektive Stereophotogrammetrie einen berechtigten Rückschluß ziehen kann.

Nachstehende Tabelle bietet einen Überblick über die Verteilung der stereo-photogrammetrischen Instrumente auf die einzelnen Staaten.

Nr.	L a n d	Phototheodolit	Stereo-komparator	Blink-Mikroskop
1	Australien	—	1	—
2	Brasilien	3	3	1
3	Kalifornien	—	1	1
4	Deutschland	12	12	3
5	England	—	1	—
6	Frankreich	—	2	1
7	Italien	2	2	—
8	Mexiko	—	1	1
9	Niederlande	—	1	1
10	Österreich-Ungarn	5	12	3
11	Rußland	15	12	—
12	Schweiz	2	3	1
13	Vereinigte Staaten von Nord-Amerika	—	1	—
		39	52	12

Literaturbericht.

Fundamento teorico de la Fototopografia por Jose Maria Torroja.
Madrid, imprenta, de la gaceta de Madrid, 1908.

Der Verfasser bietet in spanischer Sprache die geometrischen Grundlagen der Photo-grammetrie im wesentlichen nach Hauck, ohne etwa besonders auf topographische Zwecke einzugehen. Man findet zunächst den Zusammenhang zwischen zwei, be-ziehungsweise drei Projektionen eines Körpers mit schematischer Darstellung eines Apparates, der aus zwei gegebenen Projektionen eine dritte liefert, und mit dem Hinweise auf zehn besondere Fälle. Im zweiten Teile wird dieser Zusammenhang analytisch behandelt, während am Schlusse drei Hilfsaufgaben besprochen werden, nämlich für zwei Projektionen aus 5 Paaren entsprechender Punkte und einem Kernpunkte, den anderen Kernpunkt, aus 6 Punktepaaren, von welchen 4 die Bilder von Punkten derselben Ebene sind, beziehungsweise aus 7 beliebigen Punkte-paaren die beiden Kernpunkte zu konstruieren. Die erste wird mit Hilfe von zwei Kegelschnitten gelöst (also nicht linear), die zweite unter Hinweis auf Loria

(Vorlesungen über darstellende Geometrie), während für die dritte bloß auf die bekannten Arbeiten von Hesse und Sturm hingewiesen wird.

Der dritte Teil behandelt die räumliche Orientierung von drei Projektionen, also zunächst die Grundaufgabe: „Die beiden projektiven Kernbüschel nach kongruenten Punktreihen zu schneiden, welche durch ein Paar von zugeordneten Punkten gehen." Außer der Hauckschen Lösung dieser Aufgabe bringt der Verfasser auch noch eine andere rechnerische Lösung.   Th. Schmid.

Kompendium der praktischen Photographie von Professor F. Schmidt, Direktor des Photographischen Institutes der Großherzoglichen Technischen Hochschule Karlsruhe (Baden). Elfte, wesentlich verbesserte Auflage, Leipzig 1908, Verlagsbuchhandlung Otto Nemnich.

Dieses durch die früheren Auflagen rühmlichst bekannte, das ganze Gebiet der praktischen Photographie umfassende und in den Fachkreisen hochgewürdigte Werk erfuhr in der neuen vorliegenden Auflage eine wesentliche Umgestaltung und Bereicherung seines Inhaltes ohne Erweiterung seines Umfanges und Erhöhung seines Preises.

Nach einer als Einleitung dienenden historischen Zusammenstellung der für die Ausgestaltung und Entwicklung der Photographie wichtigen Erfindungen, Konstruktionen und Veröffentlichungen, welche für den Forscher von ganz eminenten Werte ist, da er an der Hand derselben den Entwicklungsgang der Photographie und der photographischen Industrie genau zu verfolgen imstande ist, geht der Verfasser in dem ersten Teil seines Werkes eingehend auf die Besprechung des photographischen Apparates ein. Der Autor behandelt in diesem Teile zuerst die photographische Kamera und ihre Nebenbestandteile, geht dann auf die Prüfung der Kamera und der Kassetten, sowie die Handhabung und Wartung des Apparates über und erläutert ferner die wichtigsten der in der Photographie gebräuchlichen Fachausdrücke in sehr klarer und bezeichnender Weise. Das nächste, sehr umfangreiche Kapitel ist den photographischen Objektiven, ihrer Beschreibung, Wahl und Prüfung, sowie ihrer Pflege und ferner den Blenden und Diaphragmen gewidmet. Besonders hervorzuheben ist in diesem für den Fach- und Amateurphotographen wichtigen Kapitel die Zusammenstellung sowohl der älteren als auch der modernen Objektive und Objektivsätze, welche bezüglich ihrer Konstruktion eingehend beschrieben und überdies in klaren und deutlichen Figuren, aus denen die Zahl, die Formen und die gegenseitigen Lageverhältnisse ihrer Bestandlinsen zu ersehen sind, dargestellt werden. Gleichzeitig werden die optischen Eigenschaften der einzelnen Konstruktionstypen angegeben und die Bedingungen, unter welchen sie mit Vorteil verwendet werden können, angeführt, so daß der Photograph an der Hand dieser erschöpfenden Darstellung der Objektive imstande ist, unter den vielen im Handel erscheinenden vorzüglichen Objektiven stets dasjenige zu wählen, welches für einen speziellen Zweck als das geeignetste zu bezeichnen ist. Unterstützt wird diese Wahl noch durch eine umfangreiche Tabelle, in welcher die Objektive der bekanntesten deutschen, österreichischen und schweizerischen Anstalten, nach Porträt-, Gruppen-, Universal- und Weitwinkelobjektiven geordnet, zusammengestellt sind und durch eine klare Darlegung der Gesichtspunkte, welche bei der Wahl eines Objektives für einen bestimmten Zweck maßgebend sind. Bezüglich der Untersuchung der Objektive werden auf alle für die Güte eines Objektives maßgebenden Gesichtspunkte, wie Farbe und Reinheit des Glases, Brennweite, Lichtstärke, Gesichtsfeld, Bildfeld und Fokusdifferenz des Objektives, sowie auf die den Linsen und Linsensystemen anhaftenden optischen Mängel, Komma, Astigmatismus, Zentrierungsfehler und Lichtflecken, hingewiesen und gezeigt, von welchen Faktoren diese verschiedenen Eigenschaften und Mängel abhängig sind und in welcher Weise man sich mit den einfachsten Mitteln ein Bild von der Leistungsfähigkeit eines Objektives zu verschaffen imstande ist. Bei der Besprechung der Blenden werden die· in der Praxis vorkommenden Arten derselben,· Schieber oder Einsteckblenden, Revolver- oder Rotationsblenden und Irisblenden angeführt, der Einfluß der Blendenöffnung auf die Expositionszeit erörtert und die von verschiedenen optischen Instituten benutzten Bezeichnungsarten der Blenden· auseinandergesetzt.

Im zweiten Teile behandelt der Autor die verschiedenen, bei photographischen Aufnahmen verwendeten Lichtquellen und die Belichtung der photographischen Platten; er bespricht zuerst das .natürliche Tageslicht und die Faktoren, welche dessen chemische Wirkung zu beeinflussen imstande sind, und gibt dann ·eine Zusammenstellung sämtlicher künstlicher Lichtquellen, für deren Vergleichung er eine instruktive Tabelle von Eder und Vogler anfügt, welche die relativen Belichtungszeiten bei Benutzung dieser verschiedenen Lichtquellen enthält. In dem der Exposition gewidmeten Kapitel dieses Teiles werden die allgemeinen Gesichtspunkte, welche .für die Dauer der Exposition maßgebend sind, besprochen und dann einige Expositionstabellen angeführt, unter denen sich auch die ganz vorzügliche, erprobte und bewährte Expositionstabelle von Rheden befindet. Das dritte und letzte Kapitel dieses Teiles behandelt die mechanischen Hilfsmittel der Exposition, die Expositionsmesser, Aktinometer oder Photometer, unter denen er in treffender Weise denjenigen den Vorzug gibt, bei denen die chemische Kraft des Lichtes außerhalb des Apparates durch Färbung eines· lichtempfindlichen Papieres gemessen wird.

Der dritte Teil des Werkes befaßt sich mit·der photographischen Aufnahme selbst, wobei in einzelnen Kapiteln die Landschaftsaufnahmen, Momentaufnahmen, Porträtaufnahmen, Aufnahmen von Architekturen und Interieurs, dann verschiedene Aufnahmen .(umfassend die Aufnahmen von Maschinen, Möbeln, Metall- und Glasgegenständen, Blumen und Früchten, Insekten, Münzen und Medaillen, die Stereoskop und Monokelaufnahmen), sowie die Reproduktionen nach Zeichnungen und Gemälden und die Aufnahmen bei Magnesium-, Aluminium- und elektrischem Licht in erschöpfender und eingehender Weise behandelt werden. Der Autor gibt in klarer Weise . die notwendigen Anhaltspunkte für die Praxis dieser verschiedenen Aufnahmen an, .wobei er sowohl auf die Bildwirkung als auch auf die technische Ausführung derselben Rücksicht nimmt, und bespricht die zu diesen Aufnahme speziell zu verwendenden photographischen Apparate, wie die Hand-Momentapparate, die photographischen Universalapparate mit fahrbarem Stative und neigbarem Blatte, die Stereoskopapparate und Reproduktionskameras, sowie die zum Inventar des Photographen gehörigen Hilfsinstrumente, die Ikonometer, Sucher, Reproduktionsgestelle, Blitzlichtlampen usw. Gelegentlich der Momentaufnahmen werden die allgemeinen Konstruktionsprinzipien der Momentverschlüsse besprochen und außerdem sehr wertvolle Angaben über die mittlere Expositionsdauer bei der Aufnahme bewegter Objekte in verschiedenen Entfernungen, sowie bei Verwendung von Objektiven verschiedener Brennweite gemacht. Sehr instruktiv ist das Kapitel über die Porträtaufnahmen insbesondere dadurch, daß der Autor eingehende Betrachtungen über :die günstigsten· Beleuchtungsverhältnisse der Porträts anstellt und ausführliche Anleitungen zur Feststellung dieser wirkungsvollsten Beleuchtung gibt. Für die Ausführung stereoskopischer Aufnahmen wird nur das Grundprinzip angegeben, im übrigen aber auf die einschlägige Literatur verwiesen.

Im vierten Teile behandelt der Verfasser den Negativprozeß in sehr ausführlicher Weise. .Ausgehend von der Dunkelkammer und deren zweckmäßigster Einrichtung und Beleuchtung werden zunächst die wichtigsten Utensilien zum Entwickeln, Fixieren, Wässern, Verstärken, Trocknen usw. in Wort und Bild vorgeführt, worauf der Autor die Wirkung des Lichtes auf Silbersalze und den chemischen Prozeß, sowie den praktischen Vorgang bei der Entwicklung bespricht. In diesem Kapitel werden sämtliche in der Praxis ·vorkommende Entwickler bezüglich ihrer chemischen Zusammensetzung, sowie ihrer physikalischen und chemischen Eigenschaften besprochen und ihre Wirkungen bei der Benützung zur Entwicklung des latenten Bildes angegeben. Außerdem wird .bei jedem Entwickler .auf .dessen

Vorzüge und Nachteile hingewiesen, so daß der ausübende Photograph imstande ist, an der Hand dieser Ausführungen für einen bestimmten Zweck die richtige Auswahl unter den vielen im Handel erhältlichen Entwicklern zu treffen. Bereichert wird dieses Kapitel durch die Aufnahme einer großen Anzahl von Rezepten für die Herstellung der verschiedenen Entwickler. In weiterer Folge wird das Fixieren und Trocknen der Negative behandelt, worauf noch eine übersichtliche Zusammenstellung der beim Entwickeln und Fixieren zu beobachtenden Vorsichtsmaßregeln gegeben ist. Die folgenden Kapitel sind dem Verstärken und Abschwächen, der Retusche, dem Lakieren und dem Aufbewahren der Negative gewidmet, wobei ebenfalls auf alle wichtigen Punkte hingewiesen wird. In eigenen Kapiteln dieses Teiles wird weiters auf die Verwendung der Folien (Films) und der orthochromatischen Platten eingegangen, wobei die für die Entwicklung der Films in den Handel gebrachten Hilfsinstrumente, sowie die Praxis der Gelbscheiben und Gelbfilter die erforderliche Berücksichtigung finden. Abgeschlossen wird das Kapitel über den Negativprozeß durch eine Erklärung und Besprechung der Solarisation und der Lichthöfe nebst der Angabe der Vorsichtsmaßregeln zur Vermeidung dieser störenden Einwirkungen des Lichtes, sowie die Mittel, durch welche man denselben bei der Entwicklung der Platten entgegenzuwirken vermag. Auch wird auf die Verwendung der totalen Solarisation zur Herstellung sogenannter Duplikatnegative hingewiesen.

In systematischer Folge bringt der fünfte Teil die auf den photographischen Positivprozeß bezüglichen Gesichtspunkte und erläutert die verschiedenen Verfahren zur Herstellung der Positive in erschöpfender und den weitestgehenden Bedürfnissen entsprechender Weise. Von den Auskopierpapieren werden die Albuminpapiere (gegen die früheren Auflagen erweitert durch den Abschnitt über lichtempfindlich präparierte Stoffe und Holz), die Chlorsilber- und Aristopapiere und die Celloidinpapiere besprochen und der Vorgang bei ihrer Verwendung, die zu ihrer Tonung benutzten Bäder in ihrer Zusammensetzung und Wirkungsweise, sowie ihre Verarbeitung bei der Herstellung von Bildern mit bestimmten Eigenschaften (Spiegelglanz, Mattierung, färbige Tonung usw.) besprochen. An diese Kapitel schließt sich dann die Besprechung des Bromsilbergelatinverfahrens, der Entwicklung von Gaslichtpapieren, des Kohle- oder Pigmentdruckes, des Gummidruckes, der Katatypie, des Ozobromdruckes und des Bromsilberpigmentdruckes an, worauf noch Direktiven für das Beschneiden und Aufkleben der Bilder, sowie die Positivretusche gegeben werden.

Der sechste Teil enthält die Herstellung der Diapositive als Zwischenstufe zur Herstellung vergrößerter und verkleinerter Negative und für Fensterbilder oder Projektionszwecke, der Duplikatnegative nach dem Pinatypieverfahren und den Methoden von Biny und Balagny, sowie die Praxis der Vergrößerungen und Verkleinerungen nebst den einschlägigen theoretischen Erörterungen und der Beschreibung der dazu verwendeten Apparate und Objektive.

Eine Erweiterung gegen die früheren Auflagen stellt der siebente Teil des Werkes vor, welcher Lumières Autochromverfahren unter dem Titel „Farbenphotographie" gewidmet ist. Der Autor behandelt eingehend die diesbezüglichen Aufnahmen, die für die Entwicklung erforderlichen Lösungen und Utensilien, sowie den eigentlichen Entwicklungsvorgang und die weitere Behandlung der Platten, ferner gibt er Anleitungen zur Verbesserung der Farbenbilder und erläutert die verschiedenen Ursachen von Mißerfolgen. Den Schluß dieses Teiles bildet eine kurze tabellarische Zusammenstellung des beim Autochromverfahren einzuhaltenden Arbeitsvorganges. Ganz besonders hervorzuheben ist es, daß das genannte Verfahren in diesem Werke zum ersten Male in einem Lehrbuche durch färbige Reproduktionen nach Naturaufnahmen auf zwei in jeder Beziehung einwandfrei ausgeführten Tafeln zur Anschauung gebracht ist.

Der achte Teil endlich ist als Anhang überschrieben und enthält zunächst eine Reihe praktischer Winke und Ratschläge für die Instandhaltung und Vervollständigung der photographischen Apparate für bestimmte Zwecke (Einstellungsskalen für Momentapparate usw.), ferner für die Behandlung und Wiederherstellung der Negative, die Herstellung und Aufbewahrung photographischer Präparate und die manuelle Technik der Entwicklung. Weiters ist dann eine sehr vollständige und für den praktischen Photographen ungemein wertvolle Zusammenstellung der in deutscher Sprache erschienenen photographischen Bücher, Abhandlungen und Tabellen, sowie ein alphabetisches Verzeichnis der wichtigsten photographischen Firmen des Kontinents angegliedert.

Den Schluß des Werkes bilden 15 Tafeln mit einfärbigen Kunstbeilagen nach photographischen Originalen, welche die schwierigsten Probleme der Beleuchtung behandeln und durch ihre meisterhafte Ausführung einen sprechenden Beweis für die Vollkommenheit geben, mit welcher die verschiedensten Objekte und Szenen photographisch festgehalten werden können.

Aus der vorstehenden kurz skizzierten Inhaltsangabe ergibt sich die Reichhaltigkeit und die Vielseitigkeit des Werkes; der ausübende Photograph, und zwar sowohl Berufs- als auch Amateurphotograph kann sich über alle Fragen, alle Methoden und alle Operationen bei der Herstellung des negativen und des positiven Bildes aus dem vorliegenden Kompendium der Photographie orientieren, was durch die Übersichtlichkeit der ganzen Anordnung und der typographischen Ausstattung — die Rezepte und die wichtigen Schlagworte sind durch fetten Druck hervorgehoben — wesentlich erleichtert wird. Es ist daher dem Werke, welches seit dem Jahre 1900 allein fünf neue Auflagen erfahren hat, durch welchen Umstand seine Bedeutung für die photographische Praxis in unzweideutigster Weise erwiesen ist, und aus welchem schon so viele Belehrung und Erfahrung geschöpft haben, die fernere unbedingte Wertschätzung aller Fachkreise gesichert.

Dokulil.

Bibliographie.

1. Selbständige Werke.

Naidjenoff Wasilij: Photogrammetrie und ihre Anwendung in der Aëronautik. Petersburg 1908 (russisch).

Schilling Dr. Friedrich: La Photogrammétrie comme application de la Géométrie descriptive. Edition française rédigée avec la collaboration de l'auteur, par L. Gérard, docteur ès sciences, professeur au collège Chaptal. Avec 80 figures dans le texte et 5 planches. Paris, Gauthier-Villars, imprimeur-libraire du Bureau des longitudes, de l'École polytechnique, 1908.

Schmidt F.: Kompendium der praktischen Photographie. 11., wesentlich verbesserte Auflage, Leipzig 1908.

2. Journalliteratur.

Arndt Leopold: „Die Stereophotogrammetrie im Dienste des Ingenieurs" in „Neue Freie Presse", Wien 1908.

Eggert O.: „Neuere Instrumente für Stereophotogrammetrie" in „Zeitschrift für Vermessungswesen", XXXVII. Band, 1908.

Palisa Johann: „Die Photogrammetrie und der Stereokomparator in der Astronomie" in „Neue Freie Presse", Wien 1908.

Schilling Dr. Friedrich: „Über die Anwendung der Fluchtpunktschiene in der Perspektive" in „Zeitschrift für Mathematik und Physik", LVI. Band, 2. Heft, Leipzig 1908.

Tschamler Ignaz: „Aus der Praxis der Photogrammetrie" in „Österreichische Zeitschrift für Vermessungswesen", Wien 1908.

Wołkoff Nikolaj: „Photogrammetrie" in „Militär-Sbornik", Petersburg 1908 (russisch).

Wołkoff Nikolaj: „Die Verwendung photographischer Ballonaufnahmen für Zwecke der Feld- und Festungsartillerie" in „Artilleriejournal", Petersburg 1908. (russisch.)

Vereinsangelegenheiten.

Der „Österreichischen Gesellschaft für Photogrammetrie" sind ie nachstehenden Publikationen zugegangen, für welche den Spendern der beste Dank .uf diesem Wege zum Ausdrucke gebracht wird.

Fourcade H. G.: „On a stereoscopic method of photographic Surveying Sonderabdruck aus „Transactions of the South african philosophical Society", vol. XI part. 1. April 1903.

Klingatsch A.: „Über photographische Azimutmessung" in „Sit ngsberichten der kaiserl. Akademie der Wissenschaften", CXV. Band, 1906.

Klingatsch A.: „Die Fehlerkurven der photographischen Pu tbestimmung" in „Sitzungsberichten der kaiserl. Akademie der Wissenschaften" XCV. Band, 1906.

Klingatsch A.: „Die Fehlerflächen topographischer Aufnahmen" in Sitzungsberichten der kaiserl. Akademie der Wissenschaften, CXV. Band, 1907.

Liebenau C. Dr.: „Die Photogrammetrie in der Tierzucht", Stück 1 20. Jahrgang der „Mitteilungen der deutschen landwirtschaftlichen Gesellschaft", B lin 1905 (Geschenk dieser Gesellschaft).

Neuffer F.: „Die Portée-Ermittlung bei Schießversuchen gegen die £ ". Sonderabdruck aus „Mitteilungen aus dem Gebiete des Seewesens", Jahrgang 907.

Ranza A.: „Fototopografia e fotogrammetria aerea". Sonderabdruck us „Rivista d'artiglieria e genio", vol. III—IV, Roma 1907.

Scheimpflug Th.: „Die Herstellung von Karten und Plänen au photographischem Wege". Sonderabdruck aus den „Sitzungsberichten der kai rl. Akademie der Wissenschaften in Wien, CXVI. Band, 1907.

Scheimpflug Th.: „Photogrammétrie en ballon". Sonderabdruck is Procès-Verbaux des sćeances et mémoires de la „Cinquième conférence de l commission internationale pour l'aérostati au scientifique à Milan", Straßburg 02.

Schell Prof. Dr. A.: „Der Phototheodolit" aus „Eders Handbuch er Photographie", I. Band, 2. Hälfte, 2. Aufl., Halle a. S. 1891.

Schell Prof. Dr. A.: „Die Bestimmung der optischen Konstant eines zentrierten sphärischen Systems mit dem Präzisionsphokometer" in „S ungsberichten der kaiserl. Akademie der Wissenschaften", Band CXII, Abt. II a Wien 1903.

Schell Prof. Dr. A.: „Das Universalstereoskop" in „Sitzungsbericht . der kaiserl. Akademie der Wissenschaften", Band CXII, Wien 1903.

Schell Prof. Dr. A.: „Konstruktion und Betrachtung stereoskop her Halbbilder in „Sitzungsberichten der kaiserl. Akademie der Wissenschaften", und CXII, Abt. IIa, Wien 1903.

Schell Prof. Dr. A.: Die stereophotogrammetrische Bestimmung de age eines Punktes im Raume. L. W. Seidel & Sohn, Wien 1904.

Schell Prof. Dr. A.: Der stereophotogrammetrische Stereoskopapparat . W. Seidel & Sohn, Wien 1904.

Schell Prof. Dr. A.: „Die stereophotogrammetrische Ballonaufnahm für topographische Zwecke" in „Sitzungsberichten der kaiserl. Akademie der W senschaften", Band CXV, Abt. II a, 1906.

Scheufele W. Dr.: „Die Aufgabe der sechs Punkte in der Photog mmetrie". Sonderabdruck aus „Zeitschrift für Mathematik und Physik", LV. Ba l, 1908. — Von der technischen Hochschule in München zur Erlangung der Wür eines Doktors der technischen Wissenschaften genehmigte Dissertation.

Thiele R.: „Über photographische Aufnahmen für Eisenbahnproje ierungen", Sonderabdruck. Vortrag gehalten auf der Jahresversammlung der isenbahningenieure zu St. Petersburg 1902 (russisch).

Thiele R.: „Über die gegenwärtige Entwicklung der Phototopogra ie". Sonderabdruck aus „Zeitschrift für Eisenbahnwesen", St. Petersburg 1907 (r sisch).

Thiele R.: „Über die schnelle und präzise Aufnahme des Delta r Wolga". Sonderabdruck. Bericht, erstattet in der Versammlung der kaiserl. ru sischen Gesellschaft für Fischzucht am 2. Dezember 1906 (russisch.)

Thiele R.: Phototopographie nach ihrem gegenwärtigen Stande. I.] nd: Neueste Phototopographie und gerichtliche Photogrammetrie. K. L. Rücker 3t. Petersburg 1908 (russisch), ein Lehrbuch.

Torroja J. M., Dr.: „Fundamento teorico de la Fototopografia". Sonderabdruck aus „Rivista de la Real Academia de Ciencias exactas, físicas y 1 turales de Madrid", tomo VI, números 5, 6, 7 y 8. 1908.

Wheeler A. O.: The Selkirk Range, vol. I and II, Ottawa, Governe nt printing bureau 1905. Published by the Department of Interior.

Wheeler A. O.: „Photographic methodes employed by the Ca dian topographical Survey". Sonderabdruck aus den Verhandlungen des VIII. iternationalen Geographen-Kongresses und in „Canadian Alpine Journal" 1907.

Wheeler A. O.: „Notes on the Altitude of Mts. Columbia, Bryc Lyell and Forbes". Sonderabdruck aus „Canadian Alpine Journal" 1907.

Insert

Foldout

Here

Vereinsangelegenheiten.

Der „Österreichischen Gesellschaft für Photogrammetrie" sind die nachstehenden Publikationen zugegangen, für welche den Spendern der beste Dank auf diesem Wege zum Ausdrucke gebracht wird.

Fourcade H. G.: „On a stereoscopic method of photographic Surveying. Sonderabdruck aus „Transactions of the South african philosophical Society", vol. XIV, part. 1. April 1903.

Klingatsch A.: „Über photographische Azimutmessung" in „Sitzungsberichten der kaiserl. Akademie der Wissenschaften", CXV. Band, 1906.

Klingatsch A.: „Die Fehlerkurven der photographischen Punktbestimmung" in „Sitzungsberichten der kaiserl. Akademie der Wissenschaften", XCV. Band, 1906.

Klingatsch A.: „Die Fehlerflächen topographischer Aufnahmen" in „Sitzungsberichten der kaiserl. Akademie der Wissenschaften", CXV. Band, 1907.

Liebenau C. Dr.: „Die Photogrammetrie in der Tierzucht", Stück 19, 20. Jahrgang der „Mitteilungen der deutschen landwirtschaftlichen Gesellschaft", Berlin 1905 (Geschenk dieser Gesellschaft).

Neuffer F.: „Die Portée-Ermittlung bei Schießversuchen gegen die See". Sonderabdruck aus „Mitteilungen aus dem Gebiete des Seewesens", Jahrgang 1907.

Ranza A.: „Fototopografia e fotogrammetria aerea". Sonderabdruck aus „Rivista d'artiglieria e genio", vol. III—IV, Roma 1907.

Scheimpflug Th.: „Die Herstellung von Karten und Plänen auf photographischem Wege". Sonderabdruck aus den „Sitzungsberichten der kaiserl. Akademie der Wissenschaften in Wien, CXVI. Band, 1907.

Scheimpflug Th.: „Photogrammetrie en ballon". Sonderabdruck aus Procès-Verbaux des séances et mémoires de la „Cinquième conférence de la commission internationale pour l'aérostati au scientifique à Milan", Straßburg 1902.

Schell Prof. Dr. A.: „Der Phototheodolit" aus „Eders Handbuch der Photographie", I. Band, 2. Hälfte, 2. Aufl., Halle a. S. 1891.

Schell Prof. Dr. A.: „Die Bestimmung der optischen Konstanten eines zentrierten sphärischen Systems mit dem Präzisionsphokometer" in „Sitzungsberichten der kaiserl. Akademie der Wissenschaften", Band CXII, Abt. II a, Wien 1903.

Schell Prof, Dr. A.: „Das Universalstereoskop" in „Sitzungsberichten der kaiserl. Akademie der Wissenschaften", Band CXII, Wien 1903.

Schell Prof. Dr. A.: „Konstruktion und Betrachtung stereoskopischer Halbbilder in „Sitzungsberichten der kaiserl. Akademie der Wissenschaften", Band CXII, Abt. II a. Wien 1903.

Schell Prof. Dr. A.: Die stereophotogrammetrische Bestimmung der Lage eines Punktes im Raume. L. W. Seidel & Sohn, Wien 1904.

Schell Prof. Dr. A: Der stereophotogrammetrische Stereoskopapparat. L. W. Seidel & Sohn, Wien 1904.

Schell Prof. Dr. A.: „Die stereophotogrammetrische Ballonaufnahme für topographische Zwecke" in „Sitzungsberichten der kaiserl. Akademie der Wissenschaften", Band CXV, Abt. II a, 1906.

Scheufele W. Dr.: „Die Aufgabe der sechs Punkte in der Photogrammetrie". Sonderabdruck aus „Zeitschrift für Mathematik und Physik", LV. Band, 1908. — Von der technischen Hochschule in München zur Erlangung der Würde eines Doktors der technischen Wissenschaften genehmigte Dissertation.

Thiele R.: „Über photographische Aufnahmen für Eisenbahnprojektierungen", Sonderabdruck. Vortrag gehalten auf der Jahressammlung der Eisenbahningenieure zu St. Petersburg 1902 (russisch).

Thiele R.: „Über die gegenwärtige Entwicklung der Phototopographie". Sonderabdruck aus „Zeitschrift für Eisenbahnwesen", St. Petersburg 1907 (russisch).

Thiele R.: „Über die schnelle und präzise Aufnahme des Delta der Wolga". Sonderabdruck. Bericht, erstattet in der Versammlung der kaiserl. russischen Gesellschaft für Fischzucht am 2. Dezember 1906 (russisch.)

Thiele R.: Phototopographie nach ihrem gegenwärtigen Stande. I. Band: Neueste Phototopographie und gerichtliche Photogrammetrie. K. L. Rücker, St. Petersburg 1908 (russisch), ein Lehrbuch.

Torroja J. M., Dr.: „Fundamento teorico de la Fototopografia". Sonderabdruck aus „Rivista de la Real Academia de Ciencias exactas, fisicas y naturales de Madrid", tomo VI, números 5, 6, 7 y 8. 1908.

Wheeler A. O.: The Selkirk Range, vol. I and II, Ottawa, Government printing bureau 1905. Published by the Department of Interior.

Wheeler A. O.: „Photographic methodes employed by the Canadian topographical Survey". Sonderabdruck aus den Verhandlungen des VIII. Internationalen Geographen-Kongresses und in „Canadian Alpine Journal" 1907.

Wheeler A. O.: „Notes on the Altitude of Mts. Columbia. Bryce, Lyell and Forbes". Sonderabdruck aus „Canadian Alpine Journal" 1907.

Schluß der Redaktion am 1. November 1908.

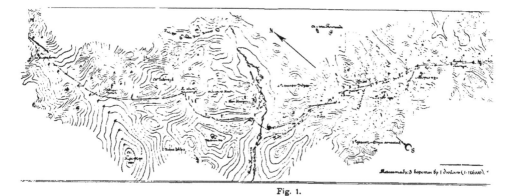

Fig. 1.

Plan des linken Ufers der Alindsha — Tschaischlucht.

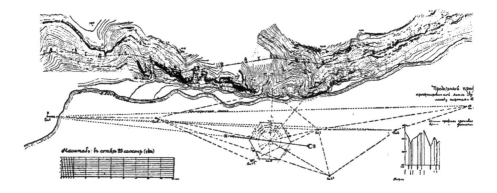

Ansichten des linken Ufers der Alindsha — Tschaischlucht.

(Transkaukasien.)

Fig. 2.

INTERNATIONALES
ARCHIV FÜR PHOTOGRAMMETRIE

REDAKTION: PROF. E. DOLEŽAL IN WIEN.

| I. Jahrgang | Februar 1909 | Heft 4. |

Die Photogrammetrie im Dienste der Astronomie.

Von Dr. Norbert Herz

I.

Von der bekannten Einteilung der Astronomie in die beiden großen Gebiete: Astrometrie und Astrophysik mußte ich in den folgenden Ausführungen vollständig absehen. Denn es wird hier alles zu betrachten sein, was sich auf die Ausmessung von Photogrammen bezieht, sei es Sternpositionen oder Spektrallinien betreffend, während anderseits umfangreiche Gebiete der Astrophotographie, wie photographische Größenbestimmungen, Aufnahmen von Kometenschweifen usw. zum großen Teile weggelassen werden mußten. Aber auch gewisse Messungen, z. B. solche von Spektrallinien der Metalle im Laboratorium usw., wenn sie auch in direkter Beziehung zu den hierhergehörigen Aufgaben stehen, mußten, um das Gebiet nicht über Gebühr auszudehnen, hier übergangen werden.

Die ersten photographischen Versuche bezogen sich auf Sonne und Mond. Schon 1840 erhielt Draper mit einem Fernrohr von 130 *mm* Öffnung Daguerrotypien mit einem Monddurchmesser von 25 *mm*; aber erst 10 Jahre später, 1850, erzielte Bond in Cambridge (Mass) gelungene Mondaufnahmen, ebenfalls Daguerrotypien, die 1851 in London ausgestellt waren; und die Aufnahmen, welche Warren de la Rue 1852 mit einem zwölfzölligen Spiegelteleskop erhielt, bei denen der Mond einen Durchmesser von drei englischen Zollen hatte, waren hinreichend gut, eine 17fache Vergrößerung zu vertragen, wodurch dieselben der Beer-Mädlerschen Mondkarte an Größe nahe gleichkamen; mikrometrische Messungen blieben jedoch ohne Erfolg.

1874 bei Gelegenheit des Venusdurchganges wurde versucht, visuelle Beobachtungen wenigstens teilweise durch photographische zu ersetzen, um auch bei ungünstiger Witterung günstige Augenblicke ausnutzen zu können, die Erscheinungen zu fixieren, der Vervielfältigung zugänglich zu machen. Die Erfolge entsprachen aber keineswegs den Erwartungen und bei dem Venusdurchgange 1882 wurde von vielen, insbesondere von den deutschen und englischen Expeditionen von photographischen Aufnahmen fast ganz abgesehen.

Die ersten Fixsternaufnahmen, ebenfalls von Bond (darunter die Aufnahmen der Doppelsterne α Lyrae und α Geminorum) waren zu Messungen nicht verwendbar; aber schon 1857 erhielt Bond Aufnahmen des Doppelsternes ζ Ursae majoris, deren Ausmessung eine überraschende Genauigkeit zeigten. Die Resultate aus einer größeren Zahl Aufnahmen waren 14″49 in Disanz, 147⁰5 in Positionswinkel, während die visuellen Messungen von Struve 14″40, 147⁰4 ergaben.

1858 hatte Rutherfurd, dessen Name mit der Geschichte der Himmelsphotographie untrennbar verknüpft ist, Fixsternaufnahmen begonnen; er arbeitete mit nassen Kollodiumplatten, wodurch die Aufnahmszeiten auf 12 bis 15 Minuten beschränkt waren. 1864 hatte er aber schon Sterne 9. Größe aufgenommen; seine Arbeiten setzte er ununterbrochen bis 1878 fort, und hatte auch zahlreiche seiner Platten selbst ausgemessen.

1884 hatte er seinen 13zölligen Refraktor samt Korrektionssystem und den zur Messung verwendeten Apparat dem Columbia College Observatory geschenkt und 1890 übergab er demselben seine sämtlichen 1858 bis 1878 erhaltenen Negative[1]).

Wohl die erste gelungene Aufnahme eines Nebelfleckes war die Aufnahme des Orionnebels durch Draper 1881, wobei auch Sterne 14. Größe erhalten wurden.

1882 wurde am Kap versucht, den Kometen Finlay mit einer Linse von nur 42 mm Öffnung und 20 cm Brennweite aufzunehmen; da hierbei eine bedeutende Zahl scharf definierter Sternbildchen erschien, so faßte D. Gill den Plan, photographische Aufnahmen für den Zweck von Fixsternbestimmungen zu machen. Nach den entsprechenden Vorarbeiten wurde 1886 mit diesen Aufnahmen, einer „photographischen Durchmusterung" begonnen und bereits 1890 war die Aufnahme des südlichen Himmels vollendet. Die Platten wurden von Kapteyn in Groningen vermessen[2]), d. h. wie Müller in Potsdam treffend bemerkte, der südliche Himmel wurde auf einem Punkte vermessen, der 53⁰ nördlicher Breite hat.

Inzwischen hatten die Gebrüder Prosper und Paul Henry in Paris Ekliptikalkarten als Fortsetzung der Chacornacschen durch Handzeichnung angefertigt, und in derselben Weise J. Palisa, erst in Pola, dann in Wien. Bald nach den ersten bekannt gewordenen Versuchen, welche die Überlegenheit der Photographie sowohl hinsichtlich der Leichtigkeit und Bequemlichkeit der Arbeit als der Genauigkeit der Resultate zeigten, stellten die Gebrüder Henry mit werktätiger Unterstützung des damaligen Direktors der Pariser Sternwarte, des Admirals Mouchez das photographische Verfahren in den Dienst der Astronomie. Hieraus ging das große Unternehmen: die „photographische Karte des Himmels" hervor. 1887 war die erste internationale Konferenz in Paris zur Ausarbeitung des Planes; weitere Konferenzen folgten 1889, 1891 usw. und 1892 erschien der erste Band des „Bulletin du Comité international pour la carte photographique du ciel".

In die Aufnahme teilten sich die folgenden 18 Sternwarten:

[1]) Ein Verzeichnis derselben wurde von J. K. Rees 1891 in den Annals of the New-York Academy of Siences Vol. VI publiziert.

[2]) Publiziert in dem Werke: „The Cape Photographic Durchmusterung for the equinox 1875"; der erste Band, — 18° bis — 37° erschien 1896.

Greenwich	+ 90°	bis	+ 65°	Algier	+ 4° bis	− 2°
Rom	+ 64°	„	+ 55°	San Fernando	− 3° „	− 9°
Catania	+ 54°	„	+ 47°	Tacubaya	− 10° „	− 16°
Helsingfors	+ 46°	„	+ 40°	Santiago di Chile	− 17° „	− 23°
Potsdam	+ 39°	„	+ 32°	La Plata	− 24° „	− 31°
Oxford (Univers.)	+ 31°	„	+ 25°	Rio de Janeiro	− 32° „	− 40°
Paris	+ 24°	„	+ 18°	Cap. d. gut. Hoffnung	− 41° „	− 51°
Bordeaux	+ 17°	„	+ 11°	Sydney	− 52° „	− 64°
Toulouse	+ 10°	„	+ 5°	Melbourne	− 65° „	− 90°

Jede Gegend wird doppelt aufgenommen, und zwar in Quadraten, die sich stets zu einem Viertel überdecken, indem zu jeder Platte *A* vier andere *B* gehören, die im Mittelpunkte von *A* aneinanderstoßen. Als Aufnahmszeit ist 5 Minuten festgesetzt, bei welcher Sterne bis 11. Größe erscheinen. Diese Aufnahmen werden vermessen und die Sternpositionen zunächst nach ihren rechtwinkeligen Koordinaten katalogisiert; außerdem wird eine zweite Aufnahme mit einstündiger Expositionszeit gemacht; diese Aufnahme, welche Sterne bis zu 13. Größe liefert, wird nicht vermessen, sondern dient als Grundlage für den Druck der Karten[1]). Von jeder Aufnahme werden zwei Glasdiapositive hergestellt, deren eines nach Breteuil in Paris, einer Zentralstelle für diese Aufnahmen, abgeliefert wird; 1899 war bereits der erste Band der Potsdamer Vermessungen, 1903 der Vermessungen von Helsingfors 1904 derjenigen von Greenwich erschienen.

II.

Die Instrumente für die Aufnahmen richten sich natürlich nach dem Zweck. Für die Abbildung von himmlischen Objekten behufs Vermessungen müssen sich die schwächsten Objekte abbilden; es ist daher ein gutes Uhrwerk erforderlich, doch ist eine Kontrolle durch das Auge, das Festhalten eines bestimmten Sternes am Faden eines Kontrollfernrohres (Pointer) unentbehrlich. Die Anwendung von „Korrektionssystemen" zur Umwandlung von visuellen Fernrohren in photographische hat sich nur in vereinzelten Fällen bewährt. Für die Herstellung der Himmelskarte wurden nach dem Modelle des Fernrohres der Gebrüder Henry Instrumente gebaut. Diese Normalinstrumente (vgl. das in Fig. 1 abgebildete Potsdamer Instrument) haben 13 inches = 34 *cm* Öffnung der photographischen und 9 inches = 23 *cm* des visuellen Objektives und die gemeinsame Brennweite 135 inches = 3·43 *m*, so daß 1 *mm* = 1′ ist[2]). Außerdem haben viele Sternwarten, die sich mit ausgedehnteren photographischen Arbeiten befassen, und es sind deren jetzt bereits ziemlich viele, ein zweites, meist größeres Instrument. So ist in Oxford (Radcliffe Observatory) ein Instrument, dessen beide Objektive 61, beziehungsweise 46 *cm* Öffnung mit der gemeinsamen Brennweite 6·86 *m* haben.

---

[1]) Die französischen Karten werden in doppelter Vergrößerung, mit 28·5 *cm* Seitenlänge hergestellt. In Paris werden hierzu je drei Aufnahmen mit halbstündiger Expositionszeit gemacht so daß jeder Stern aus drei Punkten besteht, die bei den schwächeren Sternen getrennt sind, bei den helleren zusammenfließen.

[2]) S. Bulletin du comité, Bd. I, S. 148.

Auch Greenwich hat ein diesem ähnliches Instrument mit der doppelten Brenn-weite der Normalinstrumente, so daß $1' = 2\ mm$ ist. Das astrophysikalische Institut Potsdam erhielt kürzlich einen großen Refraktor (siehe Fig. 2) mit den beiden Objektiven 80, beziehungsweise 50 cm Öffnung und der gemein-samen Brennweite 12·5 m.

Fig. 1.

Neuerdings wurde auch wieder auf Reflektoren zurückgegriffen, welche bekanntlich den großen Vorteil haben, von chromatischer Abweichung frei zu sein. M. Wolf in Heidelberg erhielt 1907 einen 18zölligen (= 80 cm Öffnung) Reflektor. Wohl zu beachten ist aber wie auch Wolf zugibt[1]): „Bei Reflektoraufnahmen mit kurzer Brennweite erscheinen weiter vom Rande die hellen Sterne stark verzerrt, so daß man die helleren, aus dem A-G-Katalog[2]) entnommenen Anschlußsterne nicht benutzen konnte", und um

---

1) Astron. Nachrichten, Bd. 174, S. 1.
2) Dies sind wohl Sterne 9. Größe.

eine genügende Anzahl von Vergleichsternen zu erhalten, mußte er zu einem eigentümlichen später[1]) erwähnten Auskunftsmittel schreiten.

Man hat in der letzten Zeit verschiedentlich auch kleinere Apparate zu verwenden gesucht, mitunter mit ganz gutem Erfolg. So wurde am Cap 1891 ein größerer Kometensucher von Schröder zu photographischen Aufnahmen verwendet; Spitaler in Prag hat Aufnahmen mit einem einfachen Portraitobjekt gemacht[2]), ebenso Barnard am Yerkes-Observatory[3]). Zu Vermessungen, bei denen das Bild eine beträchtliche Größe haben soll, sind dieselben allerdings nicht zu empfehlen.

Fig. 2.

Für Meteoraufnahmen, für welche ein großes Gesichtsfeld erwünscht ist, sind jedoch kleinere Apparate, einfache Kameras mit Weitwinkelobjektiven (kurze Brennweite) sehr empfehlenswert. Fig. 3 stellt den Meteorograph von Rheden vor, bei welchem drei Kameras an einer gemeinsamen, gegen den Weltpol gerichteten Achse befestigt sind. Besser sind die Apparate mit mehr Kameras; man hat solche bis zu 6 Kameras auf einer durch ein Uhrwerk drehbaren, in die Richtung der Weltachse gestellten Achse konstruiert; jede

[1]) Siehe S. 243.
[2]) Vierteljahrschrift der Astron. Gesellschaft, Bd. 29, S. 160.
[3]) ibid., Bd. 34, S. 183.

Kamera wird auf einen anderen Punkt des Himmels gerichtet. Der erste Apparat dieser Art wurde in New-Haven gebaut.

Ein Nachteil dieser Kameras ist, daß sie, wenn die Zeit des Aufblitzens einer Sternschnuppe bekannt werden soll, durch einen Beobachter bedient werden müssen, der den Plattenwechsel zu besorgen hat. 1899 hat E. C. Pickering[1]) zwei gleiche Apparate, je eine Kamera mit Weitwinkel (22 *cm* Brennweite, 22 × 27 *cm* Plattengröße), die nach dem Zenit gerichtet sind (Zenitkameras), in Cambridge (Mass.) und Blue Hill verwendet. Die beiden Kameras wurden nach dem Dunkelwerden aufgestellt und die Öffnung automatisch nach einer bestimmten Zeit (mit Morgengrauen) geschlossen, dann entwickelt. Aus den an den beiden Orten verzeichneten Spuren der Sternschnuppen läßt sich die Deklination bestimmen, nicht aber die Rektaszension, da ja die Zeitangabe fehlt.

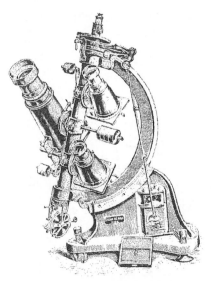

Fig. 3.

Zur Bestimmung der den einzelnen Spuren zugehörigen Zeiten, schlug W. F. Wislicenus[2]) regelmäßigen Plattenwechsel vor, so daß in dem einen Apparate 10, in dem anderen 13 (oder 10 und 17) Platten, in Intervallen von 5 zu 5 Minuten automatisch gewechselt werden. Aus der Nummer der Platte, auf welcher eine Meteorspur erscheint, ist die Zeit bis auf die halbe Expositionszeit sicher zu bestimmen. Ein anderer Vorschlag von J. J. Frič[3]) zur Bestimmung der Zeit an einem der beiden Beobachtungspunkte eine dritte Platte zu verwenden, die sich in 4 bis 8 Stunden einmal herumdreht, dürfte kaum eine ausreichend genaue Zeitbestimmung liefern.

Von den Anwendungen der Photographie für die geographische Ortsbestimmung soll zunächst diejenige für die Bestimmung der geographischen Breite erörtert werden. Zunächst war es das Zenitteleskop (Mikrometer-Niveau-Methode), welche verhältnismäßig leicht der Photographie angepaßt werden konnte. Fig. 4 stellt ein gewöhnliches Zenitteleskop vor, wie es in den internationalen Stationen für die Bestimmung der Polhöhenschwankungen verwendet wird. Das Fernrohr wird gegen einen Stern, der z. B. südlich in der Nähe des Zenits kulminiert, gestellt, geklemmt, sein Durchgang beobachtet, das Instrument dann um seine vertikale Achse um 180° gedreht und

---

[1]) Photographing Meteors, Astron. Nachrichten, Bd. 149, S. 39.

[2]) „Über einen Apparat zum Photographieren von Meteoren", Astron. Nachrichten, Bd. 150, S. 10.

[3]) „Note on Meteor Photographing", Astron. Nachrichten, Bd. 150, S. 11.

ein zweiter Stern auf der entgegengesetzten Seite des Zenites durchgehen
gelassen; Lesung am Mikrometer und an der Libelle geben die Differenz
der Zenitdistanzen. Da die Summe derselben (gleich der Differenz der De-
kliuationen der Sterne) bekannt ist, so erhält man jede einzelne Zenitdistanz
und damit die Polhöhe.

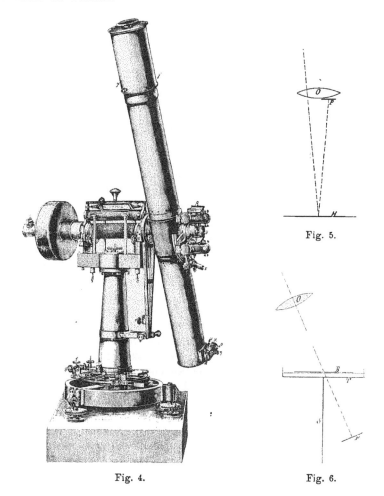

Fig. 5.

Fig. 4.   Fig. 6.

1899 schlug Kapteyn[1]) die in Fig. 5 angedeutete Anordnung vor. Die
vom Sterne kommenden Strahlen gelangen durch das Objektiv *O* auf den
Quecksilberhorizont *H* und werden hier auf die photographische Platte *P*
reflektiert. Die Brennweite des Objektives ist daher gleich dem doppelten
Abstande des Objektivs vom Horizont. Der durchgehende Stern hinterläßt
auf der Platte *P* eine Spur; wird dann das System (*OP*) um eine vertikale

---

[1]) Astron. Nachrichten, Bd. 125, S. 81.

Achse um 180⁰ gedreht, so werden nunmehr die Strahlen von dem auf der anderen Seite des Zenites kulminierenden Stern durch das Objektiv auf die Platte gelangen und die Differenz der Zenitdistanzen kann aus den beiden Spuren mikrometrisch gemessen werden. Kleine Änderungen in der Vertikalstellung müssen auch hier an einem empfindlichen Niveau gelesen werden. Zur Bestimmung des Skalenwertes der Mikrometerschraube wird ein dritter Stern in größerer Zenitdistanz ebenfalls photographiert. Ein Übelstand dieser Methode liegt darin, daß ein Teil der Strahlen des Objektives durch die photographische Platte P abgehalten wird, ferner, daß die gegenseitige Lage von Objektiv und Platte nur geringe Zenitdistanzen und die Kleinheit der Platte sehr geringe Abstände der Sternspuren zulassen.

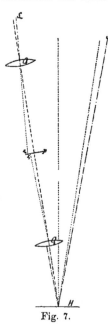

Fig. 7.

Nicht lange nachher gab P. Hagen, S. J. jetzt Direktor der vatikanischen Sternwarte, eine von diesen Mängeln wenigstens teilweise freie Methode durch Anwendung seines Photochronographen[1]). In einem Trog T von 46×16 inches ($= 122 \times 42\, cm$) Fläche, welcher mit Quecksilber gefüllt wird, ruht ein Schwimmer B von 45×15 inches Fläche, welcher ein exzentrisches Fernrohr trägt, dessen Objektiv O und photographische Platte p in Fig. 6 angedeutet sind. Boden des Troges und Schwimmers sind rauh, damit die Reibung die Undulationen vermindert. Schon 1891 wurde das Instrument für Durchgänge verwendet. Zu diesem Zwecke ist vor der Mitte der photographischen Platte, unmittelbar vor derselben eine dünne Stahllamelle, welche bei jedem Pendelschlag der Uhr 0'1 gehoben wird, so daß jede Sekunde eine Aufnahme von 0'1 stattfindet. Behufs Identifizierung der Zeitskala fällt der 29., sowie der 57., 58., und 59. Kontakt aus. Die Aufnahme zeigt eine fortlaufende Reihe von Punkten mit den zu den halben und ganzen Minuten fallenden Unterbrechungen.

Für die Breitenbestimmungen wird die Sternspur eines südlich, und nach Umsetzung des Instrumentes um 180⁰, eines in nahe derselben Zenitdistanz nördlich vom Zenit kulminierenden Sternes bei derselben Einstellung des Fernrohres photographiert und die Differenz der Zenitdistanzen aus den Sternspuren auf der Platte gemessen. Ein Niveau ist entbehrlich, da dasselbe durch den Trog mit Schwimmer ersetzt ist.

Etwas abgeändert wurde die Methode durch Algué. Ein Fernrohr mit zwei Objektiven O_1, O_2 gleicher Brennweite $O_1 p = O_2 p = f$ (Fig. 7) enthält in der Mitte zwischen beiden eine photographische Platte p. Die Strahlen eines Sternes S_n gelangen durch das Objektiv O_1 nach s_n; gleichzeitig oder unmittelbar vor — oder nachher gelangen die Strahlen eines Sternes S_r auf der anderen Seite des Zenites nach Reflexion an dem Quecksilber-

---

[1]) Publication of the Georgetown College Observatory.

horizonte H durch das Objektiv O_2 nach s_x. Um unabhängig von der Stellung des Fernrohres zu sein, bedarf es hier zweier Sternpaare. Besondere Vorteile scheint die Methode nicht zu bieten, hingegen haftet ihr der nicht zu unterschätzende Nachteil an, daß die Strahlen von der einen Seite die Glasplatte durchsetzen müssen, ehe sie zur photographischen Schicht gelangen.

1893 machte Marcuse den Vorschlag, ein gewöhnliches Zenitteleskop (vgl. Fig. 4) mit Fernrohr von 13·5 cm Öffnung und 135 cm Brennweite mit einer Kamera für Platten 6 $\times$ 6 cm zu versehen; 1895 hatte er derartige Beobachtungen ausgeführt; er berichtete darüber[1]): „Es hat sich dabei ergeben, daß die von den durchgehenden Sternen auf der photographischen Platte gezogenen Striche im allgemeinen selbst unter den ungünstigen Verhältnissen der Sternwarte Berlin von einer solchen Feinheit und Stetigkeit sind, daß diese Methode der Polhöhenbestimmung als recht aussichtsvoll bezeichnet werden kann".

Während Marcuse seine Methode, z. B. auf der Versammlung der Astronomischen Gesellschaft 1898 in Budapest besonders hervorhebt, hingegen alle anderen photographischen Methoden in der Astronomie als mehr „physischen oder statistischen Charakters" (!) bezeichnet, bemerkt J. Scheiner, daß die Methode Marcuses gegenüber derjenigen von Hagen einen Rückschritt bedeutet, welchem Urteile ich vollkommen beipflichten möchte.

Übergehend zu den Längenbestimmungen, wäre der Versuche zu gedenken, die Methode der Monddistanzen für photographische Aufnahmen. verwendbar zu machen. Runge[2]) benutzte 1893 eine gewöhnliche photographische Kamera, photographierte mit derselben aus derselben Stellung zuerst den Mond und dann ein nachfolgendes Sternbild. Weitere Versuche in dieser Richtung rühren von Schlichting[3]) her, indem er Mond und Sterne gleichzeitig photographierte, u. zw. so, daß die beiden Bilder möglichst symmetrisch gegen die optische Achse der Instrumente lagen. Als Präzisionsmethode aber wäre das Verfahren wohl kaum zu bezeichnen. Für die Sterne ist eine Expositionszeit von 15 bis 20^s erforderlich, dann ist der Mond überexponiert und wegen seiner Bewegung in der Zwischenzeit unbestimmt und sein Bild zur Messung nicht geeignet.

Koppe[4]) benutzte einen Phototheodoliten und rückte dessen Fernrohr nach, indem er einen Mondkrater scharf pointierte. Der Mondrand war scharf; „dagegen waren die gleichzeitig erhaltenen Sternbildchen runde Scheibchen, welche sich genau bisezieren lassen". Dieses ist nun keinesfalls möglich. Zum Vergleiche mögen die beiden Aufnahmen (Fig. 8 und 9) des Kometen

---

1) Vierteljahrschrift der Astron. Gesellschaft, Bd. 31, S. 108.

2) „Über die Bestimmung der geographischen Länge auf photographischem Wege", Zeitschrift für Vermessungswesen, Bd. 22.

3) „Eine neue Präzisionsmethode zur Bestimmung geographischer Längen auf dem Festlande", Verhandlungen des X. Deutschen Geographentages in Breslau 1893.

4) „Photogrammetrie und internationale Wolkenmessung 1896."

Rordame vom 12. und 13. Juli 1893 dienen [1]). Wird das bewegte Objekt in derselben Stellung gegen das Fernrohr (am Faden des Pointer) festgehalten, so geben die Fixsterne Spuren, welche durch die Unsicherheit und Diskontinuität der manuellen Führung an einzelnen Stellen unregelmäßige Anschwellungen zeigen können. Koppe aber behauptet weiter: „Die Schwankungen beim Nachführen mit den Mikrometerbewegungen des Horizontal- und Vertikalkreises hatten im allgemeinen nach allen Richtungen in gleicher Weise stattgefunden und daher die Sternbilder gleichmäßig vergrößert. Die Mitte dieser Bilder war am dunkelsten, weil um sie alle Schwankungen stattgefunden hatten und

Fig. 8.

ließen sich gut und genau einstellen” [2]). Dieses ist zum mindesten nicht klar. Bei der Instrumentalbewegung in Höhe und Azimut gibt es allerdings Schwankungen, aber die Bewegung des Mondes findet in der Zwischenzeit der Exposition nahezu geradlinig zwischen den Sternen statt; allerdings erfordert der Mond (und damit die mit zu photographierenden Sterne) eine viel kürzere Expositionszeit als ein Komet, dafür aber ist seine Bewegung ungemein viel rascher und der Charakter der Aufnahme muß sehr nahe derselben bleiben.

Koppe versuchte dann den Mond zu eliminieren, indem ein Faden durch die Mondmitte gelegt wurde, und die Aufnahme in dieser Stellung

[1]) Aufgenommen in der Lick-Sternwarte von W. J. Hussey; Publications of the astronomical society of the Pacific, 1895, Vol. VII, pag. 161.

[2]) l. c. pag. 31.

erfolgte. Dann wurde durchgeschlagen und wieder photographiert. „Man erhält in einer geraden Linie zwei Mond- und zwei Sternbilder, von denen die Mondbilder sich berühren, die Sternbilder aber einen geringen Abstand haben, welcher gleich ist dem doppelten Werte der zu messenden Mond-distanz" [1]). Auch dieser Vorschlag ist für den Astronomen unannehmbar. Der Mondmittelpunkt kann nicht angegeben werden, es wird daher niemals

Fig. 9.

Berührung oder Deckung der Mondbilder erreicht werden können, und wer den Einfluß eines Fehlers in der gemessenen Monddistanz auf das Resultat der Längenbestimmung kennt, wird diese Methode wohl kaum für anwendbar halten.

Wesentlich besser ist ein Vorschlag von H. H. Turner (1903), den Mond durch einen vor der Platte sitzenden rechteckigen Schirm abzublenden; der Schirm hat in der Mitte einen Spalt, und wird automatisch vor dem Monde vorbeigeführt. Man erhält so streifenweise Momentbilder einzelner

---

[1]) l. c. pag. 32.

Mondpartien, umgeben von scharfen Sternbildchen und braucht nur die Distanz der letzteren gegenüber geeigneten Mondgebilden zu messen.

Es ist jedoch fraglich, ob es nötig ist, die Methode der Längenbestimmung durch Monddistanzen der Photographie zugänglich zu machen Zur See und auf Forschungsreisen reicht ein einfacher Sextant aus und wo genaue Messungen nötig sind, da mögen wohl die Versuche in anderer Richtung (Funkentelegraphie) viel aussichtsreicher sein.

Für die Bestimmung von absoluten Deklinationen von polnahen Sternen hat Rees 1898 einen interessanten Vorschlag gemacht. Das Fernrohr wird in fester Stellung gegen den Pol gerichtet; die Sterne beschreiben kleine Kreise, welche sich auf der Platte sehr scharf abbilden (weshalb er auch

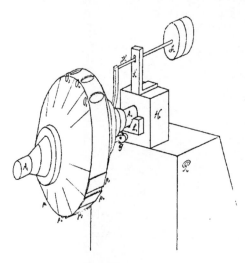

diese Platten Trail-plates nannte) und aus diesen läßt sich mit Berücksichtigung der Aufstellungsfehler des Instrumentes, der Refraktion usw. der Ort des Poles zwischen den Sternen und damit deren Poldistanz ermitteln. Rees schlägt auch derartige Aufnahmen zur Bestimmung der astronomischen Konstanten: Nutation, Aberration, ferner zu Untersuchungen über die Refraktion vor. 1902 wurden derartige Aufnahmen auch am Columbia University Observatory N. Y. City begonnen.

Zur Angabe der Sternpositionen fehlen hierbei noch die

Fig. 10.

Rektaszensionen. H. Grubb hat 1903 der Royal Dublin Society einen Vorschlag zur photographischen Registrierung vorgelegt. Die photographische Platte wird bewegt[1]), und zwar mit der gleichen Geschwindigkeit wie der Stern, das Fadenkreuz wird jede Sekunde beleuchtet und gibt so ein Bild auf der bewegten Platte.

Endlich ist noch eines Vorschlages von A. E. Conrady[2]) zu gedenken; er bringt nebst dem Hauptfernrohr ein zweites Fernrohr an, welches in einer durch das Hauptfernrohr und die Drehungsachse desselben (eigentlich einer dazu parallelen Ebene) gedreht und unter einem gegebenen Neigungswinkel eingestellt werden kann.

Für die Photographie im Meridian hat man sich bisher an Instrumente mit Kreisen gehalten und so Kreislesungen und Vermessungen von photographischen Platten kombiniert. Es lassen sich jedoch die Kreislesungen vollständig eliminieren und habe ich zu diesem Zweck ein „Meridianinstrument" vorgeschlagen, welches in den Figuren 10, 11, 12 abgebildet ist.

An der Achse A_1, A_2 (Fig. 10), welche in den Lagern L_1, L_2 ruht[1]) und mit den daran befestigten Teilen in bekannter Weise durch die Rollen G, Hebel H und Gewichte Q äquilibriert ist, ist eine Reihe von fünf Fernrohren Op in der Trommel T vereinigt (vgl. Fig. 11), so daß den Objektiven O_1, O_2, O_3, O_4, O_5 die photographischen Platten p_1, p_2, p_3, p_4, p_5 gegenüberstehen. Der Strahlengang ist durch zwischengestellte Rippen r (Fig. 12) so abgeblendet, daß nur auf den gegenüberstehenden Platten Bilder entstehen können; gleichzeitig dienen diese Rippen zur Versteifung der Trommel. Durch drei Fernrohre unter den Winkeln 18° und 20° könnte man sukzessive anschließend, den ganzen Himmel aufnehmen[2]). Um aber von den Positionen von Fundamentalsternen unabhängig zu sein, beziehungsweise Positionen unabhängig zu erhalten, erscheint es nötig, fünf Objektive in den gegenseitigen Lagen O_1, O_5, O', O'', O''', anzubringen, deren gegenseitige Lage es ermöglicht, mit Hilfe von ausgesteckten Winkeln von 60° oder 80° (durch Messung von Deklinationsdifferenzen desselben Sternpaares am Himmel) die genaue Bestimmung des Winkels zwischen den beiden Fernrohren $O_1 p_1$ und $O_5 p_5$ zu erhalten. Wenn die fünf Objektive und Platten dann in die für regelmäßige Beobachtungen aus Fig. 12

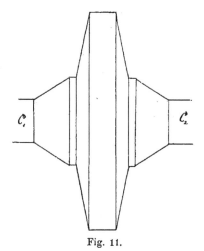

Fig. 11.

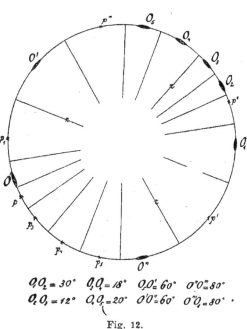

$O_1 O_2 = 30°$ $O_1 O_3' = 18°$ $O_2 O_3' = 60°$ $O'O''' = 80°$
$O_1 O_3 = 12°$ $O_4 O_5 = 20°$ $O'O'' = 60°$ $O''O_4 = 80°$

Fig. 12.

---

[1]) Der vordere Pfeiler mit seinen Teilen ist in der Figur weggelassen.

[2]) Unter 12° Distanz kann man nicht herabgehen, da sonst die Strahlen benachbarter Objektive auf zwei benachbarte Platten fallen könnten.

ersichtlichen Lagen gebracht und nur zur Bestimmung der Konstanten in die für dieselben herausgeschnittenen, für gewöhnlich geschlossenen Öffnungen eingesetzt werden, so können dieselben durch ihre verschiedene Entfernung die Lösung der mannigfaltigsten Aufgaben der Astronomie ermöglichen, indem, stets eines der fünf Objektive gegen den Weltpol gerichtet, exponiert wird[1]).

Von den Ausmessern[2]) ist der älteste derjenige von Warren de la Rue (1860) mit festem Mikroskop (Fig. 13), Verschiebung der Platte in zwei aufeinander senkrechten Richtungen, deren Größe an Skalen durch Nonien abgelesen werden; außerdem besitzt der Apparat einen Positionskreis, der Ablesungen auf 10″ gestattet.

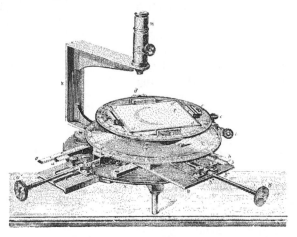

Fig. 13.

Zunächst wäre dann der Ausmesser zu erwähnen, den ich 1889 von Repsold für die v. Kuffnersche Sternwarte ausführen ließ. Derselbe ist in den Fig. 14 und 15 dargestellt. Die photographische Platte von $9 \times 9\ cm$ Größe ruht auf der in der Mitte ausgeschnittenen kreisförmigen Platte Q, welche drehbar ist und eine Kreisteilung σ_2 besitzt. Mittels der Platte P kann das Photogramm in der einen Richtung auf dem Zylinder B verschoben werden. Zur Ablesung der Größe dieser Verschiebung dient die Nebenskala σ_1. Die Ablesungen erfolgen mittels der Mikroskope M_1, M_2 auf dem Positionskreise, mittels des Mikroskopes M_3 auf einem Zählrechen, der $0.1\ mm$ gibt, an der Skala σ_1. Zur Bestimmung der Koordinaten in der zu σ_1 senkrechten Richtung dient die Hauptskala σ und die Lesung erfolgt in der Art, daß das Mikroskop M mittels Zahn und Trieb auf der massiven Schiene C verschoben, auf den zu messenden Punkt der photographischen

---

[1]) Näheres s. Astron. Nachrichten, Bd. 179, S. 277. Auf weitere konstruktive Details, die für die Ausführung zu berücksichtigen sind, kann hier nicht eingegangen werden; die Beschreibung des ausgeführten Instrumentes wird seinerzeit das nötige bringen.

[2]) Der Name „Ausmesser" rührt von Jul. Franz her und scheint passender als der bislang übliche „Comparator".

Platte eingestellt und dann durch ein Exzenter lp gehoben wird, in welcher Lage die Ablesung an der Skala σ erfolgen kann[1]). σ ist eine Millimeterteilung, an welcher mittels des Mikroskopes M noch $^1/_{600}$ mm abgelesen werden kann.

Ähnliche, zum Teil viel größere Apparate[2]) wurden seither von Repsold für Potsdam, Leyden, Königsberg, Breslau ausgeführt.

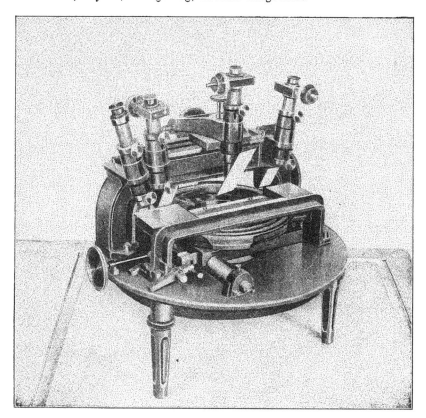

Fig. 14.

Einen Apparat ganz eigener Konstruktion ließ 1890 Kapteyn für seine Ausmessung der photographischen Durchmusterung des südlichen Himmels ausführen. Derselbe ist in Fig. 16 abgebildet. Da es sich um die möglichst rasche, wenn auch weniger genaue Positionsbestimmung einer sehr großen Zahl von Sternen (über eine Million Sterne) handelte, so sollte der Apparat direkt Rektaszensionen und Deklinationen geben. Es mußte also das Objektiv des Ablesefernrohres beim Messen gegen die Platte dieselbe Lage haben,

---

[1]) Näheres s. „Publikationen der v. Kuffnerschen Sternwarte", herausgg. von Dr. Norb. Herz, Bd. 2, S. 6.

[2]) Der für Breslau konstruierte dient für Platten bis 21 $\times$ 37 cm.

wie das Objektiv des photographischen Fernrohres gegen den Himmel, also gegen die Platte bei der Aufnahme. Daher mußten, wegen der endlichen Entfernung der Platte alle Drehungsachsen durch den vorderen Knotenpunkt des Objektives gehen. Der Bequemlichkeit wegen ist aber die Stundenachse C, welche in den Lagern $m\,n$ ruht, horizontal[1]). Der Kreis K, durch zwei Mikroskope[2]) ablesbar, gibt Stundenwinkel oder Rektaszensionen. Die Achse C trägt die Wiege D für die Deklinationsachse $p\,q$, welche einerseits den durch

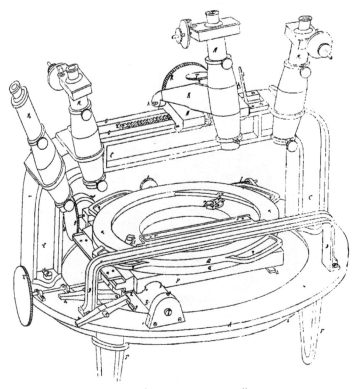

Messapparat für photographische Platten.

Fig. 15.

die Mikroskope M_1', M_2' abzulesenden Kreis K_1 und anderseits den Würfel W für das gebrochene Fernrohr F trägt, dessen Objektiv O im Schnittpunkte der Achsen C und $p\,q$ liegt. Da demnach das Fernrohr etwas seitlich gestellt ist, so sind zwei Gegengewichte g, ferner auf der anderen Seite des Würfels das Gegengewicht G zur Äquilibrierung angebracht. Endlich ruhen die Lager $m\,n$ der Stundenachse mittels des Fußes B auf der Unterlags-

---

[1]) Denkt man sich die Figur so lange gedreht, bis die Achse C gegen n hin gegen den Weltpol zeigt, so erhält das ganze Instrument die gewöhnliche Lage eines parallaktisch montierten Fernrohres.

[2]) In der Figur irrtümlich vier Mikroskope.

platte P, die um die Säule A, deren Achse die Verlängerung der Deklinationsachse $p\,q$ bildet, in der vertikalen Hülse S drehbar ist. Zur Äquilibrierung des ganzen auf B lastenden Instrumentes dient das Gegengewicht Q[1].

Wird der Kreis K_1 auf die Deklination der Plattenmitte eingestellt, dann das Fernrohr um A auf die vertikal in einer Entfernung gleich der Brennweite des Fernrohres aufgestellte photographische Platte gerichtet und der Stundenkreis abgelesen (oder falls er mit scharfer Reibung drehbar ist, auf die Rektaszension der Plattenmitte eingestellt), so erhält man bei der Einstellung auf jeden einzelnen Stern unmittelbar dessen Rektaszension und Deklination. Die Amplitude der Feinbewegung in Deklination ist 7^0, so daß ein Aufklemmen der Deklinationsachse während der ganzen Durchmessung einer Platte unnötig ist.

Das Objektiv von 27 mm Öffnung wird auf 19 mm abgeblendet; das Gesichtsfeld beträgt 67'; in der Brennebene ist eine Glasskala mit 66 Teilstrichen in je 1' Distanz; senkrecht zu diesen ist ein Stundenstrich. Der Stundenkreis ist von 10' zu 10' geteilt. Wird das Instrument mittels bekannter Sterne so eingestellt, daß sich für diese Rektaszension und Deklination für eine gegebene Epoche (1875) ergibt, so erhält man die Koordinaten aller Sterne bezogen auf diese Epoche.

Man verzichtet daher bei diesem Apparate auf den Vorteil

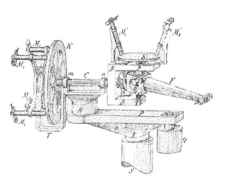

Messapparat von Kapteyn.

Fig. 16.

der Schärfe zugunsten der rascheren Arbeit. Ein gleicher Apparat wurde auch für das astrophysikalische Institut der Sternwarte Heidelberg geliefert.

1897 hatte der Mechaniker Töpfer für das astrophysikalische Institut Potsdam einen Ausmesser gebaut, der dadurch interessant ist, daß er eine 21 cm lange Mikrometerschraube mit 0·5 mm Ganghöhe hat, also 420 Schraubengänge mit fast keinen Teilungsfehlern[2].

Neuerdings ist man jedoch wieder auf Ausmesser mit festen Mikroskopen zurückgegangen, weil, wie später erwähnt wird, ein Netz auf die Platte mitphotographiert wird. Fig. 17 stellt den Ausmesser der Sternwarte Potsdam, Fig. 18 den von Gauthier für Paris und Catania gelieferten Ausmesser dar; Fig. 19 den Ausmesser mit einem Mikroskop (das Erosmikrometer) der Sternwarte Greenwich und Fig. 20 einen zweiten Ausmesser der Greenwicher Sternwarte mit zwei Mikroskopen zur Bestimmung der Fehler, welche beide von Troughton und Simms geliefert wurden.

Das Mikroskop des ersten (Fig. 19) von 17 mm Öffnung (abgeblendet auf 7 mm) hat 78 mm Brennweite und gibt die Vergrößerung 1 für die

---

[1] Für weitere Details s. Bulletin du Comité, Bd. 1, S. 378.
[2] Vierteljahrsschrift der Astron. Gesellschaft, Bd. 32, S. 114.

Platten des 26-Zöllers. Für die Platten des 13-Zöllers schiebt man das Objektiv 39 *mm* näher zur Platte, das Okular wird um ebensoviel entfernt, so daß dann das Mikroskop die Vergrößerung 2 gibt.

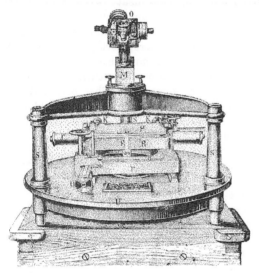

1901 begannen die Versuche mit dem Stereokomparator, für den ich analog der Franzschen Bezeichnung den Namen Raumbildausmesser wähle.

Max Wolf sagt über denselben, daß er sich als unersetzliches Hilfsmittel für den photographierenden Astronomen erwiesen hat[1], und zwar zur Vergleichung von Sternhaufen, zum Ausscheiden von Plattenfehlern, zum Auffinden von Variabeln, von kleinen Planeten usw. Die letzteren machen bei längerer Exposition Striche (Spuren); aber selbst bei kurzer Expositionszeit sind dieselben auf zwei zu verschiedenen Zeiten aufgenommenen Platten im Raumbildausmesser als räumlich vortretende Objekte erkennbar.

Fig. 17.

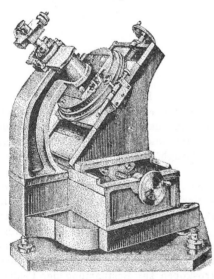

Die Vorteile desselben hob insbesondere Pulfrich (1902) auf der Versammlung der Astronomischen Gesellschaft in Göttingen[2] hervor. Er vergleicht die Anwendung desselben gegenüber den anderen Ausmessern mit dem Lesen eines Buches: Man hat nicht die einzelnen Buchstaben zu lesen, sondern kann sofort den ganzen geistigen Inhalt erfassen. Zu Messungen von Entfernungen der Planeten von der Erde, wie es Pulfrich vorschlägt, ist er wohl nicht brauchbar[3]. Hingegen ist sein Vorschlag, die Messungen auf

Fig. 18.

---

[1] Ibid. Bd. 37, S. 110.

[2] „Über die bis jetzt mit dem Stereokomparator auf astronomischem Gebiete erhaltenen Versuchsergebnisse." Vierteljahrsschrift der Astron. Gesellschaft, Bd. 37, S. 212.

[3] Daß man rohe Messungen in dieser Weise anstellen kann, ist ja selbstverständlich; aber für astronomische Zwecke wären diese Messungen wohl nicht brauchbar.

die Mondphotographien anzuwenden, zur Bestimmung der Anschwellung des Mondes gegen die Erde zu, und zur Ausführung eines vollständigen Nivellements der Mondober-fläche[1]) usw. vollkommen be-rechtigt.

Man würde jedoch irren, wenn man die überschwäng-lichen Erwartungen Pulfrichs alle wörtlich nehmen wollte. Es treten hier eine Reihe in der Natur der Sache gelegene Umstände auf — abgesehen von den Fehlern der Auf-nahmen selbst, von denen später gesprochen wird — welche der Anwendbarkeit dieser Methoden eine Grenze setzen.

Einen Umstand hebt Pul-frich selbst schon hervor. Es ist die Grenze der Tiefe des beherrschten stereosko-

Fig. 19.

pischen Raumes. Nimmt man als eine unserer Erfahrung entnommene Grenze des Raumes, innerhalb dessen das Auge noch räumliche Schätzungen halb-

Fig. 20.

---

[1]) Die Messungen von Franz, von denen zum Schlusse gesprochen wird, waren 1899 publiziert.

17*

wegs mit Sicherheit vornehmen kann, $2\frac{1}{2}$ km[1]), so findet man, die Pupillendistanz zu 65 mm angenommen, als Wert der Parallaxe etwa $5\frac{1}{3}''$ oder als das räumlich beherrschte Gesichtsfeld etwa die 40.000fache Länge der Basis. Ein Fernrohr mit 250facher Vergrößerung, das daher alle parallaktischen Verschiebungen in demselben Maße vergrößert, würde daher noch Tiefendimensionen bis zum Zehnmillionenfachen der Basis (Pupillendistanz) erkennen lassen. Außerhalb dieser Entfernung würde alles flach, gleichsam in einer Ebene ausgebreitet erscheinen.

Erweitert man die Basis bis auf die Erdbahnhalbachse, so würden Aufnahmen von zwei um diese Entfernung voneinander abstehenden Punkten, auf die Augendistanz reduziert, und mit Mikroskopen von 25facher Vergrößerung betrachtet, noch Unterschiede ergeben, welche noch bei einer Distanz von 100.000 Erdbahnhalbachsen, d. i. einer jährlichen Parallaxe von etwa $0''2$ im Raumbildausmesser zu pointieren möglich wären[2]). Da übrigens das Sonnensystem selbst in Bewegung begriffen ist, so müßten die um längere Zeiträume voneinander getrennten Beobachtungen durch die verschiedene Stellung der Erde im Raume auch Verschiebungen der Sterne angeben, bekanntlich in der Gesetzmäßigkeit der Eigenbewegungen konstatiert, welche eine größere Tiefe in der Richtung des Äquators der Sonnenbewegung zur Folge haben.

Es kommt aber ein zweiter Umstand hinzu, der eine Tiefenwahrnehmung vortäuscht, trotzdem eine solche nicht vorhanden sein sollte. Man machte zuerst am Orionnebel, später auch an Fixsternplatten, die zu beiden Seiten des Meridians aufgenommen worden waren, die Erfahrung, daß solche Platten einen stereoskopischen Effekt zeigten. Die Ursache desselben ist die verschiedene Dispersion und Absorption der Luft für verschiedene Farben. Jedes Sternbildchen ist namentlich in größeren Zenitdistanzen ein Spektrum, so daß eine Verschiebung des Lichtschwerpunktes auftritt, der um so größer ist, je weiter der Stern aus dem Meridian steht. Bei helleren Sternen ist dieser Effekt auffälliger. Ich möchte aber darauf hinweisen, daß diese Erscheinung auch bei schwachen Sternen nicht völlig verschwinden kann und von Einfluß auf die Messungen werden muß.

Gegen die überschwänglichen Hoffnungen, welche aus dem stereophotogrammetrischen Verfahren in der Astronomie genährt wurden, trat meines Wissens zuerst Ernst Hartwig in Bamberg auf. Er äußerte sich[3]): „Der Stereokomparator mag auf die Verschiedenheit in der Größe der Scheibchen derselben Sterne zweier Platten wohl rasch die Aufmerksamkeit lenken, aber diese Verschiedenheit braucht keine Wirkung einer Veränderlichkeit des Sternes zu sein. . . . . Die auf photographischem Wege entdeckten veränderlichen Sterne können zu einem großen Teile der visuellen Prüfung

---

[1]) Ich nehme hier durchwegs absichtlich äußerste, vielleicht nicht mehr zulässige Grenzen. Pulfrich nimmt nur $\frac{1}{2}$ km, was allerdings vielleicht etwas zu niedrig gegriffen ist.

[2]) Parallaxen unter 1'' können infolge der schwachen Vergrößerungen der Mikroskope wohl kaum durch räumliche Pointierung, sondern nur durch wiederholte Messungen mit einem beliebigen Ausmesser erhalten werden.

[3]) Vierteljahrsschrift der Astron. Gesellschaft. Bd. 39. S. 55.

nicht entbehren. . . . In einem Straßburger Vortrage ist vor nicht langer Zeit dem Sinne nach die Behauptung aufgestellt worden, daß die Photographie in der Astronomie bereits die Alleinherrschaft angetreten und daß bisher das als schärfstes Mittel angesehene Instrument, das Heliometer, mit all seiner umständlichen Behandlung als überflüssig in die Rumpelkammer verwiesen wäre. . . . Merkbare Fixsternparallaxen mögen durch das photographische Verfahren wohl leicht aufgefunden werden, aber wissenschaftliches Bürgerrecht werden, so lange die photographische Schicht noch auf nassem Wege entwickelt werden muß, und lokale Verzerrungen erfährt, ihre Werte erst erhalten, wenn sie durch das Heliometer oder das Fadenmikrometer großer Refraktoren bestätigt oder bestimmt worden sein werden" [1] und ich bemerke, daß ich denselben Standpunkt 1889/90 gegenüber den gegenteiligen Meinungen anderer Wiener Astronomen vertrat, als ich das große Heliometer, das größte bisher gebaute Instrument dieser Art für die v. Kuffnersche Sternwarte anschaffte.

Eine eigentümliche Anwendung des Raumbildausmessers hatte M. Wolf 1907 gemacht, um sich von der bereits erwähnten, äußerst störenden sphärischen Abweichung des Reflektors unabhängig zu machen. Es war bereits erwähnt worden, daß er die Sternbildchen der helleren Sterne nicht mehr verwenden konnte; und nun wählte er einen Vorgang, den er selbst folgendermaßen beschreibt: „Durch genügende Verschiebung der beiden Objektive der beiden Beobachtungsmikroskope wurde es möglich, mit den beiden Augen zwei Aufnahmen gleichzeitig betrachtend, zu vereinigen, die mit ganz verschiedenen Aufnahmsobjektiven genommen waren. So konnte ich eine meiner 6" Aufnahmen zugleich mit einer 16" Aufnahme im Stereokomparator betrachten, obwohl die Aufnahmsobjektive sehr verschiedene Brennweiten hatten; der 6-Zöller hat 80 cm, während der 16-Zöller 202 cm Brennweite hat. Es kann vollkommene Deckung erzielt werden. Auf die linke Seite kommt die Reflektorplatte, in die rechte Seite eine Refraktoraufnahme der gleichen Himmelsgegend . . . . So konnte z. B. eine Jupiteraufnahme vom Reflektor mit einer alten Refraktorplatte zur Deckung gebracht werden, d. h. es wurde ein Jupitermond auf den Sternhimmel der Refraktorplatte projiziert."

Die Messungsmethode besteht nun darin, daß die unverzerrten kleinsten Sterne der Reflektoraufnahme mit jenen der Refraktoraufnahme zur Deckung gebracht werden und dann der Jupitermond gegen beliebige Sterne der Refraktorplatte (also auch gegen die helleren, deren Positionen aus dem A. G.-Katalog bekannt sind) eingemessen wurde. Wolf sagt, man könne sogar die Aufnahme des Refraktors benutzen, um gegen Sterne zu verbinden, die sogar außerhalb des Gesichtsfeldes des Reflektors liegen [2].

Daß diese Methode nicht genau ist, erkennt Wolf an; nach den älteren Methoden verschafft man sich auf Umwegen (nämlich durch Anschlußmessungen an die helleren Sterne) die Positionen der schwächeren

---

[1] Siehe S. 252, das von Kapteyn Gesagte.
[2] Da dessen Gesichtsfeld wegen der größeren Brennweite viel kleiner ist.

Sterne, und Wolf führt seine Methode mit den Worten ein: „Ich habe einen anderen Weg eingeschlagen, der wohl nicht ganz so genau ist, aber dafür sehr bequem und schnell zum Ziele führt" [1]. Ich möchte aber dieser Methode nicht das Wort reden; denn, wie schon erwähnt, auch die schwächeren Sterne sind von Verschiebungen des Lichtschwerpunktes infolge der sphärischen Aberration nicht frei, und es folgt hieraus nur eines: daß man Reflektoraufnahmen nur in der Mitte des Gesichtsfeldes verwenden kann, und für großes Gesichtsfeld (kurze Brennweiten) doch den Refraktoren den Vorzug geben muß.

III.

Abgesehen von diesen Fehlern hat man aber unvermeidliche Fehler, die in den Refraktorobjektiven und in den Platten selbst gelegen sind. Man kann dieselben in folgender Weise zusammenfassen:

1. Optische Verzerrungen (Distorsion der Objektive).
2. Deformation der Schicht
3. Fehlerhafte Orientierung ·der Platten beim Photographieren.
4. Fehlerhafte Orientierung der Platten beim Messen.
5. Fehler im Skalenwerte (in der Brennweite) und in der Schraube.

Und dieses sind Punkte, in denen die Astronomie auch den geodätischen Vermessungen wertvolle Fingerzeige und Resultate an die Hand geben kann.

Auf die optische Distorsion hatte schon 1890 Gill aufmerksam gemacht, und er schlug zur Bestimmung derselben Vergleiche mit Heliometermessungen vor. Die ersten Versuche dieser Art würden in Helsingfors vorgenommen und ergaben, daß der Skalenwert nach verschiedenen Richtungen verschieden war. Rees schlug 1893 vor, dasselbe Sternpaar mehrmals zu photographieren, wobei für jede Exposition das Fernrohr um seine Achse gedreht wurde, was bei Aufnahmen von Sternen in der Nachbarschaft des Poles leicht vorgenommen werden kann. Diese Methode wurde 1901,'02 in Helsingfors und am Kap ausgeführt. In Helsingfors wurden um den Nordpol vier Platten in je 45° verschiedenen Stellungen zueinander, und am Kap ebenso vier Platten um den Südpol herum aufgenommen, und für jeden Pol dann noch je acht weitere Platten angeschlossen, so daß ein Kreis von etwa 2° Radius entstand. Die Nordpolplatten wurden in New-York vermessen und im Vassar College von Miß C. E. Furneß reduziert. H. Jacoby hat die Vermessungen und Reduktionen für den Südpol ausgeführt. Die optische Distorsion ergab sich für den photographischen Refraktor der Kapsternwarte gleich Null [2].

Schon gelegentlich der Messungen der Rutherfurd-Platten wurden die Veränderungen, welche die photographischen Schichten erfahren können, untersucht. Rutherfurd arbeitete mit nassen Kollodiumplatten; nach den

----

[1] Astron. Nachrichten, Bd. 174, S. 1.

[2] H. Jacoby. Catalogue of 287 Stars near the South Pole and Optical distortion of the Cape of Good Hope Astrographic Teleskop. Contribution from the Observatory of Columbia N. Y.

Untersuchungen von Paschen können solche aber beträchtliche Verzerrungen erleiden, und zwar fand er Zusammenziehungen beim Trocknen. Rutherfurd selbst hat diese Resultate von Paschen angezweifelt, wenigstens für seine Platten als belanglos erklärt, da er dieselben vor der Präparierung mit Kollodium vorher mit Albumin überzog; aber auch bei solchen hatte Paschen Verzerrungen gefunden[1]). Hingegen hat auch bei den späteren Nachmessungen von H. Jacoby die Durchmessung von Sternhaufen der Rutherfurdschen Aufnahmen eine überraschende Genauigkeit ergeben und Scheiner kommt zu dem Schlusse, daß „die Genauigkeit des aus den Rutherfurdschen Aufnahmen abgeleiteten Kataloges gleich derjenigen des Elkinschen (aus Heliometermessungen abgeleiteten) ist"; immerhin kann eine Steigerung der Genauigkeit durch den Gebrauch der Trockenplatten erwartet werden.

Auch die späteren Untersuchungen haben nicht übereinstimmende Resultate ergeben; die Fehlerquellen können aber unschädlich gemacht werden durch Mitphotographieren eines Gitters, wie dies auch für die Herstellung der photographischen Karte des Himmels geschieht. Es werden von Gauthier in Paris Originalnetze auf versilberten Glasplatten hergestellt, nach dem Vorschlage von Vogel[2]) von 15 cm Seitenlänge und 5 mm Abstand der Striche. Auf diese Gitter werden direkt oder durch kleine Platin- oder Stanniolblättchen von 0·3 mm Dicke getrennt, die photographischen Platten gelegt, und so vor das Objektiv des Fernrohres gebracht, in dessen Fokus eine elektrische Lampe ist, die durch eine Momentbelichtung eine feine Kopie des Netzes erzeugt. Nach der Exposition für die Sternaufnahmen wird das Gitter dann mitentwickelt.

Die Netzkopie ist mit dem Original identisch (allerdings mit einer eventuellen Verzerrung der Schicht beim Entwickeln behaftet), hingegen sind die Bilder der Sterne, welche auf die nächstgelegenen Teilstriche des Netzes bezogen worden, mit dem Fehler der Objektivverzerrung behaftet.

Mönnichmeyer[3]) hat 1902 zwei Gauthiersche Gitter untersucht, bei beiden fanden sich Unterschiede, je nachdem die photographische Platte auf das Originalgitter mit oder ohne Zwischenlage von Blättchen gepreßt wurde. Die Fehler waren so groß, daß sie nicht der Inhomogenität oder einem mangelhaften Planparallelismus der Glasplatte des Originalgitters hätten zugeschrieben werden können, und Mönnichmeyer nahm als Ursache das verschieden tiefe Eindringen des Diamantstiftes, die größere oder geringere Tiefe der dadurch in der Silberschicht entstandenen Furchen an, von denen einige sogar bis ins Glas eingegraben waren. Damit stimmt überein, daß die Resultate besser waren, wenn die zur Schonung der Originalgitter angewendeten zwischengelegten Blättchen weggelassen, die Kopien durch direkten Kontakt erhalten wurden. Gauthier hat dann ein Gitter hergestellt, bei welchem der Stichel nicht ins Glas eindrang, und dieses gab keine merklichen Fehler in den Kopien.

---

[1]) Vgl. auch das S. 251 über die Parallaxe von β Cygni Gesagte.
[2]) Bulletin, Bd. 1, S. 205.
[3]) Astron. Nachrichten, Bd. 162, S. 66.

In den Publikationen des astrophysikalischen Observatoriums Potsdam, Bd. 15, findet sich eine Untersuchung von H. Ludendorff über
Gitterkopien und über Verzerrung der photographischen Platten. Ludendorff hat 25 Platten untersucht und wirkliche Ausdehnungen und Zusammenziehungen der Schicht konstatiert. Außerdem kommen häufig in ganzen
Gruppen von Platten beträchtliche Krümmungen der Randstriche vor, die
durch äußere Umstände, die Lage der Platten während des Trocknens, Art
des Anfassens beim Entwicklungsprozeß usw. entstanden sein mögen.
Ludendorff meint, daß die Genauigkeit der Messung mit Hilfe der Gitter
überschätzt wird, wenn sie auch das beste Mittel zur Messung bieten.

H. Jacoby[1]) hat 1903 zwei Aufnahmen der Plejaden mit und ohne
Gitter gemessen und kommt zu dem Resultate, daß beide Methoden — mit
und ohne Gitter — wohl dieselben Resultate geben; auch hält er an der
Ansicht fest, daß eine optische Distorsion nicht oder nur in sehr geringem
Grade stattfindet.

M. Loewy pflichtete dieser Anschauung nach seinen Erfahrungen nicht
bei und gab Methoden, um eventuelle Fehler zu eliminieren, doch sind seine
Vorschläge nicht ohne Widerspruch geblieben.

Endlich sind noch zwei Publikationen aus 1907 in dieser Richtung
zu erwähnen. H. Thiele[2]) ist durch Messung von nahen Sternen zu dem
Resultate gekommen, daß unzweifelhaft Veränderungen der Schicht, und
zwar Vergrößerungen auftreten und S. Ubrecht[3]) hat mit Perrine an
Platten der verschiedensten Art gefunden, daß wohl keine allgemeine
Schichtverzerrung stattfindet, daß aber solche lokaler Natur zu konstatieren
sind, welche im Maximum etwa $0·02\ mm$ erreichen.

In dieser Richtung sind nun die Bemerkungen über die Gitterbehand-
lung in der letzten Erospublikation der Greenwicher Sternwarte[4]) außerordentlich lehrreich. Es wird zunächst das Originalgitter an Stelle der photographischen Platte in den Ausmesser gebracht und mit einem festen Intervall
im Brennpunkt des Mikroskopes vermessen. Damit werden die Teilungsfehler der sämtlichen Striche des Originalgitters bestimmt. Dann kommt das
Originalgitter in den Fokus des Mikroskopes und wird mit einem festen
Intervall verglichen, das an Stelle der photographischen Platte in den Ausmesser
eingelegt wird; da die Teilungsfehler des Gitters bereits bekannt sind, so
erhält man damit die optische Distorsion der einzelnen Punkte des Gesichtsfeldes des Mikroskopes. Anderseits kann die Gitterkopie mit dem Originalgitter verglichen werden, wozu der Ausmesser mit zwei Mikroskopen (Fig. 20)
dient, wonach die Sterne auf die einzelnen Punkte der auf der Platte befindlichen Gitterkopie bezogen werden. Die optische Distorsion des Fernrohr-
objektives wird durch Vergleichung der Messungen bekannter Vergleichssterne ermittelt, wobei angenommen werden kann, daß bis etwa 40′ Bildwinkel die Distorsion gleich Null zu setzen ist.

---

[1]) Science, Bd. 17, S. 323.
[2]) Astron. Nachrichten, Bd. 176, S. 391.
[3]) „On the Distortion of Photographic Films" 1907.
[4]) Observations of the Planet Eros 1900—1901, gedruckt 1908.

Interessant ist der Einfluß dieser Fehler auf die Resultate. Der Planet wurde im Meridian und nahe der größten östlichen und westlichen Digression beobachtet; als Grenze der Zenitdistanzen war 60^0 festgesetzt worden; die größte Parallaxe konnte hierbei $30''$ werden. Es waren zweierlei Vergleichssterne nötig: hellere „Referenzsterne", deren Positionen durch Meridianbeobachtungen sichergestellt waren, und schwächere „Vergleichssterne", die an die früheren angeschlossen wurden. Im ganzen waren 197 Platten mit dem 13-Zöller und 153 Platten mit dem 26-Zöller erhalten worden; im allgemeinen waren auf jeder Platte je vier Expositionen zwei von 3 Minuten und zwei von 2 Minuten gemacht, so daß von jedem Stern vier Bilder in einem Quadrate erhalten wurden. Jedes der vier Erosbilder wurde von einem Beobachter A an Bild 1 und 2 des Vergleichssternes angeschlossen, und ebenso jedes der vier Erosbilder von einem Beobachter B an die Bilder 3 und 4 der Vergleichssterne.

Die Reduktion ergab aus den Beobachtungen am 13-Zöller ohne Anbringung der Netz- und Objektivfehler für den Wert der Sonnenparallaxe $8''766$, nach Anbringung der Korrektionen den Wert $8''800$. Nachdem heute nur mehr die dritte Dezimale dieser Konstanten unsicher ist, so ist der erste Wert um etwa $1/_{30}''$ unrichtig: absolut genommen allerdings ein recht kleiner Fehler, aber doch so groß, daß der ohne Berücksichtigung der Korrektionen erhaltene Wert als absolut unzulässig angesehen werden muß.

Daß diese Umstände bei astronomischen Beobachtungen eine große Rolle spielen und nicht übersehen werden dürfen, ist also klar: Es wäre aber doch fraglich, ob diese hier erwähnten Umstände auch für geodätische Aufnahmen in Betracht zu ziehen sind. Wenn auch hierfür den Plattenverziehungen kein besonderes Gewicht beizulegen ist, weil der Betrag für geodätische Aufnahmen keinesfalls größer wird, wie für astronomische, so gilt nicht dasselbe für die Distorsion der Objektive. $1/_{30}''$ wäre wohl kaum ein in Betracht zu ziehender Wert, allein der wahre Messungsfehler der Erosparallaxe geht in die Sonnenparallaxe verkleinert ein, und dem Fehler von $1/_{30}''$ in der Sonnenparallaxe entspricht ein etwa dreimal größerer Wert in der direkten Messung. Noch wichtiger aber ist es, daß astronomische Objektive bis zu einem Bildwinkel von 1^0 bis höchstens $1^1/_2^0$ beansprucht werden, während bei terrestrischen Aufnahmen Bildwinkel von 12^0 bis 15^0 ganz gewöhnlich sind, ja auch solche von 25^0 und mehr vorkommen, und ob hier die Distorsion nicht recht merklichen Einfluß hat, ist bisher noch gar nicht untersucht worden, und wäre es vielleicht am besten, jedes für photogrammetrische Aufnahmen bestimmte Objektiv auf astronomischem Wege (durch Aufnahmen von Sternen, deren Distanzen bekannt sind) zu prüfen [1]).

Die anderen bereits erwähnten Fehler: Fehler der Orientierung der Platten beim Aufnehmen, beim Vermessen, die Fehler im Skalenwerte,

---

[1]) Ein einfacher Weg hierzu wäre ein gutes, auf Teilungsfehler untersuchtes Gitter zu photographieren, und das Photogramm zu vermessen; mit der hier zulässigen Vernachlässigung der Schichtverzerrungen gäbe dieses Verfahren unmittelbar die Objektivverzerrung.

können hier nur kurz erwähnt werden; sie werden aus der Gesamtheit der aufgenommenen Sterne, mit Zugrundelegung von Fundamentalpositionen, die durch Meridiankreisbeobachtungen oder Heliometermessungen erhalten wurden, ermittelt.

Noch müssen aber, wenigstens kurz, einige andere Fehler erwähnt werden. Die Schraubenfehler sind nicht immer verschwindend und müssen unter allen Umständen untersucht werden. Scheiner fand ferner schon 1892 bei der Ausmessung des Sternhaufens M 13 eine Abhängigkeit bei der Einstellung auf Objekte größerer Dimensionen: es wird nicht auf den wahren Mittelpunkt eingestellt, sondern auf einen Punkt, dessen Abstand von der Mitte eine Funktion der Größe des Objektes ist. Wahrscheinlich hängt dies auch mit der Verlängerung der Objekte in der radialen Richtung zusammen, welche in der bereits erwähnten Entstehung eines kurzen Spektrums[1] verursacht wird.

Endlich ist nicht zu vergessen, daß die Platten dieselbe Temperatur wie das Rohr haben müssen, da sonst bei länger dauernden Aufnahmen Änderungen in den Dimensionen der Platten auftreten müßten und müssen daher die Platten längere Zeit vor der Benützung in dem Beobachtungsraume sein. Schließlich wird die Platte bei einer anderen Temperatur gemessen, als sie exponiert wurde, und es muß eine diesbezügliche Korrektion an die direkten Messungsresultate angebracht werden.

IV.

Aus der Fülle der Resultate möge zuerst das die Form unseres Begleiters, des Mondes betreffende, hervorgehoben werden. Für den Mond brauchen die großen Refraktoren nicht durch ihre Lichtstärke zu wirken, wodurch selbst bei ganz kurzer Belichtung Schleier entstehen würden, sondern durch ihre große Brennweite, um möglichst große Mondbilder zu geben. Die großen Objektive werden daher abgeblendet. An der Licksternwarte z. B. wird das Objektiv von 91 cm freier Öffnung für die Mondaufnahmen auf 20 cm abgeblendet. Bei 15 m Brennweite gibt dies Bilder von 12 cm Durchmesser. Trotzdem bleiben die Photographien hinter der Erwartung zurück. Am Equatorial coudé der Pariser Sternwarte von 73 cm Öffnung wurden die Originalnegative 14- bis 15fach vergrößert, auf einen Durchmesser der Scheibe von etwa 2$\frac{1}{2}$ m. Seit 1902 werden auch in Bonn Aufnahmen mit einer Brennweite von nahe 12·5 m gemacht, so daß das Mondbild etwas über 10 cm hat.

Die Mondphotographien der Licksternwarte wurden zum Teile nach Prag geschickt und dort wurden nach dem Auge Einzeichnungen gemacht, die aber den Wunsch nicht unterdrücken lassen, daß möglichst Mittel und Wege gefunden würden, welche diese Handarbeit durch genaue photographische Reproduktionen ersetzen würden.

1893 hatte Franz eine Reihe von Platten der Licksternwarte in Königsberg mit dem Repsoldschen Meßapparate vermessen, um die Frage

[1] Siehe S. 242.

nach der Abweichung der .Mondoberfläche von der sphärischen Gestalt zu
entscheiden.·

Vorauszuschicken.ist, daß schon .1859 Gussew auf zwei Aufnahmen des
Mondes..von Warren de la Rue die Entfernungen einiger Mondkrater maß
und daraus eine Verlängerung des Mondes gegen die Erde bis 7·3%, im
Mittel 5·5% ·fand.

In seiner schönen Arbeit „Die.Figur des Mondes" [1]) untersuchte .Franz
diese Frage neuerdings mit den wesentlich genaueren Mitteln, die uns jetzt
zu Gebote stehen. Die Grund-
lagen bildeten fünf Aufnahmen
der Lickstenwarte aus den
Jahren 1890 und 1891; ein Gitter
war nicht auf den Platten. Die
Methode läßt sich kurz folgendermaßen darstellen. Sei (Fig. 21)
M_1 der Mittelpunkt des einen
Bildes; der ihm auf dem zweiten
Bilde entsprechende Punkt M_1'
(nach links verschoben); sei ebenso M_2 der
Mittelpunkt des zweiten Bildes und M_2' der ihm
auf der ersten Platte entsprechende Punkt.
Durch die beiden Punkte M_1 M_2 läßt sich ein
größter Kreis legen, und die auf diesen bezogenen
Koordinaten nennt Franz die Schnittlängen
und Schnittbreiten. Die beiden Figuren
können durch Drehung um eine durch den Mondmittelpunkt gehende, zur Ebene des Schnitt-
kreises senkrechte Achse ineinander übergeführt
werden; da der Rotationswinkel für alle Punkte

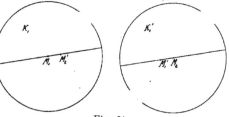

Fig. 21.

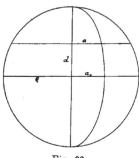

Fig. 22.

derselbe sein muß, so wird für einen Krater
K_1 K_1' die Höhe aus der linearen Verschiebung erschlossen werden können.
Reduziert man jede Distanz a vom Mittelmeridian (Fig. 22) auf die lineare
Drehung a_0 im größten Kreise nach der Formel

$$a_0 - a = a \left(\tfrac{1}{2} \frac{d^2}{\varrho^2} + \frac{3}{8} \frac{d^4}{\varrho^4} \right),$$

(wenn ϱ der dieser Aufnahme entsprechende Mondhalbmesser ist), zu
welchem Zwecke der Abstand d an einer Nebenskala gemessen wird, so
erhält man den Bogen a im größten Kreise, der für gleich hoch gelegene
Punkte eine gleiche Differenz ergeben muß, für höher gelegene Punkte
jedoch eine größere. für tiefer gelegene eine kleinere. .Im ganzen wurden
62 Punkte bestimmt, und Isohypsen in der Entfernung von je. 70 (der
Messung zugrunde gelegten) Einheiten = 1200 m Höhe, gezogen. Eine reguläre
Form des Mondes hat sich nicht ergeben. Die Verlängerung des Mondes

---

[1]) Astronomische Beobachtungen auf der königl. Universitätssternwarte zu Königsberg 1899.

gegen die Erde fand sich $+ 0.0014 \pm 0.00390$, also etwa 0.1%, d. i. unmerklich klein (der wahrscheinliche Fehler größer als der erhaltene Betrag selbst); hingegen ergaben sich beträchtliche Höhendifferenzen in selbst benachbarten Gebieten (vgl. Fig. 23). Der ganze südliche (in der Figur obere) Teil des Mondes erhebt sich um fast 2000 m über das mittlere Niveau, der ganze nördliche (untere) Teil ist um ebensoviel tiefer als das Durchschnittsniveau[1]). Weitere Details in dieser Richtung sind zu erwarten, wenn hier die Messungen auf zahlreichere Punkte mit dem Raumbildausmesser ausgedehnt würden.

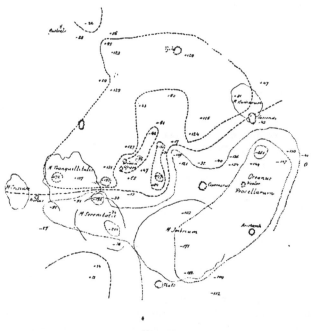

Fig. 23.

Für die Details der Planeten Mars, Jupiter, Saturn hat die Photographie vorläufig noch keine besonders bemerkenswerten Resultate ergeben; nur die Vermessungen der Aufnahmen der Spektra, welche schon von Huggins 1874 begonnen worden waren, lieferten bemerkenswerte Resultate, welche gesammelt in der Arbeit von H. C. Vogel „Neue Untersuchungen über die Spektra der Planeten"[2]) wiedergegeben sind.

Über die Verwendung der Photographie zur Entdeckung und Identifizierung von kleinen Planeten wurde schon früher das Wichtigste erwähnt.

Die Aufnahmen von Kometen mahnen zur Vorsicht. Schon 1893 bemerkte M. Wolf in Heidelberg aus Aufnahmen des Kometen Swift, daß der

---

[1] Also umgekehrt der Konfiguration der Erdoberfläche, wenn man auf dieser die Meere der südlichen Halbkugel ausgeschöpft denkt.

[2] Abhandlungen der königl. preuß. Akademie der Wissenschaften Berlin 1895.

Schweif schon während der Belichtung von einer Stunde sein Aussehen änderte und daß man daher von Kometenschweifen nur Momentaufnahmen in kurzen Zwischenzeiten machen sollte[1]). Hierzu bemerke ich, daß sich für Ortsbestimmungen des Kometenkopfes kein Nachteil ergeben würde; denn wenn auch bei diesem derartige rasche Veränderungen stattfinden würden, so gäbe dies wohl Veränderungen im Lichtschwerpunkt; dann ist aber die photographische Aufnahme zu Ortsbestimmungen besser geeignet als die visuelle Beobachtung, weil sie eine mittlere Position gibt, während die visuelle einem momentanen Zustande entspricht, der sich von dem mittleren auch beträchtlich entfernen kann, wie dies schon H. C. Vogel als besonderen Vorzug der photographischen Aufnahmen ausspricht[2]).

Bezüglich der Aufnahmen von Fixsternen liegt schon ein gewaltiges Beobachtungsmaterial vor. Einen Überblick mögen die folgenden Zahlen geben: Auf der Harvard-Sternwarte (Cambridge, Massachusetts) waren 1903 insgesamt 76.000 Platten aufgenommen. Für die Durchmusterung des südlichen Himmels waren am Kap 609 Platten mit zusammen 1,028.410 Sternen aufgenommen und von Kapteyn vermessen worden. Für · die photographische Himmelskarte ergaben die 1893 begonnenen Arbeiten in Potsdam:

1895: 380 Platten aufgenommen, 46 vermessen, Zahl der Sterne: 11.750
1897: 781   „   „   .   117   ,.   „   „   „   41.‹00
1898: 893   „   :: 　 149   „   „   „   „   63.000

Eine wichtige, sich daran knüpfende Untersuchung ist die über Parallaxen der Fixsterne. Hierzu wurden auch schon die Platten von Rutherfurd herangezogen; doch darf hier nicht unerwähnt bleiben, daß H. Jacoby aus den Aufnahmen von β Cygni eine beträchtliche Parallaxe fand, während sich aus den Heliometermessungen in Königsberg und am Yale-College-Observatory eine kaum merkliche Parallaxe ergab.

Charles Pritchard[3]) untersuchte die Parallaxen von 29 verschiedenen Sternen an einem 13-zölligen Refraktor ohne Netz und kommt zu dem Schlusse, daß die Genauigkeit der Resultate mindestens so groß ist, wie diejenige bei anderen Beobachtungsmethoden.

Zu einem bemerkenswerten Resultate führte die Neubestimmung der Parallaxe des Sternes 61 Cygni in Potsdam 1891: es fanden sich Unregelmäßigkeiten, die auf einen oder mehrere Begleiter schließen lassen; doch scheinen hierbei Distorsionen und Plattenänderungen noch nicht berücksichtigt.

Eine ganz neue, weittragende Methode für Parallaxenbestimmungen ergab sich in einem 1889 von Kapteyn gemachten Vorschlage, der ebenfalls zuerst von Donner in Helsingfors in Anwendung gebracht wurde, während die Ausmessung der Platten wieder Kapteyn vornahm[4]). Sie besteht darin,

---

[1]) Vierteljahrsschrift der Astron. Gesellschaft, Bd. 28, S. 180.
[2]) „Untersuchung über Eigenbewegung der Sterne im Visionsradius auf spektrographischem Wege". Publikationen des astrophysikalischen Observatoriums, Potsdam 1892.
[3]) Researches on Stellar Parallaxes by the aid of Photography, Oxford 1889 und 1892.
[4]) „The Parallax of 248 Stars of the region around B. D. + 35° 4013". Publikationen des Astronomical laboratory at Groningen. 1. Heft. 1900. Nach derselben Methode untersuchte H. Zeipel die Parallaxe von 50 Sternen in der Umgebung von Σ 443.

daß auf derselben Platte zu drei um je ein halbes Jahr voneinander
entfernten Epochen Aufnahmen derselben Gegend gemacht werden; eine
Aufnahme a, dann zwei Aufnahmen b, b' in derselben Richtung verschoben
nach einem halben Jahre und eine Aufnahme c nach einem weiteren halben
Jahre, so daß a, b, b', c nahe in gerader Linie sich befinden; erst dann
werden die Platten entwickelt. Die Zwischenzeiten werden nun allerdings
nicht gleich sein und die Aufnahmen nicht genau in einer geraden Linie;
nimmt man aber in der Richtung der wachsenden Rektaszensionen auf, so
werden die Abszissendifferenzen $x_2 - x_1 = p$, und $x_4 - x_3 = q$ an Stelle der
Rektaszensionsdifferenzen verwendet werden können, und der Ausdruck

$$v = \frac{t_2}{t_1} p - q$$

wenn t_2 und t_1 die Zwischenzeiten sind, muß unabhängig von der Eigenbewegung des Sternes sein. Dabei wird, wenn diese Werte für alle Sterne
bestimmt werden, die Parallaxe jedes Sternes auf das System aller, also auf
einen von Parallaxe freien Fixpunkt bezogen. Als mittleren Fehler einer
Parallaxe fand Kapteyn $\pm 0''025$; die Übereinanderlagerung von drei Aufnahmen zeigte sich nicht störend: Donner machte jede Aufnahme auf derselben Platte dreifach, so daß auf derselben Platte von jedem Stern zwölf
Bilder waren, ohne daß sich eine störende Übereinanderlagerung ergab.

Kapteyn äußert hierbei die Idee von einer allgemeinen parallaktischen Durchmusterung des Himmels, wie sie tatsächlich nur auf photographischem Wege möglich ist; und zwar sollen die Parallaxen aller Sterne
bis zur zehnten Größenklasse auf diese Weise bestimmt werden. Im ganzen
sind dies zirka 800.000 Sterne. Die Parallaxen werden natürlich nicht alle
reell sein; Kapteyn schließt auf Grund von Untersuchungen nach der
Wahrscheinlichkeitsrechnung, daß unter diesen 800.000 Sternen etwa 3000
eine Parallaxe $\geq 0''05$ und nur 450 eine solche $\geq 0''1$ haben werden. Von den
erhaltenen Parallaxen wird aber nur ein Teil reell sein; es müssen daher
alle Parallaxen $> 0''1$ neuerdings untersucht werden. Die hieraus folgende
Arbeit würde nach Kapteyn etwa den vierten Teil des ersten Teiles aus-
machen. In den Resultaten dieser Arbeit hat man, wieder nach den Regeln
der Wahrscheinlichkeitsrechnung zu erwarten, daß etwa für 650 Sterne sich
reelle Parallaxen $> 0''07$ ergeben würden, und diese müßten dann erst,
eventuell heliometrisch, genauer untersucht werden [1]).

Der große Vorteil dieses Vorganges ist klar. Gegenwärtig werden die
zu untersuchenden Sterne willkürlich herausgegriffen, wobei man sich hauptsächlich an diejenigen Sterne hält, die große Eigenbewegungen zeigen. Aber
große Eigenbewegung ist nicht immer mit großer Parallaxe verbunden, und
so entscheidet über die der Untersuchung zu unterziehenden Sterne ein

---

[1]) C. W. Wirtz „Kritische Bemerkungen über neue Methoden der Entfernungs-
bestimmungen der Fixsterne", Naturwissenschaftliche Rundschau, Bd. 19, S. 105, geht aber
entschieden zu weit, wenn er die Anwendung von Heliometermessungen für die Zukunft
ausschließen will; auf diesem Standpunkte können wir, wenigstens jetzt noch nicht stehen.
Gegenwärtig müssen sich Photographie und Heliometermessungen noch gegenseitig unterstützen.

durchaus unmaßgebliches Kriterium, während bei der parallaktischen Durchmusterung sich, wenigstens mit großer Wahrscheinlichkeit, die weitaus größte Mehrzahl der näher gelegenen Sterne offenbaren würden.

1893 begann Wilsing in Potsdam Aufnahmen von planetarischen Nebeln zum Versuche von Parallaxenbestimmungen; ein Unternehmen, das noch vor 20 Jahren mit den visuellen Hilfsmitteln als völlig aussichtslos hätte bezeichnet werden müssen. Allerdings führten die Messungen der 1894 vorgenommenen Aufnahmen des planetarischen Nebels B. D. $+41^0$. 4004 zu einer innerhalb der Fehlergrenze liegenden negativen Parallaxe. Mehr Glück — es kommt ja auch hier wesentlich darauf an, welchen Nebel man eben wählt; der eine hat eben eine unmeßbare Parallaxe, ein anderer vielleicht eine meßbare — hatte Bohlin 1905/06. Aus 64 Aufnahmen des Andromedanebels erhielt er die Parallaxe in drei Serien: $0''08$, $0''20$, $0''19$, im Mittel $0''17$[1]) Gerade der Andromedanebel aber hat eine sehr kleine Eigenbewegung, so daß sich hieraus zeigt, daß die Bewegung des Nebels in nahe derselben Richtung und mit nahe derselben Geschwindigkeit stattfindet, wie diejenige des Sonnensystems.

Zur Bestimmung der Eigenbewegungen der Fixsterne könnten Platten verglichen werden, die um längere Zeiträume voneinander getrennt sind. W. Förster[2]) ist zwar der Meinung, daß die gleichzeitige Besichtigung von Sternaufnahmen, welche durch viele Jahre getrennt sind, kein rechtes Bild von der Bewegung der Sterne gibt; dies bezieht sich aber nur auf das durch die zwei Aufnahmen bestimmte Raumbild; der räumliche Effekt der Zusammenstellung zweier Zustände bewegter Objekte wird überhaupt keinen Maßstab für die Verschiebung geben; wenngleich er zur scharfen Einstellung im Raumbildausmesser mit Vorteil benutzt werden kann; die Ableitung der Resultate muß aber von Fall zu Fall aus den Messungen vorgenommen werden[3]).

Wie bekannt, sind es die Resultate über die Eigenbewegungen der Fixsterne, welche u. a. zu theoretischen Erörterungen kosmologischer Natur führen. So hat 1902 D. Gill[4]) aus den Vergleichungen des photographischen Kap-Kataloges mit anderen eine Drehung der hellen Sterne als Ganzes zu finden vermeint; er bemerkt, daß auch Carpenter aus Oxforder Platten ein ähnliches Resultat erhalten hätte. Seeliger wendet sich jedoch gegen diese Schlußfolgerung; er findet keinen Anlaß, eine solche Drehung zu vermuten, und weist darauf hin, daß Gill bei den Sternen vierter Größe die Eigenbewegung ganz eliminiert hat, bei den Sternen achter Größe aber vollständig beibehielt.

Kapteyn hingegen findet, daß die Sternenwelt nicht einfach ist, sondern aus mindestens zwei in relativer Bewegung gegeneinander begriffenen

---

[1]) „Versuch einer Bestimmung der Parallaxe, des Andromedanebels": Publikationen des Stockholmer Observatoriums, Bd. 8, 1907.

[2]) „Die Anwendung des stereoskopischen Prinzips auf Himmelserscheinungen". Mitteilungen der Freunde der Astronomie und kosmischen Physik, Bd. 20, S. 104.

[3]) Dies gilt denn auch von Mondaufnahmen.

[4]) Preliminary Note on an apparent rotation of the brighter fixed Stars as a whole. Astron. Nachrichten, Bd. 159, S. 118.

Sternensystemen gebildet wird. Jedenfalls sind hier erst die ersten Anfänge gelegt und werden erst künftige, weit ausgedehntere Untersuchungen sichere Schlüsse zu ziehen gestatten.

Ähnlich verhält es sich mit den aus den Untersuchungen der Sternspektra erschlossenen Eigenbewegungen im Visionsradius. Hier möchte ich zunächst auf eine wenigstens in einer Richtung sehr verdienstvolle Arbeit hinweisen: Spectra of bright Stars, photographed with the 11-inch Draper-Telescop, discussed by Anthonia C. Maury under the Direction of Eduard C. Pickering.

Es sind 4800 Spektralaufnahmen von 681 Sternen, eine um so verdienstlichere Arbeit, als alle Linien wirklich gemessen sind. Die daraus gezogenen Resultate, eine Einteilung der Sterne in 22 Gruppen, von denen jede drei Untergruppen enthält, die selbst wieder in Teilgruppen zerfallen, so daß im ganzen 154 Klassen entstehen, ist aber als durchaus verfehlt zu bezeichnen. Selbst Pickering scheint die Schlüsse von Miß Maury nicht zu billigen, denn er sagt im Vorworte, daß für die angegebene Klassifikation Miß Maury allein verantwortlich sei. Scheiner sprach sich direkt gegen dieselbe aus; ebenso Dunér, Wolf u. a. und nur Schwarzschild hatte sich für dieselbe ausgesprochen.

Seit 1898 liegen von Pulkowa Spektralaufnahmen von Fixsternen behufs Bestimmung der Eigenbewegungen im Visionsradius vor. Schon 1899 waren von etwa 150 Sternen 400 Spektralaufnahmen gemacht und auch vermessen worden.

1896 wurde in Potsdam begonnen, die Spektra aller Fixsterne (bis etwa zur 5. Größenklasse), die der ersten Spektralklasse angehören, zu photographieren. In den Publikationen des Astrophysikalischen Institutes 1899 waren bereits die Resultate von spektrographischen Aufnahmen von 528 Sternen (wovon allerdings 66 der II. und 3 der III. Klasse angehörten) mitgeteilt. Die Bestimmung der Bewegung im Visionsradius nach der photographischen Methode gestaltet sich relativ einfach. Es wird ein Objektivprisma verwendet, und die Aufnahmen in zwei um 180° verschiedenen Stellungen desselben vorgenommen, oder es wird das Fernrohr mit der Platte um 180° gedreht. Dann werden auf den Platten die Spektra so nahe als möglich aneinander gebracht. Ein Stern mit bekannter Bewegung im Visionsradius wird als Vergleichsstern gewählt; jede Messung für einen anderen Stern gibt die doppelte Verschiebung. Die Photogramme im Harvard College Observatory (Cambridge, Massachusetts) ergaben bei einer Skala von $52''6 = 1$ mm aus den für diese Versuche gemachten Plejadenaufnahmen $1''$ Verschiebung $= 70$ km und da man auf $0''1$ genau messen kann, so ist der Fehler innerhalb der Grenze ± 3.5 km [1]).

Pickering wählte, wie erwähnt, einen bekannten Stern als Vergleichsstern; es scheint mir aber von Vorteil, die Methode auch dort anzuwenden, wenn auf der Platte kein Stern mit bekannter Bewegung im Visionsradius ist, indem man eine der von Kapteyn für die parallaktische Durchmusterung

---

[1]) Astron. Nachrichten, Bd. 171, S. 138.

ähnliche Methode wählt: Alle Sterne werden vermessen und es werden die Verschiebungen auf das Mittel von allen Sternen bezogen.

Relativ gering ist die Ausbeute für die Vermessungen von Doppelsternen. 1894 verwendete Hagen den Photochronographen zur photographischen Aufnahme von Doppelsternen; als Grenze wurde aber die sechste Größenklasse und 3″ Distanz gefunden; in der Tat wurden nur weite Doppelsterne beobachtet; darunter zwischen 3″ und 4″ : 4 Sterne

$$4'' \quad „ \quad 10'' : 5 \quad „$$
$$10'' \quad „ \quad 20'' : 3 \quad „$$
$$20'' \quad „ \quad 30'' : 2 \quad „$$

und $\varepsilon^1 \varepsilon^2$ Lyrae, der mit $3^1/_2'$ Distanz eigentlich nicht mehr zu den Doppelsternen zu zählen ist.

Auch Pritchard und Kapteyn sind der Ansicht, daß die photographische Methode für die Lösung dieser Aufgaben noch nicht brauchbar ist[1]); die Objekte sind zu eng. In den Greenwicher Beobachtungen von 1903 finden sich z. B. visuelle Beobachtungen von 453 Doppelsternen mit Distanzen kleiner als 0″5, darunter 6 mit Distanzen kleiner als 0″2, und zwar:

Σ 2367,	Distanz 0″19	Llde 5468	Distanz 0″17
$\varkappa$ Pegasi	„ 0·19	ε Hydrae	„ 0·16
20 Persei	„ 0·18	19 Draconis	„ 0·13

hingegen nur fünf photographisch bestimmte, und zwar:

ξ Urs. maj.,	Distanz 14″3 ·	γ Leonis,	Distanz 3″5
β 815	„ 9·5	ξ Urs. maj.	„ 2·2
γ Virginis	„ 5·8		

Bedeutend günstigere Resultate sind bezüglich der Aufnahmen von Sternhaufen zu verzeichnen. Gould hatte in Cordoba (Argentinien) 1872 mit dem auf dem Transporte zerbrochenen und zusammengekitteten Objektive von Rutherfurd von 28·6 cm Öffnung eine Durchmessung von Sternhaufen auf der südlichen Halbkugel begonnen. Erst 1875 traf ein neues Objektiv ein; bis 1882 waren 1194 photographische Platten von Sternhaufen erhalten worden. Auch hier waren anfänglich nasse Kollodiumplatten in Verwendung, bis dann auf der Sternwarte selbst die in Südamerika damals nicht erhältlichen Trockenplatten hergestellt wurden. Die Messungen — ausschließlich Positionswinkel und Distanzen — konnten erst nach der definitiven Rückkehr Goulds nach Nordamerika 1885 begonnen werden und waren 1895 beendigt; der Druck aber war 1896 bei dem Tode Goulds noch nicht vollendet.

Zahlreich sind die seither ausgeführten Beobachtungen und Messungen. Doch sind wir auch hier mit der Anwendung der Photographie an einer Grenze angekommen. Scheiner hatte den großen Sternhaufen im Hercules, M. 13[2]) gewählt, um „ein sicheres Bild über die tatsächliche Struktur dieses, von verschiedenen Beobachtern so verschieden dargestellten Objektes zu

---

[1]) Astron. Nachrichten, Bd. 145.
[2]) Abhandlungen der kgl. preuß. Akademie der Wissenschaften, Berlin 1892.

erhalten .... und anderseits, weil die Sterne sehr dicht stehen und wahrscheinlich in kurzer Zeit sich Veränderungen zeigen werden". Der Sternhaufen, der in den Henryschen Aufnahmen von 1887 in seiner Mitte nur eine teilweise Auflösung erfahren hatte, erscheint bei den Potsdamer Aufnahmen „bis ins Innerste in Sterne aufgelöst; dabei ist jedoch der Raum zwischen den einzelnen Sternen der mittleren Partie bis zu etwa 2' Abstand vom Zentrum noch mit Nebel ausgefüllt und die schwächsten Sterne werden noch vom Nebel verdeckt". In der Mitte sind auch hier noch die Sterne dicht aneinandergrenzend und teilweise nicht mehr zu trennen; nach Scheiner ist M. 13 als die äußerste Grenze dessen zu bezeichnen, was die damalige Photographie noch aufzulösen vermochte.

Weitere Fortschritte sind aber nur eine Frage der Zeit und heute sind schon Refraktoren von bedeutend größerer Brennweite konstruiert. Auch die Teleskope werden sich hier, sowie bei der Aufnahme von Nebelflecken, da es sich eben um Aufnahmen in der Nähe der Mitte des Gesichtsfeldes handelt, gut bewähren. Hat doch schon 1894/95 Scheiner im Orionnebel durch mikroskopische Messung 85 hervorragende Punkte festgelegt und so können wir gerade von der messenden Photographie, der Photogrammetrie in dem bleibenden Bilde auf der Platte gegenüber dem vergänglichen visuellen noch in der Zukunft weitgehende Aufschlüsse erwarten.

Le problème général de la Photogrammétrie et de la Perspective en Coordonnées projectives.

Par José M" Torroja, Docteur és Sciences à Madrid.

I. Méthode générale.

Le problème général de la Photogrammétrie et de la Perspective peut bien être énoncé de la manière suivante: „deux projections d'une figure à partir d'un point sur un plan connu étant données chercher une nouvelle projection de la même figure d'un nouveau point sur un nouveau plan". C'est une question bien simple de Géométrie descriptive, et elle a été étudiée sous cet aspect premièrement par l'illustre général et académicien Mr. Antonio Torrero (1862), chef d'études et professeur d'Astronomie et de Geódésie de l'Ecole d'Etat-Major d'Espagne et par le savant Dr. Guido Hauck (1883), professeur à l'Ecole Technique Supérieure de Berlin-Charlottenbourg et après par nombre de savants de tous pays, dont les travaux sont bien connus par les lecteurs de l' „Archiv".

Les méthodes usuelles de la Géométrie Descriptive et de la Géométrie Analytique proposées pour la résolution de ce problème dans le cas général sont très pénibles et son application pratique résulte fort ennuyeuse, sauf au cas le plus simple dans lequel les centres de projection sont les points à l'infini des arêtes du trièdre formé par les trois plans correspondants de projection.

En nous bornant à ce cas particulier si nous représentons par y, z, z', x', x'', y'' les coordonnées des trois projections m, m', m'' d'un point M sur les plans YZ, ZX, XY, nous pourrons écrire:

$$y = y'', \quad x'' = x', \quad z' = z$$

et pourtant trois des coordonnées,

$$y, \quad z = z', \quad x$$

des deux projections m et m', étant données nous pouvons immédiatement écrire les coordonnées x'' et y'' de la troisième projection m'', et la fixer dans son plan sans qu'aucun calcul soit pour cela nécessaire.

L'idée se présente incessamment de généraliser cette propriété, l'appliquant au cas le plus difficile, où les centres O, O' et O'' sont des points proprement dits dont la position nous est fixée arbitrairement par rapport au trièdre formé par les trois plans de projection S, S' et S''.

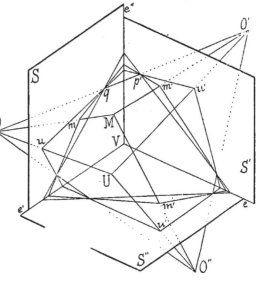

Désignons par p, q, p', q', p'', q'' les traces des cotés du triangle $O\,O'\,O''$ avec les faces de ce trièdre et donnons leur le nom de „points principaux” des plans où ils sont situés. Deux quelconques des projections m et m', par exemple, d'un point M sont avec celui-ci et avec les centres correspondants O et O' dans un plan, coupant aux plans S et S' suivant deux droites $q\,m$ et $p'\,m'$ (Fig. 1). Ces droites ont le point commun ε'', qui est la trace du plan qui vient d'être déterminé

Fig. 1.

avec l'arête e'' du trièdre $S\,S'\,S'$: cette arête sera désignée par le nom d'axe des deux plans qui la contiennent. Cela posé, les deux faisceaux de droites d'union de chacun des points principaux q et p' avec chacun des m et m' (projections d'un même point M), sont perspectifs, son axe perspectif étant e''.

C'est la même remarque qu'on peut faire pour les faisceaux formés par les droites qui passent par les centres q' et p'' et par les différents points des figures planes S' et S'', et pour les faisceaux projetant les figures S'' et S; respectivement, des points principaux q'' et p.

Ces remarques nous permettent de déterminer une des projections, S'' par exemple, d'une figure quelconque, les deux autres S et S' étant données. Il suffit, pour y réussir, de joindre au point principal p la projection m de chaque point M, et au point principal q' la projection m' du même

18*

point M: les rayons homologues de ces deux droites dans les faisceaux de centres q'' et p'' déterminent par leur rencontre la projection cherchée m''.

Donc, pour construire une troisième projection d'une figure quelconque, deux autres en étant données, il faut seulement définir la projectivité entre chaque pair de faisceaux de centres q et p', q' et p'', q'' et p, points que nous désignons sous le nom de points principaux contraires.

Nous avons étudié dans un travail antérieur[1]) quelques unes des manières de définir cette raison projective, soit par des procédés géométriques, soit par des voies analytiques: dans ces lignes nous nous proposons de développer une nouvelle solution, qui a été déjà indiquée dans l'article que nous venons de citer. Elle est très simple et consiste seulement à considérer comme des rayons homologues dans chaque couple de faisceaux de centres contraires, les deux rayons situés sur chacun des plans contenant le coté du triangle $O\,O'\,O''$ qui joint ces deux centres là. Ce procédé équivaut à l'emploi du système des coordonnées qu'on désigne en Géométrie Analytique sous le nom de „Coordonnées projectives".

Prenons par tétraèdre de référence celui qui a pour sommets les centres O, O' et O'' et le sommet V du trièdre formé par les trois plans S, S' et S'', et choisissons un point fixe quelconque U, dont les trois projections u, u' et u'' nous soient connues. Pour déterminer un point quelconque M, il suffit de connaître les valeurs des trois rapports anharmoniques.

$$O'\,O''\,.\,(V\,O\,M\,U)=\mu;\quad O''\,O.\,(V\,O'\,M\,U)=\mu';\quad O\,O'\,(V\,O''\,M\,U)=\mu'',$$

puisqu' il est possible d'en déduire immédiatement la situation des plans $O'\,O''\,M$, $O''\,O\,M$ et $O\,O'\,M$ qui se coupent au point commun cherché M.

La projection du point M du centre O sur le plan S est sur la droite $O\,M$, commune aux plans $O\,O'M$ et $O\,O''M$; la projection du même point du centre O' sur le plan S' est sur la droite $O'M$, commune aux plans $O'OM$ et $O'O''M$ et, finalement la projection de M du centre O'' sur le plan S'' est sur la droite $O''M$, arête du dièdre formé par les plans $O''OM$ et $O''O'M$. Donc, les projections m et m' sont situées sur le plan $O\,O'\,M$, les projections m' et m'' sur $O'\,O''\,M$ et les projections m'' et m sur $O''\,O\,M$, comme nous avions supposé pour établir la projectivité de chaque couple de faisceaux contraires.

Pour déterminer les points du plan S en coordonnées projectives, nous les rapporterons au triangle $V\,p\,q$ comme de triangle de référence et au point u (projection de l'U que nous avions pris auparavant) comme point fixe ou point unité. Chacune des coordonnées du point m sera le rapport anharmonique d'un des faisceaux de droites des centres q et p, sections respectivement des faisceaux de plans d'arêtes $O\,O'$ et $O\,O''$ pour les plans S' et S''. Une chose tout analogue peut-être répétée pour les deux autres plans S' et S''.

Soit v et ξ, ζ, et ξ', ζ' et v'' ces coordonnées projectives: celles appartenant à chaque couple de points principaux contraires q et p', q' et p'', q'' et p ont la même valeur, comme étant des rapports anharmoniques du

¹) Fundamento Teórico de la Fototopografía. Publié dans la „Revista de la Real Academia de Ciencias de Madrid". Vol. VI, Nr. 5, 6, 7 et 8. Nov. et Déc. 1907 et Jan. et Févr. 1908.

même faisceau de plans dont les arêtes sont respectivement $O\,O'$, $O'\,O''$ et $O''\,O$: c'est à dire que $v = v''$, $\xi'' = \xi'$, $\zeta' = \zeta$. Do'nc les valeurs v, $\zeta \doteq \zeta'$, ξ des rapports anharmoniques des faisceaux déterminant; en coordonnées projectives les points m et m' étant donnés, nous pouvons immédiatement déterminer les faisceaux $p''\,.\,Vq''\,m''\,u''$ et $q''\,.\,Vp''\,m''\,u''$, dont les rayons $p''\,m''$ et $q''\,m''$ fixent le point cherché m'', troisième projection du point M à partir du centre O'' sur le plan S'' comme étant les projections de M sur les plans S, S' à partir des centres O et O'.

Il est question de chercher la plus simple manière de calculer les valeurs de ces rapports anharmoniques.

Pour obtenir, par exemple, la valeur du rapport anharmonique du faisceau p. $Vq\,m\,u$, dont trois rayons $p\,v$, $p\,q$ et $p\,u$ sont toujours les mêmes pour tous les points m, nous pouvons couper ce faisceau par une droite v parallele à un des rayons, $p\,u$ par exemple (Fig. 2): cela fait que le rapport anharmonique dont nous cherchons la valeur se réduise à un rapport simple $\dfrac{\beta}{\alpha}$, dont il suffit de mesurer un des termes, puisque la différence

$\beta - \alpha$ est constante, quelleque soit la positiou du point m.

Il est facile de voir qu'on peut appliquer une construction semblable au faisceau q'. $Vp'\,m'\,u'$ et nous aurons avec ceci, comme des valeurs équivalentes aux antérieu-

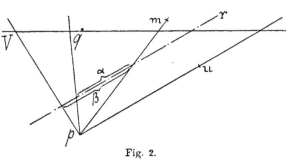

Fig. 2.

res connues, celles des rapports anharmoniques q''. $Vp''\,m'\,u''$ et p''. $Vq''\,m''\,u''$, dont trois rayons de chacune nous sont connus et nous pouvons déterminer le quatrième de chaque faisceau, soit $q''\,m''$ et $p''\,m''$, en les construisant par un moyen analogue à ce qui a été employé pour les faisceaux des centres p et q. Le point où les droites $q''\,m''$ et $p''\,m''$ se coupent est la projection demandée m''.

II. Cas Particuliers.

Cas de la Photogrammétrie dans lequel deux photographies sur deux plaques verticales étant données, on demande la détermination de la Planimétrie du terrain photographié.

Dans ce cas le plan S'' de l'épure est perpendiculaire aux S et S' des plaques: le centre de projection O'' correspondant au plan topographique est le point á l'infini des verticales; les points priücipaux p et q' se confondent avec ce point-ci; et les q'' et p'' sont les projections ortogonales des centres O et O' sur le plan S'. Les cotés du triangle $O\,V\,O'$ et trois droites verticales passantes par ses sommets sont les arêtes du tétraèdre cité (Fig. 3).

Nous allons étudier les changements qu'on doit introduire dans les constructions expliquées ci-dessus. Les rapports anharmoniques des faisceaux de droites parallèles se mesurent sur les sections produites dans chacune d'elles, par une droite quelconque, qui pourra bien être l'arête Vq, ou Vp', de la plaque photographique correspondante avec le plan S' ou une droite parallele à celles-ci. Les rapports anharmoniques des faisceaux des centres q'' et p'', que nous voulons déterminer ont la même valeur, respectivement, que ceux des sections produites par Vq' dans le faisceau de centre p et par Vp', dans le faisceau de centre q'. C'est pour simplifier ces rapports anharmoniques de points que nous pouvons prendre comme point (U) de référence un point arbitrairement choisi parmi ceux qui sont sur la droite commune aux plans passant par O et O' et parallèles respective-

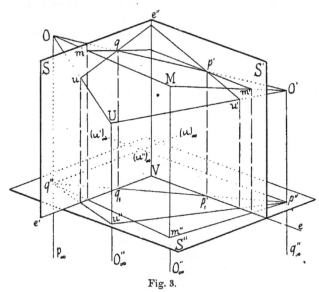

Fig. 3.

ment aux plans S et S'. En effet les projections (u) et (u') d'un point choisi de cette manière sont des points à l'infini et nous pouvons écrire:

$$p \, . \, Vq_1 \, m_1 \, (u_1)_\infty = \frac{m_1 \, V}{m_1 \, q_1} : \frac{(u_1)_\infty \, V}{(u_1)_\infty \, q_1} = \frac{m_1 \, V}{m_1 \, q_1},$$

$$q' \, . \, Vp_1' \, m_1' \, (u_1')_\infty = \frac{m_1' \, V}{m_1' \, p_1'} : \frac{(u_1')_\infty \, V}{(u_1')_\infty \, p_1'} = \frac{m_1' \, V}{m_1' \, p_1'},$$

et les valeurs de ces rapports étant connues, nous aurons celles des suivants qui sont équivalents.

$$q'' \, . \, Vq_1 \, m_1 \, (u_1)_\infty = \frac{m_1 \, V}{m_1 \, q_1} \qquad q'' \, . \, V p_1' \, m_1' \, (u_1')_\infty = \frac{m_1' \, V}{m_1' \, p_1}.$$

Remarquons eu premier lieu, que la connaissance de chacune de ces fractions exige la mesure d'une seule longueur, parce que les distances Vq

et Vp sont constantes. Donc, le premier de ces rapports peut être écrit sous la forme

$$\frac{m_1 V}{m_1 q_1} = \frac{m_1 q_1 + c}{m_1 q_1} = 1 + \frac{c}{m_1 q_1},$$

$c = q\ V$ étant une grandeur que l'on mesure une seule fois pour toutes.

Le point (U) n'est pas représenté dans aucune des deux vues photographiques, mais il a été choisi parce que son emploi facilite considérablement les constructions à réaliser. Nous pourrions également prendre un des points de la verticale coupante le plan S'' au point commun aux droites qui unissent q'' et p'' respectivement avec les milieux des segments $q'' V$ et

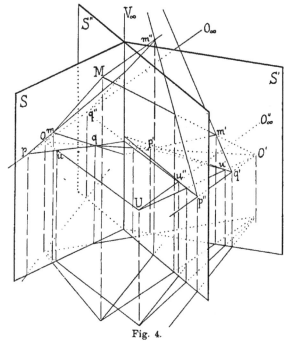

Fig. 4.

Vp''; dans ce cas les rapports $\dfrac{(u_1)\, V}{(u_1)\, q_1}$ et $\dfrac{(u_1')\, V}{(u_1')\, p_1'}$ sont équivalents à l'unité négative et les rapports anharmoniques du cas général se réduisent à de simples rapports.

Adaptation de la méthode générale au cas de la Photogrammétrie avec des vues sur des plans verticaux étant question, de déterminer l'Altimétrie du terrain reproduit sur celles-ci.

Le problème de la détermination des cotes des points du terrain se réduit à chercher une projection orthogonale de ces points sur un plan vertical quelconque qui peut être pour simplifier les constructions, conduit par la droite commune aux plans des plaques qui contiennent les vues photographiques données.

Dans ce cas les trois arêtes du trièdre $SS'S''$ se confondent en une seule droite et nous pourrons choisir un de ses points quelqu'il soit, pour remplacer le sommet V. Le centre de projection O correspondant au plan altimétrique est le point à l'infini ayant la direction perpendiculaire au plan S'', aucun des points principaux ne sont de points à l'infini, les droites unissant chaque couple de ces points situés sur un des plans S, S' et S''; concourent en un point de l'arête de ces trois plans. Le trièdre de référence a comme arêtes les cotés du triangles $OV_\infty O'$ et les parallèles à la direction de O_∞'' menées par les sommets de ce triangle.

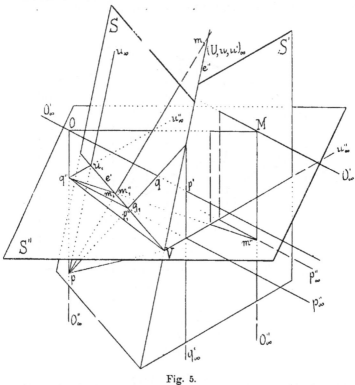

Fig. 5.

Ce sont ces positions particulières des différentes données du problème qui amènent les modifications de la méthode générale qui sont exposées ci-dessous. Les rapports anharmoniques des faisceaux de centres p et q' (Fig. 4) peuvent être déterminés en coupant le faisceau p par une droite parallèle à la pV_∞, et le q' par une autre parallèle à la même pV_∞, qui est également parallèle à la $q'V_\infty$; et toutes deux sont aussi parallèles aux bords verticaux des photographies S et S'. Dans le plan où nous allons construire la figure cherchée, nous couperons les faisceaux de centres q'' et p'' par des verticales parallèles aux rayons $q''.V_\infty$ et $p''V_\infty$ de ces mêmes faisceaux. Les rapports anharmoniques

$$p \cdot Vq\,m\,u = q'' \cdot \overline{V}p''\,m''\,u'' \quad \text{et} \quad q' \cdot \overline{V}p'\,m'\,u' = q'' \cdot \overline{V}q''\,m''\,u''$$

seront reduits, le point $\overline{V}$ étant à l'infini, aux simples rapports

$$\frac{m_1''\,u_1''}{m_1''\,p_1''} = \frac{m_1\,u_1}{m_1\,q_1} = 1 + \frac{c}{m_1\,q_1} \quad \text{et} \quad \frac{m_1''\,u_1''}{m_1''\,q_1''} = \frac{m_1'\,u_1'}{m_1'\,p_1'} = 1 - \frac{c_1}{m_1'\,p_1''}$$

c et c_1 ayant les valeurs $c = q_1\,u_1$ et $c_1 = p_1'\,u^{1'}$.

*

Adaptation de la méthode générale au cas de la Photogrammétrie dans lequel le plan et une élévation d'un objet quelconque étant donnés on demande de construire une projection centrale du même objet.

Pour adapter les constructions générales expliquées à ce cas particulier, représenté dans la figure 5, nous devons noter que les plans S' et S'' sont perpendiculaires; les centres O' et O'' qui leur correspondent sont les points à l'infini perpendiculaires à ceux-ci; ces mêmes points à l'infini sont les points principaux q'_∞ et q''_∞ qui déterminent une orientation perpendiculaire à la ligne de terre donnée e.

Nous choisirons comme point unité celui à l'infini de la droite e'' commune au plan de l'élévation S et à celui de la perspective que nous cherchons: le faisceau $p \cdot \overline{V}q\,m\,u_\infty$ peut être coupé par une parallèle à e' et son rapport anharmonique se réduira au rapport simple

$$\frac{m_1\,V}{m_1\,q_1} = 1 + \frac{V\,q_1}{m_1\,q_1} = 1 + \frac{c}{m_1\,q_1}$$

nous donnant la valeur du rapport anharmonique $q'' \cdot \overline{V}p''\,m''\,u''_\infty$ coupé par une parallèle à e'.

L'autre paire de faisceaux contraires q'_∞ et p''_∞ sera coupé par des parallèles à la ligne de terre e, qui sera connue sur les épures donnés: les deux points principaux sont des points à l'infini et les projections correspondantes u'_∞ et u''_∞ du point fixe U également des points à l'infini: donc, un des rayons de chaque faisceau est une droite à l'infini (celle de son plan respectif) et les rapports anharmoniques de ces faisceaux se réduisent aux rapports simples

$$\frac{m_1'\,V}{m_1'\,p_1} = 1 + \frac{V\,p_1'}{m_1'\,p_1'} = 1 + \frac{c}{m_1'\,p_1'} \quad \text{et} \quad \frac{m_1''\,V}{m_1''\,q_1''} = 1 + \frac{V\,q_1''}{m_1''\,q_1''} = 1 + \frac{c_1}{m_1''\,p_1''}.$$

Remarque: Nous avons coupé chaque paire de faisceaux contraires par des droites parallèles à celle d'intersection des plans sur lesquels ils sont situés, parce que ces droites sont, généralement hors des vues et très éloignées. Si en quelque cas particulier cela n'arrivait point il serait très avantageux d'employer chacune des arêtes du trièdre $S\,S'\,S''$ pour couper chaque couple de faisceaux des centres contraires, puisque les sections produites sont égales et au lieu de chercher les valeurs des rapports simples que nous avons substituées aux doubles, il faut seulement mesurer pour chacun des points cherchés deux longueurs et non quatre comme il était nécessaire dans le cas général.

Berechnung der Konstanten der Aufstellung aus inneren Daten.

Von Prof. Karl Fuchs in Preßburg.

(Fortsetzung.)

II.

Der erste Aufsatz, der unter diesem Titel erschienen ist, hat die Grundanschauungen und Grundgedanken geboten, von denen ich ausgegangen bin, und mancher Gedanke ist wohl angeregt und angedeutet, aber nicht durchgeführt worden. Im vorliegenden zweiten Teile sollen einige Gedanken durchgeführt werden; es ergibt sich dann eine wesentliche Vereinfachung der Rechnung.

Die Formeln des ersten Teiles würden ungleich handlicher, wenn wir vor Berechnung der Winkelkonstanten $\delta\,\vartheta\,\tau$ das Verhältnis der Basiskomponenten $X:Y:Z$ genau bestimmen und die Werte in die Formeln zur Berechnung von $\delta\,\vartheta\,\tau$ einsetzen könnten. Es soll nun in vorliegender Arbeit eine Methode angegeben werden, nach der man unabhängig von $\delta\,\vartheta\,\tau$ die Koordinaten $x_0\,y_0$ und $x_0'\,y_0'$ der beiden Kernpunkte K und K' genau berechnen kann. Nun gilt aber:

$$X:Y:Z = x_0:y_0:f.$$

Das gesuchte Verhältnis wird also schon durch den ersten Kernpunkt K bestimmt. Unsere Methode gibt also mehr, als wir von ihr verlangen, denn sie gibt auch den zweiten Kernpunkt K'.

Es soll dann auch noch eine zweite Methode entwickelt werden, die ursprünglich ebenfalls nur das Verhältnis $X:Y:Z$ geben wollte, die aber gleichsam als Accidens gleich auch die Winkel $\delta\,\vartheta\,\tau$ liefert, also die Aufgabe, die relative Lage der rechten Kammer zur linken zu bestimmen, gleich vollständig löst.

Beide Methoden führen zu einem Ausgleichsverfahren, dessen Bestimmungsgleichungen vier Unbekannte haben; diese Unbekannten berichtigen die angenäherten Koordinaten der beiden Kernpunkte.

Berechnung der Kernpunkte.

Die Kammern denken wir uns regellos aufgestellt. Die Projektionspole der beiden Kammern sind O und O', und deren Verbindungslinie ist die Basis B. Wenn wir die Basis zu einem Strahle B_0 verlängern, dann durchstößt B_0 die beiden Platten in zwei Punkten K und K', den Kernpunkten. Die Plattenkoordinaten von K wollen wir mit $x = m$ und $y = n$ bezeichnen, und analog die Koordinaten des zweiten Kernpunktes K' auf der zweiten Platte mit $x' = m'$ und $y' = n'$. Wenn wir durch die Kernachse B_0 eine Ebene E legen, dann schneidet sie die beiden Plattenebenen in zwei identen Strahlen G und G', die von den beiden Kernpunkten ausgehen. Wenn die Plattenebenen nicht zufällig vollkommen parallel sind, dann schneiden sie sich in einer Geraden A_0, der Schnittachse, und je zwei idente Strahlen $G\,G'$ schneiden sich in demselben Punkte q der Schnittachse. Wenn wir mehrere, z. B. sechs Ebenen $E_1\,E_2\ldots$ durch die Achse B_0 legen, dann erhalten wir sechs Paare identer Strahlen auf den beiden Plattenebenen. Die Strahlen $G_1 G_2$ ... gehen vom Kernpunkt K aus, die Strahlen $G_1' G_2'$ ... vom Kernpunkt K', und so sehen wir zwei Strahlenbüschel. Die koordinierten Strahlen p schneiden sich je in einem Punkte q der Schnittachse, und so erhalten wir in dieser Achse sechs Punkte $q_1 q_2$ ...

Es soll nun ein bekannter Satz von den Strahlenbüscheln kurz wiederholt werden (Fig. 1). Von einem Punkte K gehen sechs Strahlen $r_1 r_2$ ... aus, die eine Gerade A_0 in sechs Punkten $q_1 q_2$ ... schneiden. Den Winkel, den zwei Strahlen miteinander bilden, bezeichnen wir durch ein indiziertes α, so daß also b. w. α_{35} den Winkel zwischen r_3 und r_5 bedeutet. Analog bezeichnen wir Strecken auf A_0 durch indicierte a, so daß also a_{35} die Strecke $q_3 q_5$ bedeutet. Wenn K den Normalabstand h von A_0 hat, dann kann man den Flächeninhalt jedes Dreieckes, das seine Spitze in K und seine Basis in A_0 hat, auf zwei Arten bezeichnen, z. B.

$$r_3 r_5 \, sin \, \alpha_{35} = h \, a_{35}.$$

Wir schreiben nun drei Dreiecke an, die zusammen sämtliche Indices von 1 bis 6 enthalten, z. B.

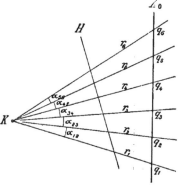

Fig. 1.

$$r_1 r_3 \, sin \, \alpha_{13} = h \, a_{13}$$
$$r_2 r_5 \, sin \, \alpha_{25} = h \, a_{25}$$
$$r_4 r_6 \, sin \, \alpha_{46} = h \, a_{46}$$

Wir schreiben auch eine zweite solche Gruppe an:

$$r_1 r_4 \, sin \, \alpha_{14} = h \, a_{14}$$
$$r_2 r_3 \, sin \, \alpha_{23} = h \, a_{23}$$
$$r_5 r_6 \, sin \, \alpha_{56} = h \, a_{56}$$

Wenn wir das Produkt der ersten drei Gleichungen durch das Produkt der letzten drei Gleichungen dividieren, fallen alle r und alle h aus; links bleibt eine Funktion $\varphi(\alpha)$ von lauter Winkeln α, und wir finden:

$$\varphi(\alpha) = \frac{a_{13} \, a_{25} \, a_{46}}{a_{14} \, a_{13} \, a_{56}}. \qquad (1)$$

Da diese Relation von r und h unabhängig ist, so gilt sie für jede beliebige Lage der Geraden A_0, oder für jede beliebige Gerade H, die wir durch das Strahlenbüschel legen. Wesentlich im Bau des rechten Bruches ist nur, daß im Zähler und Nenner genau dieselben Indices vorkommen; es dürfen auch Wiederholungen vorkommen, doch müssen es oben und unten dieselben sein; die Gruppierung der Indices ist ganz gleichgiltig. Nun haben wir auf den beiden Platten zwei Strahlenbüschel, die A_0 an denselben Punkten $q_1 q_2$ ... schneiden. Die Relation (1) (oder eine verwandte) gilt daher sowohl für jede Gerade H, die das Büschel der ersten Platte schneidet, als auch für jede Gerade H', die das Büschel der zweiten Platte schneidet; wir werden für H die y-Achse der ersten Platte, für H' die y-Achse der zweiten Platte wählen.

Eine Relation vom Typus (1) kann man auch für acht oder zehn ..., für n Strahlen aufstellen; man hat dann im Zähler und Nenner je 4, 5 ... n Faktoren. Die geringste mögliche Strahlenzahl ist vier, und bei dieser Zahl wollen wir bleiben. Wir wollen für die beiden y-Achsen das Streckenverhältnis in folgender Form schreiben:

$$\frac{a_{12}\,a_{34}}{a_{13}\,a_{24}} = \frac{a_{12}'\,a_{34}'}{a_{13}'\,a_{24}'}\,, \qquad (2)$$

Die linke Seite bezieht sich auf die linke (erste) Platte, die rechte Seite auf die rechte (zweite) Platte.

Es sollen nun für die Größen a Ausdrücke entwickelt werden. Die Fig. 2 zeigt einen Kernstrahl G, der durch den Kernpunkt K von den Koordinaten $m\,n$ und durch den Bildpunkt p von den Koordinaten $x\,y$ geht und die y-Achse in der Höhe a im Punkte q schneidet. Die Richtungstangente des Strahles ist bestimmt durch

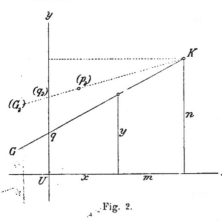

Fig. 2.

$$\frac{n-y}{n_1-x}$$

und für a finden wir den Ausdruck

$$a = n - m \cdot \frac{n-y}{m-x}.$$

Zwei Bildpunkte p_1 und p_2 geben so zwei Schnittpunkte q_1 und q_2 in den Höhen a_1 und a_2. Die Strecke $q_1\,q_2$ oder a_{12} ist dann bestimmt durch:

$$a_{12} = a_2 - a_1 = m\left(\frac{n-y_1}{m-x_1} - \frac{n-y_2}{m-x_2}\right).$$

Die Differenz der beiden Brüche ist

$$\frac{(n-y_1)\,(m-x_2) - (n-y_2)\,(m-x_1)}{(m-x_1)\,(m-x_2)}.$$

Der Zähler kann auch so geschrieben werden:

$$n\,(x_1-x_2) - m\,(y_1-y_2) - (x_1\,y_2 - x_2\,y_1) \qquad (3)$$

was wir symbolisch so schreiben können:

$$n\,x_{12} - m\,y_{12} - x\,y_{12}. \qquad (4)$$

Wenn wir in dieser Weise die vier Größen der linken Seite von (2) ausdrücken, dann fällt viel weg und es bleibt:

$$\frac{(n\,x_{12} - m\,y_{12} - x\,y_{12})\,(n\,x_{34} - m\,y_{34} - x\,y_{34})}{(n\,x_{13} - m\,y_{13} - x\,y_{13})\,(n\,x_{24} - m\,y_{24} - x\,y_{24})} = \dots \qquad (5)$$

Die rechte Seite ist ganz so gebaut, nur sind alle Buchstaben gestrichelt.

In der Praxis laufen die Kernstrahlen auf den Platten ziemlich horizontal und konvergieren sehr schwach. Wenn die Kammerachsen normal zur

Basis stehen, wie man es ja meistens anstrebt, dann konvergieren die Strahlen überhaupt nicht. In der Praxis ist darum m meist sehr groß. Die Rechnung wird viel handlicher, wenn wir sämtliche Faktoren in (5) mit m dividieren. Das erste Polynom sieht dann so aus:

$$\frac{n}{m} \cdot x_{12} - y_{12} - \frac{1}{m} \cdot xy_{12} \qquad (6)$$

Der Koeffizient von x_{12} ist die Tangente des Richtungswinkels α des Kernpunktes K. Der Koeffizient des letzten Gliedes ist der reziproke Wert von m. Wenn also m immer größer wird, dann wird das letzte Glied immer kleiner und fällt schließlich ganz aus der Rechnung. Wir wollen für $tg\,\alpha$ und den reziproken Wert von m die Buchstaben t und u einführen:

$$\frac{n}{m} = t \quad \frac{1}{m} = u \qquad (7)$$

Dann lautet der Bruch (5) so:

$$\frac{(t\,x_{12} - u\,x\,y_{12} - y_{12})\,(t\,x_{34} - u\,x\,y_{34} - y_{34})}{(t\,x_{13} - u\,x\,y_{13} - y_{13})\,(t\,x_{24} - u\,x\,y_{24} - y_{24})} = \ldots \qquad (8)$$

Die vollständige Gleichung enthält dann die vier Unbekannten

$$t\,u\,t'\,u' \qquad (9)$$

die die Lage der beiden Kernpunkte auf den beiden Platten bestimmen, und sie enthält die Plattenkoordinaten von vier Paaren identer Punkte; wir können sagen, sie beanspruche eine Tetras von identen Punkten. Wenn wir in die Gleichung (8) nacheinander die Koordinaten von vier Tetraden einsetzen, dann erhalten wir vier Bestimmungsgleichungen, durch die die vier Unbekannten $t\,t'\,u\,u'$ bestimmt sind. Leider können wir die Unbekannten aus den vier Gleichungen nicht auch berechnen, und wir müssen ein Näherungsverfahren einschlagen.

Auf einem vorliegenden Plattenpaare können wir ohne besondere Mühe beliebig viel Paare identer Strahlen auffinden. Aus diesen Strahlen können wir ziemlich genau die Koordinaten $m\,n\,m'\,n'$ der Kernpunkte $K'\,K'$ bestimmen, und aus diesem Werte finden wir nach (7) ziemlich genaue Werte der Unbekannten $t\,t'\,u\,u'$.

Die vier Klammerausdrücke in (8) wollen wir durch indizierte a bezeichnen. Es gilt also

$$a_{12} = t\,x_{12} - u\,x\,y_{12} - y_{12}. \qquad (10)$$

Wenn t und u angenäherte Werte sind, so sind die genauen Werte $t + \varDelta t$ und $u + \varDelta u$; und wenn wir mittels t und u nach (10) einen angenäherten Wert a_{12} berechnet haben, dann ist der genaue Wert $a_{12} + \varDelta a_{12}$. Es gilt also:

$$a_{12} + \varDelta a_{12} = (t + \varDelta t).x_{12} + (u + \varDelta u)\,x\,y_{12} - y_{12}.$$

Daraus ergibt sich:

$$\varDelta a_{12} = x_{12}\,\varDelta t - x\,y_{12}\,\varDelta u. \qquad (11)$$

Den Bruch (8) können wir so schreiben, wenn wir die einzelnen Polynome durch angenäherten Wert und Korrektion ausdrücken:

$$\frac{(a_{12} + \varDelta\, a_{12})\,(a_{34} + \varDelta\, a_{34})}{(a_{13} + \varDelta\, a_{13})\,(a_{24} + \varDelta\, a_{24})}. \tag{12}$$

Wenn wir die angenäherten Werte herausheben, dann wird hieraus bei Vernachlässigung quadratischer Kleinheiten:

$$\frac{a_{12}\,a_{34}}{a_{13}\,a_{24}}\left(1 + \frac{\varDelta\, a_{12}}{a_{12}} + \frac{\varDelta\, a_{34}}{a_{34}} - \frac{\varDelta\, a_{13}}{a_{13}} - \frac{\varDelta\, a_{24}}{a_{24}}\right). \tag{13}$$

Der erste Bruch in der Klammer lautet vollständiger so:

$$\frac{\varDelta\, a_{12}}{a_{12}} = \frac{x_{12}}{a_{12}}.\varDelta\, t - \frac{x\, y_{12}}{a_{12}}.\varDelta\, u. \tag{14}$$

Da die Brüche stets in Zähler und Nenner gleich indiziert sind, so können wir symbolisieren:

$$\frac{x_{12}}{a_{12}} = \xi_{12} \qquad \frac{x\, y_{12}}{a_{12}} = \xi\, \eta_{12}. \tag{15}$$

Wenn wir diese Bezeichnungsweise durchführen, dann nimmt der Klammerausdruck in (13) die Form an:

$$1 + \left(\begin{array}{c}+\,\xi_{12} + \xi_{34}\\ -\,\xi_{13} - \xi_{24}\end{array}\right).\varDelta\, t - \left(\begin{array}{c}+\,\xi\, \eta_{12} + \xi\, \eta_{34}\\ -\,\xi\, \eta_{13} - \xi\, \eta_{24}\end{array}\right).\varDelta\, u. \tag{16}$$

Die Glieder in den Klammern zeigen dieselbe Anordnung der Indices. wie die Faktoren des Bruches

$$A = \frac{a_{12}\,a_{34}}{a_{13}\,a_{24}} \tag{17}$$

in (15). Wir symbolisieren nun:

$$X = \left(\begin{array}{c}+\,\xi_{12} + \xi_{34}\\ -\,\xi_{13} - \xi_{24}\end{array}\right) \qquad XY = \left(\begin{array}{c}+\,\xi\, \eta_{12} + \xi\, \eta_{34}\\ -\,\xi\, \eta_{13} - \xi\, \eta_{24}\end{array}\right). \tag{18}$$

Ganz dieselben Entwicklungen können wir mit der rechten Seite von (8) durchführen. Wir finden dieselben Ausdrücke, nur ist alles gestrichelt. Die Gleichung, deren linke Seite (13) ist, erhält dann die folgende äußere Form:

$$A\,(1 + X.\varDelta\, t - XY.\varDelta\, u) = A'\,(1 + X'.\varDelta\, t' - XY'.\varDelta\, u'). \tag{19}$$

Das können wir auch so schreiben:

$$\frac{A}{A'} - 1 = (XY.\varDelta\, u - X.\varDelta\, t) - (XY'.\varDelta\, u' - X'.\varDelta\, t'). \tag{20}$$

Das ist nun die Fehlergleichung mit den vier Unbekannten $\varDelta\, u$ $\varDelta\, u$ $\varDelta\, t$ $\varDelta\, t'$, den Korrektionen der beiden Kernpunkte $K\, K''$. Um die Gleichung zu füllen, brauchen wir vier Paare identer Punkte, eine Tetras; die Gleichung ist dann eine Bestimmungsgleichung. Vier Tetraden geben vier Bestimmungsgleichungen, und das genügt zur Berechnung der vier Unbekannten. Diese vier Tetraden erfordern aber keineswegs 4×4 oder 16 Punktpaare. Es genügen fünf Punktpaare; wenn wir eines auslassen, bleibt eine Tetras. Zehn Punktpaare geben also einen Überschuß an Bestimmungsgleichungen und erlauben die Anwendung der Meth. d. Kl. Qu.

Wir verschaffen uns Erleichterungen, wenn wir die Punkte p auf der ersten Platte in der x-Achse oder in der y-Achse wählen, oder auf Geraden, die durch den Mittelpunkt U gehen, so daß. x und y das gleiche Verhältnis bewahren. Man muß die Punkte auf möglichst verschiedenen Stellen der Platten wählen.

Auf diese Weise berechnen wir mit beliebiger Genauigkeit die Koordinaten $m\,n\,m'\,n'$ oder $x_0\,y_0\,y_0'\,y_0'$ der Kernpunkte K und K' auf den beiden Platten. Für die Basiskomponenten $X\,Y\,Z$ gilt dann:

$$X : Y : Z = x_0 : y_0 : f \qquad (21)$$

und dieses Verhältnis genau zu berechnen, war ja unsere Absicht. Der große Nutzen dieser Kenntnis liegt darin, daß wir in unserer Grundgleichung, die im ersten Aufsatz entwickelt ist:

$$\frac{y - y'}{x - x'} = \frac{fY - yZ}{fX - xZ} \qquad (22)$$

für $X\,Y\,Z$ bestimmte Zahlenwerte einsetzen können, wodurch die Rechnung überaus vereinfacht wird. Das soll an einigen Beispielen gesagt werden.

Nehmen wir an, wir wären bei der Aufnahme bemüht gewesen, die Platten parallel zu stellen. Es läßt sich nicht vermeiden, daß sich bei der zweiten Kammer kleine Fehler $\gamma\,\vartheta\,\tau$ einschleichen. Wenn ein Bildpunkt p' auf der zweiten Platte die Koordinaten $x'\,y'$ zeigt, dann hätte er, wie an anderer Stelle gezeigt worden ist, bei fehlerfreier Kammerstellung andere Koordinaten $x''\,y''$ gezeigt, für die gilt:

$$x'' = \frac{x_0}{z_0} \qquad y'' = \frac{y_0}{z_0} \qquad (23)$$

$$\begin{aligned}
x_0 &= x' + f\,\delta - y'\,\tau \\
y_0 &= y' + x'\,\tau - f\,\vartheta \\
z_0 &= f + y'\,\vartheta - x'\,\delta
\end{aligned} \qquad (24)$$

Da die Grundgleichung (22) für fehlerfrei gestellte Platten gilt, so müssen wir in ihr für $x'\,y'$ die Werte $x''\,y''$ einsetzen. Wenn wir den rechten Bruch, in dem $X\,Y\,Z$ bekannte Zahlenwerte haben, mit (xy) bezeichnen, dann nimmt die Grundgleichung (22) durch die Substitution folgende Form an:

$$\frac{y\,(f + y'\,\vartheta - x'\,\delta) - (y' + x'\,\tau - f\,\vartheta)}{x\,(f + y'\,\vartheta - x'\,\delta) - (x' + f\,\delta - y'\,\tau)} = (x\,y). \qquad (25)$$

Das ist aber eine lineare Gleichung mit nur drei Unbekannten $\delta\,\vartheta\,\tau$, und es genügen drei idente Punktpaare; wenn wir ihre Plattenkoordinaten $x\,y\,x'\,y'$ nacheinander in (25) einsetzen, dann haben wir drei Bestimmungsgleichungen, aus denen $\delta\,\vartheta\,\tau$ berechnet werden können. Wenn wir (xy) durch K ersetzen, dann lautet (25) entwickelt so:

$$\begin{aligned}
o = &(yf - y' - xK + x'K) \\
&+ \delta\,(Kxx' + Kf - x'y) \\
&+ \vartheta\,(yy' + f + Kxy') \\
&+ \tau\,(-x' - Ky')
\end{aligned} \qquad (26)$$

Hier hat K für jedes Punktpaar einen anderen Wert.

Ein zweites Beispiel bieten die verschwenkten Platten. Wenn man mit konvergierten Achsen arbeitet, dann sind im allgemeinen die Fehler ϑ und τ klein, und nur δ hat einen beträchtlichen Wert. Um nun für δ einen angenäherten Wert zu finden, nimmt man $\vartheta = o$ und $\tau = o$. Man findet dann an Stelle der Gleichungen (24) die folgenden:

$$x_0 = x' \cos f + f \sin \delta$$
$$y_0 = y' \qquad\qquad\qquad (27)$$
$$z_0 = -x' \sin \delta + f \cos \delta.$$

Wenn wir jetzt in die Grundgleichung (22) für $x'y'$ die Werte $x''y''$ einsetzen, die wir bei fehlerfreier Kammerstellung hätten finden müssen, ergibt sich:

$$\frac{y\,(-x' \sin \delta + f \cos \delta) - y'}{x\,(-x' \sin \delta + f \cos \delta) - (x' \cos \delta + f \sin \delta)} = (x\,y). \qquad (28)$$

Das ist eine Gleichung mit zwei Unbekannten $\sin \delta$ und $\cos \delta$, und zwei idente Punktpaare liefern uns den angenäherten Wert von δ. Entwickelt lautet die Gleichung (28) so:

$$\begin{aligned} \sin \delta\,(K x x' + f K - y x') \\ + \cos \delta\,(x K - f x K + y f) \end{aligned} = y'. \qquad (29)$$

Berechnung der Basiskonstanten $X : Y : Z$, $\delta\,\vartheta\,\tau$.

Wenn wir auf den beiden Plattenbildern ein Paar identer Punkte $p_1\,p_1'$ betrachten, dann wissen wir, daß sie in identen Strahlen $G_1\,G_1'$ und in derselben Kernebene E_1 liegen. Wenn wir dann ein zweites Paar identer Punkte $p_2\,p_2'$ betrachten, dann wissen wir, daß diese in einem zweiten Paar $G_2\,G_2'$ identer Strahlen und in einer zweiten Kernebene E_2 liegen. Diese zwei Kernebenen bilden miteinander einen Winkel ε. Wir können den Winkel ε sowohl aus Elementen der ersten Platte, als auch aus Elementen der zweiten Platte berechnen. Das werden wir tun, und die beiden Ausdrücke für ε einander gleichsetzen. Wir können aus den Elementen der beiden Platten nach Belieben Ausdrücke für $\sin \varepsilon$ oder für $\cos \varepsilon$ oder für $tg\,\varepsilon$ entwickeln. Das Weitere wird sich geben.

Die Kernebene E_0, die durch den optischen Mittelpunkt U der ersten Platte geht, die also durch die Kernachse B_0 und die optische Achse der ersten Kammer gelegt ist, nennen wir die erste Hauptebene; analog nennen wir die Kernebene E_0', die durch den optischen Mittelpunkt U' der zweiten Platte geht, die zweite Hauptebene. Die beiden Hauptebenen bilden miteinander irgend einen Winkel γ. Die erste Hauptebene gibt auf der ersten Platte einen Strahl G_0, der durch den Kernpunkt U' und den Kernpunkt K geht und mit der x-Achse einen Winkel α bildet. In diesem Strahl G_0 liegt auch der Vektor r des Kernpunktes K, der von U' nach K gezogen ist. Analog gibt die zweite Hauptebene E_0' auf der zweiten Platte einen Strahl G_0', der durch U' und K' gehend mit der x-Achse einen Winkel α' bildet und den Vektor r' des Kernpunktes K' enthält. Auf der ersten Platte haben wir nun drei Strahlen $G_1 G_2 G_0$, die durch den Kernpunkt K gehen; der erste G_1 geht durch den Bildpunkt p_1, der zweite G_2 durch den Bildpunkt p_2, der dritte G_0 durch den Kernpunkt U. Diesen drei Strahlen entsprechen drei Kernebenen $E_1 E_2 E_0$ (Fig. 3). Wir werden nun einen Ausdruck suchen für den Winkel ε_1, den die Ebene E_1 mit E_0 macht; dann stellen wir auch den Ausdruck auf, der den Winkel ε_2 zwischen E_2 und E_0 bestimmt; der gesuchte Winkel ε ist dann die Differenz zwischen ε_1 und ε_2.

Das Analoge gilt dann für die zweite Platte; dort haben wir aber an Stelle der ersten Hauptebene E_0 die zweite Hauptebene E_0', also die drei Ebenen $E_1 E_2 E_0'$; wir werden die zwei Winkel ε_1' und ε_2' berechnen; ihre Differenz muß dann wieder gleich dem Winkel ε sein. Hiermit ist der Gang unserer Rechnung angedeutet.

Wir nehmen die erste Kammer vor. Durch den Kernpunkt U der Platte legen wir eine Ebene N, die normal steht zur Kernachse B_0. Diese Ebene N gibt auf der Platte eine Schnittlinie H, die auf dem Hauptstrahle G_0 senkrecht steht. Die Ebene N zeigt dann das Bild 3. Von einem Punkte B_0 der Kernachse aus gehen drei Strahlen, die Spuren der drei Ebenen $E_1 E_2 E_0$, und senkrecht zur letzten Spur steht die Spur der Platte P. Von B_0 zur Plattenspur gehen die drei Strecken $r_1 r_2 l_1$, von denen die dritte sich bestimmen läßt. Wir tun das auch. In Fig. 4 sehen wir ein rechtwinkliges Dreieck, das in der ersten Hauptebene liegt, und dessen Eckpunkte $O U K$ sind; seine Katheten sind also die Bildweite f und der Vektor r des Kernpunktes K. Bei O liegt der Winkel β,

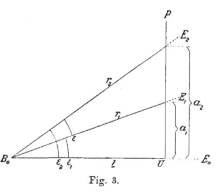

Fig. 3.

der Spreizwinkel, den die optische Achse der ersten Kammer mit der Kernachse bildet; er ist bestimmt durch:

$$tg\,\beta = \frac{r}{f}. \qquad (30)$$

Der Punkt B_0 ist der Schnittpunkt der Ebene H mit der Kernachse, und unsere Grundstrecke l ist bestimmt durch

$$l = f \sin \beta. \qquad (31)$$

In Abb. 3 bilden die Strahlen $E_1 E_2$ mit E_0 die schon erwähnten Winkel ε_1 und ε_2 und deren Unterschied ist ε. Dieselben Strahlen schneiden aus der Plattenspur P die von U abgemessenen Strecken a_1 und a_2 und es gilt:

$$
\begin{aligned}
a_1 &= l\,tg\,\varepsilon_1 & a_2 &= l\,tg\,\varepsilon \\
&= r_1 \sin \varepsilon_1 & &= r_2 \sin \varepsilon_2
\end{aligned}
\qquad (32)
$$

und für ε gelten die beiden gleichberechtigten Ausdrucke:

$$\sin \varepsilon = \sin (\varepsilon_2 - \varepsilon_1) \qquad tg\,\varepsilon = tg\,(\varepsilon_2 - \varepsilon_1).$$

Wir haben die Wahl, die Rechnung auf Grund des ersten oder des zweiten Ausdruckes durchzuführen. Wir wählen den ersten und entwickeln:

$$sin\ \varepsilon = sin\ \varepsilon_2\ cos\ \varepsilon_1 - cos\ \varepsilon_2\ sin\ \varepsilon_1.$$

Wir ersehen aus der Abb.:

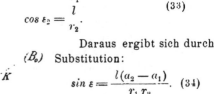

$$sin\ \varepsilon_1 = \frac{a_1}{r_1} \qquad cos\ \varepsilon_1 = \frac{l}{r_1}$$
$$sin\ \varepsilon_2 = \frac{a_2}{r_2} \qquad cos\ \varepsilon_2 = \frac{l}{r_2}. \tag{33}$$

Daraus ergibt sich durch Substitution:

$$sin\ \varepsilon = \frac{l(a_2 - a_1)}{r_1\ r_2}. \tag{34}$$

Die zweite Kammer liefert für $sin\ \varepsilon$ einen ganz analogen Ausdruck. Wenn wir, wie schon angedeutet worden, die beiden Werte von $sin\ \varepsilon$ einander gleich setzen, dann finden wir:

$$\frac{l\ (a_2 - a_1)}{l'\ (a_2' - a_1')} = \frac{r_2\ r_1}{r_2'\ r_1'}. \tag{I}$$

Diese Gleichung, die unseren weiteren Rechnungen zugrunde liegt, enthält zehn Größen; wir werden sie alle durch die beiden Vektoren $r\ r'$, durch deren Richtungswinkel $\alpha\ \alpha'$, durch die Bildweite f und durch die Plattenkoordinaten $x\ y\ x'\ y'$ von identen Punktpaaren ausdrücken; die Gleichung ist also von den Winkeln $\delta\ \vartheta\ \tau$ ganz unabhängig.

Fig. 4.

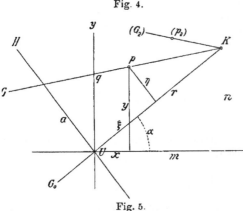

Fig. 5.

Wir entwickeln zuerst einen Ausdruck für ein a. In Fig. 5 hat der Bildpunkt p im Achsenkreuz $x\,y$ die Koordinaten $x\,y$; in dem Achsenkreuz aber, das durch die Spuren G_0 und H gebildet wird, hat er die Koordinaten $\xi\,\eta$. Wir erkennen nun die Proportion:

$$\frac{a}{\eta} = \frac{r}{r - \xi}. \tag{36}$$

Hier gilt:

$$\eta = y\ cos\ \alpha - x\ sin\ \alpha$$
$$\xi = y\ sin\ \alpha + x\ cos\ \alpha. \tag{37}$$

Es ist zweckmäßig, an Stelle des Vektors r dessen reziproken Wert

$$\varrho = \frac{1}{r}$$

in die Formeln einzuführen. Wenn nämlich der Spreizwinkel β sehr nahe ein Rechter ist, dann ist $r = f \, tg \, \beta$ sehr groß; das ist aber in der Praxis der gewöhnliche Fall. Eine sehr kleine Änderung von β verursacht dann eine sehr große Änderung von r, und das erschwert dann das Ausgleichsverfahren. Darum führen wir ϱ für r ein und es gilt dann:

$$\varrho = \frac{\cos \beta}{f}. \tag{38}$$

Dementsprechend schreiben wir Gleichung (36) so:

$$a = \frac{\eta}{1 - \varrho \, \xi}$$
$$= \frac{(y \cos \alpha - x \sin \alpha)}{1 - \varrho \, (y \sin \alpha + x \cos \alpha)}. \tag{39}$$

Bei a_1 setzen wir die Koordinaten $x_1 y_1$ eines Bildpunktes p_1, bei a_2 die Koordinaten $x_2 y_2$ eines Bildpunktes p_2 ein. Das Analoge gilt für die zweite Platte; dort haben wir auch ϱ' und α' für ϱ und α einzusetzen.

Für l und l' haben wir die Ausdrücke:

$$l = f \sin \beta \qquad\qquad l' = f \sin \beta' \tag{40}$$

wobei gilt:

$$\cos \beta = f \varrho \qquad\qquad \cos \beta' = f \varrho'. \tag{41}$$

Endlich brauchen wir noch Ausdrücke für $r_1 r_2 r_1' r_2'$. Für r_1 und r_2 gilt noch Fig. 3:

$$r_1{}^2 = l^2 + a_1{}^2 \qquad\qquad r_2{}^2 = l^2 + a_2{}^2. \tag{42}$$

Analog ergibt sich für die zweite Platte:

$$r_1'{}^2 = l'^2 + a_1'{}^2 \qquad\qquad r_2'{}^2 = l'_2{}^2 + a_2'{}^2. \tag{43}$$

Wenn wir in I für alle zehn Größen die eben entwickelten Ausdrücke einsetzen wollten, dann erhielten wir einen so verwickelten Ausdruck, daß wir mit ihm gar nichts anfangen könnten. Es ist unsere Absicht, aus den Plattenkoordinaten von zahlreichen identen Punktpaaren die Lage der beiden Kernpunkte $K K'$ auf den beiden Platten, also die vier Größen $r \, r' \, \alpha \, \alpha'$ zu berechnen. (Zunächst kommt es uns allerdings nur darauf an, den ersten Kernpunkt K zu berechnen, da dieser das gesuchte Verhältnis $X : Y : Z$ schon vollkommen bestimmt; diese Berechnung von K ergibt aber, wie wir sehen werden, von selbst auch die Größen r' und α'.) Nachdem nun die Formel I nach durchgeführten Substitutionen zu verwickelt ist, so verfahren wir folgendermaßen. Wir bestimmen zuerst praktisch, wie schon im ersten Aufsatz entwickelt worden ist, auf den beiden Platten mehrere Paare identer Strahlen $G G'$, und berechnen daraus angenäherte Werte der Richtungswinkel α und α'. Diese Winkel bestimmen die Richtung der Hauptstrahlen G_0 und G_0' auf den beiden Platten. In diesen Strahlen liegen die beiden Kernpunkte $K K'$ in den Abständen $r \, r'$ von den Mittelpunkten $U U'$. Diese Abstände $r \, r'$ könnten wir wohl kaum mit einiger Genauigkeit bestimmen, da in der Praxis die Kernstrahlen gewöhnlich sehr schwach konvergieren und $r \, r'$ sehr groß wird; wohl aber können wir genügend genau die reziproken

Werte von $r\,r'$, also die Größen $\varrho\,\varrho'$ berechnen. Aus ϱ und ϱ' aber finden wir noch auch die angenäherten Werte von β und β'. In weiterer Folge können wir mit Hilfe der schon entwickelten Formeln die angenäherten Werte von allen zehn Größen der Gleichung (I) für ein bestimmtes identes Punktpaar $p\,p'$ berechnen. Wir können die Werte auch für ein zweites, drittes, viertes Punktpaar berechnen, und gewinnen so das Material für ein Ausgleichsverfahren. Für dieses Ausgleichsverfahren sollen nun die Fehlergleichungen aufgestellt werden.

Wenn die Größen in I sämtlich fehlerhaft bestimmt sind, dann müssen wir die Formel mit berichtigten Größen so schreiben:

$$\frac{(l+\varDelta\,l)\,([a_2-a_1]+[\varDelta\,a_2-\varDelta\,a_1])}{\cdots\cdots} = \frac{(r_2+\varDelta\,r_2)\,(r_1+\varDelta\,r_1)}{\cdots\cdots}. \qquad (44)$$

Die Nenner brauchen wir nicht anzuschreiben, da sie genau so gebaut sind, wie die Zähler, nur sind die Buchstaben gestrichelt. Wenn wir die quadratischen Kleinheiten vernachlässigen, dann können wir (44) auch so schreiben, indem wir zuerst aus jeder Klammer das Nichtfehlerglied herausheben:

$$\frac{l\,(a_2-a_1)\left(1+\dfrac{\varDelta\,l}{l}+\dfrac{\varDelta\,a_2-\varDelta\,a_1}{a_2-a_1}\right)}{\cdots\cdots} = \frac{r_2\,r_1\left(1+\dfrac{\varDelta\,r_2}{r_2}+\dfrac{\varDelta\,r_1}{r_1}\right)}{\cdots\cdots}. \qquad (45)$$

Wenn wir alle Fehlerpolynome auf die rechte Seite schaffen, dann ergibt sich der folgende Ausdruck:

$$\begin{aligned}
\frac{l\,(a_2-a_1)}{l'\,(a_2'-a_1')}\cdot\frac{r_2'\,r_1'}{r_2\,r_1} = 1 &+ \frac{\varDelta\,r_2}{r_2}+\frac{\varDelta\,r_1}{r_1}\\
&- \frac{\varDelta\,r_2'}{r_2'}-\frac{\varDelta\,r_1'}{r_1'}\\
&- \frac{\varDelta\,l}{l}-\frac{\varDelta\,a_2-\varDelta\,a_1}{a_2-a_1}\\
&+ \frac{\varDelta\,l'}{l'}+\frac{\varDelta\,a_2'-\varDelta\,a_1'}{a_2'-a_1'}.
\end{aligned} \qquad (46)$$

Wir wollen nun die in diesem Ausdruck vorkommenden Fehler

$$\varDelta\,r_2\ \ \varDelta\,r_1\ \ \varDelta\,r_2'\ \ \varDelta\,r_1'\ \ \varDelta\,a_2\ \ \varDelta\,a_1\ \ \varDelta\,a_2'\ \ \varDelta\,a_1' \qquad (47)$$

als Funktionen der folgenden vier Fehler darstellen:

$$\varDelta\,\alpha\ \ \varDelta\,\alpha'\ \ \varDelta\,\varrho\ \ \varDelta\,\varrho'. \qquad (48)$$

Wir beginnen mit den Korrektionen $\varDelta\,a$. Wenn wir nach der Formel (39)

$$a = \frac{\eta}{1-\varrho\,\xi} \qquad (49)$$

aus fehlerhaften Größen $\eta\ \varrho\ \xi$ ein fehlerhaftes a berechnet haben, dann wird aus berichtigten Größen ein berichtigtes a nach folgender Formel gefunden:

$$a+\varDelta\,a = \frac{\eta+\varDelta\,y}{1-(\varrho+\varDelta\,\varrho)\,(\xi+\varDelta\,\xi)} \qquad (50)$$

Den Nenner können wir so schreiben:

$$1 - \varrho\,\xi - \varrho\,\varDelta\,\xi - \xi\,\varDelta\,\varrho.$$

Durch Herausheben wird dann aus (50):

$$a + \varDelta\,a = \frac{\eta\left(1 + \dfrac{\varDelta\,\eta}{\eta}\right)}{(1 - \varrho\,\xi)\left(1 - \dfrac{\varrho\,\varDelta\,\xi + \xi\,\varDelta\,\varrho}{1 - \varrho\,\xi}\right)} \tag{51}$$

$$= a\left(1 + \frac{\varDelta\,\eta}{\eta} + \frac{\varrho\,\varDelta\,\xi + \xi\,\varDelta\,\varrho}{1 - \varrho\,\xi}\right). \tag{52}$$

Für die Größen $\varDelta\,\xi$ und $\varDelta\,\eta$, die hier enthalten sind, finden wir durch Differentiation aus (37) die einfachen Werte:

$$\varDelta\,\xi = + \eta\,\varDelta\,\alpha \qquad \varDelta\,\eta = - \xi\,\varDelta\,\alpha. \tag{53}$$

Wenn wir diese Werte einsetzen, dann lautet der Klammerausdruck in (52) so:

$$1 + \left(\varrho\,a - \frac{\xi}{\eta}\right)\varDelta\,\alpha + \frac{\xi}{\eta}\,.\,\alpha^2\,\varDelta\,\varrho. \tag{54}$$

Für $\varDelta\,a$ ergibt sich also der Ausdruck:

$$\varDelta\,a = \left(\varrho\,a - \frac{\xi}{\eta}\right)a\,\varDelta\,\alpha + \frac{\xi}{\eta}\,.\,\alpha^2\,\varDelta\,\varrho. \tag{55}$$

Nach diesem Schema können alle vier α-Fehler in (46) durch die vier Fehler (48) der Kernpunkte ausgedrückt werden.

Nun wollen wir auch für die Fehler $\varDelta\,l$ und $\varDelta\,l'$ Ausdrücke suchen. Aus den beiden Gleichungen

$$l = f\,sin\,\beta \qquad cos\,\beta = f\,\varDelta\,\varrho \tag{56}$$

ergibt sich:

$$\varDelta\,l = f\,cos\,\beta\,\varDelta\,\beta \qquad \frac{-\varDelta\,\beta}{sin^2\,\beta} = f\,\varDelta\,\varrho. \tag{57}$$

Durch Elimination von $\varDelta\,\beta$ finden wir (wir schreiben auch $\varDelta\,l'$ an):

$$\begin{aligned} \varDelta\,l &= -f^2\,sin^2\,\beta\,cos\,\beta\,.\,\varDelta\,\varrho = -l^2\,cos\,\beta\,\varDelta\,\varrho \\ \varDelta\,l' &= -f^2\,sin^2\,\beta'\,cos\,\beta'\,.\,\varDelta\,\varrho' = -l'^2\,cos\,\beta'\,\varDelta\,\varrho'. \end{aligned} \tag{58}$$

Die Fehler $\varDelta\,\alpha$ und $\varDelta\,\alpha'$ kommen hier gar nicht vor.

Endlich berechnen wir auch die Korrektionen für die r-Größen. Laut gilt allgemein:

$$r_2 = l^2 + a^2. \tag{59}$$

Wenn wir aus falschen Werten l und a einen falschen Wert r berechnet haben, dann gilt für die fehlerfreien Werte:

$$(r + \varDelta\,r)^2 = (l + \varDelta\,l)^2 + (a + \varDelta\,a)^2$$

woraus sich durch normale Entwicklung ergibt:

$$r\,\varDelta\,r = l\,\varDelta\,l + a\,\varDelta\,a$$

oder

$$\varDelta\,r = \frac{l\,\varDelta\,l}{r} + \frac{a\,\varDelta\,a}{r}. \tag{60}$$

Ausdrücke für Δl und Δr haben wir aber bereits entwickelt.
Jetzt sind wir in der Lage, sämtliche Korrektionen durch die Korrektionen der Kernpunkte auszudrücken. Es ergibt sich dabei beispielsweise:

$$\frac{\Delta l}{l} = -l \cos \beta \, \Delta \varrho \qquad \frac{\Delta r}{r} = \frac{l \Delta l + a \Delta a}{r^2}.$$

Wenn wir die zahlreichen Glieder dann noch ordnen, dann nimmt die Gleichung (46) die Form an:

$$M_{12} = A_{12} \, \Delta a + A_{12}' \, \Delta a' + R_{12} \, \Delta \varrho + R_{12}' \, \Delta \varrho'. \tag{61}$$

Wenn wir in diesem sehr umfangreichen Ausdrucke nacheinander die Plattenkoordinaten von vier Doppelpaaren identer Punkte:

$$p_1 \, p_2 \, p_1' \, p_2' \qquad p_3 \, p_4 \, p_3' \, p_4' \qquad p_5 \, p_6 \, p_5' \, p_6' \, \ldots$$

einsetzen, dann gewinnen wir vier Bestimmungsgleichungen für die vier Unbekannten $\Delta \alpha \; \Delta \alpha' \; \Delta \varrho \; \Delta \varrho'$; wenn wir mehr Doppelpaare nehmen, können wir nach der Meth. d. Kl. Om. diese Korrektionen mit beliebiger Genauigkeit berechnen. Es ist klar, daß wir nicht für jede Bestimmungsgleichung durchaus neue Punkte zu nehmen brauchen. Wir überlegen so. Wir haben bisher zwei Kernebenen E_1 und E_2 angenommen und den Winkel E_{12} berechnet, den sie miteinander bilden. Wir können aber auch etwa fünf Kern ebenen $E_1 \, E_2 \ldots$ annehmen, die miteinander die konsekutiven Winkel

$$E_{12} \quad E_{23} \quad E_{34} \quad E_{45}$$

bilden. Diese fünf Ebenen entsprechen fünf identen Punktpaaren:

$$p_1 \, p_1' \quad p_2 \, p_2' \quad p_3 \, p_3' \ldots$$

Daraus ergibt sich, daß wir die Gleichung für die konsekutiven Winkel aufstellen, und dementsprechend die Punkt-Doppelpaare kettenartig aneinander gliedern können:

$$p_1 \, p_2 \, p_1' \, p_2' \quad p_2 \, p_3 \, p_2' \, p_3' \ldots$$

Man kann sich auch noch andere Erleichterungen verschaffen. Man wählt b. w. Punkte p, die auf der ersten Platte in der x-Achse liegen, also $y = o$ haben, oder umgekehrt solche, die in der y-Achse liegen, also $x = o$ haben, oder solche, die gleiche und entgegengesetzte Koordinaten, oder Punkte, deren Koordinaten in gleichem Verhältnis stehen, die also in derselben durch U gelegten Geraden liegen usw.

Die Früchte unserer Arbeit sollen im folgenden Abschnitt besonders besprochen werden.

Ergebnisse.

Unsere Absicht war lediglich, genaue Werte für die Plattenkoordinaten

$$x_0 = r \cos \alpha \qquad y_0 = r \sin \alpha \tag{62}$$

des Kernpunktes K zu erhalten, denn es gilt:

$$X : Y : Z = x_0 : y_0 : f \tag{63}$$

und wenn wir das Verhältnis $X : Y : Z$ genau kennen, dann werden andere Formeln überaus vereinfacht. In Wirklichkeit gibt uns unsere Rechnung mehr als wir erwartet haben; sie gibt uns geradezu alles, was wir wissen wollen, die relative Lage der zweiten Kammer zur ersten, und das soll gezeigt werden.

Wenn wir die genauen Werte der Richtungswinkel α und α' der beiden Faktoren r und r' gefunden haben, dann kennen wir auch die **Verdrehung** τ der zweiten Kammer zur ersten:

$$\tau = \alpha' - \alpha \qquad (64)$$

wie schon im ersten Aufsatz erwähnt worden ist.

Wenn wir die genauen Werte der Vektoren r und r' gefunden haben, dann kennen wir auch die **Spreizwinkel** β und β', die die optischen Achsen der Kammern mit der Basis B bilden:

$$tg\,\beta = \frac{r}{f} \qquad tg\,\beta' = \frac{r'}{f'}. \qquad (65)$$

Wir haben jetzt auch den **Verwindungswinkel** γ in der Hand, d. i. der Winkel, den die beiden Hauptebenen E_0 und E_0' miteinander bilden, während sie sich in der Kernachse B_0 schneiden. Wir können jetzt nämlich die Winkel $\varepsilon_1 \varepsilon_1'$ berechnen, die eine Kernebene E_1 mit den beiden Hauptebenen bilden. Es gilt da:

$$tg\,\varepsilon_1 = \frac{a_1}{l} \qquad tg\,\varepsilon_1' = \frac{a_1'}{l'}. \qquad (66)$$

Der Verwindungswinkel γ ist offenbar die Differenz der genannten Winkel:

$$\gamma = \varepsilon_2' - \varepsilon_1.$$

Der Winkel γ ist sogar **vielfach** bestimmt, denn auch die Ebenen $E_2\,E_3 \ldots$ geben Werte von γ:

$$\gamma = \varepsilon_1' - \varepsilon_1 = \varepsilon_2' - \varepsilon_2 = \varepsilon_3' - \varepsilon_3 = \ldots \qquad (67)$$

Endlich haben wir auch noch die Verschwenkung δ und die Neigung ϑ der zweiten Kammer in der Hand, und das soll gezeigt werden. Die Rechnung dreht sich um ein Tetraeder in der ersten Kammer, das in Fig. 6 dargestellt ist, und das wir das **Verwindungstetraeder** nennen können. Seine Eckpunkte sind $O\,U\,A\,K$. Die Kante $O\,K$ ist die Kernachse B_0; in ihr schneiden sich die erste Hauptebene $(O\,U\,K)$ und die zweite Hauptebene $(O\,A\,K)$ unter einem Winkel γ. Der Punkt A ist der Punkt, wo die zweite Hauptebene die y-Achse der ersten Platte schneidet. Die Ecke O des Tetraeders ist in Fig. 6 teilweise gesondert gezeichnet, die obere Fläche $O\,U\,K$ aber ist in Fig. 7 gesondert gezeichnet.

Von dem Pol O aus ist in der zweiten Hauptebene E_0' (untere Seite des Tetraeders) eine Parallele f' zur optischen Achse der zweiten Kammer gezogen. Es gilt zunächst den Winkel φ zu berechnen, den f und f', also die optischen Achsen der beiden Kammern, miteinander bilden. Da f und f' mit der Kernachse (Fig. 6) die Winkel β und β' bilden, die beiden Hauptebenen aber miteinander den Winkel γ einschließen, so gilt:

$$cos\,\varphi = cos\,\beta\,cos\,\beta' + sin\,\beta\,sin\,\beta'\,cos\,\gamma. \qquad (68)$$

Diesen Winkel φ bilden also die beiden Kammerachsen miteinander und es gilt noch die Lage der Ebene (ff') zu bestimmen, in der dieser Winkel liegt. Diese Ebene (ff') schneidet die erste Platte in einer Geraden F, die von U ausgeht und durch den Punkt V geht, wo die Achse f die Platte durchstößt. Diese Ebene bildet mit dem Vektor r, der in der ersten Hauptebene liegt (Fig. 6, 7) einen Winkel Ψ, für den gilt:

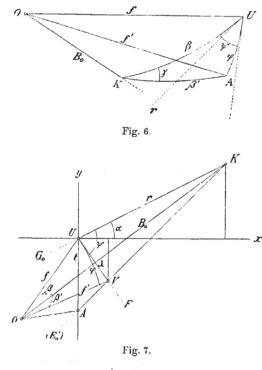

Fig. 6.

Fig. 7.

$$\frac{\sin \Psi}{\sin \beta} = \frac{\gamma \sin}{\sin \varphi}. \quad (69)$$

Jetzt ist die Lage des Durchstoßungspunktes V durch die zwei Winkel φ und Ψ vollständig bestimmt.

Mit der x-Achse der ersten Platte bildet also die Gerade F einen Winkel $\Psi - \alpha$ (Fig. 7), und in dieser Geraden F im Abstande $\lambda = f\,tg\,\varphi$ vom Kreuzpunkt U liegt der Punkt V, in dem die nach O verlegte optische Achse f' der zweiten Kammer die erste Platte durchstößt. Durch diesen Durchstoßungspunkt V ist aber die Verschwenkung δ und die Neigung ϑ der zweiten Kammer bestimmt: Es gilt nämlich:

$$\lambda \cos(\Psi - \alpha) = f\,tg\,\delta \quad (70)$$

$$\lambda \sin(\Psi - \alpha = \frac{f}{\cos \delta} \cdot tg\,\vartheta. \quad (71)$$

Jetzt kennen wir auch die drei Orientierungswinkel $\delta \vartheta \tau$ der zweiten Kammer, d. h. die relative Stellung der zweiten Kammer zur ersten ist vollständig bestimmt. Diese Stellung zu berechnen war ja aber unser letztes Ziel.

(Schluß folgt im II. Bande.)

Über die Photokatastral-Methode von Gautier.

Von Prof. E. Doležal in Wien.

Einleitung.

Bereits im Jahre 1887 begann der Ingenieur-Konstrukteur J. Gautier in Paris Versuche, um die Photographie in den Dienst der Katastralaufnahme zu stellen; er baute einen eigenen Phototheodolit, der in den Dimensionen: Bilddistanz, Plattenformat usw. so gehalten war, daß die Photogramme jene Schärfe und Genauigkeit boten, die für die Festlegung von Raumpunkten zu Katasterzwecken gefordert werden müssen; Gautier ordnete die Feldarbeit so an, daß eine unzweifelhaft sichere Identifizierung auf den Photogrammen erfolgen konnte, und gab auch Verfahren an, daß die in einem bestimmten Maße rekonstruierten Katasterpläne eine bequeme und sichere Vervielfältigung zuließen.

Gautier bezeichnete den von ihm angegebenen und erprobten Vorgang, wie die Photographie systematisch zur Herstellung von Katasterplänen zu verwerten wäre, als die Photokatastral-Methode (La méthode photo-cadastrale).

Seine ersten Versuche machte er in der Gemeinde Chesnay bei Versailles im Jahre 1887, wo er ein Areale im Ausmaße von 70 *ha* auf photographischem Wege festlegte.

Die gemachten Erfahrungen nutzte Gautier aus, um die photogrammetrischen Instrumente zu vervollkommnen und sein Verfahren auszugestalten; das Komitee der „Commission extraparlementaire du Cadastre", welches sich mit dem Studium der Vorarbeiten für eine rationelle neue Katastralaufnahme Frankreichs unter der Leitung von Lallemand befaßte, bewilligte Gautier eine Subvention von 5000 Fr., damit er die begonnenen photogrammetrischen Versuche fortsetzen könnte. Offiziere des Geniestabes und auch solche von der Institution „Service géographique de l'armée" wurden den Versuchen beigezogen und beteiligten sich an den Versuchsarbeiten Gautiers, und zwar im Jahre 1893 auf dem Territorium von Vaucouleurs im Departement Meuse, bei welchen eine Fläche von 600 *ha* photogrammetrisch aufgenommen wurde, und im folgenden Jahre 1894 in der Gemeinde Saint-Cyr-l'École im Departement Seine-et-Oise.

Um seine Probearbeiten abschließen, um vornehmlich die Dauer und Kosten der Arbeiten sicher einschätzen und sonst ein abschließendes Urteil gewinnen zu können, führte Gautier im Jahre 1894 in der Gemeinde Fontenay-le-Fleury (Seine-et-Oise) eine letzte Versuchsaufnahme aus, diesmal ohne jede Beteiligung von Interessenten, also ohne Kontrolle.

In der vierzehnten Sitzung des Exekutivkomitee für die Beratungen über eine neue Katastralaufnahme Frankreichs am 12. Februar 1895, welche unter dem Vorsitze des Professors der École des chines Durand-Claye stattfand, erstattete J. Gautier einen eingehenden Bericht über seine méthode photo-cadastrale, die subventionierten Versuche und die erzielten Resultate. Dieser Bericht findet sich in dem Werke: Procès-verbaux de la Commission extraparlementaire du Cadastre, instituée au Ministère des Finances, fascicule No. 6, Paris, Imprimerie nationale 1898.

In einem Vortrage, welchen J. Gautier am 12. Februar 1897 in Brüssel gehalten hat und dem Offiziere, Topographen, Funktionäre verschiedener Ministerien, Ingenieure, Geometer, Geographen usw. beigewohnt haben, erläuterte Gautier sein Verfahren, führte seine Instrumente vor und demonstrierte die erzielten Resultate. Leutnant Ch. Lemaire der belgischen Armee referierte in einem Artikel: „La méthode photo-cadastrale de M. J. Gautier" in dem Journale „Le mouvement géographique" No. 9 und 10, Brüssel 1897 über diesen interessanten Vortrag.

Auf der Weltausstellung in Paris 1900 hatte der Schreiber dieses Aufsatzes Gelegenheit, die Instrumente Gautiers und seine Arbeiten eingehend kennen zu lernen und wird nachfolgend über diese verdienstvollen Arbeiten des französischen Ingenieurs, der aus eigener Initiative und mit vielen Opfern von Zeit und Geld der Frage über die Verwendung der Photogrammetrie für Katasterzwecke näher trat, berichten.

I.
Instrumente und Geräte für die photogrammetrische Aufnahme.

Die Instrumente, welche Gautier für die von ihm angegebene und erprobte Photokatastral-Methode vorschlägt, umfassen:

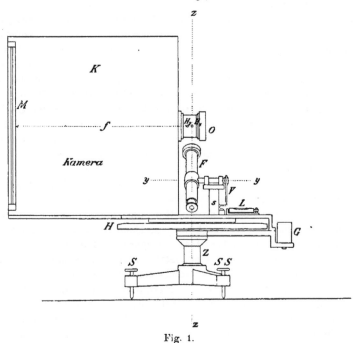

Fig. 1.

1. Den Phototheodolit,
2. die Signaltafeln,
3. die Tafeln für die Bezeichnung der Stationen und der Photogramme eines Panoramas, welche bei der Feldarbeit in Verwendung stehen, und
4. das Oktogon, das bei der Rekonstruktion des Planes benutzt wird.

1. Der Phototheodolit von Gautier (Fig. 1) gestattet, Horizontal- und Vertikalwinkel zu messen, er besteht somit aus einem geodätischen Teile; außerdem ermöglicht die zentrisch angebrachte Kamera, welche mit entsprechenden Beigaben ausgestattet ist, einzelne photographische Aufnahmen und Rundbilder, Panoramen zu bestimmen, die für photogrammetrische Zwecke adjustiert erscheinen.

Der Unterbau des Instrumentes wird von einem Dreifuße gebildet, der auf 3 Stellschrauben S ruht; die Zentralbüchse Z nimmt die Achse der Alhidade und jene des Horizontalkreises H auf, der zum Zwecke der Winkelrepetition verstellt werden kann. Klemmen und Feinschrauben sowohl für den Limbus als auch für die Alhidade sind an geeigneten Stellen angebracht.

Mit der beweglichen Alhidade ist eine Röhrenlibelle L mit Korrektionsschräubchen verbunden, die Alhidadenlibelle, die zur Vertikalstellung der vertikalen Umdrehungsachse (Stehachse) des Instrumentes zz verwendet wird.

Mit der Alhidade ist eine Säule s in fixer Verbindung, welche die horizontale Umdrehungsachse yy des Fernrohres F oder seine Kippachse aufnimmt. Entsprechende Einrichtungen und eine mit dem Fernrohre justierbar verbundene Libelle gestatten, dem Fernrohre die horizontale Lage zu geben, respektive dieselbe in jedem Augenblicke zu überprüfen.

Auf der Fernrohrachse ist ein Vertikalbogen V aufgeschoben, der mit der Visierlinie des Fernrohres und der Haupttangente an der Marke der erwähnten Fernrohrlibelle in einem bestimmten Zusammenhange steht. Besteht nämlich der Parallelismus zwischen Visierlinie und Haupttangente an der Marke der Fernrohrlibelle, so muß bei einspielender Libelle der Nonius des Vertikalbogens an diesem die Lesung Null geben.

Für photographische Aufnahmen ist eine prismatische Kamera K, aus Aluminiumblech angefertigt, mit der Alhidade derart in sichere Verbindung gebracht, daß

1. der erste Hauptpunkt des photographischen Objektives H_1 in die vertikale Umdrehungsachse zz zu liegen kommt und daß

2. die Schicht der lichtempfindlichen Platte, Bildebene, bei der Aufnahme eine vertikale Lage hat, was wohl immer dann eintreten wird, wenn die Bildebene zur Umdrehungsachse zz parallel ist und diese eine vertikale Lage im Raume hat.

Wir sehen, daß Gautier dem Objektive eine zentrische Lage gab, genau so, wie es Porro bei seinem Phototheodolite im Jahre 1855 gemacht hat[1]) und wie es in der Folge der italienische Ingenieur-Geograph P. Paganini[2]) im militärgeographischen Institute in Florenz und Hofrat Dr. A. Schell[3]), Professor an der k. k. technischen Hochschule in Wien, bei ihren photogrammetrischen Instrumenten durchgeführt haben, ohne daß die letztgenannten Forscher die Instrumente von Porro gekannt hätten.

Das Objektiv O ist in der vorderen Kammerwand nicht verschiebbar, sondern fix montiert; seine Brennweite beträgt eben $f = 300\ mm$; der Gesichtsfeldwinkel mißt, weil das Plattenformat quadratisch ist und $l = 30\ cm$ beträgt:

---

[1]) E. Doležal: „Über Porros Instrumente für photogrammetrische Zwecke" in „Photographische Korrespondenz", Wien 1902.

[2]) L. P. Paganini: Fotogrammetria, Milano 1901.

[3]) Dr. J. M. Eder: „Photogrammetrische Apparate und Phototheodolite" in dem großen Lehrbuche der Photographie I. Band, Halle a. d. S. 1892.

E. Doležal: Die Anwendung der Photographie in der praktischen Meßkunst, Halle a. d. Saale, 1896.

$$tg\frac{\alpha}{2} = \frac{\frac{2}{2}}{f} = \frac{15\;cm}{30\;cm} = \frac{1}{2}, \text{ also } \frac{\alpha}{2} \doteq 26^0 = 28\text{·}89^{\text{d}} \text{ oder } \alpha \;\cdot\; 58^{\text{d}}.$$

Eine Rundaufnahme erfordert acht Aufnahmen, wobei der nutzbare Gesichtsfeldwinkel 50^{d} hat, es betragen daher die übergreifenden Partien

$$2\cdot\frac{58^{\text{d}} - 50^{\text{d}}}{2} = 8^{\text{d}}.$$

Auf der dem Objektive gegenüberliegenden Seite der Kamera ist eine Mattscheibe angebracht, um die Einstellung des gewünschten Terrainteiles vornehmen zu können. Ein Metallrahmen mit Marken, Einschnitten für die Koordinatenachsen des Photogrammes, die Horizont- und Vertikallinie der Perspektive, ist an der Kamera angebracht. An diesen Rahmen wird die lichtempfindliche Schichte der Platte angedrückt.

Um die optische Achse des Objektives in den Schnittpunkt der Horizontal- und Vertikallinie des Markenrahmens, den Hauptpunkt des Photogrammes, in der Bildebene zu bringen, ist das Objektiv zur Verstellung mit Korrektionsschräubchen versehen. .

Nach Entfernung der Mattscheibe kann die Kasette mit der empfindlichen Platte eingelegt werden.

Um den schädigenden, einseitig wirkenden Druck, welchen die Kamera. insbesondere, wenn auch die lichtempfindliche Platte eingelegt ist, auf die vertikale Umdrehungsachse zz üben würde, zu paralysieren, ist in der Richtung der optischen Achse des Objektives, auf diametraler Seite von der Metallscheibe der Kamera bei G ein Gegengewicht angebracht, welches an allen Bewegungen der Alhidade mit der Kamera teilnimmt und so die erwünschte Ausgleichung bewirkt.

Durch geeignete Vorrichtungen ist es möglich, die optische Achse des Objektives, Kameraachse, normal zur Ebene des genannten Metallrahmens. beziehungsweise Bildebene (der Schicht der lichtempfindlichen Platte) in eine invariable Lage zu bringen und diese auch im Raume überprüfen zu können.

Die Kamera ist mit der Alhidade in fixer Verbindung und gestattet nur Aufnahmen bei vertikaler Lage der Bildebene.

Das früher beschriebene Fernrohr, welches zur Orientierung der photogrammetrischen Aufnahmen verwendet wird, erfährt eine solche Justierung. daß dessen Visierlinie normal zur Kameraachse steht.

Ein solid gearbeitetes Stativ gestattet, das Instrument mit seiner vertikalen Umdrehungsachse und dem ersten Hauptpunkte des Objektives genau über einem gegebenen Punkte des Terrains zu zentrieren; mittels eines Meßbandes wird der Vertikalabstand des Horizontes der Photographie über der Station ermittelt.

Vorstehend wurde im allgemeinen die Einrichtung des Gautierschen Phototheodolites gegeben, auf eine Prüfung und Untersuchung des Instrumentes soll weiter nicht eingegangen werden.

Der Phototheodolit, welchen Gautier auf der Weltausstellung in Paris 1900 in der Sektion: Geographie, Abteilung: Kataster, zur Besichtigung ausgestellt hatte, war bereits das verbesserte Instrument, mit welchem Gautier seine Probeaufnahmen durchgeführt hat; die mechanische Ausführung war eine gute, die zentrische Lage des Objektives hatte eine Placierung der Kamera zur Folge, die ein ungewohntes Aussehen bot.

2. **Signaltafeln.** Parzelleneckpunkte und andere Begrenzungspunkte von Kommunikationen, Wasserläufen usw. werden, besonders wenn die Kulturen einen höheren Stand haben, von den photogrammetrischen Stationen kaum photographisch eingesehen werden können; diese Punkte müssen aber mit einer für die Zwecke des Katasters nötigen Genauigkeit in Lage und Höhe festgelegt werden.

Soll diese Bestimmung in der erwünschten Schärfe erfolgen, so muß schon die Identifizierung der zusammengehörigen Bildpunkte auf den

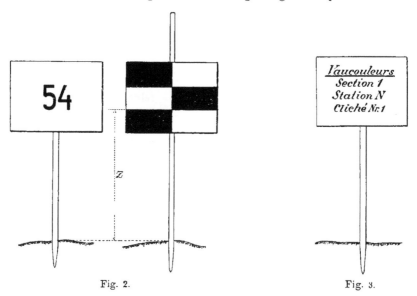

Fig. 2.   Fig. 3.

benutzten Photogrammen mit großer Sicherheit vorgenommen werden können. Dies ist wohl nicht anders möglich, als daß die festzulegenden Punkte entsprechend für die Photographie unterschiedlich kenntlich gemacht werden; dazu ist aber, wie es Gautier getan hat, eine Signalisierung notwendig, die selbst auf größere Entfernung sicher funktioniert. Gautier benutzte Tafeln (Fig. 2), die fortlaufend mit Nummern beschrieben waren, oder aber Tafeln, welche nach Art der beim Nivellieren verwendeten Zielscheiben mit farbigen, rechteckigen Feldern versehen waren (rot, schwarz, weiß).

Diese Signaltafeln werden an einem Stabe befestigt, und zwar derart, daß bei vorgeschriebener Befestigung des Stabes im Boden die jedesmalige Höhe der Signaltafel über dem Terrainpunkte, die Zielhöhe Z, einfach bestimmt und für den signalisierten Punkt vermerkt werden kann; wie aus der Figur ersichtlich ist, kann die Signaltafel höher und tiefer gestellt werden, um sich den Sichtbarkeitsverhältnissen in bezug auf die photogrammetrischen Stationen anzupassen.

3. **Tafeln für Stations- und Klischeebezeichnung.** Auf einer photogrammetrischen Station werden je nach Bedarf zwei oder mehrere Aufnahmen, vielleicht auch ein Panorama, aus acht Bildern bestehend, gemacht. Damit diese Photogramme, welche, in den verschiedenen Stationen ausgeführt, bei einer größeren Vermessung in einer größeren Anzahl erhalten werden, auf den ersten Blick erkannt und dem richtigen Standpunkte zugewiesen werden, hat Gautier in das Aufnahmefeld einer jeden photographischen Aufnahme eine auf einem Stabe befestigte Tafel aufstellen lassen, die mitphotographiert wird. Eine solche Tafel (Fig. 3) enthält:

Den Namen der Gegend: Vaucouleurs.

Die Bezeichnung der Sektion: Sektion 1.

Den Namen der Station: Station N.

Die Nummer des Klischee: Klischee Nr. 1.

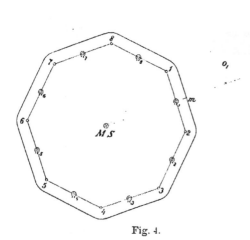

Fig. 4.

Diese Tafel wird im Terrain so aufgestellt, daß sie womöglich in die Mitte des Gesichtsfeldes des Photogrammes so zu liegen kommt, und daß die signalisierten Punkte nicht verdeckt werden; die Abbildung soll in einer solchen Größe erfolgen, daß die Angaben deutlich gelesen werden können.

4. **Das Oktogon** wird bei den Rekonstruktionsarbeiten verwendet; es ist eine aus Aluminiumblech angefertigte Scheibe. Auf dieser Scheibe hat man sich ein regelmäßiges Achteck (Oktogon) gezeichnet zu denken, das auf der Peripherie eines Kreises mit dem Radius $r = \dfrac{f}{cos\,\frac{\alpha}{2}}$,

worin $f = 300\,mm$, die Brennweite des Objektives der Kamera, und $\alpha = 50^d$ den achten Teil des Vollwinkels von 400^d bedeuten, so daß $r = 324.72\,mm$ beträgt.

Die Endpunkte des Achteckes 1, 2, 3, ... 8, nebst den Verbindungslinien der Halbierungspunkte der Achteckseiten: Ω_1, Ω_2, Ω_3, ... Ω_8 und des Mittelpunktes des Kreises M sind mit äußerst feinen Löchelchen markiert, so daß eine feine Pikiernadel hindurchgeführt werden kann. Außerdem sind an dem Rande der Scheibe Marken für die verlängert gedachten Bilddistanzen: $M\Omega_1$, $M\overline{\Omega}_2$, $M\overline{\Omega}_3$, ... $\overline{M\Omega}_8$ angegeben.

Die Verwendung des Oktogones liegt auf der Hand. Wird nämlich der Mittelpunkt M des Oktogones über einen Punkt S auf dem Plane gebracht, der einer Station entspricht, ist P ein triangulierter Punkt, der bei der Aufnahme auf dem Felde zur Orientierung verwendet wurde, so braucht man bloß die Marke in der Richtung $\overline{M\Omega_1}$ auf den Rayon $\overline{SP}$ zu bringen; dadurch gelangt das Oktogon in die gewünschte orientierte Lage. Werden nun mit einer feinen Pikiernadel die Eckpunkte des Achteckes nebst den Halbierungspunkten der Seiten pikiert, so erhält man nach Verbindung der Achteckpunkte die Trassen der acht aufgenommenen, im Raume vertikal stehenden Bildebenen und die Halbierungspunkte der Seiten entsprechen den Hauptpunkten Ω_1, Ω_2, Ω_3, ... Ω_8 der Perspektiven des Rundbildes.

Das Oktogon hat Gautier erprobt und es hat sich als vorzüglich praktisch verwendbar erwiesen.

II.
Ausführung der photogrammetrischen Aufnahme.

Eine vollständige Terrainaufnahme für Katasterzwecke umfaßt zweierlei voneinander getrennte Arbeiten:

1. Feldarbeiten und
2. Hausarbeiten.

1. **Feldarbeiten.** Zu den Feldarbeiten rechnet man:

a) Die Schaffung der Grundlagen für die photogrammetrische Aufnahme durch eine trigonometrische Triangulierung und durch ein genaues, kontrolliertes geometrisches Nivellement der triangulierten Punkte;

b) die Signalisierung und die Numerierung der Parzelleneckpunkte;

c) die Herstellung eines Croquis;

d) die Durchführung der eigentlichen photogrammetrischen Aufnahme und

e) die Entfernung der Signaltafeln und der Signale der Triangulierung.

Was die Triangulierung betrifft, welche das feste und unverrückbare Gerippe für die photogrammetrische Aufnahme abgeben muß, so erfolgt deren Durchführung nach den in der Geodäsie bekannten Prinzipien. Auch die Bestimmung der Höhenverhältnisse der triangulierten Punkte, welche nivellitisch vorgenommen wird, garantiert ein sicheres Fundament, auf welche sich die photogrammetrische Höhenermittlung sicher stützen kann.

Wird hierbei nicht versäumt, die Methoden der Ausgleichung zu verwerten, so gewinnt man in der vorerwähnten Art auf strengem, geodätischem Wege einwandfreie Grundlagen.

Nun schreitet man zur Bezeichnung aller für die Parzellenaufnahme des Katasters wichtigen Punkte, welche mittels der beschriebenen metallenen Signaltafeln vorgenommen wird; diese Tafeln sind mit Nummern versehen, so daß ein Irrtum bei der folgenden Hausarbeit ausgeschlossen erscheint. Auch werden auf geeigneten Stellen im Terrain die in Fig. 3 angegebenen größeren Tafeln placiert, um die einzelnen Aufnahmen eines Panoramas voneinander unterscheiden zu können.

Gleichzeitig mit der Vornahme der Signalisierung wird der Entwurf eines guten Croquis durchgeführt; dieses muß sehr genau und gewissenhaft hergestellt sein, weil es für die spätere Rekonstruktion von unschätzbarem Werte wird. Insbesondere ist es nötig, daß für die Höhenermittlung der Abstand von markierten Stellen der Signaltafel vom eigentlichen Bodenpunkte mit Sorgfalt verzeichnet wird.

Die Durchführung der eigentlichen photogrammetrischen Aufnahme mit dem Gautierschen Phototheodolite erfolgt mit den Vorsichten, welche sonst bei derartigen Arbeiten zu beobachten sind. Es ist unbedingt für eine sichere Orientierung Sorge zu tragen und hierauf die einzelnen Teilaufnahmen des Rundbildes nach richtiger Umdrehung der Kamera, und zwar um 50^d, weil acht Aufnahmen den Horizont abschließen sollen, vorzunehmen. Selbstredend müssen die einzelnen Aufnahmen in ihrer Plattenmitte die Tafel abgebildet tragen, welche zur Charakterisierung der Aufnahme im Terrain an geeigneter Stelle angebracht wurde.

Die Entfernung der Signale der Triangulierung, sowie der Signaltafeln der photogrammetrischen Teilaufnahmen der Rundbilder und der numerierten Parzellenpunkte bildet den Abschluß der Feldarbeiten.

2. Hausarbeiten. Diese erstrecken sich:

a) Auf die Berechnung der Triangulierung und des Nivellements nebst nötigen Ausgleichungen;

b) auf die Kartierung der triangulierten Punkte nebst Kotierung derselben;

c) auf die Entwicklung der Platten;

d) auf die Ausmessung der Platten und Verwertung der Plattenkoordinaten zur Lage- und Höhenbestimmung, also die sogenannte Rekonstruktion, und

e) auf die Herstellung der Gravur auf Zink, was durch die Übertragung der Planzeichnung vom Originale geschieht.

Die Berechnung der Triangulierung liefert die rechtwinkligen Koordinaten der triangulierten Punkte, jene des Nivellements gibt die Koten derselben. Bei der Aufnahme größerer Gebiete wird sich die Notwendigkeit einstellen, eventuell Ausgleichungen vorzunehmen, die sich auf die Lage- und Höhenbestimmung der triangulierten Punkte beziehen.

Liegen die Koordinaten und Koten der triangulierten Punkte, der Basis für die planliche und altimetrische Bestimmung der Detailaufnahme vor, so erfolgt die Kartierung in einem bestimmten Maßstabe.

Nach der Entwicklung der Platten, welche Arbeit in die Technik der Photographie fällt und von einem der Photographie Kundigen ausgeführt werden kann, geht man zur Auswertung derselben; diese geht in bekannter Weise vor sich und bietet jene Messungsgrößen, Platten- oder Bildkoordinaten, die für die Bestimmung der Situation und Höhe der signalisierten Terrainpunkte verwendet werden.

Die Kartierung der Situation wird auf einem, auf einer Zinkplatte aufgeklebtem Papiere vorgenommen, hierauf auf die Platte übertragen und eingraviert. Auf diese Weise wird eine Zinkplatte gewonnen, welche mit verhältnismäßig geringen Kosten hergestellt wird und den großen Vorteil hat. daß sie zu einer großen Zahl von Reproduktionen benutzt werden kann.

Dieses Gautiersche Verfahren der Reproduktion bildet einen wesentlichen Erfolg seiner Versuche und fand in Frankreich große Anerkennung.

III.
Versuche und Resultate von Gautier.

Die Probeaufnahmen von Gautier, welche er mit Subvention der „Commission extraparlementaire du Cadastre" vorgenommen hat, sind von großem Interesse; sie zeigen nach Vergleich mit bekannten geodätischen Verfahren, welche Genauigkeit bei der von Gautier angegebenen Methode der photographischen Vermessung erzielt werden kann, welche Zeit die Aufnahme erfordert und wie hoch sich die Kosten einer solchen Aufnahme stellen

Wir geben nachstehend in freier Übertragung aus dem Französischen den Bericht wieder, dessen wir bereits in der Einleitung dieses Aufsatzes Erwähnung getan haben und der über die Prüfung der von Gautier durchgeführten photogrammetrischen Arbeiten in Saint-Cyr-l'École, beziehungsweise Fontenay-le-Fleury nähere Angaben bringt.

Die Herren Lallemand und Sanguet haben jeder für sich und nach verschiedenen Methoden den in Saint-Cyr-l'École aufgenommenen Plan überprüft. Herr Lallemand hat überdies auch den in Fontenay-le-Fleury aufgenommenen Plan kontrolliert. Sie haben beide das Nichtvorhandensein jedes systematischen Fehlers festgestellt und nur zufällige Fehler gefunden, wie sie bei allen Vermessungsmethoden unvermeidlich sind.

Herr Lallemand hat auf den Zinkplatten selbst, zwischen im Terrain vollständig feststehenden Punkten für die Aufnahme in Saint-Cyr-l'École 41 Distanzen mit einer Gesamtlänge von 3040 m und für die Aufnahme in Fontenay-le-Fleury 51 Distanzen mit einer Gesamtlänge von 3615 m messen lassen. Jede dieser Distanzen wurde zweimal mit Hilfe der Lupe und von zwei verschiedenen Beobachtern gemessen. Die Resultate wurden nur dann genommen, wenn die Differenz zwischen den zwei Messungen über 0·1 mm, d. i. 0·1 m bei dem Maßstabe 1 : 1000 nicht hinausgingen.

Die 92 so erhaltenen Längen wurden hierauf im Terrain gemessen, und zwar jede zweimal und in verschiedener Richtung mit 5 m langen Holzlatten, wie sie im Großherzogtume Baden und in Elsaß-Lothringen vom Kataster verwendet werden.

Durch zahlreiche frühere Messungen hatte Lallemand feststellen können, daß der wahrscheinliche Fehler bei Messung einer Distanz von 100 m mit derartigen Maßstäben ungefähr 2 cm beträgt, was einem Maximalfehler von $0·006 \sqrt{\dfrac{L}{2}}\,m$ für das Mittel aus zwei Messungen einer Strecke von $L\,m$ entspricht.

Nachdem die größte in Saint-Cyr-l'École und Fontenay-le-Fleury überprüfte Strecke 200 m betrug, war der zu befürchtende Maximalfehler bei den 92 in beiden Orten gemessenen mittleren Distanzen 0·06 m.

Nun waren einerseits die Differenzen zwischen diesen mittleren Distanzen und den auf den Zinkplatten gemessenen korrespondierenden Längen abwechselnd positiv oder negativ, das ursprüngliche Verfahren und die Überprüfung waren somit wahrscheinlich beide frei von systematischen Fehlern.

Anderseits sind diese Differenzen alle kleiner als $0·35\ m$ und verteilen sich in fast vollkommener Weise nach dem bekannten Gesetze der zufälligen Fehler.

Wenn man diese Unterschiede nach der Methode der kleinsten Quadrate behandelt, so findet man für die wahrscheinliche Differenz $0·09\ m$, behandelt man abgesondert die Differenzen, welche sich auf Längen unter $40\ m$ beziehen, ist die wahrscheinliche Differenz noch immer unter $0·08\ m$, die fraglichen Differenzen sind also von der Distanz fast unabhängig.

Der wahrscheinliche Fehler der überprüften Messungen war, wie oben gesagt wurde, kleiner als $0·02\ m$ für die größten gemessenen Längen, der wahrscheinliche Fehleranteil, welcher den Operationen Gautiers zukommt, ist gleich:

$$\pm\ \sqrt{0·09^2 - 0·02^2} = \pm\ 0·088\ m.$$

Aber die festgestellten Differenzen rühren teilweise von dem Mangel der absoluten Identität der Punkte her, welche einerseits bei der ursprünglichen Aufnahme und anderseits bei der Überprüfung in Betracht gezogen wurden. Die Absteckstäbe des Herrn Gautier waren in der Tat an Grenzsteine von sehr unregelmäßiger Gestalt angelehnt, von denen man bei den Kontrollmessungen approximativ das Zentrum nahm. Der wahrscheinliche Fehler der auf den Plänen des Herrn Gautier erhobenen Längen ist also sicher kleiner als $0·088\ m$ und der wahrscheinliche zufällige Fehler in der Lage eines Punktes erreicht nicht

$$\frac{0·088}{\sqrt{2}} = m\ \text{oder}\ 0·06\ m.$$

Eine derartige Genauigkeit findet sich gegenwärtig nur in den Plänen des neuen Katasters von Elsaß-Lothringen, die als die besten bekannt sind, welche in Europa vorhanden sind.

Nachstehend folgen einige Daten aus dem Verifikationsprotokolle von Lallemand.

| Nr. | Seite, gemessen auf dem | | Differenz | Nr. | Seite, gemessen auf dem | | Differenz |
| | Plane | Terrain mit Latten | | | Plane | Terrain mit Latten | |
	m	m	m		m	m	m
1	195·67	196·04	— 0·37	9	100·48	100·60	— 0·12
2	84·30	84·21	+ 0·09	10	45·50	45·55	— 0·05
3	80·73	80·58	+ 0·15	11	25·73	25·58	+ 0·15
4	39·62	39·57	+ 0·05	12	19·87	20·00	— 0·13
5	53·62	53·56	+ 0·06	13	16·62	16·60	+ 0·02
6	92·80	92·59	+ 0·21	14	114·82	215·00	0·18
7	129·80	130·40	— 0·60	15	20·23	20·36	— 0·13
8	139·80	139·82	— 0·02	16	78·23	78·40	— 0·17

Die Messungsresultate bestätigen auf den ersten Blick die in den vorhergehenden Ausführungen von Lallemand gegebenen Angaben über die Genauigkeit.

Herr Sanguet hat seine Überprüfung in Saint-Cyr-l'École auf eine Zone von 18 *ha* ausgedehnt, welche schräg das einzige Blatt des von Herrn Gautier hergestellten Planes durchquerte, das ungefähr 70 *ha* umfaßt. Er hat die vollständige Aufnahme dieser Zone durch einen Tachymeterzug ausgeführt, indem er vier Punkte der photographischen Stationen einbezog. Die Berechnung des Polygonzuges hat für die Lage dieser vier Punkte Ziffern ergeben, welche bis auf nahezu 0·05 *m* mit denen der ursprünglichen Triangulierung übereinstimmten. Es ist jedoch zu bemerken, daß Herr Gautier seinen Plan nach einem fiktiven Meridian orientiert hat, der mit dem wahren Meridiane einen Winkel von 29·404^d in nordöstlicher Richtung einschließt.

Was die Detailpunkte anbelangt, so hat Herr Sanguet 125 mit dem Tachymeter erhoben, aber er konnte nur 26 Distanzen zwischen fixen, auf dem Terrain wiedergefundenen Punkten, welche durch Grenzsteine oder Pflöcke versichert waren, überprüfen; die Distanzen lagen zwischen 7·69 *m* und 160·04 *m*. Die mit dem Tachymeter erhobenen Punkte, welche nicht zur Überprüfung der auf dem Plane kotierten Distanzen verwertet werden konnten, haben dazu gedient, die Richtungen der Grenzen zu überprüfen.

Die berechneten Koordinaten dieser Punkte, mit den auf dem Plane erhobenen verglichen, haben in der Regel bis auf 1, 2, 3 *dm* gestimmt.

Da er nur ein Exemplar des Planes zu seiner Verfügung hatte, welches einen Schwund von 0·008 *m* in transversalem und von 0·016 *m* in longitudinalem Sinne erlitten hatte, war Herr Sanguet der Ansicht, daß eine ernstliche Überprüfung sich nur auf die zu gleicher Zeit mit dem Plane gedruckten Koten erstrecken könne, die sich auf Grenzsteine oder auf Pflöcke beziehen. Für die 26 überprüften Distanzen sind die Hälfte der Fehler kleiner als 0·2 *m*, die andere Hälfte größer, die Mehrzahl übersteigt nicht 0·35 *m*, es kommen jedoch zwei im Ausmaße von 3·26 und 6·5 *m* vor; Herr Sanguet erklärt aber bestimmt, daß es sich da um zufällige Fehler handle, die weder der Methode zugeschrieben werden können, noch bei der Übertragung in den Plan unterlaufen sind, sie rühren wahrscheinlich von der Verwechslung von Absteckstäben her, die zufällig zwischen der Absteckung und der photographischen Aufnahme vorgekommen sind, Operationen, zwischen denen manchmal mehrere Tage liegen.

Neben der Lagebestimmung der Punkte, für welche die Messung der Horizontaldistanzen diente, wurden auch die altimetrischen Verhältnisse der signalisierten und photogrammetrisch festgelegten Punkte einer Kontrolle unterzogen.

Herr Lallemand hat mit einem Nivellierinstrumente, dessen Libelle mit einem Krümmungsradius von 30 *m* versehen war, das von Herrn Gautier in Fontenay-le-Fleury ausgeführte photogrammetrische Nivellement überprüft.

Diese Überprüfung hat Differenzen von 0·1 bis 0·2 *m* für Punkte ergeben, deren mittlerer Abstand von dem photographischen Stationspunkte

250 m betrug. Eine Differenz von 0·36 m wurde in der Entfernung von 278 m vom Stationspunkte erhoben, aber Herr Lallemand weist darauf hin, daß das Niveau des Bodens bei der ursprünglichen Arbeit nicht ganz das gleiche gewesen sein dürfte, wie am Tage der Überprüfung, und zwar infolge der in der Zwischenzeit durchgeführten landwirtschaftlichen Arbeiten.

Anbei geben wir zum Vergleich der erzielten Vergleichsdaten eine von Lallemand herrührende Zusammenstellung.

Nr.	Höhenkote nivellit. m	Höhenkote photogrammetr. m	Differenz m	Nr.	Höhenkote nivellit. m	Höhenkote photogrammetr. m	Differenz m
1	111·196	111·21	− 0·01$_4$	10	109·626	109·65	− 0·02$_4$
2	110·123	110·01	+ 0·11$_3$	11	109·750	109·59	+ 0·16$_0$
3	110·043	109·91	+ 0·13$_1$	12	110·815	110·74	+ 0·07$_5$
4	110·146	110·14	+ 0·00$_6$	13	110·290	110·32	− 0·03$_0$
5	111·460	111·45	+ 0·01$_0$	14	110·826	110·71	+ 0·11$_6$
6	112·340	112·33	+ 0·01$_0$	15	112·330	112·32	+ 0·01$_0$
7	109·805	109·81	− 0·00$_5$	16	111·625	111·61	+ 0·01$_5$
8	109·790	109·80	− 0·01$_0$	17	112·550	112·47	+ 0·08$_0$
9	109·240	109·26	− 0·02$_0$	18	110·396	110·40	− 0·00$_4$

Herr Sanguet hat die Höhenbestimmung auf die Grenzsteine bezogen, die er mit dem Tachymeter aufgenommen hat.

Diese Größen konnten nicht verwendet werden, weil Herr Gautier den Fuß seiner Absteckstäbe nivelliert hatte, d. h. den Boden und nicht die Grenzsteine selbst. Das photographische Nivellement wird übrigens schon lange angewendet und ergibt befriedigende Resultate. Die Niveaudifferenz z zwischen einem photographierten Punkte und dem Objektive des Stationsinstrumentes wird auf verschiedene Weise erhalten, hauptsächlich durch nachstehende Formel:

$$z = \pm d \, \frac{y}{f},$$

wobei d die Entfernung der Horizontalprojektion des Punktes von einer geraden Linie bedeutet, welche durch den Stationspunkt parallel zur Bildtrasse geführt wird, y die Höhe dieses Punktes oberhalb oder unterhalb des Horizontes des Photogrammes, f die Fokaldistanz des Objektivs, d. i. der eingeschriebene Radius des Oktogones; der Wert von d wird am Plane und jener von y auf dem Photogramme erhalten.

Herr Kommandant Desforges bemerkt, daß die Verwendung der photographischen Methode in bewaldetem oder mit Gebäuden bedecktem Terrain unmöglich sein wird und daß in offenen Geländen der Geometer durch die übergroße Anzahl der Absteckstäbe behindert sein könnte. Er schließt, daß bloß in offenem und hügeligem Terrain die Anwendung dieser Methode von Vorteil sein könnte.

Herr Gautier erwidert, daß man zugleich mit der photographischen Methode eine andere Vermessungsart anwenden könnte und daß das Zusammenstimmen der beiden Aufnahmen keine ernstliche Schwierigkeit bereiten würde.

Der Herr Präsident stellt fest, daß die Überprüfungen der Herren Lallemand und Sanguet Differenzen von weniger als 0·05 m für die Triangulierung und von 0·3 und 0·4 m für die Detailpunkte aufweisen, daß sie in Summe fast übereinstimmende und übrigens befriedigende Resultate ergeben.

Über Anfrage des Herrn Boudenoot hinsichtlich der Zeitdauer und Kosten seiner Arbeiten erklärt Herr Gautier, daß er seinen letzten Versuch in Fontenay-le-Fleury unternommen habe, um über diese zwei Punkte genaue Aufklärungen zu erhalten.

Auf dem 36 ha großen Versuchsfelde wurden drei Stationen täglich bewältigt.

Die Kosten betrugen: Aufnahme und Zeichnen des Planes auf Papier Frcs. 199·50, d. i. pro 1 ha Frcs. 5·54; Aufnahme, Nivellierung und Eingravieren des Planes auf Zink Frcs. 241·30, d. i. pro 1 ha Frcs. 6·70.

Bei einem regelmäßig organisierten Dienste würde aber ein minder zahlreiches Personal genügen und könnte eine photographische Brigade aus einem Geometer, einem Gehilfen und drei Figuranten bestehen, wodurch sich die Kosten pro 1 ha im ersten Falle auf Frcs. 4·82, im zweiten Falle auf Frcs. 5·98 erniedrigen würden.

Herr Sanguet hat seine Überprüfung des Planes von Saint-Cyr-l'École durch eine Schätzung der mittleren Kosten pro 1 ha ergänzt, die sich bei Anwendung der photographischen Methode für Katastralarbeiten ergeben würden; für diese Schätzung hat er die tatsächlichen Arbeitsstunden zur Grundlage genommen, wie sie aus den Aufschreibungen der militärischen Kontrollbeamten über diese Arbeiten hervorgehen, wobei er übrigens annahm, daß bei der photographischen wie bei der tachymetrischen Brigade die beiden Geometer nicht dieselbe Bezahlung erhalten würden.

Nach der Zusammenstellung des Herrn Calvy haben sämtliche auf der Versuchsfläche durchgeführten Arbeiten, und zwar das Auspflocken, das Herausnehmen der Pflöcke (unter Pflöcken die Tafeln verstanden), die Anfertigung des Croquis, die photographische Aufnahme und das Nivellement 201 Stunden, 30 Minuten Geometerstunden und 478 Stunden 10 Minuten Figurantenstunden erfordert.

Auf Grund dessen wurden die Kosten wie folgt ermittelt:

		Frcs.
139·6	Geometerstunden zu Frcs. 1·50 . . . . . ·.	209·40
61·9	Hilfsgeometerstunden zu Frcs. 1·— . . .	61·90
478	Figurantenstunden zu Frcs. —·30 . . .	143·40
	in Summe . . .	414·70.

Die aufgenommene Fläche umfaßte ungefähr 155 ha, die durchschnittliche Ausgabe pro 1 ha beträgt Frcs. 2·65. Man muß überdies den Preis der lichtempfindlichen Platten in Rechnung ziehen, welche Frcs. 14'— bis 26'— pro Dutzend oder mindestens Frcs. 1·15 pro Stück kosten. Da man durchschnittlich pro 1 *ha* ein Bild braucht, so erhöhen sich die Kosten pro 1 *ha* um Frcs. 1·15 und es beträgt die mittlere durchschnittliche Ausgabe pro 1 *ha* für die Arbeiten im Freien Frcs. 3·80.

Die Bureauarbeiten wurden in Paris unter Aufsicht des Herrn Boyonval ausgeführt, aus dessen Aufzeichnungen hervorgeht, daß er für die Entwicklung der Platten, die Triangulierungsberechnungen, die Anfertigung der Kartierungsblätter, die Übertragung dieser Blätter und das Zeichnen des Planes auf Papier 345 Stunden 35 Minuten gebraucht hat. In dieser Ziffer sind 158 Stunden nicht einbegriffen, welche auf Nebenarbeiten entfielen, wie das Gravieren auf Zink, Schreibarbeiten, Höhenberechnung etc., Arbeiten, welche auch bei den anderen Vermessungmethoden vorkommen können, ohne daß irgend eine von ihnen sich das Monopol dafür zuschreiben kann.

Anderseits, wenn auch die Aufnahmsarbeiten sich auf 155 *ha* ungefähr erstreckt haben, betrug die übertragene Fläche nur 70 *ha*, es muß daher die für die Entwicklung der Platten und die Triangulationsberechnungen gewidmete Zeit (38 Stunden 30 Minuten) im Verhältnis von 155:70 reduziert werden, wodurch sich die Stundenzahl der Bureauarbeiten um 20 Stunden, d. i. auf 325 Stunden 35 Minuten oder rund 4 Stunden 40 Minuten pro 1 *ha* reduziert.

Da die Arbeitsstunde eines Geometers im Bureau mit Frcs. 1·— berechnet wird, beträgt die durchschnittliche Ausgabe pro 1 *ha* für die Berechnungen und das Übertragen des Planes auf Zeichenpapier Frcs. 4·65.

Hinsichtlich der Nebenarbeiten, welche 158 Stunden für ein Blatt eines 70 *ha* umfassenden Planes erforderten, würde die durchschnittliche Ausgabe pro 1 *ha* die Höhe von $\left(\dfrac{158}{70}\right)$ = Frcs. 2·25 betragen.

Somit würden die Kosten der ganzen Arbeit (Horizontal- und Höhenaufnahme und inklusive des Gravierens auf Zink) durchschnittlich sein:

		Frcs.
1.	Arbeiten im Freien	3·80
2.	Berechnungen und Übertragung des Planes . .	4·65
3.	Gravieren auf Zink und Nivellierung (Nivellement)	2·25
	in Summe . . .	10·70

Aber Herr Sanguet weist darauf hin, daß diese Ziffer sich auf eine außerordentlich einfache und regelmäßige Aufnahme bezieht. In den 7 Departements, wo Versuche stattfanden. wurden 20 (Mayenne et Meuse) bis 42 Punkte (Savoyen) und durchschnittlich drei Parzellen pro 1 *ha* aufgenommen, während der von Herrn Gautier in Saint-Cyr-l'École aufgenommene Plan pro 1 *ha* nur 5 Punkte und 1½ Parzellen umfaßt. Wenn auf diesem Versuchsfelde auch nur 20 Punkte pro 1 *ha* hätten aufgenommen werden müssen, hätten sich die Kosten für die Arbeiten im Freien auf Frcs. 6·60 pro 1 *ha* und für die Bureauarbeiten ohne das Gravieren auf Frcs. 13·50 pro 1 *ha* erhöht.

Herr Gautier erklärt, daß diese Schätzungen übertrieben seien. Er habe sich vorgenommen, eine neue Vermessungsmethode zu schaffen und nur nach langen und kostspieligen Versuchen sei es ihm gelungen, sie bis in die kleinsten Details auszugestalten, es sei also seine letzte Arbeit in Fontenay-le-Fleury und nicht die vorausgegangene in Saint-Cyr-l'École heranzuziehen, um den Wert seiner Methode hinsichtlich der Arbeitsdauer und des Kostenpunktes zu beurteilen.

Übrigens legt Herr Gautier dem Komitee eine tabellarische Zusammenstellung vor, welche die genaue Berechnung der Kosten hinsichtlich der 70 ha enthält, welche in Saint-Cyr-l'École aufgenommen wurden.

1. Aufnahme und Zeichnen des Planes auf Papier
$\begin{cases} \text{im Freien Frcs. } 183\text{·}— \\ \text{im Bureau } \text{„ } 293\text{·}75 \end{cases}$ Frcs. 476·75

oder pro 1 ha
$\begin{cases} \text{im Freien Frcs. } 2\text{·}62 \\ \text{im Bureau } \text{„ } 4\text{·}19 \end{cases}$ Frcs. 6·81

2. Aufnahme, Nivellierung und Gravieren auf Zink (Zinkographie)
$\begin{cases} \text{im Freien Frcs. } 198\text{·}75 \\ \text{im Bureau } \text{„ } 432\text{·}25 \end{cases}$ Frcs. 631.—

oder pro 1 ha
$\begin{cases} \text{im Freien Frcs. } 2\text{·}84 \\ \text{im Bureau } \text{„ } 6\text{·}17 \end{cases}$ Frcs. 9·01

für den Fall der Ausführung durch ein organisiertes Personal, welches nur einen Geometer, einen Hilfsgeometer und drei Figuranten umfassen würde, könnten die Kosten sich erniedrigen, und zwar

im ersten Falle auf
$\begin{cases} \text{im Freien Frcs. } 146\text{·}67 \\ \text{im Bureau } \text{„ } 202\text{·}95 \end{cases}$ Frcs. 349·62

oder pro 1 ha auf
$\begin{cases} \text{im Freien Frcs. } 2\text{·}09 \\ \text{im Bureau } \text{„ } 2\text{·}89 \end{cases}$ Frcs. 4·98

im zweiten Fall auf
$\begin{cases} \text{im Freien Frcs. } 157\text{·}87 \\ \text{im Bureau } \text{„ } 341\text{·}45 \end{cases}$ Frcs. 499·32

oder pro 1 ha auf
$\begin{cases} \text{im Freien Frcs. } 2\text{·}25 \\ \text{im Bureau } \text{„ } 4\text{·}88 \end{cases}$ Frcs. 7·13.

In den vorausgegangenen Berechnungen sind nicht einbegriffen:

1. die Triangulierungskosten
$\begin{cases} \text{im Freien Frcs. } 72\text{·}95 \\ \text{im Bureau } \text{„ } 11\text{·}25 \end{cases}$ Frcs. 84·20

oder pro 1 ha
$\begin{cases} \text{im Freien Frcs. } 2\text{·}25 \\ \text{im Bureau } \text{„ } 4\text{·}88 \end{cases}$ Frcs. 7·13.

2. Die Kosten einiger besonderer Operationen bei dem Versuche in Saint Cyr l'École, wie das Abstecken der Parzellengrenzen, die Bestimmung der Koordinaten und der Längen dieser Grenzen, das Ausmessen mehrerer Kontrollinien, die Einrichtung des Bureaus, Kosten, welche sich auf Frcs. 55·10 beliefen, d. i. pro 1 ha Frcs. 0·78.

Wenn man diese Spezialkosten wegläßt, bekommt man noch immer für Saint-Cyr-l'École eine größere Kostensumme pro 1 ha als für Fontenay-le-Fleury, aber Herr Gautier weist darauf hin, daß die Differenz fast ganz die Bureauarbeiten trifft und von den Studien und Versuchen herrührt, durch welche es ihm in Saint-Cyr-l'École gelang, zum ersten Male ein neues Verfahren für die Übertragung des Planes auf Zink zu verwenden. Über das für die Aufnahme benötigte Material befragt, erklärte Herr Gautier, daß der photographische Apparat Frcs. 2000 kosten dürfte und daß für die Aufnahme 600 Absteckstäbe erforderlich wären.

Der Präsident dankt im Namen des Komitees Herrn Gautier für seine interessante Mitteilung.

Nach Beratung gibt das Komitee folgendes Gutachten ab:

Hinsichtlich der Genauigkeit des Planes, hat die photographische Vermessungsmethode, wie sie von Herrn Gautier angewendet wurde, sehr gute Resultate ergeben und scheint hierin den besten gegenwärtigen Methoden der Katastralvermessung gleich zu kommen.

Diese Methode erfordert eine Triangulation mit engmaschigem Netze, welche sie übrigens selbst liefert und die Verwendung von sehr vielem Materiale auf dem Aufnahmsterrain. Die Aufnahme erfolgt ziemlich rasch, dagegen erfordert die Übertragung des Planes heikle und sehr sorgfältig durchzuführende Bureauarbeiten. Sie ist nur in offenem Gelände anwendbar und in leicht gewelltem Terrain empfiehlt sich ihre Anwendung am meisten.

Sie ist rein graphisch, aber sie bietet durch ihre zahlreichen Kontrollmittel höhere Garantien der Genauigkeit als alle anderen graphischen Methoden, denen sie auch darum vorzuziehen wäre, weil sie imstande ist, Höhenkoten zu ermitteln.

Nachdem diese Methode noch verbesserungsfähig ist, scheint es feststehen, daß sie hinsichtlich der Raschheit der Ausführung und des Kostenpunktes den anderen Aufnahmsmethoden gleichwertig ist. Die photographische Vermessungsmethode, welche bis jetzt im allgemeinen nur für topographische Arbeiten verwendet worden ist, scheint durch Herrn Gautier schon genügend vervollkommnet zu sein, um versuchsweise bei den Katastralarbeiten verwendet zu werden.

Kleinere Mitteilungen.

„Section Laussedat" in der „Société française de Photographie" in Paris. Wie bereits im I. Hefte des „Internationalen Archives für Photogrammetrie", S. 70, mitgeteilt wurde, wurde in der „Société française de Photographie" in Paris eine Sektion gegründet, welche sich die Pflege und die Förderung der photographischen Meßkunst zur Aufgabe gestellt hat; dieselbe führt nicht, wie im III. Hefte dieser Zeitschrift, S. 213, auf Grund unrichtiger Nachrichten angegeben wurde, den Namen „Section Métrophotographie", sondern zum Andenken an den Begründer der Photogrammetrie den Namen „Section Laussedat'.

Die Funktionäre sind die Herren, welche auf S. 213 angeführt worden sind.

Eine staatliche Luftschiffahrts-Ausstellung in Paris 1910. Die französische Regierungskommission für öffentliche Arbeiten hat in einer Resolution beschlossen die Regierung durch die Kammer einzuladen, im Jahre 1910 eine nationale und

internationale Ausstellung der gesamten Luftschiffahrt in Paris zu ver-
anstalten. In der Resolution wurde darauf hingewiesen, daß Frankreich, das auf
dem Gebiete der Eroberung der Luft die führende Rolle innehabe, auch dazu berufen sei, im nächsten Jahre die einzelnen Nationen zu einer Generalschau der
Errungenschaften der aeronautischen und aviatischen Technik nach Paris zu laden,
bei welcher Gelegenheit auch verschiedene dazu gehörige Sportzweige eine ausgedehnte Berücksichtigung finden würden.

Es steht außer allem Zweifel, daß die Ballonphotographie, welche in Frankreich eine hervorragende Pflegestätte gefunden hat, auf dieser Exposition würdig
vertreten sein wird, denn die Namen: Nadar, Triboulet, Desmaret, Tis-
sandier und Ducom, Cailletet, Renard, Fribourg u. a. sind auf diesem Gebiete allgemein bekannt.

Wir sind überzeugt, daß auch die Ballonphotogrammetrie zu Ehren kommen
wird; waren doch schon vor Jahrzehnten Nadar, Laussedat, Triboulet und in
den letzten Jahren Gautier, Cailletet, Fribourg u. a. bemüht, die nun leicht
erhältlichen Ballonphotographien in den Dienst der Terrainaufnahme zu stellen.

Sollten auch französische Militärkreise sich an der Ausstellung beteiligen und
ihre Arbeiten bringen, so müßten die Ausstellungsobjekte im hohen Maße anziehend
und lehrreich sein, denn es ist nicht unbekannt, daß in dieser Richtung die fran-
zösichen Luftschiffer-Abteilungen intensiv mit Studien beschäftigt sind.

Stereophotogrammetrie bei den Vorarbeiten der neuen Amurbahn.
Im Monate September des verflossenen Jahres (1908) gingen zwei Ingenieur-
abteilungen, welche mit je einer Garnitur stereophotogrammetrischer Instrumente
ausgerüstet und deren Leiter mit dem stereophotogrammetrischen Verfahren für
Ingenieurzwecke wohl vertraut waren, nach dem Amurgebiete in Asien, um an den
Vorarbeiten für die Trassierung einer neuen Linie der Amurbahn teilzunehmen.

Wie verlautet, haben die russischen Ingenieure in richtiger Erkenntnis, daß
kein Verfahren der photographischen Meßkunst universell anwendbar sein kann,
die Photogrammetrie, Tachymetrie und Stereophotogrammetrie in sinngemäße Verbindung gebracht, so daß mit großer Sicherheit angenommen werden kann, daß die
russischen Pioniere der photographischen Meßkunst im fernen Osten ihrer Heimat
ein Denkmal setzen werden.

Der Chef der Sektion Eisenbahnbau im russischen Kommunikations-Ministerium
Ingenieur Wurzel hat die Bedeutung der photographischen Aufnahme-Methoden
wohl erkannt und es ist nahezu mit Bestimmtheit zu erwarten, daß in diesem Frühjahre (1909) weitere zwei Photogrammetrie-Brigaden nach dem Amur dirigiert
werden, um die geodätischen Vorarbeiten schneller bewältigen zu können.

Die Photographische Meßkunst in Rußland erfreut sich einer besonderen
Pflege von Seite des Staatsrates Thiele, der Professoren Dr. Eichenwald und
Solowjeff vom kaiserlichen Institute für Wegbauingenieure, des Ingenieurs Obersten
Naidjenoff in St. Petersburg, sowie des Kapitäns Uljanin in Warschau.

Staatsrat R. Thiele hielt am 29. Januar in der kaiserlich russischen geographischen Gesellschaft zu St. Petersburg einen Vortrag: „Über die gegenwärtigen
Arbeiten der Stereophotogrammetrie mit besonderer Berücksichtigung der Küstenaufnahmen der Spitzbergen-Expedition im Sommer 1907", der eine illustre Gesellschaft vereinigte und geeignet war, die Wichtigkeit der Stereophotogrammetrie im
Kreise der maßgebenden Kreise der geographischen Forschung klarzulegen.

Es wäre im Interesse der photographischen Meßkunst innigst zu wünschen,
daß in allen Ländern sich Männer wie Thiele fänden, welche im Dienste der guten
Sache wirkten.

Auch Ingenieur Oberst Naidjenoff ist unermüdlich tätig, in beteiligten militärischen Branchen die Wichtigkeit der Photogrammetrie in Wort und Schrift klarzulegen. Oberst Naidjenoff wirkt als Lehrer für die photographische Meßkunst

an der Ingenieurakademie, Ingenieurschule und in der militärischen Luftschiffer-Abteilung in St. Petersburg.

Photo-Transformator des Obersten Naidjenoff. Die Bedeutung eines Bildtransformators, der auf photomechanischem Wege die Überführung gegebener photographischer Bilder in andere von gegebenen Verhältnissen bewirkt, ist frühzeitig erkannt worden. Es ist wohl leicht einzusehen, daß sich verschiedene Konstrukteure mit dieser Frage befaßt haben. Hauptmann Scheimpflug baute mehrere Typen seines seit Jahren bekannten Perspektographen, der Altmeister der Photogrammetrie Oberst Laussedat beschäftigte sich gleichfalls mit dieser Aufgabe, der Wiener Buchdruckereibesitzer Jaffé ließ einen neuen einfachen Apparat ausführen, der in der Architektur zum Redressieren von photographischen Aufnahmen verwendet wird, die auf eine geneigte Bildebene aufgenommen worden sind. Oberst Naidjenoff hat nun, wie uns mitgeteilt wird, einen Photo-Transformator angegeben, der das Interesse aller jener finden wird, die eine bequeme und sichere Überführung von photographischen Aufnahmen zum Zwecke von weiteren Rekonstruktionen bedürfen.

Hoffentlich sind wir in der Lage, im nächsten Bande des Archives über die Theorie, die Einrichtung und den Gebrauch des Instrument Naidjenoffs Näheres zu bringen.

Photogrammetrische Arbeiten des k. u. k. militärgeographischen Institutes in Wien im Jahre 1908. Die Feldarbeiten des Institutes beschränkten sich im verflossenen Jahre 1908 auf stereophotogrammetrische Versuchsaufnahmen bei Benatek in Böhmen, wo gleichzeitig eine tachymetrische Schichtenaufnahme stattfand; das Maßverhältnis ist 1 : 10.000.

Die Zimmerarbeiten waren sehr umfassend; 52 Standpunkte und 70 Kontrollpunkte (im Felde triangulierte) wurden der Lage und Höhe nach gerechnet und auf die Konstruktionsblätter aufgetragen. Stereophotogrammetrische Standpunkte, 21 an der Zahl, wurden im Komparator verarbeitet, die hierbei gewonnenen 2276 Detailpunkte gerechnet und aufgetragen. Hiervon sind 1300 zum Teile photographisch überprüft, auf die Mappeurbrettchen übertragen und die Felsenskizzierung durchgeführt.

Der Autostereograph des Oberleutnants v. Orel, den das mathematisch-mechanische Institut von Rud. & Aug. Rost in Wien ganz vorzüglich ausgeführt hat, stand bei sieben Standpunkten in intensiver Verwendung und funktionierte tadellos; hierdurch wurden für die Umgebung des Ortler in einfacher und bequemer Weise nivellierte Schichtenlinien gewonnen.

Von der „Königlich Preußischen Meßbildanstalt in Berlin". Regierungs- und Geheimer Baurat Prof. Dr. A. Meydenbauer, Vorsteher der Königl. Preuß. Meßbildanstalt in Berlin (W. 56, Schinkelplatz 6), dem es nach jahrelangem Mühen und unermüdlichem Eintreten für die gute Sache der Architektur-Photogrammetrie endlich im Jahre 1885 gelungen ist, maßgebende Kreise für das Meßbildverfahren zu interessieren, so daß er mit besonderer Förderung des damaligen Ministers für geistliche Unterrichts- und Medizinalangelegenheiten v. Gossler die Meßbildanstalt gründen konnte, beabsichtigt in den Ruhestand zu treten. Sein Nachfolger dürfte der ihn während seiner Beurlaubung vertretende Architekt und Regierungs-Baumeister v. Lüpke werden.

Wir werden nicht unterlassen, über die definitiv geänderte Leitung in der Anstalt seinerzeit zu berichten.

Prof. Dr. Adolf Sprung vom Königl. meteorologisch-magnetischen Observatorium in Potsdam, der verdienstvolle Vorsteher dieses Institutes, ist am 16. Januar 1909 nach langem schweren Leiden sanft entschlafen. Sprung hat um die Verwendung der Photogrammetrie in der Meteorologie, speziell zu Wolkenmessungen, bedeutende Verdienste, er zählte zum Mitarbeiter des „Internationalen

Archives für Photogrammetrie" und wir behalten uns vor, seine Verdienste um unseren Wissenszweig in einem Nekrologe im nächsten Bande zu würdigen.

Internationale Luftschiffahrts-Ausstellung Frankfurt am Main 1909. In der Ausstellungs- und Festhalle zu Frankfurt am Main wird in der Zeit vom 10. Juli bis 10. Oktober d. J. eine Internationale Luftschiffahrts-Ausstellung stattfinden. Die Leitung der Geschäfte erfolgt durch den Vorstand, der aus drei Präsidenten, dem Direktor, dem Syndikus, den Vorsitzenden der sieben Ausschüsse und dem technischen Beirate besteht.

Der Umfang der Ausstellung ist durch die Gruppen gekennzeichnet:

1. Ballons und Ballonfabrikation,
2. Motorballons,
3. Militär-Luftschiffahrt,
4. Signaldienst für Ballons,
5. Gasfabrikation und Kompression.
6. Wissenschaft der Luftschiffahrt,
7. Feinmechanische und physikalische Apparate,
8. Ausrüstungen,
9. Flugapparate und Drachen,
10. Motore und
11. Kunstgegenstände, welche sich auf die Luftschiffahrt beziehen.

Die sechste Gruppe, in welcher alles, was auf die Wissenschaft der Luftschiffahrt sich bezieht, zur Ausstellung gelangt, wird aufnehmen: Die Literatur, photographische Aufnahmen, Kartographie, Meteorologie, Astronomie, geschichtliche Entwicklung der Luft- und Flugschiffahrt, Drachenstationen und deren Einrichtungen. Es ist wohl mit großer Wahrscheinlichkeit anzunehmen, daß sich die deutschen Luftschiffahrtsvereine an dieser Exposition, welche sehr interessant zu werden verspricht, mit regem Interesse beteiligen werden; es steht wohl außer allem Zweifel, daß dann die Ballonphotographie und ihre nahe Verwandte, die Ballonphotogrammetrie, sich würdig präsentieren werden.

Die Brieftaube im Dienste der Photographie. Aus Cronberg im Taunus ging die überraschende Nachricht durch die Blätter, daß der dortige Hofapotheker Dr. Neubronner seit einiger Zeit Versuche mit Brieftauben gemacht habe, durch welche diese, mit entsprechend leichten photographischen Apparaten ausgerüstet, gelungene Aufnahmen des überflogenen Geländes mit den auf denselben befindlichen Terraingegenständen beschafften.

Die Betätigung der Taube als Photograph kommt, so paradox dies auch erscheinen mag, für strategische Zwecke in Betracht und es werden die eingeleiteten Versuche lehren, inwieweit man in dieser Richtung Brieftaubenphotographien verwerten kann.

Die Photographien, welche uns zur Ansicht zugekommen sind, zeichnen sich durch besondere Schärfe aus und es unterliegt wohl gar keinem Anstande, daß diese Photogramme auch für photogrammetrische Zwecke verwertet werden könnten.

Internationaler Kongreß für angewandte Photographie in der Wissenschaft und Technik in Dresden. Die enorme Ausbreitung der Photographie auf fast allen Gebieten der Wissenschaft, der Technik und des Verkehrs hat gleichzeitig eine weitgehende Spezialisierung im Gefolge gehabt. Es ist deshalb außerordentlich wünschenswert, rechtzeitig für eine genügende fruchtbare Wechselwirkung der verschiedenen Spezialgebiete zu sorgen.

Die im Jahre 1909 in Dresden stattfindende Internationale Photographische Ausstellung, die nahezu alle Wissensgebiete umfaßt, bietet eine willkommene Gelegenheit, den obigen Gedanken durch einen Internationalen Kongreß für angewandte Photographie in der Wissenschaft und Technik zu fördern.

Der Zweck des Kongresses wäre ein dreifacher:

1. Es könnten von namhaften Vertretern der an der Anwendung der Photographie interessierten Wissenschaften zusammenfassende Vorträge über das auf den einzelnen Gebieten Geleistete und Erstrebenswerte gehalten werden. Derartige streng wissenschaftlich und doch auch einem größeren Hörerkreise verständliche Vorträge mit Demonstrationen würden nicht bloß den Forschern auf den Nachbargebieten neue Anwendungsmöglichkeiten der Photographie erschließen, sie würden auch weite Kreise wissenschaftlich interessieren, Amateure zu nutzbringender Arbeit heranziehen und der photographischen Technik, sowie den betreffenden Wissenschaften wertvolle Arbeitsdirektiven geben.

2. Der gleiche Zweck würde nicht minder gefördert durch die Möglichkeit des persönlichen Gedankenaustausches der Kongreßmitglieder.

Als Themata für die zusammenfassenden Vorträge sind vorläufig folgende gedacht: Anwendung der Photographie in der Astronomie und Meteorologie, der Mineralogie und Geologie, der Botanik, der Zoologie, der Anthroprologie, der Anatomie, Physiologie und Histologie, der Pathologie und Hygiene, der Kriegstechnik, der Staatsverwaltung und der gerichtlichen Praxis, der Chemie und Physik, der Architektur, der Ingenieurwissenschaft und Technik, der Presse, der Museumskunde, Altertumskunde und Diplomatik, der Geodäsie, der Reproduktionstechnik, den bildenden Künsten etc. Ferner etwa über Grundlagen der Farbenlehre, binokulares Sehen und Stereoskopie, photographische Optik, Mikrophotographie, wissenschaftliche Grundlagen der künstlerischen Photographie.

3. Weiter wäre die Möglichkeit gegeben, einige Fragen von allgemeinem praktischem Interesse zu besprechen, ohne daß hierbei bindende Entschlüsse gefaßt werden sollen. Als solche Fragen wäre zu nennen: Format der Projektionsbilder, Blendenbezeichnungen, Bezeichnung der Plattenempfindlichkeit, allerhand aus der photographischen Nomenklatur usw. Hierher würde auch die Besprechung über die etwaige Gründung einer oder mehrerer Auskunftsstellen für Photographie gehören. Der Zweck derartiger Auskunftsstellen wäre, in erster Linie eine erleichterte Benutzung des auf photographischem Gebiete Geleisteten herbeizuführen. Dies könnte erreicht werden durch Sichtung und Katalogisierung aller Veröffentlichungen auf photographischem Gebiete, insbesondere auch von Patenten, Gutachten, Bücherbesprechungen usw. Gegen Entgelt könnten dann den Interessenten Zusammenstellungen, eventuell auch die Originalliteratur über die sie interessierende Frage geliefert werden. Die möglichst vollständige Katalogisierung irgendwie interessanter Aufnahmen, insbesondere von Projektionsbildern, Stereogrammen, Kinematogrammen etc., Vermittlung des Austausches, Nachweis gewünschter Adressen usw. wären weitere Aufgaben der Zentralstellen.

Um einen derartigen Kongreß, der, wie aus diesem Programm zu ersehen ist, sich an weiteste Kreise wendet, ins Leben zu rufen, ist auf Einladung des Organisationskomitees in Dresden ein vorbereitender Arbeitsausschuß zusammengetreten.

Für den Kongreß ist die Zeit vom 10. bis 14. Juli d. J. in Aussicht genommen. Der Mitgliedsbeitrag wurde auf M. 20.— festgesetzt.

Die gleichberechtigten Verkehrssprachen des Kongresses sollen Deutsch, Französisch und Englisch sein.

Der Verkehrsausschuß der Internationalen Photographischen Ausstellung stellt dem Kongresse seine Dienste (Wohnungsnachweis, Reiseerleichterungen etc.) zur Verfügung.

Literaturbericht.

Applications de la Photographie aux levés topographiques en haute montagne par Henri Vallot, Ingénieur des Arts et Manufactures, et Joseph Vallot, Directeur de l'Observatoire du Mont Blanc. Paris, Gauthier-Villars, imprimeur-libraire, éditeur de la bibliothèque photographique, Paris 1907.

Seit mehreren Jahren haben die Gebrüder Vallot, von welchen Joseph ein wissenschaftliches Observatorium auf dem Mont Blanc errichtet hat und erhält, Gelegenheit, die Photographie in den Dienst der Topographie zu stellen und ihren Nutzen zu würdigen, indem ein gar wichtiger Programmpunkt ihrer wissenschaftlichen Arbeiten der ist, vom Mont Blanc-Massive eine gute topographische Karte im Maße 1:20.000 zu schaffen. Von dem etwa 530 *km²* umfassenden Gebiete wurden 100 *km²* mit dem Meßtische aufgenommen, sie enthalten das bewohnte und kultivierte Land; der Rest, etwa ⁴/₅ der Gesamtfläche, umfaßt steiles, felsiges Terrain, mit ewigem Schnee bedeckte Gipfel und Gletscher, wo entschieden der Photogrammetrie das Übergewicht zufällt.

Seit dem Jahre 1893 wird die Photographie für topographische Zwecke von Vallot mit Erfolg verwendet und eine mehr als zehnjährige praktische Tätigkeit in diesem Fache veranlaßte die beiden Brüder, ihre Erfahrungen in der Phototopographie in einem Werke niederzulegen.

Im Vorworte des oben angeführten Werkes wird das Arbeitsfeld der Photographie, wenn sie in den Dienst der topographischen Aufnahme tritt, klar und deutlich präzisiert und die Bedeutung der Phototopographie in warmen Worten streng objektiv gewürdigt.

Die folgenden fünf Kapitel des Werkes bringen den Stoff zur erschöpfenden Behandlung.

Das erste Kapitel ist den photogrammetrischen Apparaten gewidmet und ihren charakteristischen Eigenschaften, die genau definiert werden. Nun wird das photogrammetrische Instrument in seiner Einrichtung geschildert und die Bedingungen angegeben, die es erfüllen muß, falls es zu Arbeiten im Hochgebirge Verwendung finden soll. Vallot bespricht das Plattenformat, die Länge der Brennweite des Objektives, die Verschiebbarkeit desselben und seine optischen Eigenschaften; er kommt zu dem Schlusse, daß für photographische Aufnahmen, die Messungszwecken dienen sollen, stets Glasnegative und nie Films verwendet werden dürfen.

Nun gelangt das Phototachymeter von Vallot zur Darstellung, welches im mathematisch-mechanischen Institute von Brosset in Paris konstruiert wurde und zum ersten Male in dem Werke:

J. et H. Vallot: Annales de l'Observatoire du Mont Blanc, tome II, 1902, in dem Kapitel: „Application de la Photographie aux levés de détail de la Carte du massif du Mont Blanc" zur Publikation gelangte.

Das Phototachymeter ist ein kombiniertes Instrument, das für sich als Theodolit, beziehungsweise Tachymeter und als photogrammetrisches Instrument, Phototheodolit, benutzt werden kann. Die Brennweite des Objektives beträgt 0·151 *m*, das Plattenformat ist 13 × 18 *cm*; Vallot verwendet ein Plattenmagazin für 36 Platten. Das benutzte Objektiv, ein Zeißscher Anastigmat, kann nach entsprechender Verbindung mit Linsen zu einem Teleobjektive kombiniert werden, welches bei Darstellung entfernter Details Verwendung findet; die Bildweite der Kamera ist konstant.

Vallot widmet auch gewöhnlichen photographischen Apparaten, die für photogrammetrische Zwecke adjustiert werden, eingehende Behandlung und hebt hervor, daß auch mit diesem Apparate gute Resultate erzielt werden können.

Auch photogrammetrische Instrumente, bei welchen die Bildfläche mit der Mantelfläche eines Zylinders identisch ist, wie bei dem Zylindrographen von Moëssard, kommen zur Besprechung.

Im zweiten Kapitel werden die Operationen im Terrain bei Festlegung der photogrammetrischen Standpunkte und Orientierung der Bildebene im Raume eingehend behandelt.

Wie die Festlegung einer größeren Zahl von Standpunkten für eine ausgedehntere photographische Aufnahme vorgenommen wird, hat Vallot mit Rücksicht auf die Verhältnisse beim Mont Blanc-Massiv in einem Werke niedergelegt: H. Vallot: Instructions pratiques pour l'exécution des triangulations complementaires en haute montagne, Paris 1904.

Die Bestimmung eines Neupunktes für die photogrammetrische Aufnahme in einem Netze von triangulierten Punkten, sowie die Orientierung der Aufnahme in einer photogrammetrischen Station wird sehr eingehend erörtert, wie es diese beiden wichtigen Operationen der photogrammetrischen Feldarbeit erfordern.

Die photographischen Operationen bei den Feldaufnahmen: Wahl der Plattensorte, Einlegen der Platten, Beurteilung der Exposition, Verwendung der Gelbscheibe usw., werden eingehend besprochen; hierbei wird auf die Werke verwiesen:

J. Vallot: La photographie des montagnes à l'usage des Alpinistes, Gauthier-Villars, Paris 1899.

J. Vallot: „Guide de l'Alpiniste photographe" in dem Werke Manuel d'Alpinisme, Laveur, Paris 1904.

Die Operationen im Laboratorium: Allgemeine Ratschläge, Wahl des Lichtes bei der Entwicklung, Manipulationen mit dem Klischee, der Entwickler und Vorsichten mit demselben, Ursachen der Mißerfolge und Vermeidung derselben, Verstärkung und Abschwächung, Herstellung des Positives und die hierbei notwendigen Vorsichtsmaßregeln, die Vergrößerungen, bilden den Gegenstand des III. Kapitels.

Das IV. Kapitel ist der Rekonstruktion (restitution) gewidmet, welche die Überführung der Perspektive in kotierte Pläne vermittelt.

Vallot beschäftigt sich vorerst mit den Elementen der photographischen Perspektive, stellt die geometrischen Eigenschaften der photographischen Instrumente auf, zeigt dann, welche geometrische Relationen zwischen den Elementen der Perspektive bestehen, indem er auf Grund der bekannten Bilddistanz des photogrammetrischen Instrumentes und mit Hilfe der gemessenen Bildkoordinaten von Bildpunkten (Perspektiven), Horizontal- und Vertikalwinkel rechnerisch und durch Konstruktion ableitet.

Das Studium der Instrumental-Konstanten, unter welchen insbesondere der Bilddistanz eine große Bedeutung zukommt, wird in verdienter Ausführlichkeit vorgenommen.

Die graphische Ausführung der Rekonstruktion wird in allen Details eingehend durchgesprochen:

a) Das Auftragen der triangulierten Punkte als Grundlagen der Aufnahme;

b) die Eintragung der photogrammetrischen Standpunkte;

c) der Entwurf des Gerippes mit den eingezeichneten orientierten Bildtrassen;

d) die Identifizierung der Punkte auf zwei und mehrere Photogramme;

e) Bestimmung der Situation von Raumpunkten, die Fehler in der Lagebestimmung und ihr Einfluß auf die Genauigkeit der Bestimmung;

f) Bestimmung der relativen, beziehungsweise absoluten Höhe von Raumpunkten, Formeln für die Höhenbestimmung, Fehlerquellen und ihr Einfluß auf die Genauigkeit der Höhenbestimmung.

Auch einige besondere Fälle der photographischen Rekonstruktion werden angeführt.

Das lineare Perspektometer, welches aus einem Netze besteht, das auf einem transparenten Materiale hergestellt ist, wird auf ein photographisches Bild eines ebenen Objektes, eines Sees, eines Wasserlaufes, der sich in einer weiten Ebene schlängelt, usw. gelegt und gestattet, Distanzbestimmungen und bequeme und rasche Angaben in der orthogonalen Projektion des photographierten ebenen Gegenstandes durchzuführen.

Vallot schildert auch das angulare Perspektometer, welches nicht lineare Größen wie das vorstehende, sondern Winkel zu bestimmen gestattet; es wird auf ein Pauspapier, eine Glas- oder Zelluloidplatte mit Zugrundelegung der Bilddistanz des benutzten photogrammetrischen Instrumentes ·mit großer Schärfe konstruiert, und zwar so, daß das gewonnene kotierte Liniennetz direkt Horizontal- und Vertikalwinkel abzulesen gestattet. .

Zum Schlusse wird die Verwendung gewöhnlicher photographischer Apparate, die eventuell für photogrammetrische Zwecke adaptiert wurden, besprochen und gezeigt, daß sie mit Vorteil Photogramme für Meßzwecke, liefern können. Auch Apparate mit zylindrischer Perspektive werden in ihrer Wirkung und ihrem Gebrauche geschildert.

Das Werk der Gebrüder Vallot über Photographie ist gewiß das beste, was die französische photogrammetrische Literatur auf diesem Gebiete aufzuweisen hat. Die Schreibart ist leicht und klar verständlich, die Figuren sind deutlich und die Ausstattung gereicht dem bekannten Verlage Gauthier-Villars zur Ehre.

Wir sind überzeugt, daß das schöne Buch in Frankreich die größte Verbreitung finden wird, es wird aber auch in anderen Ländern viele Freunde und Abnehmer finden. D.

Über Ballonphotogrammetrie hielt am 9. Januar d. J. Prof. E. Doležal

in der Wochenversammlung des „Österreichischen Ingenieur- und Architekten-Vereines" einen Vortrag, der in extenso wiedergegeben wird.

Ausgehend von der Entstehung des perspektivischen Bildes besprach der Vortragende zunächst die allgemeinen Grundprinzipien der Photogrammetrie und erläuterte an einer größeren Anzahl projizierter, geometrischer Figuren die Beziehungen zwischen dem photogrammetrisch aufgenommenen Objekte und den Photogrammen sowie den Vorgang bei der Aufnahme der Bilder und der Rekonstruktion des Objektes aus denselben. Nach dem Hinweise auf den Umstand, daß die Photogrammetrie die einzige Methode ist, welche eine Kontrolle für die Richtigkeit ihrer Durchführung in sich selbst enthält und nach der Vorführung des Universal-Phototheodolites von Hofrat Prof. Dr. Schell ging der Vortragende auf sein eigentliches Vortragsthema, die Ballonphotogrammetrie, ein.

Prof. Doležal gab zunächst einen kurzen Abriß der Geschichte der Ballonphotographie und besprach sodann die Rekonstruktion der Situation eines aus dem Ballon aufgenommenen Terrainteiles aus einem einzigen Photogramme mit bekannten perspektivischen Konstanten, welche dann möglich ist, wenn die aufgenommenen Terrainteile horizontal oder die Höhenunterschiede ihrer Detailpunkte nur sehr gering sind. Diese Rekonstruktion wird unter der angegebenen Voraussetzung namentlich in dem Falle sehr einfach, wenn die Platte im Momente der Exposition horizontal war, da in diesem Falle die Ebene des Objektes und die Bildebene zueinander parallel sind und man mithin durch die perspektivische Projektion ein Bild erhält, welches in allen seinen Teilen dem Objekt in jenem Verhältnis ähnlich ist, welches durch den Quotienten aus der Bilddistanz und der Ballonhöhe gegeben erscheint. Man kann daher das erhaltene Bild unmittelbar als einen Plan betrachten und aus den von dem Photogramme abgenommenen Längen die natürlichen Dimensionen des Objektes mit Hilfe des bekannten Verjüngungsverhältnisses ableiten. War die Platte während der Aufnahme gegen den Horizont geneigt und ist dieser Neigungswinkel bekannt, so kann man entweder auf einer Kopie der Aufnahme ein Quadratnetz mit beliebig gewählter Seitenlänge einzeichnen und nach den Gesetzen der Perspektive dasjenige Netz auf der horizontalen Erdoberfläche konstruieren, welches sich bei der perspektivischen Abbildung als das auf dem Bilde angenommene Quadratnetz darstellt, oder aber umgekehrt auf der Erdoberfläche ein Quadratnetz annehmen und durch Konstruktion das perspektivische Bild desselben auf der Aufnahme erhalten. Mit Hilfe eines solchen, in der Natur gedachten Netzes und seiner auf dem Photogramme konstruierten perspektivischen

Abbildung kann dann in einfacher Weise die Herstellung eines Planes durch einfache Übertragung vorgenommen werden. Der Vortragende erläuterte die vorstehend kurz angedeuteten, perspektivischen Beziehungen zwischen dem horizontalen Terrainteil und der Photographie bei horizontaler und geneigter Bildebene eingehend an einer Reihe von Projektionsbildern, unter denen sich auch instruktive Tabellen über die Größe des Gesichtsfeldes bei verschiedenen Ballonhöhen befanden und ging dann auf die praktische Verwendung dieser Methode über. Er erwähnte, daß dieselbe für militärische Zwecke mit Vorteil im nordamerikanischen Freiheitskriege angewendet wurde und gedachte der nach diesem Prinzipe durchgeführten topographischen Aufnahmen des russischen Staatsrates Thiele, von denen er die Aufnahme einer 195 *km* langen Strecke des Pripjat, eines Nebenflusses des Dnjepr, an der Hand von Lichtbildern, die sowohl einzelne Feldaufnahmen, als auch eine aus den Aufnahmen erhaltene Karte zeigten, eingehend erläuterte. Doležal führte bei dieser Gelegenheit auch Bilder des von Thiele konstruierten Auto-Panoramographen vor, eines Aufnahmeapparates, bei welchem zur Vergrößerung des Gesichtsfeldes einer Aufnahme sieben photographische Kameras so miteinander verbunden sind, daß ihre Gesichtsfelder unmittelbar aneinander anschließen. Während Thiele die auf den schiefen Bildebenen erhaltenen Photogramme nach den vorstehend angegebenen Grundsätzen zur Konstruktion des Planes verwertete, verfährt der österreichische Hauptmann a. D. Th. Scheimpflug derart, daß er die schiefen Bilder mittels des von ihm konstruierten Photoperspektographen auf optisch-mechanischem Wege auf eine horizontale Bildebene transformiert. Hauptmann Scheimpflug erreicht auf diese Weise aus den mit seinem Panoramenapparat erhaltenen Aufnahmen ganz vorzügliche Resultate. Die diesbezüglichen Aufnahmen, Konstruktionsblätter und Pläne waren an den Wänden des Saales in großer Zahl ausgestellt und wurden überdies — ebenso wie der Photoperspektograph und der Scheimpflugsche Panoramenapparat — in einer Reihe von Projektionsbildern vorgeführt.

Ist die Voraussetzung für die Verwendbarkeit der vorstehenden Methode nicht erfüllt, d. h. kann der aufgenommene Terrainteil nicht in seiner ganzen Ausdehnung als horizontal vorausgesetzt werden, so müssen zur Rekonstruktion zwei an verschiedenen Ballonorten erhaltene Photographien, welche denselben Terrainteil bildlich darstellen, verwendet werden. Dabei können die Platten während der Aufnahme eine horizontale oder eine geneigte Lage einnehmen, nur muß in letzterem Falle ihr Neigungswinkel gegen den Horizont des Ballonortes bekannt sein. Wenn die Lage der Platten und die perspektivischen Konstanten der Bilder gegeben sind, so kann jeder auf beiden Photogrammen abgebildete Terrainpunkt sowohl bezüglich seiner Situation als auch hinsichtlich seiner Höhenlage rekonstruiert werden, wobei für die Richtigkeit der Rekonstruktion die schon eingangs erwähnte Kontrolle vorhanden ist. Da bei der Bestimmung der Situation und der Höhenlage der Detailpunkte die Verbindungsgerade der beiden Ballonorte als Basis dient, muß vor der Rekonstruktion die Festlegung der beiden Ballonorte vorgenommen werden. Befinden sich in dem aufgenommenen Terrainteile mindestens drei triangulierte, also bezüglich ihrer gegenseitigen Lageverhältnisse gegebene, charakteristische und auf den beiden Bildern auffindbare Punkte, so kann man aus den auf den Photogrammen meßbaren Dimensionen, der bekannten Bilddistanz und dem während der Aufnahme gemessenen Neigungswinkel der Platte die Winkel ableiten, welche die Verbindungsgerade der horizontalen Projektionen der Fixpunkte mit der Projektion des Ballonortes einschließen und aus diesen Winkeln nach der Methode des Rückwärtseinschneidens die Projektionen der Ballonorte festlegen. Die Höhen der Ballonorte, welche in Verbindung mit ihrer horizontalen Projektion zur eindeutigen Festlegung der Standlinie notwendig sind, können während der Aufnahme am einfachsten mittels selbstregistrierender Aneroide gemessen werden. Prof. Doležal erläuterte die instrumentellen Einrichtungen zur Höhenbestimmung der Ballonorte und zur Ermittlung des Neigungswinkels der Platten im Momente der Aufnahme und zeigte an einer großen Reihe von Lichtbildern, in welch vorzüglicher Weise Ballonphotographien zu topographischen und militärischen Aufnahmen geeignet sind. Er wies hierbei auf verschiedene Vorteile, Vereinfachungen und Kontrollen hin, welche in speziellen Fällen zur Verwendung gelangen können. Die vorgeführten Ballonaufnahmen, welche von den kaiserlichen Hoheiten, den Herren Erzherzogen Leopold Salvator, Heinrich und Josef Ferdinand sowie den Herren Hauptmann Hinterstoißer aus Wien und Hauptmann Lohmüller aus Straßburg gelegentlich verschiedener Freifahrten ausgeführt wurden, zeigten, daß die Technik und die Praxis der Ballonphotographie schon eine solche Vollkommenheit erreicht hat, daß sie bei der Verwendung für topographische und kartographische Zwecke denselben Genauigkeitsgrad gewährleistet, der durch die auf festen Standpunkten ausgeführten photogrammetrischen Aufnahmen erhalten wird.

Außer dieser Methode der Photogrammetrie, bei welcher die beiden Ballonorte eine beliebige Lage und die beiden Platten eine beliebige Neigung haben können, kann jedoch auch die stereophotogrammetrische Methode mit Vorteil zur Anwendung gelangen, welche dadurch gekennzeichnet ist, daß die beiden Platten im Momente der Aufnahme in eine und dieselbe Ebene fallen. Die praktische Durchführung dieser Methode kann entweder nach dem von Herrn Hofrat Prof. Dr. A. Schell vorgeschlagenen Verfahren der Verwendung zweier Fesselballons oder aber — wie der Vortragende vorschlägt — aus einem mit zwei Gondeln ausgestatteten Luftschiffe erfolgen. Nach der ersten Methode, welche durch eine Reihe von Projektionsbildern veranschaulicht wird, werden zwei mit photogrammetrischen Aufnahmeapparaten ausgestattete Fesselballons in eine solche, vorher bestimmte Höhe aufgelassen, daß die Objektive beider Kameras in einem und demselben Horizonte liegen, worauf die beiden Apparate automatisch in dem Moment exponiert werden, in welchem die Platten eine genaue horizontale Lage einnehmen. Der zweite Vorschlag läßt sich beim Zeppelinschen Luftschiff anwenden, welches durch die bedeutende Entfernung seiner Gondeln für stereophotogrammetrische Ballonaufnahmen in besonderem Maße geeignet erscheint. Werden nämlich in den beiden Gondeln zwei Phototheodolite aufgestellt und dieselben gegeneinander so orientiert, daß ihre Platten in eine Ebene fallen, so kann man durch die gleichzeitige Exposition beider Platten die gewünschten Aufnahmen erhalten und man ist dabei vollkommen unabhängig von einer bestimmten Lage der Platten, da dieselben, wenn die Aufnahmeapparate richtig orientiert sind, bei jeder Stellung und jeder Lage des Luftschiffes in eine Ebene fallen, mithin die Grundbedingung der Stereophotogrammetrie erfüllen. Mehrere Lichtbilder von Aufnahmen des Barons von Bassus und des Geheimrates Hergesell gelegentlich der Probefahrten mit dem Zeppelinschen Luftschiff ließen erkennen, daß solche Aufnahmen für die angedeuteten Zwecke gut verwertbar wären.

Bisher wurde vorausgesetzt, daß die Hebung der photographischen Kamera durch Luftballons geschieht. Der russische Hauptmann H. Uljanin benutzte zu diesem Zwecke Drachen und erreicht auch auf diesem Wege zufriedenstellende Resultate. Da der Apparat hierbei durch einen unbemannten Drachen oder einen ebensolchen Drachenzug gehoben wird, muß die Auslösung des Verschlusses automatisch in jenem Moment erfolgen, in welchem der Apparat eine bestimmte Höhe erreicht hat; ebenso ist es notwendig, daß der Winkel der Platte gegen den Horizont automatisch registriert wird. Uljanin konstruierte nun eine Reihe sehr sinnreicher Apparate für die Lösung dieser Aufgaben, die der Vortragende nebst einer Reihe von Aufnahmen, die auf diese Weise erhalten wurden, in Lichtbildern vorführte.

Einen weiteren Vorschlag für die Hebung der photographischen Kamera machte der sächsische Ingenieur Maul. Derselbe verbindet den Apparat mit einer Rakete und bringt ihn teils mittels des direkten Antriebes des Zündsatzes der Rakete, teils mittels der Trägheit des bewegten Körpers in eine Höhe von ungefähr 400 bis 500 m, so daß er sich außerhalb des Rauches der Rakete befindet. In dem Moment, in welchem das den Apparat enthaltende zylindrische Gehäuse seine vertikale Geschwindigkeit nahezu verloren hat, löst sich der Momentverschluß automatisch aus, der mit einem Fallschirm gekuppelte, photographische Apparat trennt sich von dem übrigen Geschoßkörper und gelangt infolge der Wirkung des Fallschirmes unbeschädigt auf die Erdoberfläche zurück. Der Vortragende zeigte an einer Reihe von Projektionsbildern die einzelnen Phasen der Funktion dieses Raketenapparates und brachte die Reproduktionen zweier mit demselben bewirkter Aufnahmen, die durch ihre Schärfe und Reinheit die Verwendbarkeit der Methode dokumentieren.

Als neuestes Hilfsmittel zur Erlangung von Photographien aus der Höhe wird die Brieftaube verwendet. In der Apotheke von Cronberg bei Frankfurt am Main stand durch eine Reihe von Jahren eine Brieftaube in Verwendung. Der Eigentümer der Apotheke, Dr. Neubronner, kam nun auf den Gedanken, diese Taube zur Herstellung photographischer Aufnahmen zu verwenden. Zu diesem Zwecke wurde dieselbe mit einem kleinen, sehr leichten photographischen Apparate ausgerüstet, welcher zwei aneinanderschließende Aufnahmen ermöglicht und dessen Verschlüsse automatisch in bestimmten Zeitintervallen geöffnet werden, wobei die Schnelligkeit des Verschlusses mit der Geschwindigkeit des Taubenfluges in Einklang gebracht werden kann. Dadurch können photographische Aufnahmen des ganzen von der Taube durchflogenen Terrainteiles erhalten werden, die, wenn auch nicht für direkte topographische Aufnahmen, so doch für Rekognoszierungen mit Vorteil zu verwenden sind. Besondere Dienste dürfte die photographierende Brieftaube dem Militär leisten. Die preußische Armee hat sich auch der Sache angenommen und es werden gegenwärtig von ihr ausgedehnte und systematisch angelegte Probeaufnahmen durchgeführt. Der Vortragende zeigte die Reprodruktionen einiger nach dieser Methode erhaltenen Aufnahmen, welche durch ihre verhältnismäßig große Schärfe überraschten.

Außer reinen topographischen und militärischen Aufnahmen brachte Prof. Doležal im Verlaufe seines Vortrages auch eine große Anzahl von prächtigen Wolkenaufnahmen aus dem Ballon und wies bei dieser Gelegenheit auf die eminenten Vorteile hin, welche die Ballonphotogrammetrie dem Meteorologen bietet.

Der durch mehr als 100 treffliche Lichtbilder veranschaulichte, sehr instruktive Vortrag wurde von der zahlreichen Versammlung mit lebhaftestem Interesse verfolgt. Dokulil.

Bibliographie.

1. Selbständige Werke.

Jordan Weil. Dr. W.: Handbuch der Vermessungskunde. II. Band. Feld- und Landmessung. Mit zahlreichen Abbildungen. 7., erweiterte Auflage. bearbeitet von Dr. O. Eggert, Professor an der technischen Hochschule zu Danzig. Stuttgart, J. B. Metzlersche Buchhandlung 1908. Kapitel VI. Photogrammetrie. Seite 818—841.
Thiele R.: Phototopographie nach ihrem gegenwärtigen Stande. II. Band. Stereophotogrammetrie. K. L. Rücker. St. Petersburg 1908.

2. Journalliteratur.

Meydenbauer Dr. A., Regierungs- und geheimer Baurat: „Die Bildmeßkunst (Photogrammetrie) in ihrer Bedeutung für technische Hochschulen" in „Hochschul-Nachrichten" 1908.
Neubronner Dr.: „Die Brieftaube als Photograph" in „Die Umschau" Nr. 41. XII. Jahrgang 1908.
Pulfrich Dr. C.: „Über die Ausmessung stereophotogrammetrischer Küstenaufnahmen vom Schiff aus" in „Zeitschrift für Instrumentenkunde" 1908.

Zeppelins Fernfahrten, Graf: Schilderungen in Wort und Bild von geheimen Regierungsrat Prof. Dr. Hergesell, Baron C. von Bassus und Dr. Hugo Eckener, Stuttgart 1908.

Vereinsangelegenheiten.

Die erste Monatsversammlung am 26. November 1908.

Der letzte Vortrag der Saison 1907/08 fand am 8. April 1908 statt; nach sechsmonatlicher Pause versammelte sich eine große Zahl von Mitgliedern und Gästen in demselben Saale der k. k. Technischen Hochschule, der auch heuer der „Österreichischen Gesellschaft für Photogrammetrie" zu ihren Versammlungen zur Verfügung steht.

Nach einigen freundlichen Worten der Begrüßung schritt der Obmann der Gesellschaft Prof. E. Doleźal an die Erledigung der Tagesordnung der ersten Monatsversammlung in der Vortragsperiode 1908/09. Neben einer Anzahl von neu eintretenden Mitgliedern wurden neue Erscheinungen der photogrammetrischen Literatur besprochen und in Kürze der photogrammetrischen Arbeiten gedacht, welche mehrere Vereinsmitglieder in der verflossenen Sommerkampagne des Jahres 1908 ausgeführt haben.

Hierauf wurde Universitätsdozent Prof. Dr. N. Herz eingeladen, den angekündigten Vortrag: „Die Photogrammetrie im Dienste der Astronomie" zu halten. Der Vortragende gab einen erschöpfenden Überblick über die Entwicklung der Himmelsphotographie. Neben den ersten Versuchen von Draper, Bond kamen die Aufnahmen von Warren de la Rue, Rutherford, ferner jene der Gebrüder Henry u. a. zur Sprache, wobei selbstredend auch über das große Werk „Die photographische Karte des Himmels" eingehend berichtet wurde. Nach diesen Ausführungen wandte sich Prof. Herz den Instrumenten zu, welche der photographischen Aufnahme von Gestirnen dienen; er wies auf die ganz besondere Bedeutung eines guten photographischen Objektives hin. Apparate für Meteoraufnahmen, sowie jene zur geographischen Ortsbestimmung wurden besprochen, die Bemühungen von Marcuse, Runge, Schlichter, Koppe u. a. in dieser Richtung gewürdigt und kritisch beleuchtet. Für die Photographie im Meridiane hat Prof. Herz ein Instrument angegeben „Photographisches Meridianinstrument", welches sicherlich die Aufmerksamkeit der Astronomen im hohen Maße erregen wird.

Einen sehr instruktiven Teil des schönen Vortrages bildete die Besprechung der Einrichtung und des Gebrauches der verschiedenen Ausmeß-Apparate, welche die Plattenkoordinaten entweder linear oder im Winkelmaße liefern. Prof. Herz führte den Ausmesser von Warren de la Rue, von Repsold, von Gautier, von Töpfer, den interessanten Ausmesser von Kapteyn und die Ausmesser der Greenwicher Sternwarte, die von Troughton und Simms gebaut worden sind, in gelungenen Lichtbildern vor. Auch der Raumbildausmesser (Stereokomparator) Pulfrichs wurde besprochen und seine Bedeutung für die Platten-Ausmessung gewürdigt.

Prof. Herz erörterte nun die Distorsion der Objektive, Deformation der Schichte, fehlerhafte Orientierung der Platten beim Photographieren und beim Messen, sowie Fehler im Skalenwerte (der Brennweite) und in der Schraube, Fehlerquellen, deren Kenntnis von größter Wichtigkeit ist.

Im letzten Teile des interessanten Vortrages besprach der Vortragende die Resultate der Mondphotographie, wandte sich zur Schilderung der Photographie der Planeten, ging zur Verwendung der Photographie als Hilfsmittel zur Entdeckung und Identifizierung von kleinen Planeten, der Kometen, über, sprach über die Aufnahmen von Fixsternen, über die Parallaxenbestimmungen, über die Aufnahme von planetarischen Nebeln, über die Spektren der Fixsterne und schloß mit der Bemerkung, daß wir von der messenden Photographie, der Photogrammetrie, noch weitgehende Aufschlüsse in verschiedener Richtung mit Recht erwarten dürfen.

Die zweite Monatsversammlung am 9. Januar 1909.

Der Vorsitzende begrüßt die reich besuchte Versammlung, verliest die Namen der neu eingetretenen Mitglieder und geht zur Besprechung der neuen Publikationen über; diese werden hierauf zur Einsichtnahme in Zirkulation gesetzt.

Nach Erledigung dieser zwei ersten Punkte der Tagesordnung ladet der Obmann das Vereinsmitglied Hauptmann a. D. S. Truck ein, den angekündeten Vortrag: „Die Praxis stereophotogrammetrischer Feldarbeiten für Ingenieurzwecke" zu halten.

Hauptmann Truck besprach vorerst die Instrumente, welche er bei seinen stereophotogrammetrischen Arbeiten verwendete; es ist dies die Pulfrichsche Instrumenten-Garnitur für Stereoaufnahmen, welche das Carl Zeiss-Werk in Jena hergestellt hat, mit einigen Modifikationen, die der Vortragende auf Grund seiner Erfahrungen ausführen ließ. Nun wandte er sich den geodätischen Arbeiten zu, welche die Grundlagen für die stereophotogrammetrischen Aufnahmen schaffen sollen; er erörterte die Wahl, Bezeichnung und Festlegung der stereophotogrammetrischen Standpunkte und führte das von ihm angegebene Ikonometer vor, welches das math.-mech. Institut Rud. und Aug. Rost ausgeführt und das ihm vorzügliche Dienste bei Auswahl der Stationen geleistet hat. Die eingehende Besprechung der Operationen bei den Stereoaufnahmen selbst bot reges Interesse, weil der Vortragende aus seiner eigenen Praxis schöpfte, und er bereits mehrere Jahre sich mit dem Studium der Stereoaufnahmen für Ingenieurzwecke befaßt. Im verflossenen Jahre 1908 insbesondere hat Hauptmann Truck größere Eisenbahnvorarbeiten in Kärnten ausgeführt, bei welchen er auf den großen Wert der Kombination der Stereophotogrammetrie und Tachymetrie geführt wurde. Es zeigt sich, daß durch sinngemäße Kombination der beiden Verfahren die Feldarbeiten, sowie die im Zimmer folgenden Rekonstruktions- und Kartierungsarbeiten eine ganz besondere Förderung erfahren. Besondere Vorteile ergeben sich, wenn die Stereoaufnahmen auch signalisierte Standpunkte auf den Photogrammen enthalten, weil hierdurch die Festlegung der Stationen stereophotogrammetrisch möglich wird, wodurch auch eine Überprüfung der Plattenorientierung durchführbar ist.

Der Vortragende hat einen Teil seiner Arbeiten in einem schönen Schichtenplane ausgestellt und durch beigegebene Photographien illustriert; diese Ausstellung erregte allgemeines Interesse.

Eine größere Zahl von Projektionsbildern, welche die benutzten Instrumente und herrliche Bilder von den kärntnerischen Aufnahmen des Hauptmann Truck darstellten, bildete den Schluß des lehrreichen Vortrages, der beifällig aufgenommen wurde.

Bibliothek der Gesellschaft.

Das Carl Zeiss-Werk in Jena hat durch ihren Vertreter in Wien G. Otto eine größere Zahl von Druckschriften der Gesellschafts-Bibliothek gespendet, welche anbei zum Teile angeführt erscheinen; der restliche Teil der schönen Spende wird im nächsten Bande ausgewiesen.

Die Vereinsleitung sagt vielen Dank für die gespendeten Bücher und Sonderabdrücke, durch welche die Bibliothek eine namhafte Bereicherung erfahren hat.

Auerbach F.: „Das Zeiss-Werk und die Carl Zeiss-Stiftung in Jena." Dritte, vermehrte Auflage. Jena 1907.
Gedenkreden und Ansprachen, gehalten bei der Trauerfeier für Ernst Abbe am 17. Januar 1905 im großen Saale des Volkshauses. Jena 1905.
Ostwald's Klassiker der exakten Wissenschaften Nr. 168.: Abhandlungen zur Geschichte des Stereoskopes von Wheatstone, Brewster, Riddell, Helmholz. Wenham, D'Almeida und Harmer. Verlag Wilhelm Engelmann in Leipzig 1908.
Pierstorff J. Dr.: „Ernst Abbe als Sozialpolitiker", aus „Allgemeine Bauzeitung". München 1905.
Prospekt Meß. 83. VIII. 03. „Stereo-Komparatoren nach Pulfrich". 1903.
Prospekt Meß. 127. VII. 05. „Apparat zur Messung der Kimmtiefe nach Pulfrich". 1905.
Prospekt Meß. 136. III. 06. „Ausrüstung des Stereo-Komparators mit dem monokularen Vergleichs-Mikroskop (Blink-Mikroskop)". Nachtrag zu dem im Jahre 1903 ausgegebenen Prospekt über Stereo-Komparatoren. 1906. (Französisch und englisch.)
Prospekt Meß 140. IV. 06. „Neuer, leicht transportabler Stereo-Komparator. Modell D für topographische Vermessungsarbeiten". 1906.
Prospekt Meß. 145. VI. 06. 191. 08. „Phototheodolite nach Pulfrich". I. „Feld-Phototheodolit". (Französisch und englisch.)
Prospekt Meß. 146. VI. 06. „Stereometer nach Pulfrich" (D. R. G. M.), ein neuer Apparat für die unmittelbare stereoskopische Betrachtung und Ausmessung von Stereoskopaufnahmen näher Gegenstände, eingerichtet für Platten bis zu 9×18 cm.
Prospekt Meß 158. XI. 06. „Neue Meßlatte für den Feld-Phototheodoliten" 1906.
Prospekt Meß 190. 08. „Feld-Phototheodolite". 1908.
Pulfrich C.: „Über eine Prüfungstafel für stereoskopisches Sehen". in „Zeitschrift für Instrumentenkunde", XXI. Band, Berlin 1901.
Pulfrich C.: „Über neuere Anwendungen der Stereoskopie und über einen hierfür bestimmten Stereo-Komparator", ebenda XXII. Band. Berlin 1902.
Pulfrich C.: „Über die Konstruktion von Höhenkurven und Plänen auf Grund stereophotogrammetrischer Messungen mit Hilfe des Stereo-Komparators", ebenda XXIII. Band, Berlin 1903.

Pulfrich C.: „Neue stereoskopische Methoden und Apparate für die Zwecke der Astronomie, Topographie und Metronomie", Berlin 1903. 1. Lieferung.

Pulfrich C.: „Über einen praktischen Versuch zur praktischen Erprobung der Stereo-Photogrammetrie für die Zwecke der Topographie", ebenda XXIII. Band, Berlin 1903.

Pulfrich C.: „Über die Anwendung des Stereo-Komparators für die Zwecke der topographischen Punktbestimmung", ebenda XXIV. Band, Berlin 1904.

Pulfrich C.: „Über die stereoskopische Betrachtung eines Gegenstandes und seines Spiegelbildes", ebenda XXV. Band, Berlin 1905.

Pulfrich C.: „Über ein neues Verfahren der Körpermessung" in „Archiv für Optik", I. Band 1907.

Pulfrich C.: „Über die bis jetzt mit dem Stereo-Komparator auf astronomischem Gebiete erhaltenen Versuchsergebnisse", Vortrag, gehalten auf der Astronomen-Versammlung in Göttingen 1902. Sonderabdruck aus V. J. S. der Astronomischen Gesellschaft. Jahrgang 37, Heft 3.

Pulfrich C.: „Über die Nutzbarmachung des Stereo-Komparators für den monokularen Gebrauch und über ein hierfür bestimmtes monokulares Vergleichs-Mikroskop" aus „Zeitschrift für Instrumentenkunde" 1904.

Pulfrich C.: „Neue stereoskopische Versuche, in sonderheit Demonstration der durch die Erweiterung des Objektivabstandes hervorgerufenen spezifischen Wirkung der Zeissschen Doppelfernrohre" in „Zeitschrift für Instrumentenkunde" 1905.

Pulfrich C.: „Über ein Verfahren zur direkten Ermittlung der Horizontalprojektion der Ziellinie nach einem nicht notwendig zugänglichen Punkte" in „Zeitschrift für Instrumentenkunde" 1907.

Pulfrich C.: „Über einige Neueinrichtungen für Längen- und Kreisteilungen mit Mikroskop-Ablesung" in „Zeitschrift für Instrumentenkunde" 1907.

Pulfrich C.: „Über einen Apparat zur Messung der Kimmtiefe" in „Zeitschrift für Instrumentenkunde" 1904.

Pulfrich C.: Vortrag, gehalten auf der 76. Naturforscher-Versammlung zu Breslau 1904 über
1. Apparat zur Messung der Kimmtiefe.
2. Phototheodolit.
3. Stereophotogrammetrische Küstenvermessung.
4. Vergleichung photographischer Sternaufnahmen.

Rohr M. v. Dr.: „Die optischen Instrumente" aus „Natur und Geisteswelt". B. G. Teubner, 1906.

Rohr M. v. Dr.: „Die binokularen Instrumente". Nach Quellen bearbeitet. Berlin, J. Springer, 1907.

Rohr M. v. Dr.: „Die Theorie des Doppelveranten, eines Instruments zur korrekten Betrachtung von Stereogrammen und Paaren identischer Bilder" aus „Zeitschrift für wissenschaftliche Photographie" Leipzig 1904.

Sonderabdruck aus „Physikalische, Zeitschrift" 1904.

Sonderabdruck aus „Zeitschrift für Instrumentenkunde" 1908, „Über Stand-Phototheodolite und deren Gebrauch an Bord eines Schiffes".

Sonderabdruck aus „Zeitschrift für Instrumentenkunde" 1908, „Über die Ausmessung stereophotogrammetrischer Küstenaufnahmen vom Schiff aus".

Statut der von Ernst Abbe errichteten Carl Zeiss-Stiftung zu Jena. Jena 1906.

Schluß der Redaktion am 1. Februar 1909.

Lightning Source UK Ltd.
Milton Keynes UK
UKHW010218040119
334911UK00011B/896/P